Porucznicy

W przygotowaniu kolejny tom cyklu

Kapitanowie

W.E.B. Griffin

Porucznicy

Przekład
Tadeusz Rachwał

DOM WYDAWNICZY REBIS

Poznań 2007

Tytuł oryginału
The Lieutenants

Copyright © 1982 by W.E.B Griffin
All rights reserved including the right of reproduction
in whole or in part in any form.
This edition published by arrangement with **G. P. Putnam's Sons**,
a member of Penguin Group (USA) Inc.

Copyright © for the Polish edition by REBIS Publishing House Ltd.,
Poznań 2007

Redaktor
Elżbieta Bandel

Konsultacja militarna
Jarosław Kotarski

Opracowanie graficzne serii, projekt okładki i ilustracja
Zbigniew Mielnik

Wydanie II (poprawione)
Wydanie I ukazało się w 1994 roku
nakładem Wydawnictwa „ARAMIS"

ISBN 978-83-7301-974-4

Dom Wydawniczy REBIS Sp. z o.o.
ul. Żmigrodzka 41/49, 60-171 Poznań
tel. 061-867-47-08, 061-867-81-40; fax 061-867-37-74
e-mail: rebis@rebis.com.pl
www.rebis.com.pl

Skład ZAPIS
Gdańsk, tel. 058-347-64-44

Dla wujka Charleya i Byka,
zmarłych w październiku 1979 roku
I dla Donna.
Kto kiedyś uwierzyłby w c z t e r y gwiazdki?

I

14 lutego 1943, dążąc do oskrzydlenia brytyjskiej Pierwszej Ar-
mii generała porucznika Kennetha A. N. Andersona oraz zdobycia
bazy założonej przez aliantów w miejscowości Tebessa, silne nie-
mieckie jednostki pancerne ruszyły z przełęczy w środkowej Tunezji
na front broniony przez amerykański II Korpus pod dowództwem
generała majora Lloyda R. Fredendalla. Niemcy przerwali pozycje
aliantów i zmusili oddziały amerykańskie do wycofania się przez
przełęcz Kasserine aż do położonej za nią doliny.

Historia wojskowości amerykańskiej 1607–1953,
Departament Sił Lądowych, lipiec 1956

1

Okolice Sidi-Bu-Zajd, Tunezja
17 lutego 1943

Pustynnym traktem powoli sunęły dwa mocno zakurzone amerykańskie czołgi. Zewsząd otaczała je pofalowana pustynia, nie
były to jednak wydmy, ale sucha, piaszczysta ziemia pokryta łatwo
kruszącymi się kamieniami wielkości pięści i rachityczną roślin-
nością. Zagłębienia terenu wystarczały w sam raz do ukrycia
czołgu, a grzbiety wzniesień nie zapewniały dostatecznej widocz-
ności, żeby go dostrzec. Widać było mniej więcej na milę, ale czołg
z powodzeniem dawał się ukryć w dolinie odległej zaledwie o sto
jardów. W otwartej wieży pierwszego czołgu *M4A2 Sherman* jechał
wychylony do pasa młody, wysoki i kościsty major Robert Bellmon,
absolwent Akademii Wojskowej w West Point, rocznik 1939.

Major miał na sobie koszulę khaki, zapinaną na zamek błyska-
wiczny kurtkę czołgisty z kołnierzem i mankietami z dzianiny,

wełniane spodnie koloru oliwkowego oraz buty zupełnie nieprzypominające zwykłego obuwia czołgisty. Sięgały one prawie dziesięć cali ponad kostkę i wyglądały na połączenie butów wyjściowych i oficerek z normalnymi butami wojskowymi. Głowę Bellmona chronił hełm czołgowy starego typu, łudząco podobny do stosowanych w futbolu amerykańskim kasków, do którego donitowano słuchawki; w podramiennej kaburze miał pistolet *Colt 1911 A1*, a na szyi wisiała odziedziczona po ojcu lornetka firmy Zeiss.

Choć przed trzema minutami zatrzymał czołg i uważnie przeszukał wzrokiem teren, a rozkaz ruszenia z miejsca dał kierowcy, sierżantowi Pete'owi Fortinowi, zaledwie trzydzieści sekund temu, nie dostrzegł należącego do Deutches niemieckiego czołgu Afrika Korps *PzKpfw IV*, dopóki nie zdradził go błysk wystrzału z działa kal. 75 mm. Pół sekundy później wolframowy pocisk wrył się w kadłub jego czołgu.

Sherman zadrżał. Rozległ się przerażający huk, tuż po nim przeraźliwy zgrzyt rozdzieranego metalu, a wszystko to trwało nie dłużej niż sekundę. Wóz skręcił w prawo i zastygł w bezruchu. Po trafieniu nie przejechał już więcej niż osiem stóp.

Uderzenie pocisku rzuciło Bellmona na kant włazu dowódcy, odbiło żebra, odebrało oddech i o mało co nie wyrzuciło z wieży. Z głębi czołgu dotarł do niego jakby zdziwiony jęk, major nie rozpoznał jednak, czyj to był głos. Gdy spojrzał w dół, kadłub zaczynał już wypełniać gęsty, czarny dym. Nie myśląc nawet o tym, co robi, poddając się czysto zwierzęcemu instynktowi, Bellmon dźwignął się z włazu i wtedy ogarnęła go fala bólu.

Minęło akurat tyle czasu, że zdążył skląć się za opuszczenie wozu, jako że spoczywał na nim przecież obowiązek zejścia do wnętrza i udzielenia pomocy reszcie załogi, gdy przez otwarty właz strzelił w górę krótki, ale niezwykle ostry płomień. Major doskonale wiedział, co to oznacza. Odłamki pocisku i pancerza rozpruły mosiężne łuski nabojów kal. 75 mm i rozsypały proch, który zapalił się od wysokiej temperatury. Nie stanowi to poważniejszego zagrożenia, jeżeli płonie on swobodnie, a nie w ograniczonej przestrzeni, jako że w takich warunkach nigdy nie wybucha. W czołgu znajdowała się jednak nieuszkodzona amunicja i opary paliwa. Na eksplozję nie musiał długo czekać – nastąpiła kilka sekund później.

Bellmon poczuł, że leci. Wylądował plecami na kamienistym gruncie, wykonał jeszcze przewrót w tył i do reszty stracił oddech. Gdy się w końcu zatrzymał, był przytomny, ale niezdolny do najmniejszego ruchu.

Jak przez mgłę dotarł do niego drugi wystrzał z działa jakiegoś czołgu: ostry huk, a tuż po nim ciężkie, dudniące łupnięcie. Pomimo bólu w piersiach major starał się odzyskać panowanie nad własnym ciałem. Zmusił się do zaczerpnięcia głębokiego oddechu, a potem kolejnych.

Udało mu się w końcu zebrać tyle sił, żeby przetoczyć się na drugi bok i dojrzeć, co stało się z drugim *Shermanem*, z którym wyruszył, aby „zlokalizować i wesprzeć 705. Batalion Artylerii Polowej". Czołg stał nieruchomo, na wieży nie było nikogo, a wokół jej podstawy oraz w okolicach zbiorników paliwa unosił się gęsty, oleisty dym. Nikt się z czołgu nie wydostał.

Bellmon usłyszał odgłos czołgowego silnika, opadł więc łagodnie na twarz i postanowił udawać martwego, choć dawało to niewielką szansę na przeżycie. Załoga niemieckiego czołgu i tak prawdopodobnie poczęstuje go serią z karabinu maszynowego. Jeńcy przecież tylko zawadzają w szybkich działaniach pancernych.

Major zamknął oczy i starał się oddychać jak najwolniej. Jedyna nadzieja spoczywała w zasugerowaniu im, że zginął, gdy czołg eksplodował. Gdyby chciał się poddać, tylko ułatwiłby im sprawę.

PzKpfw IV zatrzymał się tuż obok Bellmona. Był to standardowy niemiecki czołg średni, skuteczna maszyna do zabijania, przy której konstruowaniu wykorzystano wszystkie doświadczenia, jakie niemieckie wojska pancerne zdobyły we Francji, Rosji oraz tu, w Afryce. Prywatnie major skłonny był nawet przyznać, że był to czołg lepszy od *Shermana*.

Bellmon wyczuł, że obserwuje go niemiecki dowódca. W chwilę później usłyszał chrzęszczące po piaszczystej ziemi kroki.

– *Was ist er?*

– *Ein Offizier, Herr Leutnant. Mit einen gelben Blatt.*

– *Ein Major?* – zapytał pierwszy głos. – Nie żyje?

– Nie – pragmatycznie stwierdził drugi z Niemców, pochylając się nad majorem. – Oddycha. Udaje martwego.

O Boże! Tak słabo udaję?

Kilka kolejnych par butów zachrzęściło po spękanej ziemi.

– Proszę nie zmuszać mnie do zabijania pana, panie majorze – odezwał się pierwszy głos.

Jakaś ręka chwyciła go za ramię i przewróciła na plecy. Bellmon otworzył oczy i ujrzał wylot lufy automatycznego *Colta .45*. Trzymał go młody, przystojny blondyn, porucznik Afrika Korps, ubrany w standardowe piaskowe spodnie od munduru pustynnego oraz czarną bluzę czołgisty. Uśmiechnął się do majora, po czym sięgnął wolną ręką do jego kabury po spoczywającego tam *Colta .45*.

– Może pan usiąść, panie majorze – powiedział porucznik z wyraźnie brytyjskim akcentem. – Jest pan ranny?

Bellmon usiadł. Niemiec podał jego czterdziestkę piątkę żołnierzowi, który stał obok. Jeszcze jeden przystojny blondynek, pomyślał major.

– Mógłby mi pan jeszcze podać kaburę? – zapytał porucznik. Bellmon ściągnął ją przez głowę i podał Niemcowi.

Ten przytrzymał między kolanami *Schmeissera* kal. 9 mm, wziął kaburę i założył ją.

– Sprawdź, czy nie jest naładowany – ostrzegł porucznik.

Żołnierz wyjął magazynek z *Colta*, stwierdził, że jest pełny, opróżnił go, włożył z powrotem i wsunął broń do kabury.

– *Colt* to wyśmienity pistolet, panie majorze – zagadnął porucznik.

Bellmon nie odpowiedział.

– Pomóż panu majorowi wstać – rozkazał dowódca niemieckiego czołgu.

– Sprawdzi pan, co z moimi ludźmi? – odezwał się major Bellmon, wstając z bólem, ale o własnych siłach.

Porucznik wyglądał raczej na zasmuconego, gdy ponurym gestem ręki wskazywał na amerykańskie czołgi. Oba stały w płomieniach, a w powietrzu unosił się swąd spalonych ciał. Siłą woli Bellmon powstrzymał atak nudności; poprzysiągł sobie, że nie okaże słabości przed wrogiem.

Drugi z Niemców wziął go pod ramię i zaprowadził do *PzKpfw IV*.

– Proszę wsiadać, panie majorze – polecił mu porucznik.

Bellmon wspiął się po kole i gąsienicy na kadłub. Z boku wieży otwarty był dwuczęściowy właz, z którego wyjrzała zlana potem twarz starszego mężczyzny. Chyba sierżant, zawyrokował Bellmon, jako że było w tej twarzy coś, co mówiło mu, że nie był to oficer. Major pochylił głowę i zaczął gramolić się do wnętrza.

– *Nein* – warknęła do niego twarz – *füss vorwärts*.

Bellmon wysunął głowę na zewnątrz, odwrócił się i wszedł do wnętrza nogami do przodu.

Wewnątrz kadłuba, ciaśniejszego niż w *Schermanie*, kazano mu usiąść na podłodze. Ktoś z załogi (chyba kierowca, pomyślał major) zbliżył się do niego z kawałkiem kabla telefonicznego, omotał mu nim kostki i nadgarstki, po czym skrępował je razem i zniknął w głębi czołgu.

Chwilę później zgrzytnęły biegi, wóz wykonał zwrot o 180° i ruszył z powrotem w kierunku, z którego nadjechał.

Przeżyłem – powiedział Bellmon w myślach sam do siebie. – Jestem potłuczony, szumi mi trochę w głowie, ale tak naprawdę nie jestem nawet ranny. Teraz mogę już chyba być spokojny, że jeszcze kiedyś powalczę.

Niespodziewanie major zdał sobie sprawę, że oczy wypełniły mu się łzami, które zaczęły już spływać po policzkach. Szok? Może opłakiwał sierżanta Pete'a Fortina i resztę załogi lub też dotarło w końcu do niego, że czeka go niewola, czyli najgorsze, co los może zgotować oficerowi. Wszystkie te wyjaśnienia nie miały jednak żadnego znaczenia. Bellmon wtulił głowę w kolana, nie chciał bowiem, aby któryś z Niemców widział, jak płacze.

2

Stanowisko dowodzenia 393. Wzmocnionego Batalionu Niszczycieli Czołgów
Youks-Les-Bains, Algieria
24 lutego 1943

Stanowisko dowodzenia umieszczono na zboczu kamienistego wzgórza, tyłem do linii frontu i pozycji niemieckiej artylerii.

Na grzbiecie góry okopano cztery transportery półgąsienicowe; dwa uzbrojone w armaty przeciwpancerne kal. 75 mm i dwa w poczwórnie sprzężone karabiny maszynowe kal. 50, zamontowane na obrotowych stanowiskach. U podnóża wzniesienia, po jego bezpiecznej stronie, rozmieszczono dwa dalsze wozy przeciwlotnicze ze sprzężonymi *Browningami*. Wraz z półkolem zasieków i obłożonymi workami z piaskiem stanowiskami karabinów maszynowych strzegły one ziemianek stanowiska dowodzenia, które wykopano w zboczu wzgórza, a wejście przykryto drewnianymi rusztowaniami z workami z piaskiem.

Pędząc o wiele szybciej niż dozwolone 25 mil na godzinę, podjechały do niego od strony tyłów dwa jeepy uzbrojone w chłodzone powietrzem karabiny maszynowe *Browning* kalibru pół cala na obrotowych wspornikach. W obu jechało po trzech mężczyzn.

Pierwszy z jeepów wyróżniał się dość nietypowym wyposażeniem. Siedzenia obłożone były miękką skórą, a nie obciągnięte zwykłym płótnem, do ramy przedniej szyby dospawano uchwyt, a na prawym błotniku zamocowano policyjnego koguta i syrenę. Z tyłu do podłogi przymocowane były radiostacje wraz z wachlarzem kołyszących się w powietrzu anten, na desce rozdzielczej znajdował się sprężynowy uchwyt, w którym tkwiły pistolety maszynowe typu *Thompson* kal. 45. Wóz przemalowany był na ciemnooliwkowy kolor, od którego wyraźnie odbijały się umieszczone na obu zderzakach, przednim i tylnym, pomalowane na czerwono tabliczki o wymiarach 8 na 12 cali; na środku każdej z nich widniała srebrna gwiazda.

Kierował nim przysadzisty, muskularny starszy sierżant z płaskim nosem i dużymi dłońmi, ubrany w kurtkę czołgisty i uzbrojony w *Colta .45* w podramiennej kaburze. Obok niego siedział szpakowaty, dość przystojny oficer po pięćdziesiątce, w bluzie pilota lotnictwa wojsk lądowych z pojedynczymi srebrnymi gwiazdkami na naramiennikach. Wokół szyi miał misternie owiniętą żółtą, jedwabną chustkę, a w jego podramiennej kaburze spoczywała identyczna czterdziestka piątka. Na tylnym siedzeniu jechał krótko ostrzyżony młodzieniec, ubrany równie elegancko jak generał, różniąc się od niego tylko dystynkcjami porucznika na uszytej z końskiej skóry kurtce pilota.

W drugim jeepie siedziało trzech sierżantów, w tym dwóch sztabowych, uzbrojonych w karabiny *Garand M1* i *Colty* noszone w regulaminowych kaburach na biodrze. Na hełmach mieli wymalowane białe litery MP.

Gdy oba samochody zbliżyły się do bramy w zasiekach okalających stanowisko dowodzenia 393. Wzmocnionego Batalionu Niszczycieli Czołgów, prowadzący pierwszego z nich sierżant dostrzegł, że drogę przegradza mu słup telegraficzny wiszący poziomo nad drogą. Sięgnął więc dłonią do deski rozdzielczej i włączył syrenę. Zawyła krótko, dając żołnierzowi przy bramie znak, aby podniósł szlaban.

Wartownik nie zareagował jednak na sygnał i oba wozy zatrzymały się z piskiem opon. Starszy sierżant zaczął się już podnosić z fotela kierowcy, ale generał powstrzymał go lekkim ruchem lewej dłoni.

– W porządku, Tommy – odezwał się. – To nie garnizon i generała nie musi witać warta honorowa. Atak Niemców powstrzymano zaledwie tysiąc jardów stąd.

Służbę przy bramie pełnił olbrzymi, mierzący sześć stóp, bardzo czarny starszy szeregowy z *Garandem* przerzuconym przez ramię. Przystanął obok szlabanu i uważnie przyjrzał się pasażerom obu jeepów, po czym całkowicie zadowolony wyprostował się jak struna, lewą dłonią chwycił skórzany pasek swego *M1*, prawą sprężyście zasalutował i uniósł szlaban. Wartownik ruchem ręki zezwolił samochodom wjechać do środka. Stał na baczność, dopóki oba nie minęły bramy, a gdy znalazły się wewnątrz zasieków, szybko zakręcił korbką telefonu polowego typu EE-8.

– Generał jedzie! – oznajmił do słuchawki. – Porky Waterford.

Zanim oba jeepy zdążyły dojechać do głównej ziemianki, nad

którą powiewały amerykańska flaga i proporzec batalionu, wyszedł już przed nią wysoki podpułkownik, Murzyn z płaskim nosem, o cerze nieznacznie ciemniejszej od noszonych przez niego butów kawaleryjskich. Oprócz nich miał na sobie oliwkowe spodnie i koszulę oraz owinięty wokół szyi kawałek żółtego, spadochronowego jedwabiu. Do pasa zaś miał przypiętą strzemiączkiem (tak aby zwisała pionowo w dół nawet w czasie jazdy konnej) dawno nieużywaną już kaburę, w której znajdował się rewolwer *Colt New Service .45* z pierwszej wojny światowej.

Jeep zatrzymał się i generał zeskoczył z przedniego siedzenia. Żołnierz z *Thompsonem* pilnujący wejścia na stanowisko dowodzenia natychmiast oddał mu honory, a pułkownik zrobił trzy kroki do przodu, stanął na baczność i zasalutował.

– Dowódca batalionu, podpułkownik Parker, sir – zameldował.

Generał również zasalutował, a następnie podał mu rękę.

– Jak samopoczucie, pułkowniku? – zagadnął.

Uścisk dłoni był krótki, czysto formalny.

– Nie narzekam, panie generale – odpowiedział podpułkownik Philip Sheridan Parker III. – Wejdzie pan do środka, sir?

– Owszem – odparł generał brygadier Peterson K. Waterford.

Ruchem dłoni Parker wskazał drogę generałowi, a ktoś z tyłu krzyknął „baczność".

– Spocznij, panowie – natychmiast zareagował Waterford.

Stanowisko dowodzenia było ciasne, ale schludne i dobrze zorganizowane. Jedną ze ścian w całości zajmowały pokryte celuloidem mapy i szkice, a wewnątrz mieściła się jeszcze polowa łącznica, radiostacje i składane stoliki, na których stały przenośne maszyny do pisania. Na palniku spirytusowym bulgotał duży, nie przykryty dzbanek z kawą, a po pomieszczeniu uwijało się dwudziestu oficerów i żołnierzy.

– Zechce pan zapoznać się z naszą sytuacją? – zapytał Parker, wskazując na mapę.

– Właściwie, pułkowniku – odparł generał – wolałbym, żeby poświęcił mi pan chwilkę na osobności.

– Przejdźmy w takim razie do mojej kwatery – zaproponował Parker.

– Z przyjemnością – odrzekł Waterford.

– Kapitanie – Parker zwrócił się do tęgiego oficera o okrągłej twarzy – proszę przedstawić nasze położenie adiutantowi.

– Tak jest, sir – odpowiedział kapitan, stając na baczność.

Pułkownik Parker odchylił kawałek brezentu służący za drzwi do kwatery, którą była wycięta w zboczu góry izba, i wpuścił do niej generała.

Wewnątrz stało polowe łóżko, składany stolik, dwa krzesła, biurko oraz dwie szafki na buty.

– Proszę spocząć, sir – zaproponował pułkownik.

Gdy Waterford rozsiadł się na jednym z krzeseł, Parker klęknął, otworzył szafkę i wyjął z niej dwie butelki whisky, szkockiej i bourbona, po czym spojrzał na generała, który wskazał palcem na szkocką. Parker nalał mu kieliszek, drugi napełnił bourbonem i podał generałowi szkocką.

– Niech ci się darzy, Porky – odezwał się pułkownik.

– Zdrówko, Phil – zrewanżował się generał.

Obaj jednym haustem wypili whisky do dna. Zdziwiony Parker pytająco uniósł brwi, ale generał pokręcił przecząco głową.

– Strasznie mi szkoda Boba Bellmona, Porky – zaczął pułkownik. – Właśnie chciałem zebrać myśli, bo chyba powinienem napisać do Marjorie.

– Co o tym wszystkim sądzisz? – zapytał generał.

– Powiem ci, co wiem – odparł Parker. – Dziś mija równo tydzień, jak się wycofywaliśmy. Jakieś trzy mile przed Sidi-Bu-Zajd stały dwa trafione *Shermany*. Miałem trochę czasu, poszedłem je więc obejrzeć. Z oznaczeń wynikało, że to wozy siedemdziesiątego trzeciego, numery dwa i czternaście.

– Tony Wilson przekazał mi wszystko, co miał – skomentował Waterford. – Bob jechał dwójką. Miał dołączyć do 705. Polowej. Tony mógł mu dać tylko dwa czołgi, ale Bob upierał się, że muszą próbować tym, co jest pod ręką. Obaj oczywiście nie mieli pojęcia, że 705. dawno rozjechali już Niemcy.

Parker szczerze współczuł pułkownikowi Wilsonowi, dowódcy 73. Batalionu Czołgów Średnich. Strata ludzi zawsze przygnębiała, tym bardziej jeżeli zachodziła konieczność osobistego wyjaśniania okoliczności człowiekowi, który był jednocześnie przełożonym, generałem i teściem.

– Na moje oko – ciągnął dalej pułkownik – oba oberwały wolframowym pociskiem z *PzKpfw IV*. Oba spłonęły, a jeden eksplodował.

– Który? – zaciekawił się Waterford.

– Przykro mi, ale nie pamiętam – odrzekł Parker.

– Nie szkodzi – odpowiedział generał. – Policzyłeś ciała?

– Czołgi spłonęły, Porky – wyjaśnił pułkownik. – Poza tym, miałem mało czasu i byliśmy pod ciągłym ostrzałem.

– Ale?

– Nie chcę o tym mówić, bo możesz się niepotrzebnie łudzić – kontynuował Parker – ale wyglądało na to, że ktoś się uratował i wzięli go do niewoli. Widziałem koleiny po gąsienicach *PzKpfw IV* i ślady kroków. Możliwe jednak, że tylko przyglądali się płonącym *Shermanom*.

Waterford siedział zgarbiony i wpatrywał się w dłonie.

– Tak, oczywiście – stwierdził po dłuższym milczeniu.

Pułkownik nalał pół cala szkockiej do szklaneczki generała, który wychylił ją jednym haustem.

– Przykro mi, Porky – przeprosił Parker miękkim głosem – ale nic więcej nie wiem.

– Jak odzyskamy ten teren, to faceci ze Służby Pogrzebowej powiedzą nam coś konkretnego – oświadczył Waterford, z trudem panując nad głosem. – Są w tym całkiem nieźli.

– Jeżeli Bobowi się nie udało, Porky, to nie męczył się długo – pocieszał go pułkownik.

– Ale za młodo – odrzekł generał. – Bobby miał... ma dopiero dwadzieścia pięć lat. Cholera, co mam napisać Barbarze?

– Ja się zajmę zawiadomieniem rodziny – zapewnił go Parker.

– Chyba najlepiej z tego wyszedłeś, Phil – stwierdził Waterford. – Nas prawie rozdeptali.

– Straciłem siedemdziesięciu ludzi, w tym siedmiu oficerów.

– A sprzęt?

– Stare trzydziestki siódemki ustawiłem na pierwszej linii. Poszło ich siedemnaście, z tego dziesięć przez defekty. Kazałem je wysadzić.

– Naprawdę, Phil, wyszedłeś z tego dużo lepiej od reszty – powtórzył generał.

– Chodzą słuchy, że mają zdjąć Lloyda Fredendalla.

– Chyba zdejmą – odparł Waterford. – Przegrał bitwę.

– Kto dostanie korpus? – zapytał pułkownik.

– Mam nadzieję, że Seward. Ustawiłoby mnie to w kolejce po dywizję, ale dadzą nam chyba George'a Pattona, Eisenhower ciągle mówi do niego „sir", jak się nie pilnuje.

– Mam nadzieję, że ją dostaniesz – odrzekł Parker.

– Łżesz, łajzo. Tylko tak gadasz... Zazdrościsz mi – zażartował generał.

– Pewnie, że zazdroszczę – odciął się pułkownik – ale jak dostaniesz dywizję, to może weźmiesz nas ze sobą.

– Jeśli dadzą mi dywizję, to masz to jak w banku, Phil. Zebrałeś świetnych ludzi.

– Też tak myślę. Żaden z moich nie uciekł.

Generał Waterford wstał.

– Szkoda, że nie mogę tego powiedzieć o reszcie – stwierdził. – Dobrze wiesz, co napiszą w podręcznikach historii. W pierwszym poważniejszym starciu pancernym drugiej wojny światowej z Niemcami na przełęczy Kasserine po amerykańskich czołgach zostały tylko tłuste plamy na pustyni, a wielu żołnierzy stchórzyło i uciekło.

– Nazwą to chrztem bojowym, Porky – pocieszył go pułkownik.

Generał zrobił krok do przodu, objął Parkera i uścisnął.

– Dzięki za tę chwilkę, Phil.

– Szkoda, że nie mogłem ci pomóc – odpowiedział Parker.

– Wcale o to nie prosiłem, Phil – odrzekł Waterford. – Gdzie jest Phil junior?

– Drugi rok w Norwich. Skończy w czterdziestym piątym.

– Może do tego czasu już z tym skończymy? – zadumał się generał.

– Jak Bóg da.

3
Carmel, Kalifornia
28 lutego 1943

Barbara Waterford Bellmon, szczupła, dwudziestoczteroletnia kobieta o kasztanowych włosach i piegowatej twarzy stała w damskiej szatni Pebble Beach Country Club i czekała na odbiór wygranej.

Przy stawce w wysokości jednego dolara za uderzenie pokonała pole golfowe w 82 uderzeniach, o cztery powyżej normy dla kobiet, i bardzo zależało jej na wypłacie zarobionych trzydziestu trzech dolarów.

Gdy pokonane rywalki nerwowo szukały w torebkach pieniędzy, Barbarze po raz kolejny przyszło do głowy, że tak naprawdę nie lubi kobiet. Tak niechętnie płacą wygrane, że najwyraźniej kompletnie nie potrafią przegrywać. Barbara doskonale zdawała sobie sprawę, że najchętniej nie płaciłyby w ogóle, starając się odczekać, aż wszystkie zapomną, choć nie zależało im na pieniądzach. Były bogate, nie chodziło więc raczej o skąpstwo, ale o jakiś niezbadany szczegół psychiki kobiety, skonkludowała Barbara.

– Mam tylko pięćdziesiąt – odezwała się Susan Forbes, przeglądając zawartość portmonetki i wcale nie oferując tego banknotu.

Była długonogą blondynką; wyglądała na znacznie mniej niż swoje trzydzieści trzy lata. Barbara wyjęła z portfela dziesiątkę i dwudziestkę i podała Susan.

– Och! Masz dwie dychy? – zdziwiła się Susan.

Tak jakbyś nie wiedziała, pomyślała Barbara, i wyrwała jej z ręki pięćdziesiątkę. Grunt to zaskoczenie.

– Wielkie dzięki – odezwała się słodko Barbara. – Następna?

– Mogłabyś przynajmniej postawić nam lunch – stwierdziła Patricia Stewart, podając jej nowiutki, dziesięciodolarowy banknot. W oczach Barbary najstarsza z trójki Pat zawsze była typową sknerą. Pani Bellmon podała jej dolara reszty.

– Umówiłam się – oświadczyła.

– Brzmi zachęcająco – skomentowała Susan. – Znam go?

– Jest wysoki, przystojny, ma smagłą cerę i jest katolickim księdzem.

– Wstydziłabyś się – odparła Susan.

Stojąc na jednej nodze, Barbara zdjęła buty do golfa, schowała je do szafki, upchnęła skarpety w torebce i wsunęła klapki na bose stopy.

W chwilę później koleżanki cmoknęły się w policzek na pożegnanie i pani Bellmon opuściła szatnię. Nie skierowała się jednak do klubu, lecz okrążyła budynek i doszła do parkingu. Usiadła za kierownicą należącego do jej matki kabrioletu marki Ford z 1937 i po skomplikowanej, ale nieuchronnej ceremonii rozruchu (dwa razy wcisnąć gaz, przytrzymać go, włączając stacyjkę, gwałtownie puścić, gdy silnik zaskoczy, i nieustannie się modlić, żeby nie zgasł) odjechała do domu.

Rodzice Barbary zbudowali go w stylu hiszpańskim na dziesięciu akrach nad Pacyfikiem, pokryli czerwoną dachówką i nazwali Casa Mañana, co w wolnym przekładzie znaczy „dom przyszłości".

Przed budynkiem, na ceglanym murku, stały trzy maszty; na najwyższym powiewała niemrawo na słabym wietrze flaga Stanów Zjednoczonych, a dwa pozostałe sterczały puste.

Od trzech pokoleń Waterfordowie przymierzali się do spędzenia w tym domu spokojnej emerytury, ich żony oczekiwały tam na walczących na wojnach mężów, a cała rodzina zbierała się na Boże Narodzenie, jeśli tylko było to możliwe. Wytworzyła się nawet rodzinna tradycja chrzczenia wszystkich potomków według ceremoniału pobliskiego episkopalnego kościoła Świętego Mateusza, niezależnie od tego, w której części świata się rodzili. Innymi słowy, były to rodzinne pielesze ludzi, których zawód zmuszał do spędzania większej części życia w obcych krajach bądź też odległych garnizonach.

Przez lata Waterfordowie i Bellmonowie mądrze inwestowali swe dochody, mogli więc obecnie żyć dostatnio, a nawet wystawnie;

pieniędzy na utrzymanie rezydencji nigdy nie brakowało, nawet wtedy, gdy wszyscy domownicy przebywali daleko od Kalifornii. Zaraz za drzwiami leżały na półkach schludnie poskładane w trójkąty dwie czerwone flagi. Na jednej z nich widniała srebrna gwiazda, a na drugiej dwie. Flaga z jedną gwiazdą należała do obecnego właściciela domu, ojca Barbary, generała brygadiera Petersona K. Waterforda, który odziedziczył dom po swoim ojcu, generale majorze Alfredzie B. Waterfordzie. Druga z nich była własnością ojca Boba, generała majora Roberta F. Bellmona seniora.

Właśnie z Casa Mañana wyruszył kondukt pogrzebowy generała na cmentarz w Presidio na przedmieściach San Francisco; wtedy również po raz ostatni zdjęto z masztu jego flagę i złożono na półce obok flagi Alfreda Waterforda, gdzie czekała na godnego następcę. Prawie pewnym kandydatem był Porky Waterford, święcie przekonany, że szybko awansuje i przejmie prawo do niej. Jeżeli zaś nie będzie mu to dane, to za jakieś dwadzieścia lat szlify generalskie i czerwoną flagę na pewno zdobędzie Bob.

Flagi szyto starannie i z dobrego materiału, mogły więc czekać długo. Flaga Waterforda należała już kiedyś do jego ojca.

Szukając matki, Barbara chodziła po rezydencji długimi, prawie męskimi krokami. Nie mogąc jej nigdzie znaleźć, uświadomiła sobie, że skoro jest południe, to najpewniej pije ona teraz z dziećmi codzienny koktajl. Marjorie Waterford nigdy nie piła do południa, ale rzadko udawało jej się wytrzymać do godziny dwunastej piętnaście. Nazywała to koktajlem i częstowała dzieci sokiem wiśniowym, siebie raczyła jednak niezawodnie bourbonem z wodą i kostką lodu.

– Jak ci poszło? – przywitała ją matka, pytając jednocześnie wzrokiem, czy chce się napić.

– Nieźle. Dziękuję – odparła córka. – Nie chcę, żeby było ode mnie czuć alkohol. Może później, jak wrócę – zadowolona z siebie Barbara uśmiechnęła się do matki i ciągnęła: – Wygrałam w osiemdziesięciu dwóch uderzeniach i zarobiłam trzydzieści trzy zielone.

– Świetnie – pochwaliła ją matka. – Dzwonił ksiądz Bob i pytał, czy może kogoś przyprowadzić.

– Powiedział kogo?

– Nie. Mówił tylko, że dwie osoby. Nic nie wspominał o nazwiskach, ale chyba powiedziałby, gdybyśmy ich znały.

– Tak – Barbara potwierdziła, jakby coś zbiło ją z tropu.

– Kazałam Consueli przygotować pieczeń – dodała pani Waterford. – Myślałam jeszcze o ziemniakach i sałatce.

– To dobrze – odparła Barbara. – Nie mam pojęcia, jak on może codziennie powtarzać to samo.

– Od tego są księża – stwierdziła matka. – Pewnie się do tego przyzwyczaił.

– Lepiej pójdę się przebrać – zakończyła Barbara.

Gdy wyszła spod prysznica i zaczęła się wycierać, niespodziewanie usłyszała głosy dzieci w sypialni. Zaciekawiło ją, czy mały Bobby wolałby jeszcze być z mamusią, czy też zaczęły go już interesować dziewczynki. Był na to chyba jeszcze za młody, ale z drugiej strony jest przecież synem Boba, a Barbara dobrze pamiętała, jak jej obecny mąż pierwszy raz namówił ją, żeby się rozebrała. Było to w Fort Riley i miała wtedy siedem lat, Bob musiał więc mieć osiem. Golusieńka dziewczynka i nagi chłopiec wpatrywali się w siebie z najprawdziwszą ciekawością. Jemu coś wystawało, a jej nie. Kiedy następnym razem zobaczyli się bez majtek, ona miała już dwadzieścia jeden lat, a on był młodym podporucznikiem i była to pierwsza noc ich miodowego miesiąca w hotelu Carlyle w Nowym Jorku.

– O Boże! – wykrztusił wtedy Bob. – Wyrosła ci na tym broda! Świntuch. Jemu też. Tak mu właśnie powiedziała.

Barbara wyjrzała przez okno łazienki.

– Zmykaj, Bobby! – ostrzegła.

– Dlaczego?

– Chłopcy nie powinni kręcić się koło łazienki, jak panie są nieubrane – wyjaśniła. – Idź poczekać na kapelana McGrory'ego.

– Znowu przyjdzie?

– No – powiedziała Barbara. – A teraz zmykaj!

Jak tylko chłopiec się wycofał, pani Bellmon wyszła nago z łazienki i zaczęła się ubierać. Młodsza o rok od brata Eleonora siedziała na środku łóżka i przypatrywała się, jak mama ubiera po kolei: figi, biustonosz, halkę, pas (bez gorsetu nawet po dwójce dzieci) oraz pończochy, a następnie maluje się i układa włosy. Skończywszy, Barbara włożyła szary kostium i zabrała się do przymierzania biżuterii – ślubnej obrączki, pierścionka zaręczynowego i miniaturki sygnetu Boba.

Zawsze miała wątpliwości, czy pierścionek z ładnie szlifowanym, sporo wartym, czterokaratowym diamentem pasuje na taką okazję. Nosiła go już matka Boba, a generał Bellmon przekazał go synowi, kiedy po jednej z wiosennych gali w West Point Barbara oświadczyła, że pobiorą się, jak tylko on skończy szkołę, co nikogo nie zaskoczyło. Nie musiała nawet zmieniać rozmiaru.

Pierścionek nie stanowił żadnego problemu, gdy spotykała się z małżonkami poborowych. Nie zauważały go wcale, podejrzewały, że to zwykła imitacja, bądź też myślały, że wszystkie żony oficerów takie noszą. Wpadł on już jednak kilka razy w oko małżonkom rannych oficerów, którym wraz z księdzem Bobem składała „wizyty powiadamiające".

W takim wypadku wojsko wysyłało do rodziny poszkodowanego kapelana wraz z oficerem w stopniu równym lub wyższym od rannego męża oraz żonę jakiegoś innego oficera (jeżeli, tak jak Barbara, była pod ręką) i oferowało wszelką dostępną pomoc.

Czasami spoglądano na nią z zazdrością, że jej małżonek nadal walczy i nikt nie złożył jej jeszcze „wizyty powiadamiającej", sporadycznie to całkiem zrozumiałe uczucie przeradzało się jednak w zawiść. Nie można było zwalić na nią winy za złe wieści ani za to, że to ona powiadamiała, a nie ją. Miano Barbarze za to za złe, że była bogata, należała do wojskowej arystokracji oczekującej na powrót mężów w wypełnionych służbą, wielopokojowych apartamentach z widokiem na Pacyfik, a nie w ciasnych mieszkaniach, oraz to, że miała na palcu czterokaratowy pierścionek wart tyle, ile major zarabia w ciągu całego roku.

W końcu zawsze go jednak zakładała. Był symbolem, od pół wieku spoczywał na serdecznym palcu lewej ręki żony oficera, i nie mogła się z nim rozstać. Pewnego dnia niewątpliwie założy go przecież na rękę narzeczona Bobby'ego.

Barbara spróbowała włożyć brązowe czółenka. Jak zwykle po golfie stopy napuchły jej nieco i buty były ciasne. Uporawszy się z nimi, wskazała ręką drzwi i ruszyła za Eleonorą, która po wyjściu z sypialni skierowała się korytarzem w stronę dużego, przestronnego pokoju wypełnionego książkami, pamiątkami oraz kolekcją srebrnych pucharów z całego świata, zdobytych przez generała Waterforda na zawodach polo i konkursach hippicznych.

Widząc, że Barbara wchodzi do salonu, z fotela podniósł się pułkownik korpusu kapelanów, jezuita Robert T. McGrory. Tak jak wielu innych duchownych wyglądał w mundurze na dokładne przeciwieństwo swego powołania. Miał ogorzałą twarz, rude włosy, słuszny wzrost i potężną budowę ciała, a jego mundury zawsze były nienagannie skrojone i odprasowane. Nosił je równie dostojnie jak generał Waterford i, zdaniem Barbary, z nieco większym wdziękiem niż Bob.

Przy każdym spotkaniu z księdzem przypominało jej się, że wyczytała gdzieś, że jezuici doszli do wielkiej potęgi, oddając się na usługi europejskiej arystokracji, i aż korciło ją, żeby zapytać, czy to właśnie tym zajmował się Mac przez te wszystkie lata.

Zwykle Barbara zwracała się do niego: Bob. Należała przecież do kościoła episkopalnego, a Bob przewijał się z przerwami przez całe jej dotychczasowe życie, mówienie „proszę księdza" wydawało się więc pani Bellmon dosyć sztuczne.

Tym razem ksiądz kapelan przyszedł z jakimś nie znanym jej pułkownikiem lotnictwa.

– Witamy księdza – zagaiła Barbara. – Przystojny i elegancki jak zwykle.

– Barbaro, to jest pułkownik Destin – przedstawiając jej swego towarzysza, położył jej rękę na ramieniu. Pochylił się, aby podnieść Eleonorę.

– Witam – powiedziała Barbara, podając mu rękę.

– Pani Bellmon? – zapytał Destin.

– Dzisiaj trafiło na jakąś szychę? – zapytała Barbara.

– Raczej tak – odparł pułkownik.

Nie podoba mi się to nazwisko, pomyślała Barbara. Ksiądz McGrory raz jeszcze położył jej dłoń na ramieniu.

– Pani Bellmon – zaczął Destin – mam przykry obowiązek poinformować panią, że pani mąż, podpułkownik Robert F. Bellmon został uznany za zaginionego podczas działań w okolicach Sidi-Bu-Zajd w Tunezji i z tego, co nam wiadomo na dzień siedemnasty lutego, prawdopodobnie nie żyje.

Barbara zmełła w ustach przekleństwo i nie zdając sobie z tego sprawy, zacisnęła pięści i zaczęła nimi o siebie uderzać.

– Tylko prawdopodobnie, Barbaro – powtórzył kapelan.

– Niech ksiądz sobie to podaruje – odpowiedziała Barbara Bellmon ze złością. Zabrała mu Eleonorę i trzymając ją na rękach, podeszła do okna z widokiem na Pacyfik. Dziecko przytuliło się do matki i wcale nie dopominało się, by je puściła.

Po chwili Barbara postawiła jednak córkę na podłodze, usiadła na parapecie i spojrzała na gości.

– Kim jest ten drugi? – zapytała.

Destin nie zrozumiał, o co jej chodzi.

– Chorąży Sanchez – poinformował ją Bob. – Zmarł w obozie jenieckim na Filipinach.

– Może napiliby się panowie kawy albo przekąsili coś, zanim pójdziemy dalej? – zaproponowała Barbara.

Ksiądz nie odpowiadał przez dłuższą chwilę, po czym zapytał:

– Na pewno chcesz tam iść, Barbaro?

– Co mi pozostało – odparła. – Mam tu siedzieć i histeryzować?

Powstrzymując łzy, Barbara przeszła przez salon i wyszła na zewnątrz. Spojrzała na flagę, podeszła do masztu, opuściła ją do połowy i jeszcze raz popatrzyła w górę. Z trudem powstrzymując się od płaczu, pani Bellmon pochyliła czoło przed masztem.

– Co ja, do cholery, wyrabiam! – krzyknęła nagle i wyprostowała się. – Uwierzę, że nie żyje, jak zobaczę trumnę, i ani sekundy wcześniej – dodała i z powrotem wciągnęła flagę na szczyt masztu.

Barbara popłakała tego dnia jeszcze trochę z panią Sanchez, ale były to już łzy po chorążym Sanchezie, a nie po Bobie.

Nie płakała za to ani wieczorem, wpatrując się w twarz matki, ani w nocy, ani następnego dnia rano, gdy przebudziła się wcześnie i wmawiała sobie, że jak zna wojskowych, to Bob już dawno wącha kwiatki od spodu, a oni nie powiedzieli jej o tym tylko dlatego, że nie znaleźli jeszcze ciała. Po raz pierwszy w życiu była pewna, że nigdy już nie zobaczy Boba.

Rozbeczała się jednak dziesięć dni później, kiedy zadzwonili z urzędu pocztowego Western Union i zapytali, czy życzy sobie, aby odczytać jej czekający tam na nią telegram. Z góry znała treść i nie chciała, żeby czytano jej go przez telefon. Powiedziała, że będzie przejeżdżać w pobliżu i odbierze osobiście.

Wypłakawszy się, Barbara włożyła elegancki kostium, podjechała starym kabrioletem pod urząd, odebrała żółtą kopertę firmową Western Union i zaczęła czytać w samochodzie.

Departament Wojny
Waszyngton

Pani Barbara Bellmon
Casa Mañana
Carmel, Kalifornia

Na liście jeńców wojennych udostępnionej przez władze niemieckie kanałami Międzynarodowego Czerwonego Krzyża figuruje nazwisko podpułkownika Roberta G. Bellmona, numer identyfikacyjny 0-348808. Obecnie nie możemy tej informacji ani potwierdzić, ani uzupełnić. W razie uzyskania takiej możliwości będzie pani o tym natychmiast zawiadomiona.

Informacji dotyczących jeńców wojennych udzielają komendanci uzupełnień baz wojskowych i garnizonów. Najbliższa jednostka wojskowa stacjonuje w Hunter Liggett.

Zalecamy kontakt z Ogólnowojskowym Stowarzyszeniem Żon Oficerów, skrytka pocztowa 34, Carmel, Kalifornia. Organizacja ta zapewnia doradztwo oraz niezbędną pomoc materialną.

Edward F. Witzell
generał major
krajowy komendant uzupełnień

Barbara rozpłakała się po przeczytaniu, że Bob żyje, i ze łzami w oczach pojechała do domu. Powiedziała matce, że całe Carmel będzie plotkować o tym, jak pani pułkownikowa rozryczała się w centrum miasta.

4
Bizerte, Tunezja
9 marca 1943

Niemcy rozlokowali jeńców w namiotach i podzielili na trzy grupy: oficerów młodszych, oficerów starszych i resztę. We wszystkich kategoriach przeważali Amerykanie.

Namiot, w którym umieszczono majora Bellmona, stał się jeniecką kwaterą również dla podpułkownika kwatermistrzostwa, którego pojmano, gdy szukał miejsca na magazyny, oraz majora artylerii wziętego do niewoli w czasie gdy był wysuniętym obserwatorem ogniowym. Na razie traktowano ich dobrze i karmiono zdobycznymi racjami amerykańskimi. Doskwierał im tylko brak możliwości ucieczki – obóz otoczono zwojami drutu kolczastego, zwanymi harmonijką, i obstawiono drewnianymi wieżyczkami, na których przy karabinach maszynowych czuwali strażnicy.

Jakiś kapitan Wehrmachtu podszedł z wartownikiem do namiotu Bellmona i wywołał jego nazwisko.

– Tak? – odpowiedział major, spoglądając na Niemca z łóżka i nie ruszając się z miejsca.

– Proszę za mną, panie majorze – oznajmił kapitan, mówiąc po angielsku z wyraźnym akcentem, i wskazał ręką kierunek.

Bellmon wyszedł z namiotu i wzruszył ramionami, ignorując pytanie zadane mu wzrokiem przez współlokatorów. Tak jak oni nie miał pojęcia, o co może chodzić.

Strażnik ustawił się z tyłu, major ruszył więc za starszym oficerem w okularach, przeciął plac między namiotami i doszedł do bramy.

Prowadzono go do komendanta obozu, który urzędował w nasłonecznionym skrzydle jednopiętrowego budynku stojącego wewnątrz pierścienia zasieków, odgrodzonego jednak od namiotów podwójnym pierścieniem z drutu kolczastego.

– Pan major chce się z panem widzieć – wyjaśnił kapitan, otwierając drzwi i wpychając Bellmona do środka.

Niespodziewanie stanął przed nim problem oddawania honorów. Regulamin przewidywał, że oficerowie młodsi stopniem powinni salutować przed starszymi, nawet jeżeli byli ich jeńcami. Za żadne skarby Bob nie mógł sobie jednak przypomnieć, co powinien zrobić, będąc jeńcem oficera równego mu rangą. W armii amerykańskiej nie oddałby honorów żadnemu majorowi, postanowił więc w końcu przestrzegać tego zwyczaju i w tej sytuacji.

Bellmon podszedł do biurka komendanta i stanął na baczność, nie salutując. Gdybym był Anglikiem, pomyślał, przytupnąłbym, dając w ten sposób znak, że melduję się zgodnie z rozkazem.

Siedzący za biurkiem major był nieco podstarzałym lustrzanym odbiciem porucznika, który przystawił mu do skroni *Colta .45* i wziął go do niewoli. Znajdował się przed nim typowy niemiecki blondyn o jasnej karnacji, wyglądający na pewnego siebie, starego żołnierza. Spojrzał na Bellmona, uśmiechnął się i niedbale zasalutował, dotykając palcami brwi.

Bellmonowi nie pozostało nic innego, jak odpowiedzieć tym samym.

Niemiec uśmiechnął się ponownie.

– Major Robert Bellmon – zameldował jeniec – 0-348808. 17 sierpnia 1917.

Imię, nazwisko, stopień, numer identyfikacyjny i data urodzenia – tak jak przewidywała konwencja genewska.

– Tak, znam to, Herr Oberstleutnant – odparł Niemiec. – Niech pan siada – zaproponował, wskazując na rozkładane krzesło.

Bellmon rozpoznał, że było amerykańskie, tak samo jak butelka bourbona na biurku majora.

– Mam dla pana miłą niespodziankę, Herr Oberstleutnant – ciągnął dalej Niemiec.

– Jestem w stopniu majora – żachnął się Bellmon.

– To właśnie jest moja niespodzianka – odparł komendant i podsunął mu zadrukowaną kartkę papieru. Łatwo byłoby ją sfałszować, ale wyglądała na autentyczną. Był to akapit wybrany z rozkazu dziennego Dowództwa Western Task Force, oznajmiający o awansie majora wojsk pancernych Roberta Bellmona do stopnia podpułkownika z dniem 16 lutego 1943, czyli na dzień przed wzięciem go do niewoli.

– Mam dla pana jeszcze to – dodał major. Otworzył szufladę biurka i wyjął z niej kawałek tektury, w którą wpięte były dwa srebrne listki dębu. Na odwrocie widniał znak firmowy producenta, insygnia na pewno były więc amerykańskie.

– Dziękuję – odpowiedział Bellmon. – Mogę zabrać również to? – zapytał, wskazując na rozkaz.

– Oczywiście – odparł major.

Gdy Bellmon zajęty był składaniem rozkazu i wkładaniem go do kieszeni niedawno fasowanego oliwkowego munduru, Niemiec nalał whisky do dwóch szklanek i wręczył jedną podpułkownikowi. Znowu problem, pomyślał Bellmon. Czy przyjęcie zdobycznej whisky od wroga, który dopiero co wręczył mi insygnia pułkownika i rozkaz o awansie, można uznać za współpracę z nieprzyjacielem?

– Zwykle nie pijam o tej porze – wykręcił się Bellmon.

– Awans to okazja jedyna w swoim rodzaju, niezależnie od pory dnia i okoliczności – odparował Niemiec.

Bellmon podniósł szklankę i wypił.

– Gratuluję, Herr Oberstleutnant – ciągnął dalej Niemiec.

– *Danke schön, Herr Major* – odpowiedział płynnie po niemiecku Bellmon.

– Dostanie pan jeszcze jedną jeniecką kartę pocztową – oświadczył major. – Już złożyłem zamówienie. Generał Waterford na pewno się ucieszy, gdy dotrze do niego wiadomość, że wie pan o awansie.

– Bellmon, podpułkownik, 0-348808, 17 sierpnia 1917 – powiedział z uśmiechem Bob, przypominając jednocześnie komendantowi, że nie będzie z nim poruszał tematów wojskowych.

– Teoretycznie jest to przesłuchanie, Herr Oberstleutnant – odpowiedział major. – Ale wcale nie mam zamiaru naciągnąć pana na zwierzanie mi się z tajemnic.

– Pewnie, że nie – odparł Bellmon z lekkim sarkazmem.

– Mówię serio – kontynuował major. – Wiemy o panu prawie wszystko. Skończył pan Akademię jako siedemnasty z rocznika 1939, pańskim ojcem jest generał major Bellmon i ożenił się pan z córką generała Waterforda. Co jeszcze możemy od pana wyciągnąć?

Bellmon spojrzał na komendanta i uśmiechnął się tajemniczo.

Major wyciągnął na biurko egzemplarz Rocznika US Army.

– Wiemy też, gdzie przebywa generał Waterford – dodał Niemiec.

– Z pewnością – odparł podpułkownik.

Właśnie przyszło mu do głowy, że gdyby zaczął naciskać, to komendant podałby jakieś szczegóły, albo w celu uzyskania potwierdzenia, albo zwyczajnego sprawdzenia reakcji jeńca.

– Odnoszę wrażenie, Herr Oberstleutnant – ciągnął major – że jestem o wiele lepiej zorientowany w przebiegu walk niż pan. Zgarnęliśmy pana w bardzo płynnej fazie bitwy i po prostu nie może pan znać szczegółów.

– Nawet gdyby nie obowiązywał mnie regulamin i konwencja genewska, nie mógłbym chyba powiedzieć panu nic istotnego – odparł Bellmon.

– Raczej nie – zgodził się Niemiec. – Żołnierze z jednostek liniowych zwykle znają bardzo niewiele faktów interesujących przeciwnika i na ogół mają całkowicie błędne pojęcie o tym, jak rzeczywiście rozwija się sytuacja.

Stara się uśpić moją czujność, zawyrokował podpułkownik, żeby przyłapać mnie na jakiejś wpadce. Mówi jednak świętą prawdę. Moje pojęcie o przebiegu walk i sytuacji II Korpusu jest mniej więcej takie samo jak kucharza kompanii piechoty.

– Mówiąc między nami, panie pułkowniku – zaciekawił się komendant – co pan sądzi o Niemcach po pierwszym spotkaniu na polu bitwy?

Bellmon nie odpowiedział.

– Ktoś, kto mówi po niemiecku tak dobrze jak pan, na pewno nie wierzy, że jesteśmy dzikusami?

Szlag by to trafił, zaklął w myślach Bellmon. Po co odzywałem się po niemiecku.

– Na pewno nie wszyscy – odpowiedział po angielsku podpułkownik.

– Niektórzy z nas – ciągnął dalej komendant – niewątpliwie ku pańskiemu zaskoczeniu, są szlachetni do tego stopnia, że skrupulatnie przestrzegają konwencji genewskiej i w każdej sytuacji zachowują się, jak przystało na oficera.

– Miło to słyszeć – skomentował Bellmon.

– Szarża nawet w niewoli ma swoje przywileje – dodał major. – Przewieziemy pana samolotem do Włoch, a może i dalej, do Niemiec. Od majora w dół wysyłamy statkiem.

– Rozumiem – odrzekł podpułkownik, czując, jak ściska go w żołądku.

Ciągle miał nadzieję, że Amerykanie przejdą do kontrataku i będzie wolny.

– Jeżeli udaje nam się wyeliminować z wojny wyższych oficerów zawodowych, to staramy się, żeby już nie wracali do gry – stwierdził komendant. – Oficerów sztabowych i dowódców nie można wyszkolić w sześć miesięcy.

– Zmuszony jestem zgodzić się z tym rozumowaniem – odpowiedział Bellmon.

Do drzwi zapukał sierżant, wszedł do środka, gdy major mu na to zezwolił, i położył na biurku jeniecką kartkę pocztową.

Komendant wyjął pióro z bluzy munduru i podał je Bellmonowi. Na kartce było miejsce na imię, nazwisko, stopień, numer identyfikacyjny i dwadzieścia wyznaczonych czarnymi kreskami słów.

Podpułkownik naniósł dane i zaadresował kopertę do żony. Zanim zdążył zabrać się do reszty, przed oczami stanął mu obraz domu w Carmel. Szybko zebrał się jednak w sobie i napisał: *Żyję, wszystko w porządku, nie jestem ranny, ucałuj dzieci, kocham, Bob.*

Skończywszy, zadumał się jeszcze, czy kiedykolwiek zobaczy rodzinę, po czym zakręcił obsadkę pióra i oddał je wraz z kartką komendantowi.

– Dziękuję – powiedział.

– Cała przyjemność po mojej stronie, Herr Oberstleutnant – odparł major i podał mu rękę. – Powodzenia. Obyśmy mogli się kiedyś spotkać w innych okolicznościach!

Bellmon uścisnął dłoń majora. Przyszło mu do głowy, że gdyby odwrócić sytuację, to chciałby zachowywać się tak jak ten komendant; w zgodzie z regulaminem i z odrobiną współczucia. Niespodziewanie dla samego siebie podpułkownik uświadomił sobie, że rozmowa jest skończona. Pół godziny później dotarło do niego również to, że mimo wszystko podał nieprzyjacielowi pewną informację. Potwierdził mianowicie, że faktycznie jest zięciem Waterforda. Nie powinien był posuwać się tak daleko. Nie miał pojęcia, jak wróg to wykorzysta i ile to potwierdzenie dla niego znaczy, doszedł jednak do wniosku, że niepotrzebnie podał je Niemcom jak na talerzu.

5
Friedberg, Hesja
12 kwietnia 1943

Bunkier wykopano pod wzniesionym na grzbiecie niewysokich gór otaczających uzdrowisko Bad Nauheim zamkiem we Friedbergu, trzydzieści pięć mil na północ od Frankfurtu nad Menem. Tak jak działo się ze wszystkim, co osobiście interesowało Adolfa Hitlera, budowano go w ścisłej tajemnicy i nie licząc się z kosztami.

Część zasadnicza znajdowała się pod co najmniej dwudziestoma stopami granitu, dodatkowo wzmocnionego żelbetem tam, gdzie warstwa skał nie zapewniała dostatecznego bezpieczeństwa.

Siemens zainstalował wewnątrz olbrzymie centrum łączności, zapewniające prawie natychmiastową łączność z Berlinem i wszystkimi ważniejszymi dowództwami na Wschodzie, Zachodzie, Bałkanach i w Afryce, a z zewnątrz strzegł bunkra batalion 2. Dywizji *Leibstandarte Adolf Hitler* wzmocniony rezerwowym pułkiem piechoty pomorskiej i pułkiem artylerii przeciwlotniczej Luftwaffe.

Niezbędna do obsługi centrum dowodzenia kolumna samochodów i ciężarówek ukryta była w gęstym lesie iglastym otaczającym zamek i dodatkowo zabezpieczona wiszącą dwadzieścia stóp nad ziemią, zmienianą zgodnie z rytmem pór roku, siatką maskującą. Na miejscu znajdował się również pociąg Führera, schowany przed oczami szpiegów i atakami samolotów w betonowym tunelu, który mógł pomieścić dwa takie składy.

Wewnątrz bunkier był po prostu czteropiętrowym podziemnym biurowcem ze schodami dla pracowników i oddzielną windą dla wyższych oficerów.

Hitler przebywał tego dnia w Rastenburgu w Prusach Wschodnich, w całym centrum dowodzenia unosiła się więc gęsta chmura dymu z papierosów. W obecności Führera nikt w bunkrze nie palił.

Postawny, lekko łysiejący podpułkownik żandarmerii polowej składał pewnym głosem meldunek generałowi majorowi. Całe życie był policjantem, zdążyło mu już więc wejść w krew podawanie przełożonym faktów i oddzielanie ich od wniosków i komentarzy.

Generał major, który był zastępcą szefa wydziału do spraw polityczno-wojskowych, zadał kilka inteligentnych pytań i uważnie przyglądał się dowodom rzeczowym przywiezionym przez Oberstleutnanta ze Smoleńska w dwóch wypchanych teczkach.

Pokazał on przełożonemu guziki z mundurów Wojska Polskiego, odznaki batalionowe, naramienniki z dystynkcjami, dokumenty osobiste, metki z mundurów podające adresy warszawskich krawców oraz gruby plik fotografii przedstawiających ciała, otwarte groby i powiększenia ran postrzałowych w tylnej części czaszki.

– Wydaje mi się, Herr Oberstleutnant, że nie ma żadnych wątpliwości, o co tu chodzi.

– Zupełnie żadnych.

Wiszące w powietrzu pytanie, którego nie zadał żaden z rozmówców, dotyczyło ewentualnego udziału SS. Obaj dobrze wiedzieli, że esesmani bez wątpienia zdolni byli do takiego okrucieństwa. Ani jeden, ani drugi głośno o tym jednak nie wspomniał.

– Jeżeli zechciałby pan na mnie poczekać, Herr Oberstleutnant, to może dałoby się wysłać pana z powrotem przez Drezno – zaproponował generał.

– Jestem do dyspozycji pana generała – odparł postawny policjant w mundurze.

Generał major wyszedł z betonowego gabinetu, zszedł po schodach i zameldował się u Generalobersta urzędującego w nieco większym pomieszczeniu.

– Mam pełne sprawozdanie, Herr General – zaczął. – Razem z insygniami i zdjęciami ciał.

Generaloberst powstrzymał go ruchem ręki przed otwarciem teczki.

– Czy wywiad zaproponował kogoś, kto mógłby się tym zająć?

– Von Greiffenberga – odpowiedział generał major. – W tej chwili tylko on jest wolny. Przebywa na urlopie rehabilitacyjnym.

– Jest w stanie odbyć taką podróż?

– Jest!

– Jego żona pochodzi z rosyjskiej arystokracji – wyjaśnił generał pułkownik. – Mogą mu zarzucić, że uważa komunistów za zdolnych do wszystkiego.

– Studiował w Saumur z generałem Waterfordem. Byłoby bardzo wskazane, żeby pułkownik Bellmon przyjrzał się tym grobom na ochotnika.

Generaloberst wzruszył ramionami.

– Do czego ja jestem panu potrzebny? – zapytał.

– Dokumenty podróży i upoważnienie do zabrania Bellmona z obozu.

– A jeśli się nie zgodzi? – głośno zastanowił się generał pułkownik, naciskając jednocześnie przycisk wzywający do gabinetu oszpeconego blizną Oberstleutnanta, który stanął na baczność w drzwiach.

– Pan generał powie, czego potrzebuje – zakomunikował Generaloberst. – Proszę dopilnować, żeby dostał wszystko w terminie.

Generał pułkownik spuścił wzrok na leżące na biurku dokumenty, po chwili spojrzał jednak ponownie na obecnych i dodał miękkim głosem:

– Proszę mnie na bieżąco informować o przebiegu sprawy, dobrze?

Generał major stuknął obcasami, wyszedł z gabinetu, usiadł w dyżurce Oberstleutnanta i zadzwonił.

– Możecie złapać mi pod tym numerem pułkownika von Greiffenberga w Marburgu? – zapytał. Odłożył słuchawkę i zreferował porucznikowi, co będzie potrzebne, jeżeli chodzi o transport, dokumenty, pieniądze i zaopatrzenie.

Gdy Oberstleutnant zajęty był zleceniami generała, ponownie odezwał się telefonista i zameldował, że pułkownik graf von Greiffenberg jest chwilowo nieosiągalny. Na linii była tylko jego żona.

– Fryderyko, kochanie – zaczął generał major po rosyjsku, co niezmiernie zdziwiło naznaczonego blizną Oberstleutnanta – przekaż mężowi, jeżeli możesz, że byłbym mu bardzo wdzięczny, gdyby mógł mnie przyjąć dziś o wpół do trzeciej.

Mercedes wypchany był zapasami. Na tylnych siedzeniach leżało salami, kilka puszek zdobytego na Anglikach masła oraz cztery kartony amerykańskich papierosów, a w bagażniku znajdowały się cztery kanistry paliwa. Dwa dalsze położono na podłodze między siedzeniami, co napełniło cały samochód oparami benzyny, uniemożliwiając palenie.

Wciśnięty między racje żywnościowe a owinięte szarym papierem kartony papierosów siedział adiutant. Sam generał major jechał z przodu, obok szofera.

Kabriolet z naciągniętym ze względu na porę roku dachem kierował się na północ, drogą prowadzącą przez Bad Nauheim, obok stojących naprzeciwko parku miejskiego uzdrowisk. Był to słynny Kur, gdzie dawniej leczono kąpielami w mineralnych źródłach Bad Nauheim i dietą pozbawioną soli. Obecnie cały kompleks przeznaczono na rehabilitację rannych na froncie, na dachach budowli wymalowano więc czerwone krzyże, a uliczki zapełnione były żołnierzami o kulach i na wózkach.

Tuż za Bad Nauheim samochód wjechał na autostradę i mknął nią przez piętnaście mil, dopóki ponownie nie skręcił w bok, na częściowo szutrową drogę do Giessen. Minąwszy tę miejscowość, podążył wzdłuż rzeki Lahn do Marburga i wjechał do centrum miasta, starego ośrodka uniwersyteckiego zbudowanego wokół zamku wznoszącego się na szczycie skalistego wzniesienia.

Drogę przegrodził mu tam posterunek żandarmerii i przez chwilę generałowi wydawało się, że zrobił głupstwo, nie zabierając ze sobą Oberstleutnanta. Żandarmi mogli się przecież przyczepić do paliwa i żywności. Szybko doszedł jednak do wniosku, że podjął właściwą decyzję. Im mniej żandarmeria wiedziała o tym, co robił z informacjami, które mu przekazała, tym lepiej. Żandarmi zbyt dobrze rozumieli się z Gestapo i SS. Jutro, a najdalej pojutrze, przekaże sprawę Sicherheitsdienst, jako że leży najprawdopodobniej w jej kompetencjach, nie powie jednak ani słowa o działaniach, które podjęła armia.

Kabriolet minął zamek Greiffenbergów stojący kilkaset metrów od drogi. Na jego stromych dachach również widniały czerwone krzyże, nie pozostawiając cienia wątpliwości, że rezydencję grafa także przeznaczono na potrzeby rekonwalescentów.

Trzy mile dalej samochód wjechał na dość szeroką, polną drogę prowadzącą przez las. Po przejechaniu kolejnej mili zatrzymał się przed niedużą leśniczówką. Otaczał ją płot z kamiennych słupów i metalowych prętów, do którego przypięty był łańcuchem rower. Za parkanem, w otwartym garażu, stał mały, dwuosobowy fiat.

– To tu – odezwał się generał, gdy wydawało mu się, że kierowca minie dom. Mercedes gwałtownie wyhamował. – Pomóż porucznikowi przy bagażach, a potem zanieś benzynę do garażu – dodał. Chomikowanie paliwa było bardzo poważnym wykroczeniem, nawet dla osoby z pozycją Greiffenberga.

– *Jawohl, Herr Generalmajor!*

Pułkownik von Greiffenberg wyszedł przed leśniczówkę. Był smukłym, ascetycznym mężczyzną o srebrzystych włosach. Ubrany był w wytartą kurtkę z tweedu, przedwojenne buty do golfa i kraciastą koszulę z wypłowiałej flaneli.

– Pan generał wybaczy – zaczął – ale spacerowałem po lesie i dopiero co wróciłem do domu.

Petera-Paula von Greiffenberga w ogóle nie cieszyła wizyta generała. Był prawie pewien, że nie ma nic wspólnego z nominacją na dowódcę jednostki liniowej. Chodziło raczej o jakąś brudną sprawę, na którą pułkownik zupełnie nie miał ochoty.

– Zawsze myślałem, pułkowniku, że dla przyspieszenia powrotu do pełnej sprawności oficerom po wypisie ze szpitala zaleca się właśnie golfa i tym podobne ćwiczenia – zagaił generał.

– Nie grałem w golfa. Kłusowałem – wyjaśnił pułkownik prawie bezczelnym tonem.

– I co? – zapytał generał z uśmiechem na ustach.

– Udało się wczoraj i dziś – odparł pułkownik, zastanawiając się, co skusiło go do prowokowania starego znajomego. Może to, pomyślał, że jestem ubrany jak wieśniak i mieszkam w leśniczówce. – Wczoraj dzik – wyjaśniał Greiffenberg, uśmiechając się. – Będzie na obiad. Na jutro jest jeleń. – Spojrzał na sierżanta zajętego wyciąganiem kanistrów z bagażnika. – Pan generał jest bardzo hojny. Szczególnie dziękuję za benzynę.

– Nie rozumiem, o czym pan mówi, pułkowniku – odrzekł generał. – Zna pan chyba zarządzenia zakazujące używania paliwa do celów cywilnych.

W drzwiach leśniczówki pojawiła się wysoka kobieta oraz szczupła dziewczyna. Kobieta była żoną hrabiego, księżną z Petersburga. Zachowywała się jak prawdziwa arystokratka, generał stwierdził jednak, że nie wziąłby jej za księżną. Miała na sobie znoszony, wyblakły strój, nie była umalowana, nie miała żadnej biżuterii oprócz ślubnej obrączki. Dziewczyna ukłoniła się, gdy generał podszedł do drzwi, wyglądała jednak bardziej na córkę gajowego niż potomka unii dwóch dostojnych rodów z tradycjami.

– Jeszcze trochę, a będziesz tak piękna jak matka – generał przywitał się z córką hrabiego, po czym ukłonił się i ucałował dłoń kobiety. – Pięknie wyglądasz, Fryderyko – dodał.

– Witamy w naszej leśniczówce – odpowiedziała żona Greiffenberga po rosyjsku. – Zajmujemy się z Ilse ogródkiem, ale rośnie tam tylko kapusta i marchewka. Nie mamy róż.

– Jeszcze nadejdą lepsze czasy – pocieszył ją generał. – Musimy ufać i mieć nadzieję.

– Gorliwie wierzymy w ostateczne zwycięstwo – odparła z nieukrywanym sarkazmem kobieta.

Generałowi przyszło na myśl, że Greiffenberg robi bardzo rozsądnie, trzymając żonę na wsi. Nie potrafiła ukrywać, że gardzi faszystami tak samo jak komunistami ze swojej ojczyzny.

– Niestety, Fryderyko, ominie mnie przyjemność spożycia obiadu w twoim towarzystwie – ciągnął dalej generał. – Muszę porozmawiać w cztery oczy z Peterem.

– Dostanie nominację? – spytała Fryderyka von Greiffenberg.

– Jeszcze nie – odrzekł generał – w szpitalu nie uznali go jak na razie za zdolnego do powrotu do służby czynnej. Pomimo to jest niezbędny do załatwienia pewnej sprawy.

– Ilse – pani Fryderyka zwróciła się do córki – zdejmij, kochanie, dwa nakrycia ze stołu. Pójdziemy się przejść po lesie.

– Jestem wdzięczna, że nie wysyła pan męża z powrotem do Rosji – stwierdziła kobieta chłodnym tonem. – Może jednak napijemy się po lampce wina? – zaproponowała.

– Oczywiście – odparł generał.

Po wypiciu trunku i podaniu do stołu udźca dzika żona pułkownika wyszła z Ilse, a generał postanowił spokojnie dokończyć obiad przed otwarciem aktówki. Zawartość każdemu popsułaby apetyt.

6
Okolice Szczecina, Polska
15 kwietnia 1943

Choć słońce świeciło już dosyć mocno i czuło się, że wiosna wkrótce zazieleni brunatny krajobraz, na ziemi leżały jeszcze miejscami płaty śniegu i na tylnym siedzeniu samolotu panowało dotkliwe zimno.

Pułkownik von Greiffenberg odczuwał ciągły ból. Po czterech godzinach lotu odezwała się niezaleczona rana w kolanie.

Samolot łącznikowy *Feiseler Fi 156 Storch* wystartował z bazy myśliwskiej Luftwaffe w Marburgu, uzupełnił paliwo w Lipsku i właśnie dolatywał na miejsce. Pułkownik przemarzł w Rosji i mimo wełnianych skarpet, rękawic i owiniętego wokół szyi szala czuł silny ból w palcach rąk i nóg oraz w uszach i nosie. Od czasu do czasu przeszywały go fale bólu i zdawało mu się wtedy, że ktoś wyłamuje mu palce.

Cały poprzedni dzień pułkownik czekał w Marburgu na pojawienie się samolotów. Były jakieś problemy z załatwieniem dwu maszyn naraz i oba *Storchy* nadleciały dopiero tuż przed zmrokiem. Greiffenbergowi zależało na bezproblemowym dotarciu na miejsce, postanowił więc, ku rozpaczy młodziutkich pilotów, odłożyć start do następnego ranka. Lot nocą byłby tylko zbędnym ryzykiem.

Rozkazy, oznaczone jako „ściśle tajne", oddawały obie maszyny do wyłącznej dyspozycji pułkownika, którego wraz z wybranymi przez niego osobami piloci mieli przewieźć do dowolnego punktu znajdującego się na terenach kontrolowanych przez Rzeszę. Obaj młodzieńcy palili się do akcji, podejrzewając, że w rzeczywistości będą zajmować się czymś zupełnie innym, i nie mogli się doczekać startu.

Wylecieli rano, startując z miniaturowego lotniska z jednym pasem, znajdującym się w samym środku stu sześćdziesięciu hektarów pszenicy „wydzierżawionych" przez Greiffenberga Luftwaffe na „czas określony", i kierowali się ku północnej Polsce, w stronę podobnego lotniska polowego, również wybudowanego na polach jakiegoś arystokraty.

Gdy samolot podchodził do lądowania, pułkownik dostrzegł znajdujący się obok lotniska stalag. Składał się on ze starych koszar i ciągu stajni, które niewątpliwie należały kiedyś do jednostki kawalerii.

Obecnie był to ogrodzony zasiekami i obstawiony drewnianymi wieżyczkami teren obozu jenieckiego, stalagu XVII-B. Pewnie są tu również miny, pomyślał Greiffenberg, który doskonale pamiętał, jak zdobyte na początku wojny rosyjskie i angielskie miny wykorzystywano do histerycznego zabezpieczenia każdego skrawka ziemi, z którego choćby tylko teoretycznie mogło grozić jakieś niebezpieczeństwo tyłom niemieckiej armii.

Pilot *Storcha* nie mógł nawiązać kontaktu radiowego z lotniskiem, przeleciał więc nad nim, żeby chociaż w ten sposób zamanifestować swoją obecność, i wylądował. Do samolotu niedbałym krokiem podszedł młodszy oficer Luftwaffe, niespodziewanie dostrzegł insygnia pułkownika na szarym mundurze Greiffenberga i wyprężył się na baczność.

Po podstawieniu samochodu pułkownik podał starszemu stopniem pilotowi ostateczny cel lotu i nakazał przygotowanie szczegółowego planu, z uwzględnieniem lotnisk rezerwowych i tankowania paliwa. Dodał również, że drugi z pasażerów nie może być wystawiony na żadne niebezpieczeństwo.

Pułkownik pokazał majorowi nadzorującemu lotnisko kilka rozkazów, sugerując, że podróżuje w misji specjalnej z upoważnienia samego Oberkommando der Wehrmacht, i udał się do obozu. Niekłamaną satysfakcję sprawiło mu przekonanie się, że miał rację. Rzeczywiście były to koszary kawalerii.

O Boże! Żal mi tych koni! Należały do lepszych w Europie, a poszły na taką bezsensowną rzeź, pomyślał pułkownik.

Komendantem obozu był starszy podpułkownik piechoty z medalem za rany z pierwszej wojny światowej. Przyzwoity facet, zadecydował z miejsca von Greiffenberg. Dali mu ten stalag, bo jest za stary na coś lepszego.

– Czym mogę służyć, Herr Oberst?

Pułkownik pokazał rozkazy.

– Chciałbym porozmawiać z pułkownikiem Robertem Bellmonem – oświadczył von Greiffenberg. – Być może będę go musiał zabrać z obozu na parę dni.

Wzbudziło to ciekawość komendanta, ale był on żołnierzem starej szkoły i nie zadawał zbędnych pytań. Wiedział, że jeżeli należy mu się jakieś wyjaśnienie poza oficjalnym rozkazem, to je dostanie.

– Każę go zawołać, Herr Graf. A na razie proponuję brandy i coś do zjedzenia.

– Z miłą chęcią – odparł von Greiffenberg. – Jeżeli to możliwe, to proszę przynieść tyle, żeby starczyło też dla pułkownika Bellmona.

Czekając na jeńca, pułkownik nie tknął posiłku, na który składały się: chleb, coś, co przypominało prawdziwe masło, i mięso na zimno. Poczęstował się za to dwa razy francuskim koniakiem, zachodząc w głowę, skąd komendant go wytrzasnął. Dawno przecież minęły początki wojny, gdy francuskie wina i perfumy były łatwo dostępne dla wyższych oficerów.

Podpułkownik Bellmon, ubrany w spłowiałą kurtkę czołgisty i bladooliwkowe spodnie z wełny, wszedł do pokoju, stanął przed biurkiem i zasalutował.

– Podpułkownik Robert Bellmon melduje się, Herr Oberst – powiedział płynnie po niemiecku.

Nieźle wygląda jak na oficera w niewoli, pomyślał pułkownik.

– Możemy rozmawiać po angielsku – odezwał się von Greiffenberg. – Ale proszę, broń Boże, nie myśleć, że krytykuję pański niemiecki. Jest całkiem dobry.

– Dość ciężko nad nim pracowałem – kontynuował po niemiecku Bellmon. – Nie bardzo jest się tu czym zająć.

– Ja bym tego nie powiedział – odparł von Greiffenberg po angielsku, odpiął guzik kieszeni, wyjął z niej kopertę i bez słowa wręczył ją Bellmonowi.

Podpułkownik otworzył ją i wyjął zdjęcie. Widniał na nim von Greiffenberg, jako młody oficer kawalerii, z malutką dziewczynką na ręku. Niemiec uśmiechał się do niej w bezgranicznym zachwycie. Bellmon przyjrzał się zdjęciu, przez chwilę popatrzył na pułkownika i miał już zamiar oddać fotografię.

– Nie poznaje pan tej dziewczynki, panie pułkowniku? – odezwał się Greiffenberg. – Łudziłem się, że nie będzie to za trudna zagadka.

Bellmon raz jeszcze rzucił okiem na zdjęcie i pokręcił głową.

– Przepraszam – powiedział. – Ale nigdy jej nie widziałem.

– Poślubił pan tę kobietę, pułkowniku – wyjaśnił hrabia. – To Barbara Diana Waterford-Bellmon w wieku szesnastu miesięcy.

Bellmon po raz trzeci wpatrzył się w fotografię. Tym razem nie miał żadnych wątpliwości. Dziewczynka miała oczy Barbary. Bob skierował wzrok na Greiffenberga, oczekując jakiegoś wyjaśnienia.

– Jeżeli się nie mylę – zaczął Greiffenberg – to zdjęcie zrobiła we francuskiej szkole kawalerii w Saumur pańska teściowa. Generał Waterford zajęty był wtedy chyba pieczeniem mięsa na wolnym ogniu, co zawsze kończyło się dokładnie tak samo. Udziec był zwęglony na wierzchu, surowy w środku i w ogóle niejadalny. Porky'ego nigdy to jednak nie zrażało.

Bellmon uśmiechnął się nieśmiało, pamiętając, że musi postępować z tym oficerem niezwykle ostrożnie.

– Przykro mi, panie pułkowniku, ale nie przypominam sobie, żeby teść wspominał pańskie nazwisko – odpowiedział Bellmon.

– Ostatni raz przesłaliśmy sobie życzenia na Boże Narodzenie 1940. Później nie byłoby to zbyt zręczne.

– Czego pan ode mnie chce? – zapytał jeniec.

– Miałem nadzieję, że jest pan typem oficera, który nie żywi nienawiści do wroga – powiedział Greiffenberg ogólnikowo: – Istnieją przecież sprawy tak ważne, że wykraczają swoją wymową poza wojnę. Łudziłem się, że rozumie pan, iż pomimo naszego obecnego położenia traktuję generała jak starego przyjaciela i śmiem twierdzić, że on to samo powiedziałby o mnie.

– Oczywiście żałuję, że doszło do wybuchu wojny – również

33

oględnie odparł Bellmon – choć zmuszony jestem stwierdzić, że rząd, któremu pan służy, uważam za moralnie godny potępienia.

Von Greiffenberg zdawał się tego nie słyszeć.

– Panie pułkowniku – przeszedł do sedna sprawy – nasze dowództwo naczelne wykryło, że Sowieci rozstrzelali w lesie katyńskim koło Smoleńska około pięciu tysięcy wziętych do niewoli polskich oficerów i pogrzebali w masowych grobach.

Bellmon nie zareagował. Wypowiedź Niemca brzmiała jak kwestia z propagandowego filmu. Von Greiffenberg nie był jednak postacią fikcyjną i jeżeli tylko Bellmon nie postradał jeszcze zdolności krytycznego myślenia, to łatwo mógł się przekonać, że mówi serio i nie powołuje się na starą przyjaźń dla jakiegoś taniego chwytu.

Bellmon skierował wzrok na pułkownika i oczekiwał dalszego ciągu.

Von Greiffenberg otworzył teczki i wysypał na stół całą dokumentację przekazaną mu w bunkrze koło Marburga: trzydzieści dużych fotografii, rdzewiejące i zbutwiałe insygnia i dokumenty tożsamości oraz metki od krawców.

– Ekshumacja zwłok trwa – oświadczył. – Na razie udało nam się zidentyfikować ciała dwu generałów i sześćdziesięciu jeden pułkowników, wielu oficerów niższych stopniem. Wszystkim skrępowano ręce na plecach i strzelono w tył głowy z pistoletu kaliber 32.

– Proszę mi wybaczyć, panie pułkowniku – przerwał mu Bellmon. – Ale skąd mam mieć pewność, że to sprawka Rosjan?

– W tej chwili na miejscu zbrodni pracuje czternastu ekspertów medycyny sądowej z krajów neutralnych i są oni w pełni kompetentni orzec, od jak dawna ciała spoczywają w grobach. Nawet jeżeli przyjmiemy najbardziej skrajne hipotezy dotyczące daty śmierci ofiar, to nie istnieje absolutnie żadna możliwość obciążenia nią jednostek niemieckich. Gdy popełniano zbrodnię, obszar ten kontrolowały wyłącznie siły sowieckie.

– Fakty te zostaną bez wątpienia ujawnione kanałami Czerwonego Krzyża i innych organizacji międzynarodowych – stwierdził Bellmon.

– I odrzucone jako antysowiecka propaganda – odparł von Greiffenberg.

– Więc tu się zaczyna moja rola? – zapytał jeniec.

– Wątpię, czy nawet panu uwierzyłby ktoś z kręgów niewojskowych – odparł Greiffenberg. – Rozumujemy w ten sposób: zagrożony jest honor niemieckiego korpusu oficerskiego, chcemy więc, żeby ktoś z oficerów amerykańskich, a konkretnie syn generała, zięć generała i ktoś, kto sam na pewno zostanie generałem, osobiście przyjrzał się tej hekatombie. Chcemy panu w ten sposób oszczędzić konieczności decydowania, czy była to antysowiecka propaganda czy też nie, na podstawie informacji z drugiej ręki.

– Po co? – zdziwił się Bellmon.

– Myślałem, że będzie to oczywiste – odpowiedział Greiffenberg. – Chcę, to znaczy chciałbym prosić pana, żeby zgodził się oddać do naszej dyspozycji na czas, jaki zajmie przelot do Katynia pod Smoleńskiem, i spotkał się tam z neutralnymi ekspertami, po czym wróci pan tutaj.

– Do czego wam to potrzebne, jeżeli i tak macie wygrać wojnę – spytał Bellmon.

Przed udzieleniem odpowiedzi Greiffenberg zrobił dłuższą przerwę.

– Po wygraniu wojny, panie pułkowniku, z najwyższą przyjemnością oddamy odpowiedzialnych za to barbarzyństwo w ręce sprawiedliwości.

– Ale bierzecie też pod uwagę możliwość przegranej – wtrącił Bellmon. – O to wam chodzi?

– Jako lojalny oficer oczywiście głęboko wierzę w ostateczne zwycięstwo – odpowiedział von Greiffenberg.

– Zakładam, że wie pan – ciągnął Bellmon – że jako jeniec nie mogę składać żadnych oświadczeń.

– Oczywiście – potwierdził von Greiffenberg. – Praktykujemy jednak wymianę ciężko rannych i umierających, wyznaczając zwykle kilku jeńców do opieki.

– Sugeruje pan, że będę wymieniony, jeżeli pojadę? – zapytał Bellmon, zastanawiając się, czy to nie przekupstwo.

– Leżałoby to w naszym oraz pańskim interesie – oględnie stwierdził von Greiffenberg. – Jeżeli przekonałby się pan, że to zbrodnia sowiecka, co, mam nadzieję, wykażą dowody rzeczowe, to byłby pan w wielkim niebezpieczeństwie, gdyby losy wojny rzuciły pana w ręce bolszewików.

– Na pewno rozważył pan już możliwość, że zgodzę się na wymianę, a potem oskarżę was o zbrodnię – upewnił się Bellmon.

– Dowody są niepodważalne – zapewnił go von Greiffenberg. – Mam też nadzieję, że jest pan nie tylko oficerem, ale i dżentelmenem.

Kadzi mi, pomyślał Bellmon. Z pewnością mi to jednak nie zaszkodzi.

– Dobrze – zgodził się podpułkownik. – Pojadę. Kiedy wyruszamy?

– Natychmiast.

7

Stalag XVII-B, Szczecin
11 października 1944

Nadeszły paczki świąteczne z Czerwonego Krzyża. Jakimś dziwnym zrządzeniem losu dotarły do Szczecina w tydzień po przekazaniu ich w ręce niemieckie przez Szwedów i komendant zgodził się na ich natychmiastowe rozprowadzenie. Dla jeńców najważniejszy był fakt, że przez kilka dni będzie mielona kawa (prawdziwa!), czekolada, papierosy, chusteczki, rękawiczki i książki Hemingwaya. Chowanie paczek w magazynie i trzymanie ich do świąt nie miało żadnego sensu. Boże Narodzenie nadejdzie 25 grudnia, ale dzień ten nie będzie się niczym różnił od pozostałych. Będzie to po prostu kolejny dzień niewoli w starych koszarach kawalerii na Pomorzu.

Bellmon postanowił, że napije się mocnej kawy, nie zużyje jednak całego zapasu od razu. Zostawi resztę na dzień, kiedy naprawdę będzie miał ochotę na małą czarną. Nie miał też zamiaru pić jakiejś lury, żeby starczyło mu na dłużej. Zrobi sobie tyle mocnych kaw, na ile starczy, i kiedy będzie miał na to chęć.

Nigdy jeszcze nie był tak samotny i nie obawiał się tak bardzo, że postrada zmysły.

Od podróży do Katynia minęło już osiemnaście miesięcy. Przez cały ten czas Bob dostał od żony 31 listów pisanych na złożonej w trójkąt kartce papieru, która sama była dla siebie kopertą. Przychodziły bardzo nieregularnie, a czasem nie po kolei. Zdarzyło się nawet tak, że przez pięć miesięcy nie nadszedł żaden.

Podpułkownik trzymał je na stoliku obok łóżka, w pudełku po cygarach, które zupełnie niespodziewanie przysłano pół roku temu po paczce na dwóch oficerów. Poprzednio Bellmon zawijał korespondencję w sweter i chował w szafie.

Bob pełnił funkcję zastępcy dowódcy obozu, którym był najstarszy stopniem jeniec. Był to pułkownik piechoty, nie służył on jednak nigdy na froncie. Na co dzień uczył historii na University of Wisconsin, a po mobilizacji został oficerem łącznikowym i szybko dostał się do niewoli we Włoszech.

Profesor nie był zawodowym żołnierzem i wahał się pomiędzy ulgą, że ma pod bokiem oficera, który może za niego podejmować decyzje, a obawą, że operatywność Bellmona obnaża jego niekompetencję. Mimo to starał się zachowywać jak przystało na wojskowego.

Bellmon nie wspominał pułkownikowi o Katyniu i nie zameldował o ukrytej w sienniku łóżka paczce. Według listu pułkownika von Greiffenberga zawierała ona dwadzieścia cztery zdjęcia dokumentujące zbrodnię pod Smoleńskiem, wspólne fotografie Bellmona i ekspertów, dokumenty tożsamości, listy oraz insygnia rozstrzelanych. Koperta zalakowana była woskową pieczęcią Oberkommando der Wehrmacht, do której doczepiony był list na służbowym papierze OKW, podpisany przez Hassa von Manteuffla. Stwierdzał on, że przesyłka należy do pułkownika armii amerykańskiej z woli OKW oraz że ani władze wojskowe, ani siły bezpieczeństwa pod żadnym pozorem nie mają prawa odbierać jej Bellmonowi, a tym bardziej sprawdzać zawartości. Poniżej widniały pieczęcie OKW i SS, parafy dowódcy SS Bellmon nie mógł niestety odczytać.

Podpułkownik czuł, że Niemcy wykorzystują go, i nieraz już miał ochotę wyrzucić kopertę do piecyka i pozbyć się ewentualnych oskarżeń o kolaborację.

W jego umyśle nie było jednak wątpliwości, że to sowiecka tajna policja, przy pełnym poparciu armii, zabrała z obozów jenieckich pięć tysięcy polskich oficerów, związała im ręce na plecach, kazała położyć się w długich rowach i strzelała w tył głowy z pistoletu.

Po obejrzeniu na własne oczy miejsca zbrodni Bellmon nie wzbraniał się już przed podzielaniem poglądów von Greiffenberga i jemu podobnych Niemców. Jego wrogiem numer jeden stali się Rosjanie.

Wojna z natury jest okrutna i na polach bitew zdarzają się masakry, rozumował Bellmon. Opowiadano mu o nich całe życie i sam widział kilka w Afryce. Gdy brano go do niewoli, osobiście też spodziewał się raczej kuli niż łaski.

Tak bywało na polu walki. Barbarzyństwo Rosjan wykraczało jednak poza wszelkie zrozumienie. Chcieli oni zawładnąć Polską, mordując jej potencjalnych przywódców, młodych, starych, a nawet kapelanów. Bellmon identyfikował się z rozstrzelanymi oficerami. Wielu z nich miało na nogach kawaleryjskie buty i na pewno dostali się do niewoli nie z własnej winy. Wpojono im traktowanie jeńców zgodnie z konwencją genewską i tego samego oczekiwali od Rosjan. A ci zmasakrowali ich za to jak bydło.

Z początku Bellmon planował, że po obiecanej przez Greiffenberga wymianie odczeka z miesiąc, żeby uspokoić emocje i odzyskać zdolność krytycznej oceny faktów, po czym przekaże kopertę odpowiednim władzom.

Niestety, szybko wyszło na jaw, że nie będzie podlegał wymianie. Bob nie rozumiał dlaczego, gdyż było ku temu mnóstwo okazji, pogodził się jednak z myślą, że trzydziestodniowy urlop spędzi z Barbarą w Carmel dopiero po wojnie. Nie miał zielonego pojęcia, co uniemożliwiło wymianę, ale czuł, że Greiffenberg na pewno nie był w stanie na to wpłynąć.

Jako zastępca dowódcy Bellmon przewodniczył komitetowi ucieczkowemu. Było to ciało pomysłowe, bohaterskie i entuzjastyczne, ale zdaniem pułkownika bezdennie głupie. Nie mieli szans na wydostanie się z obozu, nie mówiąc już o wymknięciu się z okupowanej przez Niemców Europy. Nie istniało tu żadne podziemie, które mogłoby ich wesprzeć, jak to miało miejsce na przykład we Francji. Nic dziwnego, że Niemcy zlokalizowali stalag właśnie w tym rejonie. Mieli przecież głowy na karku.

Czasami zastanawiał się, czy nie powinien zmienić zdania w kwestii ucieczki. Obawiał się, że po prostu stracił odwagę i podświadomie zaczął identyfikować się z wrogiem, ze względu na to, co Niemcy pokazali mu w Katyniu, dlatego że Greiffenberg był szkolnym kolegą teścia czy też z powodu tego, że pułkownik trzymał kiedyś na rękach Barbarę. Wyobrażał sobie, że będą mu wmawiać, a przynajmniej delikatnie sugerować, że Niemcy i Amerykanie są tacy sami i jednakowo obowiązuje ich etyka chrześcijańska oraz że zamiast toczyć absurdalną wojnę między sobą, oba narody powinny zwrócić się przeciwko wspólnemu wrogowi, którym niewątpliwie jest bezbożna Rosja, a Hitler zrobił wszystko, co mógł, żeby nie wciągać Stanów Zjednoczonych do wojny.

Do niczego takiego jednak nie doszło. Propaganda dosięgła go tylko w gazetach i czasopismach, po których należało się tego spodziewać. Podawanie amerykańskim oficerom pisma armii niemieckiej „Signal" było przecież tym samym, co zaopatrywanie jeńców niemieckich w jego amerykański odpowiednik „Yank".

We wrześniu przeniesiono gdzieś oficerów brytyjskich i francuskich, Stalag XVII-B stał się więc obozem wyłącznie amerykańskim.

Wywołało to pewne perturbacje natury administracyjno-zaopatrzeniowej. Bellmon nie zwracał na to większej uwagi, ale Francuzi i Anglicy stanowili kręgosłup organizacji obozu. Ich podoficerowie i szeregowi byli kucharzami i ordynansami, sprzątali kuchnię, wszystkie pokoje oraz latryny.

Gdy Francuzi i Anglicy wyjechali, z obsługi nie został prawie nikt. Był tylko flegmatyczny kucharz z Bawarii i kierownik pralni, ale nie miał się kto zabrać do czarnej roboty.

Bellmon pokłócił się o to z dowódcą obozu.

– Musimy po prostu ustalić dyżury – stwierdził pułkownik. – Będzie grafik i sprawiedliwość.

Bob wściekł się, ale nie dał tego po sobie poznać. Postanowił, że jeżeli pułkownik nie rozumie, że nie są harcerzami na wakacjach, to go tego nauczy.

– Jesteśmy oficerami – zaczął Bellmon – w wielu wypadkach starszymi, i nie będziemy pracować w pralni. Oficerowie US Army nie będą kucharzami ani sprzątaczami w latrynach.

– O Boże, Bob! Jesteśmy w niewoli!

– Jesteśmy oficerami – powtórzył Bellmon. – Ty, pułkownik rezerwy, jesteś amerykańskim oficerem tak samo jak ja.

– Jeżeli tak twierdzisz, Bob – odparł pułkownik bez przekonania – to jestem starszy stopniem. Mógłbym wydać ci rozkaz i musiałbyś go wykonać.

– Rozkaz zostałby wykonany, ale w pierwszym dniu wolności oskarżyłbym cię o zachowanie niegodne oficera i dżentelmena – odparował Bellmon.

– Kto by się, do cholery, dowiedział, że ucierpiała twoja ukochana godność oficera?! – zdenerwował się pułkownik.

Po tych słowach Bellmon poczuł, że wygrał. Pułkownik bał się go bardziej od Niemców.

– Nieprzyjaciel – łagodnym głosem objaśnił Bob. – I to właśnie jest najważniejsze.

Komendant obozu oświadczył im, że zażądał kontyngentu jeńców do obsługi obozu, nie mógł jednak sprecyzować, kiedy on przybędzie i czy to w ogóle nastąpi.

Ani do kuchni, ani do pralni nie został przydzielony żaden oficer. Do pomocy kucharzom wyznaczono dwóch Niemców, a każdy z oficerów sam nosił menażkę do jadalni, mył ją wraz ze sztućcami i zostawiał pomocnikowi kucharza. To samo dotyczyło prania bielizny oraz czyszczenia i prasowania mundurów. Każdy robił to sam.

Bellmon dużo czasu spędzał przy maglu, dbając o nieskazitelny wygląd spodni, bluzy i koszuli. Próbował też zachęcać własnym przykładem i stwierdził, że skuteczność sięgała trzydziestu procent. Jeden na trzech dostosował się do zwyczajów podpułkownika i na ile mógł, na tyle starał się wyglądać jak przystało na oficera. Reszcie na tym nie zależało.

Bellmon przestał się odzywać do nieogolonych i niedoprasowanych, nie reagując na ich widok nawet skinieniem głowy. Nie współpracował z nimi nawet wtedy, gdy prosili o pomoc w tłumaczeniu lub o zaopiniowanie legalności posunięć związanych z ucieczką.

– Można pana na chwileczkę prosić, panie pułkowniku?

– Niech się pan najpierw ogoli, poruczniku. Ma pan niechlujny mundur.

Po takiej rozmowie zawsze wracali wygoleni i w trochę lepiej wyglądających mundurach. Bob pomagał im wtedy, jak tylko mógł. Pułkownika zawstydził zaś do tego stopnia, że ten nie tylko zaczął golić się codziennie, ale na modłę brytyjską zapuścił nawet wąsa.

Odsetek obdartusów spadł najpierw do pięćdziesięciu procent, a później jeszcze niżej. Niektórzy z gładko wygolonych i odprasowanych zaczęli sobie nawet stroić żarty z podpułkownika, salutując przed Bellmonem przy każdej okazji. Odpowiadał on na te honory równie regulaminowo, niczym na placu defiladowym w West Point. Towarzysząca tym honorom kpina zrodziła zwyczaj sięgania palcami do brwi, co uznawano jeszcze za salutowanie. Oficerowie młodsi oddawali honory starszym, a prawie wszyscy jeńcy dowódcy obozu oraz Bellmonowi.

On tu dowodził. Nie miał pojęcia, co to konkretnie oznacza, ale głęboko wierzył, że jeńcy Stalagu XVII-B tworzą jednostkę wojskową, która potrzebuje dyscypliny jak każda inna. Bez dyscypliny jednostka zamienia się w tłum, a tłum ginie. Albo na polu bitwy, albo w obozie.

Sześć tygodni po wyjeździe Anglików i Francuzów przez drewnianą bramę obozu przetoczył się konwój krytych brezentem ciężarówek. Parę minut później na plac apelowy wysypał się kontyngent wziętych do niewoli amerykańskich szeregowców i podoficerów. W każdym samochodzie było ich po dwudziestu dwóch.

Usłyszawszy warkot silników, Bellmon wyjrzał przez okno i przyglądał się wysiadającym żołnierzom. Część wykazywała oznaki długotrwałego pobytu w obozie (pułkownik nie miał pojęcia, na czym te oznaki polegały, ale był pewny swego), innych wzięto do niewoli raczej niedawno, wszyscy byli za to jednakowo apatyczni. Natychmiast siadali w grupach obok ciężarówek i biernie czekali na to, co Niemcy z nimi zrobią. Wielu wyglądało tak, jakby było im to obojętne.

Podpułkownik Bellmon zapiął kurtkę mundurową, wyprostował krawat przed lustrem, które zrobił sobie sam, cierpliwie polerując kawałek blachy popiołem, i wyszedł na dziedziniec. Z początku jedyną reakcją na jego obecność były pełne oczekiwania spojrzenia niektórych z nowo przybyłych. Bellmon założył ręce na biodra i zaczął ich kolejno lustrować wzrokiem, zachowując kamienny wyraz twarzy. Przyjrzał się już tak co najmniej trzydziestu, gdy jeden z nich niespodziewanie zerwał się na równe nogi i podszedł do podpułkownika.

– Sierżant MacMillan, sir! – zameldował się.

Do gabardynowej bluzy spadochroniarza MacMillan miał

przyszyte naszywki starszego sierżanta. Obok nich rzucało się w oczy miejsce, z którego odpruto odznakę 82. Dywizji Powietrznodesantowej. Dla Niemców była to szczególna gratka, tak samo jak dla Amerykanów trupia czaszka SS.

Dobrze zbudowany, muskularny MacMillan wyglądał na typowego spadochroniarza. Pewnie Irlandczyk, pomyślał Bellmon. A może Szkot, zawahał się przez chwilę. Na pewno coś jednak w nim jest. Podświadomie czuł, że sierżant jest starym wygą.

– To tak nauczono pana meldować się oficerowi, sierżancie? – cicho zapytał Bellmon.

MacMillan przyglądał mu się przez parę sekund, po czym energicznie stanął na baczność i z werwą zasalutował.

– Sierżant MacMillan melduje się z grupą osiemdziesięciu siedmiu ludzi, sir.

Bellmon odsalutował.

– Proszę zrobić zbiórkę, sierżancie – rozkazał.

MacMillan wykonał idealny w tył zwrot.

– Dobra, chłopaki – ryknął. – Zbiórka!

Paru mężczyzn odwróciło się, dwóch lub trzech wstało, ale nikt nie ruszył w stronę sierżanta. Nic nie wskazywało, że nowo przybyli mają ochotę posłuchać rozkazu.

MacMillan stał bez ruchu przez pełną minutę. Po jej upływie podszedł do siedzącego najbliżej żołnierza, złapał go za koszulę i uderzył pięścią w twarz. Trafiony podoficer upadł na ziemię i zasłonił ręką krwawiący nos.

Nikt z pozostałych nie zareagował, prócz jednego, który splunął.

– Wstawać – miękkim głosem rozkazał MacMillan i wyprostowanym palcem lewej ręki wskazał, gdzie mają się zebrać.

Zdenerwowany sierżant odsunął się tyłem od MacMillana, ale parę jardów dalej wstał, podszedł do wskazanego miejsca i stanął na baczność.

– Jeszcze ktoś? – zapytał MacMillan, spoglądając na twarze pozostałych.

Nikt nie drgnął ani nie odpowiedział.

– Przy nim w trójszeregu zbiórka! – rzucił komendę.

Powoli i niechętnie pozostali nowo przybyli zebrali się przy sierżancie. Trzeba było jednak mieć dużo dobrej woli, żeby dopatrzeć się w ich postawie „baczność". MacMillan raz jeszcze wykonał zamaszysty zwrot i zasalutował.

– Jednostka w szyku, sir! – zameldował.

– Bardzo dobrze, sierżancie – odpowiedział Bellmon. – Proszę przygotować oddział do inspekcji.

Sierżant po raz kolejny wykonał w tył zwrot i wydał odpowiednie komendy.

– Równaj w prawo. Dwa kroki naprzód marsz!

Bellmon podszedł do lewego końca szeregu, gdzie dołączył do niego MacMillan. Podpułkownik przemaszerował następnie wzdłuż formacji, zatrzymując się przed każdym żołnierzem i dając mu szansę na przyjrzenie się twarzy dowódcy. Skończywszy, ponownie stanął przed trójszeregiem.

– Spocznij – rozkazał. – Nazywam się Bellmon i jestem tu zastępcą dowódcy obozu. Najpierw was nakarmimy, a potem pokażemy kwatery i dopilnujemy, żeby każdy mógł pójść pod prysznic. Sami się tutaj obsługujemy. Sierżant MacMillan wyznaczy szóstki do jadalni, łaźni i dezynfekcji z podoficerem odpowiedzialnym – w tym momencie podpułkownik skierował wzrok na sierżanta, który stał na „spocznij" przed frontem żołnierzy.

– Będziesz pan szefem kompanii – oświadczył.

MacMillan podszedł do Bellmona i zasalutował po raz kolejny.

Bellmon wyjaśnił mu, gdzie jest kuchnia i łaźnia.

– Przyjdź do mojej kwatery, jak wszystko ruszy z miejsca – dodał.

MacMillan skinął głową.

Bellmon podniósł głos.

– Sierżancie, rozprowadzić oddział! – Po wydaniu ostatniej komendy zrobił zwrot i wrócił do kwatery.

Z koszar przyglądało się całej scenie kilku oficerów.

– Mogę pana o coś zapytać, panie pułkowniku? – zatrzymał go jeden z kapitanów. Bellmon skinął głową. – Co by pan zrobił, gdyby nikt się nie ruszył?

Pułkownik poczuł, że ogarnia go wściekłość. Musiało to być widoczne na twarzy, bo kapitan dodał szybko.

– Sir, to nie było pytanie z podtekstem.

– Mamy tu sierżanta z krwi i kości. Nie zostawiłby ich na siedząco. Oficer rozkazał im zrobić zbiórkę i zrobiłby ją albo ktoś padłby trupem. Być może byłby to sierżant, ale wątpię.

Bellmona zastanowiło, dlaczego był taki pewien, że wyglądający na chłopa MacMillan jest starym wygą.

Gdy sierżant wszedł do pokoju, Bellmon poczęstował go filiżanką prawdziwej kawy.

– Od kiedy jest pan w niewoli, sir?

– Od czasów Afryki Północnej – odparł Bellmon. – Przełęcz Kasserine.

– Mnie dopadli jakieś dwa tygodnie temu – zrewanżował się MacMillan. – Na samym końcu tej pieprzonej wojny.

– Nic nie słyszeliśmy o wprowadzeniu do akcji osiemdziesiątej drugiej – stwierdził Bellmon i wyjaśnił zaskoczonemu rozpoznaniem jego macierzystej jednostki sierżantowi, że dostrzegł miejsce, z którego odpruto naszywki.

– Operacja Market Garden, czyli pieprzenie kotka za pomocą młotka – odparł zdenerwowany MacMillan. – Mieliśmy uchwycić mosty na Renie, ale wyszła z tego najbardziej spieprzona operacja tej wojny. Niemcy wystrzelali nas jak kaczki.

– Tak jest zawsze, jak biorą jeńców – pocieszył go Bellmon. – Kasserine to też wielka wpadka.

– Jak pana złapali, sir, jeżeli można zapytać?

– Byłem pancerniakiem. Trafił nas *Panzer IV* i wyrzuciło mnie z wieży.

– Nas wrobili w przeprawę na tym angielskim złomie ze składanymi burtami i bez wioseł – zaczął opowiadać MacMillan. – Na wodzie wykosili nas moździerzami, a jak wyszliśmy w końcu na brzeg, to brakło amunicji. Po prostu brakło! Idioci myśleli, że będziemy walczyć gołymi rękami.

– I co zrobiliście?

– Braliśmy od zabitych, dopóki starczyło, a potem było po wszystkim. Co mieliśmy robić? Odstawić Johna Wayne'a, rzucić się z bagnetami?

– Jak to się skończyło? – indagował Bellmon.

– Wylazłem z okopu, podniosłem ręce i tyle – oświadczył sierżant.

– Ja udawałem martwego – zaczął swą historię podpułkownik, uświadamiając sobie, że opowiada ją pierwszy raz w życiu. – Zobaczyli, że oddycham, przewrócili mnie na plecy i przyłożyli broń do nosa.

– Co będzie z nami dalej, sir? – zapytał MacMillan.

– Poczekamy na koniec wojny – odpowiedział Bellmon.

– Wieźli nas dziewięć dni pociągiem i pół dnia ciężarówką – liczył sierżant. – To chyba daleko od naszych. Gdzie są Rosjanie?

– Nie mam pojęcia – odrzekł Bellmon.

– Nie ma sensu stąd zwiewać – wywnioskował MacMillan. – Żadnych szans na dotarcie do naszych.

– Mamy tu aktywny i pełen entuzjazmu komitet ucieczkowy – poinformował go Bellmon.

Sierżant podniósł wzrok na podpułkownika.

– Jak posuną się do tego, że spróbują, to nie dam im zgody – wyjaśnił Bellmon. – Na razie wydaje mi się, że powinniśmy zachować tę ocenę sytuacji dla siebie – dodał pułkownik.

– Przynajmniej mają zajęcie, tak?

– Jakbym miał tu wapno, tobym kazał bielić wszystkie kamienie, sierżancie – odparł Bellmon i roześmiał się.

W tym momencie dotarło do niego, że śmieje się po raz pierwszy od czasu, gdy znalazł się w niewoli.

MacMillan skinął ze zrozumieniem głową. Obaj uśmiechali się do siebie jak dwaj krajanie, którzy odnaleźli się w obcym państwie.

– Czy oprócz nas są tu jeszcze jacyś zawodowi, sir?

– Tylko ty i ja – odpowiedział Bellmon.

– Gdyby nie ta zasrana wojna, panie pułkowniku, to pan pewnie byłby jeszcze porucznikiem, a ja kapralem.

II

1
Akademia Wojskowa Stanów Zjednoczonych
West Point, Nowy Jork
22 grudnia 1944

Kadet kapral Sanford T. Felter siedział na baczność na brzegu bogato zdobionego krzesła w przedsionku gabinetu komendanta Korpusu Kadetów. Jego wyprostowane plecy odstawały na trzy cale od oparcia, a w obciągniętej białą rękawiczką dłoni spoczywała paradna czapka z piórami. Wezwano go tuż po uroczystej defiladzie poprzedzającej przerwę świąteczną i nie zdążył jeszcze się przebrać.

Kadet był niski i drobny; miał ziemistą cerę i ślady po pryszczach, które o mało co nie kosztowały go miejsca w Akademii. Felter patrzył prosto przed siebie na obraz oficera, o którym nigdy nie słyszał, ale który widocznie przysłużył się Akademii, skoro jego wizerunek wisiał przed wejściem do gabinetu komendanta.

Czekając, kapral starał się dociec, co może zdarzyć się w środku, i zastanawiał się, jak odpowiadać na pytania. Czuł się trochę nieswojo, ale nie dawał się ponieść nerwom.

– Przyślijcie Feltera, jeżeli jeszcze tam jest – odezwał się z głośników metaliczny głos.

– Możesz wejść – oświadczyła sekretarka.

Kadet włożył czapkę i wziął do ręki karabin *Garand M1*. Przez cały czas pobytu w West Point nigdy nie meldował się jeszcze z bronią w gabinecie i nie był pewien, czy wejść z karabinem na ramieniu i zaprezentować broń dopiero w środku, czy też wejść z nim przy nodze i zasalutować bronią.

Wchodząc, Felter zdecydował się na to drugie rozwiązanie. Zapukał do drzwi, poczekał chwilę na zezwolenie i wmaszerował do gabinetu. Zatrzymał się osiemnaście cali przed olbrzymim, mahoniowym biurkiem. Stanął na baczność, oparł kolbę na dywanie, zaczął salutować karabinem. Prawą rękę przesunął w poprzek ciała i rozpostarł palce tak, aby opuszki dotykały zamka trzymanego w lewej dłoni *M1*.

– Sir, kadet kapral Felter Sanford T. melduje się u komendanta, sir.

Siedzący za biurkiem generał major również zasalutował.

Był to barczysty mężczyzna po czterdziestce z króciutko ostrzyżonymi, siwymi włosami. Od razu rzucało się w oczy, że w czasach szkolnych na pewno grał w futbol amerykański, a obecnie każdą wolną chwilę spędzał na polu golfowym.

Kapral zakończył oddawanie honorów i zamarł z prawą ręką wyprostowaną wzdłuż ciała, ze wzrokiem wbitym sześć cali ponad głową komendanta, na wysokość kolan wiszącego za biurkiem portretu generała Philipa H. Sheridana.

– Spocznij, Felter! – rozkazał komendant.

Kadet przesunął lufę *Garanda* o cztery cale do przodu, przestawił lewą stopę sześć cali w bok i oparł lewą dłoń na biodrze. Było to spocznij defiladowe, ale wydawało mu się w tej sytuacji najwłaściwsze. Znajdował się przecież w gabinecie dowódcy. Na spocznij można się było rozglądać, kapral zniżył więc wzrok, trafiając od razu na spojrzenie komendanta.

– Mam tu twoją rezygnację, Felter – zaczął generał. – Możesz mi ją wyjaśnić?

– Sir, odnoszę wrażenie, że jest dostatecznie jasna – odparł kapral po krótkim namyśle.

– Niestety nie jest, Felter – zaprzeczył generał. – Chcę wiedzieć, co za dziwaczne rozumowanie doprowadziło cię do takiego wniosku.

– Sir, wydaje mi się, że wojna się skończy, zanim ukończę Akademię – oświadczył kadet.

– I boisz się, że nie zdążysz już okryć się chwałą? – Generał wcisnął się głębiej w krzesło i odchylił do tyłu.

– Nie, sir.

– Ale osobiście chciałbyś przyczynić się do upadku tysiącletniej Rzeszy. O to wam chodzi? Chcesz przyłożyć do tego rękę?

– Jeżeli ma pan komendant na myśli to, że jestem praktykującym Żydem, to nie, sir.

– To o co w takim razie, do cholery, chodzi? – zdenerwował się generał.

– Sir, doszedłem do wniosku, że to, czego nauczę się, czynnie służąc w armii, bardziej przyda mi się w karierze oficera zawodowego niż to, czego nauczę się tutaj jako kadet.

– A przyszło ci do głowy, Felter, że pomysł ten rozważało już i odrzuciło kilku twoich przełożonych? Ich zdaniem najlepszym miejscem dla kadeta jest Akademia i ja się z tym całkowicie zgadzam.

– Tak jest, sir.

– Ale ty nie zgadzasz się ze mną – w głosie generała pobrzmiewał sarkazm.

– Nie, sir.

– Mam nadzieję, że wiesz, co się teraz z tobą stanie. Wyślemy cię do centrum szkolenia uzupełnień piechoty, przepuścimy przez maszynkę podstawowego instruktażu i wyślemy na front. Za trzy miesiące, a nawet wcześniej, będziesz strzelcem w pierwszoliniowej kompanii. Pytałem, czy wiesz, co ta rezygnacja dla ciebie oznacza, Felter – chłodno wycedził komendant. – Proszę mi łaskawie odpowiedzieć!

– Sir, nie chciałbym kwestionować pańskich poglądów – odrzekł kapral, zmuszając się do spojrzenia generałowi w oczy.

– Kwestionować! Szlag by cię trafił, smarkaczu! – ryknął komendant.

– Sir – powtórnie zaczął Felter – według regulaminu kadetom wstępującym do armii po co najmniej dwóch latach Akademii są one zaliczane jako obóz rekrucki i kieruje się ich bezpośrednio do jednostek.

– Żebyś się tylko nie przeliczył – skomentował generał. – Przyznaję, że o tym nie wiedziałem, ale znaczy to tylko tyle, że od razu dadzą ci do ręki bagnet i *M1*. Armia zainwestowała w ciebie przez te dwa lata kupę forsy i nie chcemy, żeby cię zarżnęli jak szeregowca.

– Sir, mam powody, żeby sądzić, iż spełniam warunki przyjęcia na kilka cykli szkolenia specjalistycznego.

– Jakie szkolenia?

– Drastycznie brakuje tłumaczy niemieckich, polskich i rosyjskich. Tak samo ludzi do przesłuchiwania jeńców w tych językach. Nie wiem, czy nadaję się do przesłuchań, ale na pewno mogę być tłumaczem. Jeżeli po przejściu do służby czynnej dalej będzie istnieć takie zapotrzebowanie, to powinni mnie skierować właśnie do tego typu jednostek.

– A jak dadzą ci karabin i każą nadziewać ludzi na bagnet?

– To najgorsza z możliwości, sir – odparł Felter – ale nawet to byłoby przydatniejsze dla dalszej kariery od przesiedzenia wojny na kolejnym roku Akademii, sir.

– Ciągle mówisz o przyszłości, Felter, a opuszczając szkołę, rezygnujesz przecież z kariery oficera. Nie zmieni to twoich planów?

– Mam zamiar skończyć Akademię po wojnie, sir, zgodnie z przepisem zezwalającym na to studentom służącym w armii jako poborowi.

– A skąd masz pewność, że cię ponownie przyjmą?

– Nie wydaje mi się, sir, żeby służba czynna mogła być przeszkodą w reaktywacji, sir.

– Istniało kiedyś wykroczenie, Felter, zwane milczącą zniewagą. Ta odpowiedź jest dość blisko tego paragrafu.

– Przepraszam, panie generale. Nie chciałem pana urazić.

– Cała ta przeklęta rezygnacja jest zniewagą – oświadczył komendant.

– Nie miałem takiego zamiaru, sir.

– Dobra, Felter. Blefowałem. Dam ci jeszcze minutę na rozważenie podania. Możesz mierzyć czas.

Kadet uniósł rękę z zegarkiem i z napięciem śledził bieg sekundnika. Gdy zatoczył on pełne koło, poczynając od siedemnaście po piątej, kapral podniósł wzrok na swego dowódcę.

– Daję ci teraz szansę wycofania rezygnacji – formalnie, ale bez niechęci w głosie oświadczył komendant.

– Dziękuję, sir, ale nie skorzystam.

– Zameldujesz się u batalionowego oficera taktycznego i przekażesz mu, że rezygnacja jest w trakcie załatwiania. Do chwili podjęcia ostatecznej decyzji pozostaniesz w swojej kompanii. Nie wyjeżdżasz, powtarzam, nie wyjeżdżasz na urlop świąteczny.

– Tak jest, sir.

– Możesz odejść, Felter – zakończył generał.

Kadet Sanford T. Felter zasalutował karabinem, wykonał w tył zwrot i wymaszerował z gabinetu. Czuł, że ściska go w gardle i robi mu się niedobrze.

Komendant Korpusu Kadetów złożył obok siebie teczki z osobistymi i szkolnymi dokumentami kadeta i zapytał sekretarkę generała, czy mógłby on poświęcić mu parę minut. Chciał porozmawiać ze swoim bezpośrednim i jedynym przełożonym w Akademii, komendantem West Point, generałem porucznikiem.

Generał major czuł w całej tej sytuacji coś komicznego. Dwudziestoletni kapral zapędził w kozi róg komendanta Korpusu Kadetów i zmusił go do sięgnięcia po radę u generała porucznika.

Po minucie sekretarka zadzwoniła, że komendant szkoły jest wolny i może przyjąć go natychmiast. Słysząc to, zebrał z biurka dokumenty Feltera i przeszedł obwieszonym portretami korytarzem do gabinetu szefa.

– Wolisz kawę, Charley, czy raczej coś mocniejszego? – zapytał generał porucznik, zapraszając go gestem do dość elegancko wyposażonego pokoju.

Komendant West Point, zwany przez studentów Jastrzębiem, a od czasu do czasu Sępem, był wysokim, sztywno wyprostowanym mężczyzną tak chudym, że mundur zwisał mu luźno na ramionach.

– Raczej coś mocniejszego – odpowiedział generał major. – Ten mały gnojek chyba mnie wyczuł. Normalnie wszystkich można zastraszyć.

– A ty pomyślałeś, Charley, że jak tobie nie wolno iść na wojnę, to jakim prawem jemu ma się udać?

– Tak to wyglądało – odparł komendant kadetów. – Co robiłeś na wojnie, tato? Wycierałem nosy i zmieniałem pieluchy niedorobionym oficerom w Akademii, oto, co twój tatuś miał do roboty.

Komendant szkoły roześmiał się i podał podwładnemu szkocką z wodą.

– Dziękuję.

– Oczywiście ten gnojek miał rację – dodał generał porucznik.

– Myślisz?

– Ty też – kontynuował szef szkoły. – Nie da się. Nie można uczyć wojny, siedząc w klasie.

– No to cały trzeci rok będzie próbował tego samego, jak się tylko rozniesie.

– Niekoniecznie – nie zgodził się komendant West Point.

– Chyba jednak tak – upierał się komendant kadetów. – Ja bym się nie szczypał.

– Nie należą im się bezpośrednie promocje – odrzekł generał porucznik. – Tylko Felter dostanie przydział oficerski.

– On nic nie wspomniał o bezpośredniej promocji – zdziwił się generał major. – Pierwszy raz o tym słyszę.

– Może myślał, że tym cię od razu rozłoży, Charley, ale faktycznie należy mu się bezpośrednia promocja oficerska i przydział na stanowisko tłumacza, specjalisty od przesłuchań jeńców. Wymagana do tego jest biegła znajomość co najmniej jednego z języków z listy plus dwa lata Akademii. On zna trzy – niemiecki, rosyjski i polski.

– Jeżeli dostanie bezpośrednią promocję, to nie będzie już mógł tu wrócić – stwierdził komendant kadetów.

– Tu się z tobą nie zgodzę. Już teraz wyszukujemy młodych, zdolnych rezerwistów i bierzemy do nas na przeszkolenie. Jeżeli się nie myli, to łatwo tu wróci – wyjaśnił komendant West Point.

– Nie myli się w czym, sir? – zapytał generał major.

– Że wojna szybko się skończy – odpowiedział generał porucznik. – Mógł się przeliczyć. Ta wojna wcale nie musi się tak szybko skończyć. Niemcy masakrują nas w Ardenach, Charley.

– A my tu siedzimy przy szkockiej i patrzymy, jak ten Żydek manipuluje całym systemem.

– Gdybym odnosił wrażenie, że robi to dla własnej korzyści, to osobiście dopilnowałbym, żeby skończył jako zając w kompanii liniowej – odrzekł generał porucznik. – Wydaje mi się jednak, Charley, że mamy tu czysty przypadek głębokiego poczucia obowiązku.

– Co mam w takim razie zrobić? Wypisać go z Akademii i przekazać poborówce?

– Nie. Chcę, żebyś mu zmienił program zajęć.

– Sir?

– Na drugiego stycznia przygotuj poczet hejnałowy do pobudki. Ma być pełna gala razem z orkiestrą. Nie ma mowy o samych werblach i sygnałówkach. Na plac wejdzie poczet sztandarowy i Felter w paradnym mundurze, a za nimi ty ze wszystkimi medalami. Będziesz trzymał Biblię, a ja dokonam promocji. Chcę, żeby adiutantem był jakiś oficer, a nie kadet, i głośno odczytał rozkaz: „Podporucznik Felter zgłosi się niezwłocznie w Centrum Uzupełnień w Camp Kilmer, stan New Jersey, w celu natychmiastowego przelotu do"... tu podasz jakąś dywizję z pierwszej linii. Wybierz coś takiego, żeby wszystkim obecnym zaparło dech w piersiach: Screaming Eagles, Wielką Czerwoną Jedynkę albo jakąś dużą jednostkę pancerną. Rozumiesz, o co mi chodzi?

– Tak jest, sir. Rozumiem.

– Flagi mają łopotać na masztach, a orkiestra niech zagra *Army Blue* – dodał komendant. – Po defiladzie: na prawo patrz, w każdym ślepiu ma się kręcić łza i błyszczeć zazdrość. Gdyby mi to uszło na sucho, to kazałbym zagrać sygnał do szarży.

2

Na oficera taktycznego kadeta kaprala Sanforda T. Feltera wyznaczono absolwenta Akademii rocznika 1943, podporucznika piechoty Wallace'a T. Rogersa. Pełniąc tę funkcję, był on jednocześnie stróżem dyscypliny, dobrym wujkiem oraz pilnym obserwatorem powierzonej mu grupy studentów i miał z tego powodu nie mniej kłopotów z rezygnacją Feltera niż komendant kadetów.

Jeszcze w czasie studiów porucznik Rogers zgłosił się na ochotnika do wojsk powietrznodesantowych i po ukończeniu Akademii skierowany został najpierw na kurs spadochronowy do Fort Benning, a następnie do Centrum Szkolenia Spadochronowego w Fort Bragg. W czasie pierwszego skoku w roli dowódcy plutonu zniosło go na kępę sosen, w efekcie czego doznał otwartego złamania nogi tuż powyżej kostki i praktycznie zakończył karierę liniową. Po wyjściu ze szpitala został uznany za zdolnego do służby tylko w ograniczonym zakresie i przydzielony do West Point.

Koledzy z roku walczyli na wojnie, dowodzili na całym świecie, a on niańczył kadetów w Akademii. Jakby tego wszystkiego było mało, teraz wyskoczył jeszcze Felter z rezygnacją.

Porucznik Rogers był w pełni świadom faktu, że nie lubi kadeta Feltera. Był nawet skłonny przyznać, że kryje się w tym jakiś element antysemityzmu, choć osobiście uważał, że to raczej zderzenie charakterów. Po prostu nie znosił takich ludzi jak Felter.

Rogers był wysoki, kapral niski. Porucznik muskularny, Felter wątły. Rogers musiał długo wkuwać na pamięć podręczniki, kadet Felter miał pamięć fotograficzną. Wystarczyło, żeby raz coś usłyszał, i zawsze mógł to powtórzyć z pamięci. Porucznik najlepiej czuł się w grupie, kapral był samotnikiem, Rogers zawsze równał do reszty grupy, Felter, jak tego dowodziła sprawa rezygnacji, był zupełnie nieczuły na naciski otoczenia.

Doskonale zdając sobie sprawę ze swego stosunku do Feltera, porucznik robił, co mógł, nie tylko, aby traktować go na równi z pozostałymi kadetami, ale również, żeby nawet on sam nie podejrzewał, że jego oficer taktyczny ma go za przemądrzałego Żydka, dla którego nie ma miejsca ani w Korpusie Kadetów, ani w armii.

Gdy rozkazy komendanta dotarły drogą służbową na szczebel kompanii, porucznik Rogers nie wysłał po Feltera dyżurnego, ale oświadczył, że sam pójdzie z nim porozmawiać.

Przez otwarte drzwi widać było dopinającego mundur kaprala. Felter wyczuł jakoś obecność Rogersa, odwrócił się i stanął na baczność.

– Spocznij! – zareagował natychmiast porucznik i uśmiechnął się. – Chyba zastałem cię na pakowaniu manatków? – zagadnął.

– Sir, właśnie miałem dzwonić.

– Dobrze, że jeszcze jesteś – kontynuował Rogers. – Właśnie ... kaz od komendanta. Dostałeś urlop.

..., sir – odpowiedział Felter. – Dziękuję, sir. Można ... aczego się rozmyślili?

... sali dlaczego. Można się tylko domyślać.

– A więc, sir?

– Pewno przed świętami nic się nie da zrobić z twoją rezygnacją. Wszystko pozamykane i komendant chyba pomyślał, że niby dlaczego w takim razie nie miałbyś dostać urlopu.

– Tak jest, sir. To brzmi logicznie. Dziękuję, sir.

W głębi duszy Felter pomyślał, że komendant postanowił widocznie dać mu jeszcze szansę na przemyślenie rezygnacji przez święta i ewentualnie wycofanie podania po Nowym Roku.

– Będziesz musiał się pospieszyć, bo nie zdążysz na czwartą czterdzieści osiem – stwierdził Rogers.

– Tak jest, sir.

– Zbieraj manatki. Podrzucę cię na stację samochodem.

– Dziękuję bardzo, sir.

Felter nie miał już czasu zadzwonić do domu i zawiadomić, że będzie później niż zwykle. Zatelefonował dopiero z dworca Grand Central. Słuchawkę podniosła matka i poinformowała syna, że Sharon wyszła po niego z ojcem na dworzec i jeszcze nie wróciła. Sanford wyjaśnił jej, że spóźnił się na pierwszy pociąg i dojedzie mniej więcej za godzinę.

Pędząc koleją do Nowego Jorku wzdłuż Hudsonu, Felter raz jeszcze przemyślał, co powiedzieć o rezygnacji rodzicom, a przede wszystkim Sharon. Ostatecznie postanowił, że nie wspomni o tym ani słowem, dopóki nie upewni się, jak się to skończy. Temat był drażliwy i niepotrzebne rozgrzebywanie całej sprawy nie miało sensu. Opuszczenie szkoły i tak na pewno rozpęta burzę, a o samej decyzji nie miał zamiaru z nikim dyskutować.

W metrze z Manhattanu do Newark Felter wzbudził sporą sensację swym długim, szarym płaszczem z mosiężnymi guzikami oraz czapką z daszkiem umieszczonym dokładnie cal ponad linią brwi. To samo powtórzyło się w autobusie ze stacji do dzielnicy Weequahic. Nie było w tym jednak nic dziwnego. Rzadko widywano tu kadetów z West Point. On był jedyny w całej dzielnicy.

Młodzi Żydzi z ambicjami myśleli raczej o Yale czy Harvardzie niż o Akademii Wojskowej Stanów Zjednoczonych. Kilku zgłosiło się co prawda na ochotnika po Pearl Harbor i z okien domów w Weequahic powiewało mniej więcej tyle samo gwiaździstych sztandarów oznaczających, że ktoś bliski jest w wojsku, co w innych częściach Stanów, Felter dobrze wiedział jednak, że jest jedynym osobnikiem w dzielnicy, który nie marzy o zrzuceniu munduru pierwszego dnia po wojnie.

Gdy Sharon dostrzegła przez okno, że wysiada z autobusu, natychmiast wybiegła przed piekarnię na Aldine Street i pozwoliła się wyściskać. Wojskowy płaszcz był tak gruby i obszerny, że Sandy w ogóle nie czuł dotyku ciała narzeczonej. Docierało do niego tylko ciepło obejmowanych gołymi dłońmi pleców Sharon.

Wewnątrz piekarni, za kasą, wisiało jego zdjęcie z pierwszego roku w Akademii, a nad wąską ramką skrzyżowane były dwie amerykańskie flagi. Feltera ten rodzinny ołtarzyk zupełnie nie cieszył. Dobrze wiedział, że rodzice akceptują studia w West Point tylko dlatego, że trzymają go z dala od okopów, jak to określał jego ojciec, pochodzący z Polski weteran pierwszej wojny światowej. Po przywitaniu się z Sharon, kiedy poczuł już jej zapach i posmakował jej ust, Sandy zaczął się zastanawiać, czy na pewno dobrze zrobił. Zostając w Akademii, spokojnie przeczekałby wojnę, nie nadstawiając karku, i zaraz po promocji mógłby się ożenić z Sharon. Miałby wtedy przed sobą cztery lata na przekonanie żony, że zawód oficera jest równie prestiżowy jak praktyka lekarska czy prawnicza i tak samo pozwala na zapewnienie dostatniego życia rodzinie. Decydując się zaś na porzucenie szkoły, narażał się na to, że rodzice, Sharon oraz przyszli teściowie zaczną mu zarzucać, że nadal postępuje jak dzieciak.

Pominięcie rezygnacji milczeniem raz jeszcze wydało mu się więc dobrym pomysłem. Dyskusje popsułyby tylko święta. Choć w obu rodzinach wszyscy byli Żydami (z Polski i Rosji po stronie Sanforda, a z Czech i Niemiec ze strony Sharon), to jedni i drudzy uznawali Boże Narodzenie. Oczywiście nie w sensie religijnym, ale ubierali choinkę, kupowali sobie prezenty i zajadali się smakołykami. Na świątecznym stole nie brakowało nawet pieczonej gęsi. Tego nie miał prawa rujnować.

Po obiedzie, gdy szumiało im jeszcze w głowach wino podane w Boże Narodzenie do gęsi, matka Sharon zdybała ich, jak całowali się na schodach. Trudno powiedzieć, jak długo obserwowała parę, zanim zaznaczyła swoją obecność, nie wyglądała jednak na zbyt wytrąconą z równowagi. Mimo to Sandy dobrze wiedział, że robi, co może, żeby nie zostawiać ich samych. Nawet wychodząc do kina, musieli brać ze sobą młodszego brata.

Za każdym razem, kiedy udawało mu się w spokoju pocałować narzeczoną, jak fala powracała myśl, że zostając w West Point, mógłby poślubić Sharon za półtora roku i skończyć z zabieraniem wszędzie jej braciszka w roli przyzwoitki.

Sandy wierzył, że Sharon pragnie fizycznego zbliżenia równie mocno jak on.

Coraz bardziej docierało do niego, że decydując się pójść na wojnę, łamie serce nie tylko rodzicom. Mógł zginąć, nigdy nie zakosztowawszy rozkoszy małżeńskiego łoża.

Dwudziestego ósmego grudnia do domu Thaddeusa Feltera

(dawniej Tadeusza Felsztyckiego) w Newark zadzwonił oficer dyżurny West Point, poprosił do aparatu syna i powiadomił go, że urlop jest odwołany.

Felterowi nie dano drugiej szansy na przemyślenie rezygnacji, jak to sobie wyobrażał, opuszczając Akademię na święta. Zaraz po przybyciu na miejsce polecono mu zdać mundur i wyposażenie, udać się do kwatermistrza po oliwkową bluzę bez dystynkcji, kurtkę „Ike" oraz spodnie dopuszczone regulaminem dla oficerów i szeregowców i zakwaterować się w hotelu Thayer.

Dwa kolejne dni upłynęły na wypełnianiu formularzy i dopasowywaniu munduru u krawca. Sylwestra Sandy spędził samotnie w hotelowej restauracji, jedząc spóźniony obiad i telefonując osobno do rodziców i do Sharon. Wszystkim życzył szczęśliwego Nowego Roku i powtarzał, że nic groźnego się nie dzieje.

Drugiego stycznia o 4.45 przyszedł do hotelu Thayer porucznik Wallace T. Rogers, taszcząc ze sobą całe naręcze mundurów z garnizonowego sklepu i brezentowy worek, na którym wymalowano już farbą: Felter S.T., por. 0-3478003. Oficer taktyczny zlustrował wzrokiem kadeta wkładającego kurtkę mundurową, gabardynowy płaszcz, z zadowoleniem kiwnął głową i podwiózł go do kwatery komendanta Korpusu Kadetów, gdzie wydano Felterowi śniadanie.

O 6.15, przy prószącym lekko śniegu, kadet kapral Sanford T. Felter podniósł na placu apelowym prawą dłoń i zaczął powtarzać za komendantem Akademii Wojskowej Stanów Zjednoczonych Ameryki Północnej w West Point, że będzie bronił Konstytucji Stanów Zjednoczonych przed nieprzyjaciółmi wewnętrznymi i zewnętrznymi, gorliwie wykonywał wszystkie rozkazy prezydenta Stanów Zjednoczonych i przełożonych oraz wypełniał obowiązki oficera, którym się stawał, a także ze wszystkich sił wypełniał obowiązki korpusu oficerskiego, w którego poczet został przyjęty. Po przysiędze komendant Akademii (rocznik 1918), komendant Korpusu Kadetów (1920), podporucznik W. Rogers (1943) oraz kadet pułkownik (1945) podali świeżo upieczonemu oficerowi prawice, a pełniący funkcję adiutanta pułkownik ryknął „baczność" i głębokim basem zaczął odczytywać rozkaz z lekko targanej wiatrem kartki.

– Podporucznik piechoty Sanford T. Felter, 0-3478003 po zgłoszeniu się do służby czynnej w trybie natychmiastowym zameilduje się w Centrum Uzupełnień w Camp Kilmer, New Jersey, w celu rozpoczęcia dalszego transportu powietrznego środkami wojskowymi do sztabu 40. Dywizji Pancernej na europejskim teatrze działań wojennych. Pierwszeństwo przelotu AAA1.

Skończywszy, pułkownik wykonał w tył zwrot i zasalutował przed oboma komendantami.

– Do defilady – rozkazał generał porucznik, który przyjmował przysięgę.

Kadet pułkownik i podporucznik Felter podeszli za adiutantem do małej trybuny honorowej, orkiestra zagrała *Washington Post March*, a Korpus Kadetów ruszył po przekątnej placu apelowego. Po paru krokach dołączył do niego poczet sztandarowy i muzycy płynnie przeszli do *Army Blue*.

– Na prawo patrz! – krzyknął dowódca pierwszego batalionu. Rozległy się cztery bębny. Słowa znali wszyscy.

– Żegnamy ka-deta Graya! – ryknął cały korpus, a po kolejnym uderzeniu: – Do błękitnych mundurów!

Salutując, komendant szkoły rzucił okiem na Feltera, kadeta pułkownika i ich bezpośredniego przełożonego.

– Żegnamy ka-deta Graya. – Grzmot bębnów. – Do błękitnych mundurów. – Ponownie bębny.

W oczach komendanta West Point stanęły łzy. Orkiestra niespodziewanie przeszła na *Dixie*.

Ten przeklęty południowiec znowu naciągnął kapelmistrza, żeby zagrali *Dixie*, pomyślał o komendancie kadetów szef szkoły. Wezmę go na dywanik!

Nie po raz pierwszy zagrali tę melodię na pożegnanie kadeta rezygnującego ze szkoły i udającego się na front. Orkiestra grała ją także na ostatniej defiladzie studentów, którzy rzucali Akademię, żeby walczyć za Konfederację.

Przy dźwiękach *Dixie* Korpus Kadetów zszedł z placu apelowego, tworząc tradycyjną, długą, szarą linię, i udał się do koszar. Trzeba się było przebrać, a zajęcia były już opóźnione o czterdzieści pięć minut. W tym samym czasie Felter opuścił trybunę, wsiadł do samochodu komendanta i pojechał nim na stację. Porucznik Rogers odprowadził go do pociągu.

– Powodzenia, poruczniku – pożegnał Feltera oficer taktyczny.

– Dziękuję, sir – odpowiedział były student Akademii.

Sandy wrócił do domu tuż przed trzecią. Ojciec płakał, a matka zaklinała się na wszystkie świętości i zawodziła dokładnie tak, jak się tego spodziewał.

Po kolacji, gdy zostali sami, Sharon wyszeptała, że chciałaby stracić z nim dziewictwo, ale właśnie zaczął jej się okres i nie może.

Felter zameldował się w Centrum Uzupełnień w Camp Kilmer kwadrans przed północą. Dwa dni później zabrano go autobusem wraz z ośmioma innymi ochotnikami na lotnisko w Newark i wsadzono do samolotu transportowego C-54.

Cały pokład załadowany był skrzyniami z napisem: „Oficer medyczny ETO. Krew dla żołnierzy. Pilne".

3
Stalag XVII-B
Okolice Szczecina, Polska
3 marca 1945

Regulamin stwierdzał jedynie, że fotografia Führera powinna być „wyraźnie wyeksponowana". Nie nakazywał więc wcale, że musi koniecznie wisieć w każdym pomieszczeniu ani konkretnie w gabinecie dowódcy, choć posępna twarz Hitlera spoglądała ponuro ze ścian wszystkich urzędów, które pułkownik von Greiffenberg mógł sobie przypomnieć.

Pułkownik nie chciał jednak, aby ze ściany w pokoju, w którym miał spędzić najbliższy czas, spoglądał na niego ten bawarski kapral. Wieszanie portretów pułkownik zawsze uważał za świętokradczą parodię dających natchnienie wiernym obrazów Chrystusa czy papieża.

Pułkownik podszedł do ściany i zdjął podobiznę Führera. Wisiała ona jednak już na tyle długo, że pozostawiła trwały ślad. Można to zakryć swastyką, pomyślał pułkownik, ale tak naprawdę było mu zupełnie obojętne, co zawiśnie za jego biurkiem.

Każda dekoracja będzie lepsza od poprzedniej.

Ktoś zapukał do otwartych na oścież drzwi. Von Greiffenberg odwrócił się i ujrzał na progu gabinetu swego adiutanta, Karla--Heinza von und zu Badnera.

– *Der Amerikaner Oberstleutnant Bellmon ist hier, Herr Oberst Graf* – zameldował.

Badner był rosłym, sztywnym Prusakiem z zapadniętymi oczami. Nie miał lewej ręki, którą stracił w Rosji. Rękaw munduru był w związku z tym złożony wpół i spięty agrafką.

– Poproś go do środka – polecił pułkownik. – Chcę się z nim spotkać w cztery oczy.

– *Jawohl, Herr Oberst Graf* – odpowiedział porucznik, wskazał głową Bellmonowi, żeby wszedł, i zamknął drzwi.

– Jak się pan czuje, pułkowniku? – zagadnął von Greiffenberg. – Cieszę się, że znów pana widzę.

– Dobrze, panie pułkowniku. Dziękuję – odpowiedział Bellmon. – Mam nadzieję, że to nic poważnego. – Jeniec wskazał na lewą nogę Niemca, która była niewątpliwie obandażowana (a może nawet w gipsie) i ledwo się mieściła w nogawce spodni.

– Szybko się goi – odpowiedział von Greiffenberg. – Odłamek naruszył mi mięsień. Chyba nie wrócę już na pierwszą linię, ale mogę jeszcze zarządzać obozem.

– Rozumiem – przytaknął Bellmon.

– Szkoda, że nie udało się załatwić wymiany – ciągnął dalej pułkownik, zastanawiając się nad reakcją Amerykanina. Ciekawe, na kogo zwali winę za niespełnioną obietnicę.

– Też tak uważam – odparł Bellmon z uśmiechem na ustach.

– Nic nie mogłem zrobić – usprawiedliwiał się von Greiffenberg. – Próbowałem.

– Rozumiem, panie pułkowniku – odrzekł Bellmon. Po chwili dał się skusić i dodał: – Płaczę, ale w pełni rozumiem.

Zaskoczyło to von Greiffenberga. Niemiecki oficer nigdy nie zażartowałby w ten sposób.

– Jest pan w posiadaniu materiałów, które przesłałem? – spytał formalnie pułkownik, nie oczekując, że Bellmon nadal ukrywa kopertę. Ryzyko było zbyt duże, a pozbycie się dowodów katyńskiego mordu niezwykle proste. Wystarczyło wrzucić je do pieca.

– Oczywiście – odparł zaskoczony pytaniem Bellmon.

A więc to prawdziwy oficer. Dotrzymuje słowa, nawet jeżeli ryzykuje życie! Von Greiffenberg postanowił nie być gorszy.

– Zostałem ranny w Ardenach – zaczął Niemiec. – Dowodziłem pułkiem czołgów. Mieliśmy zająć Liège i Antwerpię i przeciąć wasze linie komunikacyjne. Zależało nam też na paliwie i żywności.

– Tak? – mruknął zaciekawiony Bellmon.

– Plan był moim zdaniem ryzykancki, ale miał szansę powodzenia – kontynuował pułkownik, pilnie obserwując twarz jeńca i czekając na jego reakcję. Nieczęsto omawiano przecież działania wojenne z wziętymi do niewoli oficerami.

– Podobno jednak się nie udało – odezwał się Bellmon.

– Musieliśmy zmienić plan i odtworzyć linie obronne – wyjaśnił pułkownik, cytując bądź też parafrazując oficjalną interpretację klęski.

– Rozumiem – raz jeszcze powtórzył Amerykanin.

– Nasz plan nie brał pod uwagę waszych możliwości logistycznych, a naszych ograniczeń w tym względzie. To zadecydowało. Nie byliśmy w stanie podtrzymać wystarczająco długo impetu uderzenia. Trzeba też przyznać, że wasze służby transportowe stanęły na wysokości zadania. Generał Patton zdołał oderwać od nas sześć dywizji, przemieścić je o sto pięćdziesiąt kilometrów i zmontować skuteczny kontratak.

Nie była to oficjalna wersja wydarzeń i Bellmon doskonale o tym wiedział. Postanowił spróbować.

– Zna pan generała Pattona, panie pułkowniku? – zapytał jeniec.

– W latach trzydziestych grałem z nim w polo w Madrycie, ale byłem w przeciwnej drużynie – złapał przynętę von Greiffenberg. – Był w Saumur dwa lata przede mną i odniosłem wrażenie, że on i pański teść dobrze się znają.

– Nie za bardzo – sprostował Bellmon. – Teść nigdy nie wybaczył Pattonowi powrotu do piechoty po pierwszej wojnie.

– Cały czas się dziwiłem, dlaczego Porky nie jest w armii Pattona, ale u Simpsona. Dał mi pan odpowiedź na tę zagadkę.

– Wydaje mi się, że to przypadek – skomentował Amerykanin. – Osobiste animozje raczej nie wchodziły w grę.

W ten sposób Bellmon się dowiedział, gdzie walczy generał Waterford. Greiffenberg wzruszył ramionami i mówił dalej.

– Ten zryw dość poważnie nadszarpnął nasze rezerwy ludzkie i materiałowe. Kluczowym punktem planu było przechwycenie węzła kolejowego i drogowego w Bastogne. Prawie całą artylerię przeznaczyliśmy na osłabienie waszego oporu właśnie na tym kierunku. Trzymaliście się jednak dłużej, niż mogliśmy to przewidzieć, i w końcu miasto odblokowały pododdziały 1. Dywizji Pancernej.

– Bastogne nie padło?

– Biorąc pod uwagę płynność sytuacji – odparł pułkownik z nieukrywanym tonem gorzkiej kpiny w głosie – Führer uznał, że zdobycie Bastogne nie jest niezbędne do odniesienia ostatecznego zwycięstwa.

– A co robią Rosjanie? – zaciekawił się Bellmon.

– Zaistniała konieczność wycofania się na z góry upatrzone pozycje w Rosji i Polsce – kontynuował von Greiffenberg po chwili przerwy. – Rosjanie zdają się zmierzać do zajęcia tego terenu w sześćdziesiąt dni, Führer ma jednak na pewno w zanadrzu jakąś tajną broń, która pokrzyżuje im te plany.

– Jak pan zamierza zapewnić bezpieczeństwo jeńcom, jeżeli zajdzie konieczność wycofania się na z góry upatrzone pozycje z okolic Szczecina? – zapytał Bellmon.

– Podstawowym obowiązkiem komendanta obozu jest ochrona powierzonych jego pieczy jeńców – odpowiedział von Greiffenberg. – Wręczając mi nominację na komendanta tego obozu, generał von Heteen uznał za stosowne szczególnie mi o tym przypomnieć. Dlatego, choć nie wątpię, że Führer dysponuje niezawodnymi planami powstrzymania naporu wojsk sowieckich, na wszelki wypadek przygotowałem jednak harmonogram ewakuacji stalagu na zachód.

– Ile czasu może to zająć? – nieoczekiwanie zaciekawił się Bellmon.

Von Greiffenberg obserwował go przez kilka chwil, po czym stwierdził obcesowo:

– Nie jest pan zbyt delikatny, pułkowniku.

– Najmocniej przypraszam – jeniec starał się naprawić błąd.

– Sześćdziesiąt dni – oświadczył Niemiec.

Wszystko stało się jasne. Bellmon zdawał sobie sprawę, na którą stronę przechyla się szala wojny, nie musiał silić się na subtelność. – Mówi się jeszcze o ostatniej linii obrony w Alpach, ale są to raczej plany wyłącznie ku pokrzepieniu serc – dodał von Greiffenberg.

Bellmon zacisnął wargi i nie odezwał się ani słowem, jak gdyby usłyszał to, co już od dawna podejrzewał.

– W wypadku niekorzystnego dla nas rozwoju sytuacji i przejęcia obozu przez Rosjan materiały katyńskie stałyby się dla pana bardzo niebezpieczne.

– Owszem – odrzekł Bellmon. – Myślałem już o tym.

– Zwalniam pana z danego mi słowa, panie pułkowniku. Nie zobowiązuję pana do dostarczenia ich odpowiednim władzom – oświadczył Niemiec.

– Zatrzymam je – upierał się Bellmon.

– Panie pułkowniku! Jeszcze raz powtarzam: zginie pan, jeżeli Rosjanie to przy panu znajdą.

– Możliwe, że oswobodzą nas oddziały amerykańskie – odparł Bellmon, ostrożnie naśladując sposób mówienia von Greiffenberga.

– To raczej mało prawdopodobne – skomentował von Greiffenberg.

– Musi być gorzej, żeby mogło być lepiej – filozoficznie stwierdził jeniec.

– Tak mówi Führer – sucho odrzekł Niemiec.

Bellmon skierował wzrok na komendanta obozu. Ich spojrzenia przecięły się i obaj uśmiechnęli się do siebie.

4
Prima aprilis 1945

Komendant Stalagu XVII-B, Oberst Graf Peter-Paul von Greiffenberg wysłał Oberleutnanta Karla-Heinza von und zu Badnera po podpułkownika Roberta F. Bellmona w pięć minut po otrzymaniu rozkazu ewakuacji. Trzy z nich stracił na rozmyślaniach, jedną na modlitwę na klęczkach, a ostatnią na sączeniu mocnej brandy.

Gdy obaj oficerowie weszli do przedsionka gabinetu komendanta, pełniący służbę sierżant po czterdziestce i starszy od niego kapral zerwali się na równe nogi i stanęli na baczność. Kapral zrywał się i wyprężał jak struna za każdym razem, gdy do kancelarii wchodził oficer jakiejkolwiek armii. Pułkownik Greiffenberg pedantycznie żądał, by podlegający mu żołnierze zachowywali się właściwie. Jego zdaniem kaprale mieli okazywać szacunek oficerom bez względu na mundur, jaki noszą, i kropka.

Sierżant mniej się tymi zaleceniami przejmował. Zwykle nie wzruszało go wejście do gabinetu oficera Wehrmachtu w stopniu niższym niż major, nie mówiąc już o jeńcach. Tym razem zasalutował jednak przed Bellmonem.

– *Guten Abend, Oberfeldwebel* – przywitał go Amerykanin płynnie po niemiecku, odpowiadając na honory oddane mu przez sierżanta.

– *Guten Abend, Herr Oberstleutnant* – odwzajemnił się podoficer. – Pułkownik przyjmie pana natychmiast.

Sierżant pchnął drzwi do gabinetu komendanta.

– Proszę wejść, panie pułkowniku – poprosił go Greiffenberg po angielsku, dodając przez ramię Bellmona po niemiecku: – *Du auch*, Karl. – Efekt użycia przyjacielskiego *du* w stosunku do adiutanta wzmocniło jeszcze zwrócenie się do niego po imieniu. – *Und schliesse die Türe* – dodał.

Bez słowa pułkownik podał obu oficerom po lampce koniaku. Cała trójka wzniosła je w górę i wypiła zawartość do dna.

– Właśnie dostarczono mi rozkazy ewakuacji pańskich oficerów, panie pułkowniku – oświadczył komendant. – Dokonano paru dalszych korekt przebiegu naszych linii obronnych i zdecydowano się przenieść obóz w bezpieczniejsze miejsce – Greiffenberg mówił to po angielsku, jak gdyby recytując z pamięci.

– Rozumiem – przytaknął Bellmon.

– Może zechcieliby panowie przyjrzeć się mapie – eleganckim ruchem dłoni pułkownik wskazał na biurko.

Zarówno Amerykanin, jak i Niemiec nie kryli zdumienia propozycją Greiffenberga. Na jeńcach spoczywa obowiązek ucieczki, mapy są w związku z tym najpilniej strzeżonymi przedmiotami w każdym obozie.

– Jeżeli nie uważa pan tego za stosowne, może pan wyjść, panie poruczniku – hrabia uspokoił porucznika Badnera.

Badner nie wahał się ani chwili i wyprężył się na baczność.

– Za pozwoleniem, Herr Oberst, zostanę. Być może będę mógł się na coś przydać – odezwał się.

– Dziękuję, Karl – zrewanżował się von Greiffenberg.

– Cała przyjemność po mojej stronie, Herr Oberst – odpowiedział porucznik.

– Doskonale – kontynuował von Greiffenberg, wskazując długim palcem mały, czarny punkt na mapie. – Jesteśmy tutaj, pięć kilometrów od centrum Szczecina.

Bellmon skinął głową, nie odzywając się ani słowem.

– Głównym elementem wymuszającym chwilową korektę naszych pozycji – ciągnął pułkownik suchym, lekko żartobliwym tonem, jak gdyby wykładał w Kriegsschule – jest silny nacisk z tego kierunku. – Tu komendant wskazał szczupłym palcem na Warszawę. – W związku z tym nakazano mi rozpoczęcie przenoszenia obozu na zachód, co, mam nadzieję, będzie tylko przejściową niedogodnością. Skierujemy się w okolice Berlina.

Bellmon pochylił się nad mapą, sprawdził skalę i odmierzył palcami odległość.

– W tej chwili, panie pułkowniku, nie mam dla pańskich oficerów żadnego transportu – kontynuował von Greiffenberg. – Będziecie musieli iść na piechotę.

– Mam nadzieję, że zapewniono moim ludziom wyżywienie – odezwał się Bellmon.

– Oświadczono mi, panie pułkowniku, że transport i żywność dostępne będą od tego punktu. – Pułkownik ponownie wskazał na mapę.

– Peter! – Bellmon nieoczekiwanie zwrócił się do komendanta po imieniu. – Nie zdążymy do tego punktu, nie mówiąc o Berlinie. Dlaczego po prostu nie zostaniemy na miejscu i nie damy się wyzwolić Rosjanom?

Von Greiffenberg bezwiednie spojrzał na porucznika, oczekując jego reakcji na słowa Amerykanina. Komendant nie miał żadnej wątpliwości, iż młody oficer dawno już dostrzegł, że Bellmon i Greiffenberg nie są dla siebie tylko więźniem i strażnikiem. Oficjalnie tak jednak właśnie było i von Greiffenberg nie miał pojęcia, jak Badner zareaguje na otwartą propozycję zdrady, stanowiącą jedyne logiczne wyjście z sytuacji.

Oberleutnant milczał, a z jego kamiennej twarzy nic nie dawało się wyczytać.

– Z mojego punktu widzenia, Robercie, sprawa jest zupełnie jasna – odparł komendant. – Mam obowiązek nie tylko pilnować, byście pozostali jeńcami, ale również dbać o wasze bezpieczeństwo.

– Na twoim miejscu, gdybyś to ty siedział w moim obozie, zrobiłbym dokładnie to samo – odrzekł Bellmon.

– Tak. Wiem, Robercie – przytaknął pułkownik. – Ale ja mam ciągle Katyń przed oczami.

– Rosjanie dorwaliby cię po moim trupie – skomentował Bellmon.

– Z pewnością – zgodził się von Greiffenberg. – Wspominałem ci już wcześniej o takiej możliwości.

Badner stracił wątek rozmowy.

– Pułkownik Bellmon oddaje niemieckiemu korpusowi oficerskiemu bardzo szczególną przysługę, Badner. Wyjaśnię ci to później – uspokoił go komendant.

– To zbyteczne, Herr Oberst Graf – zapewnił go porucznik.

– Ty tu dowodzisz, pułkowniku – stwierdził Bellmon.

– Owszem – odparł von Greiffenberg. – Jak na razie. Mam nadzieję, że zauważył pan, pułkowniku, że rozkazy nie wspominają o pańskich podoficerach i szeregowcach?

– Zauważyłem.

– Widać uznano, że opłaca się oddać ich na pożarcie Rosjanom, jeżeli ma to być cena ocalenia oficerów – domyślał się na głos von Greiffenberg. – Nie da się jednak ukryć, że pańscy ludzie będą sobie musieli radzić sami. Nie mogę ewakuować ich bez instrukcji.

Bellmon wpatrywał się przez chwilę w komendanta, nie rozumiejąc, o co mu chodzi.

– Doszły mnie ostatnio słuchy, pułkowniku, że w Odessie stoi kilka neutralnych statków – ciągnął Greiffenberg.

Bellmon odruchowo rzucił okiem na mapę.

Odessa leży nad Morzem Czarnym. Pułkownik złączył trzy palce środkowe, oparł je na Poznaniu, wyciągnął kciuk ku Odessie, nie sięgnął jednak aż tak daleko. Odwrócił więc dłoń i rozłożył palce płasko na mapie, a następnie powtórzył to samo na skali.

– To ponad tysiąc siedemset kilometrów – skonkludował Bellmon.

– Czyni się pewne wysiłki – mówił dalej komendant – aby uchronić niektóre dzieła sztuki i inne skarby od zniszczenia, wywożąc je z kraju na neutralnych statkach.

– Tak? – zdziwił się Bellmon, nie bardzo wiedząc, o co chodzi.

– Panu pułkownikowi chodzi o to – wyjaśnił von und zu Badner – że to oddziały Allgemeine SS, a nie Waffen SS, wywożą łupy na neutralnych statkach.

– Tak – raz jeszcze wydusił z siebie Bellmon, w dalszym ciągu nie rozumiejąc, o co chodzi, ale nie chcąc tracić czasu na objaśnienia.

– Ze względu na trudną sytuację wiele ładunków jedzie bez eskorty – kontynuował von Greiffenberg – a SS rozstrzeliwuje zbiegłych jeńców ręka w rękę z żandarmerią.

– Rozumiem – przytaknął Bellmon.

– Oprócz tego dowiedziałem się, że Rosjanie często nie rozróżniają nas od naszych jeńców i w razie niepewności po prostu strzelają, dbając przede wszystkim o własne bezpieczeństwo.

– Tak jak w Katyniu?

– Powtórzyłem tylko, co mi powiedziano – odparł komendant. – Pozwoli pan, pułkowniku, że sprawdzimy teraz z porucznikiem Badnerem, co da się zrobić w sprawie prowiantu na jutro.

Von Greiffenberg wykonał jeszcze jeden ze swych eleganckich gestów i rozkazał młodemu oficerowi, żeby wyszedł przed nim. Już przy drzwiach, tuż przed ich zamknięciem, powiedział:

– Oberfeldwebel odprowadzi cię do kwatery, Robercie. Przekaż oficerom, że wyruszamy jutro o świcie.

Bellmon natychmiast złapał mapę i zaczął ją składać. Pod spodem leżał *Colt .32* automatic z zapasowym magazynkiem. Broń była misternie grawerowana i na pewno należała do von Greiffenberga. Bellmon zawahał się przez ułamek sekundy, po czym wcisnął pistolet za pas i schował magazynek do skarpetki.

Wychodząc, zauważył jeszcze, że otwarta była dolna szuflada biurka, w której połyskiwał jakiś metal. Bob zajrzał do środka i znalazł *Schmeissera* i zapasowe magazynki. Po chwili namysłu Bellmon odpiął pas, opuścił spodnie i wcisnął pistolet maszynowy do nogawki kalesonów. W drugiej ukrył trzy magazynki, zapiął rozporek, zaciągnął pas i rozluźnił nogawki w kolanach. Spodnie wsunięte miał w cholewy butów i ściśnięte przedłużonymi sznurówkami. Nie było to najbezpieczniejsze rozwiązanie na świecie, ale nie było czasu na wymyślenie czegoś rozsądniejszego. Pułkownik sprawdził, czy wszystko trzyma się na swoim miejscu, wyjął furażerkę spod naramiennika, nałożył ją na głowę i otworzył drzwi do przedsionka.

Oberfeldwebel stanął na baczność.

– Herr Oberstleutnant już skończył? – grzecznie zapytał sierżant. – W takim razie odprowadzę pana do kwatery.

– Chciałbym się jeszcze przed capstrzykiem zobaczyć z sierżantem MacMillanem – poprosił Bellmon.

– Jak sobie Herr Oberstleutnant życzy – odpowiedział Niemiec.

Przed kwaterami podoficerów sierżant zamaszyście zasalutował i zostawił Bellmona samego. Ten zapukał lekko w drzwi i nie czekając na odpowiedź, wszedł do pokoju MacMillana.

Sierżant zerwał się momentalnie na nogi.

– Spocznij, Mac – zareagował pułkownik, zauważając od razu, że MacMillan jest świeżo ogolony i schludnie wystrzyżony. Nawet buty lśniły jak lustro. – Jak leci, Mac? – zaczął Bellmon.

– Czego chciał stary Von? – odpowiedział pytaniem Mac-Millan.

– O świcie przenosimy się na piechotę – odparł pułkownik.

– Szlag by to trafił. Już ćwiczyłem obcałowywanie pierwszego Ruska, który wedrze się do obozu – zażartował sierżant.

– Idą tylko oficerowie – wyjaśnił Bellmon.

– My nie?

– Możecie zaryzykować, Mac – uspokoił go pułkownik. – Pozwolą wam tu zostać i poczekać na krasnoarmiejców.

– Albo?

– Powiem ci, co przekazał mi Greiffenberg – kontynuował Bellmon.

Gdy skończył, sierżant długo wpatrywał się w pułkownika.

– Ufa mu pan?

– To zawodowy żołnierz, Mac. Tak jak ty czy ja – stwierdził Bellmon.

– A co pańskim zdaniem powinniśmy robić?

– Żandarmeria i SS rozstrzeliwują zbiegłych jeńców. W takich warunkach jesteście zwolnieni z obowiązku ucieczki.

– Cholerne szczęście – mruknął MacMillan. – Po pięciu skokach bojowych rozstrzelają mnie dwa tygodnie przed końcem wojny.

– Jeżeli chcesz, to mogę nalegać, żeby zabrano cię z nami.

– Do Niemiec? Dziękuję!

– Mam dla ciebie mapę – oświadczył Bellmon. – Oczywiście, jeżeli chcesz.

– Von? – zapytał MacMillan, biorąc ją do ręki. – Tędy jeżdżą te ciężarówki z łupami?

– Chyba tak – odpowiedział pułkownik. – Nie wiem tylko, na ile jest aktualna. Greiffenberg na pewno jednak niczego nie zataił.

Pułkownik Wyjął *Colta* i położył na łóżku MacMillana.

– Nikt się tym szczególnie nie przejmuje, ale posiadanie przez jeńca broni palnej jest według konwencji genewskiej dostatecznym powodem do użycia jej przy jego zatrzymaniu – ostrzegł Bellmon.

MacMillan rzucił okiem na pistolet.

– Może niech pan go lepiej zatrzyma, panie pułkowniku. – Zawahał się, podciągając do góry kurtkę. Bellmon dostrzegł za pasem kolbę *Lugera*.

– Od kiedy go masz?

– Fritz dał mi dwa – odparł sierżant. – Dwa *Lugery*, dwa *Schmeissery* i dziesięć magazynków. Jakieś pół godziny temu.

Powiedział mi też, że Von ma dla oficerów rozkaz wymarszu, a dla nas nic.

– Co w takim razie zrobisz, Mac? – zapytał pułkownik.

– Mam jednego faceta mówiącego po niemiecku i paru, którzy znają niemiecki i polski – odrzekł MacMillan. – Zdobyliśmy również dwa mundury.

– Zastrzelą was jako szpiegów – zauważył Bellmon.

– Jak się uda dopaść jednej z tych ciężarówek i odskoczyć trochę od pościgu, to może się powieść.

– Kogo bierzesz? Ilu? – wypytywał pułkownik.

– Idzie dwudziestu dwóch. Reszta chce czekać na czerwonych.

– Wiedzą, w co się pakują?

– Chyba tak – odpowiedział MacMillan. – A jak nie, to oświeci ich zaraz po tym, jak my damy nogę.

Bellmon wyczuł, że teraz on powinien podnieść jakoś sierżanta na duchu, nic nie przychodziło mu jednak do głowy.

– Powodzenia! – wykrztusił w końcu.

– Nawzajem, panie pułkowniku – zrewanżował się MacMillan, chwycił Bellmona za rękę i mocno uścisnął.

– Już drugi raz w karierze jestem zupełnie bezradny – wyznał pułkownik.

Było to przyznanie się do niekompetencji i sierżant od razu to zauważył. Zrobiło mu się żal swojego dowódcy.

– No tak – zaczął MacMillan – musi pan niańczyć tych rezerwistów, ale o mnie może pan być spokojny, sir. Mam już dość tego zasranego obozu. Nie dam się rozwalić pod płotem bez walki!

– Dzięki Mac – łamiącym się głosem wyraził swą wdzięczność Bellmon.

– Pieprzyć to, panie pułkowniku – zakończył sierżant. – Niech pan każe grać sygnał do ataku.

Głos MacMillana również zaczął się łamać.

5

O 5.00 następnego dnia dwustu czterdziestu oficerów Stalagu XVII-B stanęło w dwuszeregu na placu apelowym dawnych koszar kawalerii. Świt był chłodny i wilgotny, a jeńcy osowiali i apatyczni; wielu kaszlało, pluło flegmą. W chwilę później na placu pojawił się komendant i Oberleutnant Badner krzyknął „baczność". Greiffenberg wyszedł przed front żołnierzy i oficjalnie zakomunikował, że korekta przebiegu linii obronnych spowodowała konieczność przeniesienia obozu na zachód, oraz wyraził żal z powodu chwilowego braku transportu samochodowego.

– Pułkowniku Bellmon – zakończył komendant – proszę dać rozkaz, aby oficerowie ruszyli za mną.

Pułkownik zasalutował.

Von Greiffenberg przeszedł wzdłuż pierwszego szeregu i stanął na końcu.

– Kompania! – warknął Bellmon. – Baczność! Na prawo patrz! Naprzód marsz! Równaj krok!

Pilnowani przez uzbrojonych strażników jeńcy raczej powłóczyli nogami, niż maszerowali, ale podążając za komendantem, wyszli przez bramę i skierowali się w stronę Szczecina.

Wymarszowi z obozu przypatrywał się sierżant MacMillan. Odczekał, aż ostatni strażnik zejdzie z wieżyczki, na wszelki wypadek dołożył jeszcze dziesięć minut i zebrał swoich ludzi w tym samym miejscu, gdzie stali oficerowie. Po krótkiej zbiórce górnik z Pensylwanii w mundurze kapitana Wehrmachtu i przebrany za kaprala hutnik z Gary ze *Schmeisserem* na ramieniu wyprowadzili dwudziestkę Amerykanów na drogę, kierując się w przeciwnym kierunku niż kolumna oficerów. MacMillan szedł drugi od końca w lewym szeregu.

Po czterdziestu pięciu minutach marszu nadarzyła się okazja, o której marzyli. Wybrukowaną kocimi łbami drogą nadjechała kryta plandeką ciężarówka typu Hanomag z oznaczeniami SS.

– Odbijaj w lewo, Vrizinsky! – krzyknął MacMillan.

Podwójna kolumna jeńców rozdzieliła się i przecięła drogę ciężarówce. Samochód zahamował z piskiem opon, kierowca zaklął siarczyście po niemiecku, a siedzący obok niego Hauptsturmführer SS stanął na schodkach.

MacMillan przykucnął, aby dokładniej wycelować i trzymając *Lugera* w obu dłoniach, trafił esesmana w czoło. Starszemu szeregowemu Vrizinsky'emu zaciął się *Schmeisser*, a Loczowcz z wrażenia upuścił swój na ziemię, MacMillan wskoczył więc na schodek kabiny i strzelił kierowcy dwa razy w plecy z *Lugera*.

Szeregowy Loczowcz podniósł maskę i udawał, że coś tam naprawia, a reszta zajęła się wywlekaniem ciał do lasu i ściąganiem mundurów.

Gdy tylko MacMillan zdążył przebrać się w strój kapitana SS (do czego niezbędny był strumyk, w którym można by sprać z czapki krople krwi i odpryski mózgu), zajął się rozładunkiem. Pod jego nadzorem jeńcy zrzucili część skrzyń do lasu i wymościli sobie legowisko za atrapą zbudowaną z reszty ładunku. Wszyscy mieścili się tam wygodnie, leżąc na boku w dwóch rzędach.

Cztery godziny później, w okolicach Wrocławia, trafili na taką samą ciężarówkę. Kierowca zmieniał koło, a w kabinie siedział strudzony Sturmscharführer SS. MacMillan chciał poczekać, aż szofer skończy, ale esesman uparcie próbował uciąć sobie z nim pogawędkę, zmuszony był więc zlikwidować obydwu i samemu dokręcić zapasówkę.

Po dwudziestu czterech godzinach jeńcy byli już we Lwowie na Ukrainie. Zatankowali paliwo, pobrali racje żywnościowe i ruszyli dalej.

Ciężarówki miały mocne papiery i posterunki żandarmerii przepuszczały je bez żadnych problemów. Kłopoty mieli tylko raz, niedaleko Kamienia Podolskiego. Nadgorliwy Unterfeldwebel zorientował się, że coś nie gra w dokumentach konwoju, nie zdążył jednak sprawdzić co. Powstrzymały go kule z *Lugera*. Osiem godzin później znaleźli się w Odessie*.

W porcie cumowało siedem statków. Najbardziej egzotycznie wyglądał *José Harrez*, MacMillan przeszedł się więc po nabrzeżu, aby sprawdzić na rufie jego port macierzysty, jako że nie potrafił rozpoznać argentyńskiej bandery.

Gdy przeczytał, że okręt pochodzi z Buenos Aires, poczuł, że to strzał w dziesiątkę. *José Harrez* brał ładunek i jego dźwigi gotowe były poradzić sobie nawet z ciężarówkami.

Sierżant podszedł do jednostki z Loczowczą, odpowiedział na honory oddane mu przez pilnującego trapu Feldwebla i wszedł na pokład. Jakiś oficer skierował ich bezpośrednio do kapitana. Szyper nazywał się Kramer, wyglądał na Niemca i mówił po niemiecku.

– Zna pan angielski? – zapytał MacMillan.

– Tak jest, Herr Hauptsturmführer – odpowiedział kapitan. – Znam.

Był niewątpliwie zaskoczony, że niemiecki oficer zwraca się do niego po angielsku, ale nie dawał tego po sobie poznać.

– Przed statek podjadą zaraz dwie ciężarówki – oświadczył MacMillan. – Chcę, żeby zabrał je pan do ładowni.

Kapitan odpowiedział po niemiecku i sierżant nie zrozumiał ani słowa.

– Zapytał po co – przetłumaczył Loczowcz.

– Bo strzelę panu w łeb, jeżeli ich pan nie weźmie – odparł MacMillan, wyciągając *Lugera* z kabury i trzymając go przy udzie.

– W takich okolicznościach mam dość ograniczone możliwości wyboru – odrzekł kapitan bez specjalnego zdenerwowania.

---

* Pomysł oryginalny, tylko raczej niewykonalny. W kwietniu 1945 roku ani Lwów, ani Odessa nie znajdowały się już w rękach niemieckich, a linia frontu przecinała każdą trasę w tym kierunku (przyp. J. K.).

– Żadnych – poprawił go sierżant.

– Czy narażę się na niebezpieczeństwo, jeśli Niemcy się zorientują, że biorę te ciężarówki?

– Wyłącznie z mojej strony – skłamał MacMillan.

– Mniemam, że pan wie, że to piractwo karalne prawem międzynarodowym i mogę to wyegzekwować w najbliższym porcie?

– Jak nas złapią Niemcy, to najbliższy port będzie w niebie – odparował MacMillan.

– Chciałem tylko powiedzieć, że chyba w Anglii – wyjaśnił skruszony kapitan. – Ale pan pochodzi raczej ze Stanów?

– Owszem – odpowiedział sierżant. – Jestem Amerykaninem.

– Zwycięzców się nie sądzi?

– Za co? Myśli pan, że to szaber? Może pan brać z tych wozów, co pan chce – uciął MacMillan.

– Niech będzie. Może pan iść po te ciężarówki – zgodził się szyper.

José Harrez wypłynął o czwartej nad ranem, kierując się przez Kanał Sueski, Dar es-Salaam i Kapsztad do Buenos Aires.

Samochody rozładowano za dnia i zepchnięto za burtę po zmroku, a zdobycznych mundurów pozbyto się na redzie w Port Saidzie, kiedy do statku podpłynął kuter z banderą brytyjską na maszcie.

W czasie siedmiodniowego rejsu MacMillan zaprzyjaźnił się z kapitanem i obaj nie poruszali tematu zawartości skrzyń. Sierżant jednak wiedział, że ktoś do nich zaglądał.

Gdy kuter zaczął pilotować *José Harreza* do portu, kapitan wręczył MacMillanowi szarą kopertę.

– Tyle mogę panu dać z funduszów statku bez wzbudzania niczyjej ciekawości – wyjaśnił.

– Dziękuję – odpowiedział sierżant.

W środku na pewno były pieniądze, ale MacMillan nie przeliczył; wcisnął tylko kopertę do kieszeni. Całą jego uwagę przykuwała załoga, która pojawiła się na pokładzie w białych spodniach, koszulach i podkolanówkach. Na jednym z tych galowych strojów sierżant dostrzegł dystynkcje oficera.

MacMillan, ubrany w oliwkową koszulę, oficerskie spodnie i zwykłe wojskowe buty, zasalutował przed brytyjskim oficerem, który wszedł na pokład.

– Sir, sierżant US Army R. J. MacMillan zgłasza się z grupą dwudziestu dwóch ludzi – zameldował.

– Proszę? – zdumiał się Anglik. Z wrażenia nie zareagował nawet na oddane mu honory.

6
Kair, Egipt
21 kwietnia 1945

Attaché wojskowym amerykańskiej ambasady w Kairze był starszy pułkownik lotnictwa. Zbył on niedbałym gestem ręki oddawane mu przez sierżanta honory i wręczył MacMillanowi formularz. Niedawny jeniec w dalszym ciągu miał na sobie bluzę, w której wzięto go do niewoli.

– Nie mam pojęcia, co o tym myśleć – odezwał się pułkownik. – Nikt was nie zna, sierżancie. – Attaché był starym wojskowym wygą i rozpoznawał zawodowych żołnierzy na pierwszy rzut oka.

Na biurku leżała jednak depesza z Waszyngtonu, która przeczyła jego ocenie sytuacji.

```
DEPARTAMENT WOJNY
WASZYNGTON
20 KWIETNIA 1945


AMBASADA STANÓW ZJEDNOCZONYCH AMERYKI PÓŁNOCNEJ
KAIR, EGIPT
DO RĄK WŁASNÝCH ATTACHÉ WOJSKOWEGO


ODPOWIEDŹ NA TELEKS 49765 Z 9.04.1945


1. OPRÓCZ MACMILLANA WYMIENIONYCH ŻOŁNIERZY
WYSŁAĆ SAMOLOTEM WOJSKOWYM W PIERWSZEJ
KOLEJNOŚCI DO KRAJU. PRZYSŁUGUJĄ IM WSZYSTKIE
PRZYWILEJE OSWOBODZONYCH JEŃCÓW WOJENNYCH.
O ODLOCIE ZAMELDOWAĆ DROGĄ RADIOWĄ Z-CY SZEFA
SZTABU D/S UZUPEŁNIEŃ.
2. NIE DYSPONUJEMY DANYMI STARSZEGO SIERŻANTA
MACMILLANA RUDOLPHA GEORGE'A, ASN 12 279
656. POSZUKIWANIA TRWAJĄ, SPRAWĘ PRZEJMUJE
KONTRWYWIAD. ZATRZYMAĆ W/W; MOŻE BYĆ
NIEMIECKIM DEZERTEREM.

                      W/Z SZEFA SZTABU
                   EDWARD W. WATERSON
                 KOMENDANT UZUPEŁNIEŃ
```

– No to jestem uziemiony – odrzekł MacMillan.

– Pokażę panu, sierżancie, co zrobię pięć minut po odlocie samolotu.

– O co chodzi, sir? – zdenerwował się MacMillan. Jak każdy stary żołnierz nie był zaskoczony tym, że ktoś w sztabie spartaczył robotę. To normalne, i sierżant nie wierzył, że jego własna armia może postawić go pod ścianą jako niemieckiego szpiega. Emocje dawały jednak o sobie znać.

Attaché pokazał mu meldunek.

```
ATTACHÉ WOJSKOWY
AMBASADA STANÓW ZJEDNOCZONYCH AMERYKI
PÓŁNOCNEJ W KAIRZE

DEPARTAMENT WOJNY, WASZYNGTON
Z-CA SZEFA SZTABU D/S UZUPEŁNIEŃ

DOTYCZY TELEKSU Z 10.04.1945

WSZYSCY OSWOBODZENI JEŃCY ODLECIELI Z KAIRU
W PIERWSZEJ KOLEJNOŚCI (AIA) O 7.00, 21.
04. 1945. SPODZIEWANY CZAS PRZYLOTU DO FORT
DEVENS, ARKANSAS — 18.00, 22. 04. 1945.

                         BRUCE C. BLEVITT
                       PUŁKOWNIK LOTNICTWA
                        ATTACHÉ WOJSKOWY
```

– Dziękuję, panie pułkowniku – odprężył się MacMillan.

– Jeżeli jesteś szpiegiem, sierżancie, to ja jestem Hermannem Göringiem – zakończył attaché.

Na lotnisku Logan Field pod Bostonem oczekiwało na samolot *C-54* z Kairu dwóch agentów kontrwywiadu. Obaj byli Żydami i dość bezceremonialnie obnosili się z kaburami, z których sterczały krótkolufowe *Colty .38* o obciętych lufach. Wskoczyli na pokład, zanim którykolwiek z pasażerów zdążył wysiąść, i zapytali.

– Który to MacMillan?

– Ja – zgłosił się sierżant.

Agenci podeszli do niego i ustawili się tak, aby znalazł się między nimi.

– Pan pozwoli z nami, sierżancie – oświadczył funkcjonariusz stojący nieco bliżej MacMillana.

– Jezus Maria, Mac – odezwał się Loczowcz. – Ten facet ma gorszy akcent od Feldwebla Fritza!

– Zechce się pan do tego nie mieszać – poprosił go agent. – To pana nie dotyczy.

MacMillan wstał i zaczął wychodzić.

– *Achtung!* – ryknął nagle jeden z funkcjonariuszy.

Zdezorientowany sierżant odwrócił się wolniutko, dopiero po chwili domyślając się, że agenci chcieli przyłapać go na odruchowej reakcji na niemiecką komendę i dowieść w ten sposób, że faktycznie jest szpiegiem.

– Sami se zróbcie achtung, aktorzy ze spalonego teatru – roześmiał się sierżant, nie wykazując oznak zdenerwowania.

Rozwścieczony funkcjonariusz kontrwywiadu sięgnął po broń.

– Załóż mu kajdanki – krzyknął drugi.

– Schowaj to, parszywy Żydzie, zanim sierżant każe ci je zjeść – nie wytrzymał Loczowcz.

Agent odwrócił się błyskawicznie i wymierzył w niego z rewolweru. Starszy szeregowy wytrącił mu go z dłoni uderzeniem w nadgarstek, ale upadając na podłogę, broń wypaliła.

Wystrzał odbił się wewnątrz kadłuba głośnym, raniącym uszy echem.

Ktoś zawył z bólu i jęknął: „Dostałem!"

W tym samym ułamku sekundy Loczowcz rzucił się na agenta, ściął go z nóg i przycisnął do boku fotela.

Drugi z nich stał na środku przejścia na szeroko rozstawionych nogach, trzymał rewolwer w obu rękach i celował to w jednego, to w drugiego z pasażerów, którzy zdążyli już się podnieść.

– Spokój – wrzasnął MacMillan. – Spokój, do cholery! – Zapanowała cisza. – Puść go – rozkazał sierżant.

Loczowcz odsunął się od leżącego na podłodze agenta.

– Wszystko się wyjaśni – uspokoił swoich ludzi MacMillan. – Tylko bez paniki – dodał, odwracając się do funkcjonariusza z rewolwerem i wyciągając do przodu ręce, na których zatrzasnęły się kajdanki.

Fort Devens, Massachusetts
22 kwietnia 1945

Adiutant generała, młody, elegancko ubrany podporucznik, otworzył drzwi do gabinetu komendanta i skinął głową na MacMillana.

– Proszę wejść – oznajmił.

Sierżant ubrany był w nowiuteńki, świeżo wyfasowany mundur bez dystynkcji i naszywek. MacMillan wszedł do gabinetu i zatrzymał się trzy stopy przed biurkiem.

– Sir, starszy sierżant MacMillan melduje się na rozkaz – zaczął, gdy jego prawa dłoń dotknęła skroni.

– Spocznij! – odpowiedział komendant, mężczyzna po pięćdziesiątce z bardzo ogorzałą twarzą. Był to wyćwiczony odruch, taki sam jak natychmiastowy, energiczny ruch nogi MacMillana z „baczność" na „spocznij". Sierżant wykonał oczywiście „spocznij" defiladowe, jako że, niezależnie od słów generała, należało okazać mu szacunek. Komendant Fort Devens spojrzał na MacMillana, jak gdyby nie wiedział, od czego zacząć.

– Witam w kraju, sierżancie – odezwał się w końcu. – Chyba nikt panu tego jeszcze nie powiedział?

– Dziękuję, sir. Jeszcze nikt, sir.

– Gdyby nie ten idiotyczny występ pajaców z kontrwywiadu i ranny z przestrzeloną kończyną, można by to wziąć za żart i dłużej nad tym się nie rozwodzić – ciągnął generał.

– Sir, czy można spytać, jak się czuje szeregowy Latier? – przerwał mu MacMillan.

– Dobrze. Sprawdziłem przed chwilą. Pomyślałem, że będzie pan chciał wiedzieć.

– Dziękuję, sir.

– Nareszcie udało nam się wszystko wyjaśnić – oświadczył komendant.

Sierżant, wyprostowany, jakby połknął kij, wpatrywał się w pustą przestrzeń sześć cali ponad głową generała i nie odzywał się ani słowem.

– Nie jest pan zaskoczony? – zdziwił się komendant.

– Sir, od razu wiedziałem, że to się wyjaśni w swoim czasie – odparł MacMillan.

– Nie ciekawi pana, co się stało?

– Nie, sir.

– Skoro ma pan być oficerem – uśmiechnął się generał. – Wróć!

Skoro jest pan oficerem – poprawił się – to musi nauczyć się pan odróżniania spocznij defiladowego od zwykłego.

Ręce MacMillana, dotychczas skrzyżowane za plecami z otwartymi dłońmi i sztywno wyprostowanymi palcami, niezdarnie osunęły się na boki. Sierżant robił, co mógł, aby jego postawa była nieco mniej spięta. Jego wzrok skierował się nawet przez krótką chwilę prosto na generała, szybko jednak wrócił do poprzedniego kierunku, sześć cali ponad głową przełożonego.

– Ed – generał zwrócił się do adiutanta – poproś z łaski swojej sierżanta, żeby przyniósł mnie i porucznikowi MacMillanowi po filiżance kawy. Z takiej okazji można by chyba nawet coś do tej kawy dodać – rzucił komendant. – Proszę siadać na kanapie, poruczniku.

Ciągle jeszcze obawiając się, że to jakiś koszmarny sen, a nie jawa, MacMillan podszedł sztywno do kanapy i usiadł na brzeżku. Prawie równocześnie podszedł do stojącego obok stolika nienagannie ubrany ordynans generała, stanął na baczność z tacą w ręku i ustawił na ławie dzbanek z kawą, filiżanki na spodkach oraz butelkę bourbona.

– Może pan porucznik wolałby dodatek osobno? – zapytał sierżant pełniący obowiązki ordynansa i podał MacMillanowi szklaneczkę.

Mac opróżnił ją jednym haustem, czując, jak bourbon pali go w gardle. To na pewno nie był sen.

– O tyle, o ile byłem w stanie się w tym połapać – kontynuował generał, sadowiąc się obok MacMillana – 20 września 1944, opierając się na opinii dowódcy batalionu, dowódca 82. Dywizji Powietrznodesantowej awansował pana bezpośrednio na podporucznika.

– Niczego takiego sobie nie przypominam, panie generale – odpowiedział MacMillan. – Pułkownik Bellmon oświadczył, że mam przejąć dowodzenie, ale nie wspomniał nic o awansie.

– Widocznie źle zrozumiał pan pułkownika – wyjaśnił komendant. – Kiedy wzięli pana do niewoli?

– Dwudziestego pierwszego – odparł MacMillan, spoglądając na generała zmieszanym, zawstydzonym wzrokiem. – Byliśmy po drugiej stronie kanału i wspieraliśmy pięćset czwarty. Skończyły się pociski do *Bazooki*, został tylko jeden magazynek do *Browninga* i czterech ludzi, w tym dwóch ciężko rannych. Dookoła było więcej Szwabów, niż my mieliśmy naboi.

MacMillan był bliski płaczu.

Komendant pstryknął palcami i wskazał adiutantowi, żeby mu

coś przyniósł. Porucznik podszedł do biurka, wyjął z niego jakąś kartkę i podał generałowi, który zaczął czytać na głos:

– Podporucznik Rudolph George MacMillan, 0-589866, dowodząc plutonem rozpoznawczym 508. Pułku Piechoty Spadochronowej 82. Dywizji Powietrznodesantowej, walcząc z przeważającymi siłami nieprzyjaciela w rejonie znanym jako wzgórza Greensbeek koło Nijmegen w Holandii, utracił osiemdziesiąt procent składu osobowego w czasie prób dołączenia do 504. Pułku Piechoty Spadochronowej.

Nie zważając na odniesioną ranę, porucznik MacMillan osobiście przejął obsługę wyrzutni rakiet i ignorując ogień broni maszynowej, moździerzy oraz artylerii, własnoręcznie zniszczył pięć niemieckich czołgów. Uniemożliwiło to nieprzyjacielowi przełamanie rubieży obronnych 504. Pułku Piechoty Spadochronowej i uratowało życie wielu żołnierzom.

Nie bacząc na własne bezpieczeństwo, porucznik wyniósł spod ognia obu rannych i dostarczył ich do punktu medycznego. Ponownie ranny MacMillan postanowił wyprowadzić spod ostrzału resztę plutonu i jeszcze raz udał się na przedni skraj obrony.

Po wyczerpaniu się amunicji strzeleckiej i odniesieniu piątej rany porucznika MacMillana widziano, jak posuwał się w stronę pozycji niemieckich, strzelając jedną ręką z pistoletu maszynowego *Thompson*. Następnie zniknął z pola widzenia.

– To bzdury – zareagował MacMillan, któremu łzy zaczęły ściekać po policzkach. Ordynans położył mu dłoń na ramieniu, a gdy świeżo upieczony oficer podniósł na niego wzrok, podał mu kolejną szklaneczkę. MacMillan wypił ją szybko, zatrząsł się od przeszywających go dreszczy, gwałtownie pochylił do przodu i ukrył twarz w dłoniach.

– Dlaczego? – zapytał miękkim głosem generał.

– Przecież wcale nie byłem ranny – odrzekł MacMillan. – Żadnych postrzałów ani nic. Trochę się tylko podrapałem, jak mnie przewrócił podmuch wybuchu, i tyle. Rozumie pan, panie generale? A ta końcówka z tym „posuwaniem się w stronę pozycji niemieckich z *Thompsonem* w jednej ręce" to już czysta fantazja. Jak zabrakło naboi, to wtuliłem się w tę przeklętą dziurę, a jak przyszły Szwaby, po prostu podniosłem ręce.

– Ten akapit też wydał mi się trochę podkoloryzowany – zgodził się generał i czytał dalej:

– Działania porucznika MacMillana daleko wykraczały poza zakres jego obowiązków. Jego bohaterstwo, odwaga i zdolności przywódcze stawiają go niewątpliwie w jednym rzędzie z największymi postaciami w historii Amerykańskich Sił Zbrojnych i najlepiej świadczą o nim samym oraz o służbie, do której wstąpił ze stanu Pensylwania.

– Sir, czy można zapytać, co pan czyta? – przerwał mu Mac-Millan.

– To, co odczyta adiutant prezydenta, kiedy ten będzie panu wieszał na szyi Medal Honorowy Kongresu, poruczniku MacMillan.

MacMillan spojrzał na komendanta z niedowierzaniem.

– Były pewne wątpliwości, czy pan przeżył, poruczniku – ciągnął dalej generał. – Wręczenie orderu odłożono więc do czasu otrzymania sprawdzonych wiadomości o pańskim losie albo pańskiego powrotu. Zamknięto teczkę sierżanta MacMillana, a akta porucznika odłożono chwilowo na bok, żeby były pod ręką, gdyby pojawił się pan nagle cały i zdrowy. Właśnie dlatego nie było po panu śladu, kiedy nadszedł teleks od attaché.

Po dwóch bourbonach MacMillan zaczął się powoli odprężać.

– No cóż – powiedział. – Podporucznik MacMillan! I co pan na to, panie generale?

– Porucznik – poprawił go komendant. – Automatyczny awans po sześciu miesiącach służby w warunkach wojennych.

– A co teraz? – zapytał MacMillan.

– We wtorek albo w środę przewieziemy pana samochodem do Waszyngtonu. Spotka się pan z żoną, a w czwartek pójdzie do Białego Domu. Z tego, co wiem, na ceremonii będzie sześć osób.

– A dzisiaj? – dalej wypytywał MacMillan, dopiero po chwili dodając, „sir”. Pominięcie „sir” najlepiej świadczyło o tym, że dotarła do niego w końcu wiadomość o awansie.

– Jest już piątek po południu – odparł generał – i niewiele da się zrobić. Przeniesiemy pana oczywiście do kwater oficerskich, zawieziemy do sklepu po galowy mundur. Jutro rano o siódmej trzydzieści będą na pana czekali w szpitalu. Przejdzie pan pełne badania i odpręży się, poruczniku MacMillan. W przyszłym tygodniu nie będzie pan musiał nawet palcem kiwnąć. Wszystko za pana zrobią. Po Waszyngtonie należy się panu trzydziestodniowy urlop nadzwyczajny po wyzwoleniu z niewoli. Wynajęliśmy panu w tym celu Greenbrier Hotel. Słyszał pan kiedyś o nim?

– Nie, sir. Nie słyszałem – odpowiedział MacMillan. – Kiedy będę mógł zobaczyć się z żoną? – zapytał.

– Armia już nad tym pracuje. Żona będzie czekać na lotnisku w Waszyngtonie. O to może się pan nie martwić.

– Chcę się z nią spotkać jak najszybciej – wyjaśnił MacMillan. – Jeszcze dzisiaj.

– To raczej wykluczone, poruczniku – oświadczył generał

tonem, z którego rozpoznaniem MacMillan nie miał żadnych problemów: oznaczał on, że na ten temat nie będzie dyskusji.

– Tak jest – odpowiedział były sierżant.

Generał rzucił okiem na zegarek.

– No cóż, MacMillan. Będzie się pan musiał pospieszyć, jeżeli chce się pan odpowiednio wystroić – zakończył komendant.

MacMillan podniósł się i stanął na baczność.

– Tak jest, sir. Dziękuję, sir.

Generał podał mu rękę.

– Spotkanie z panem to zaszczyt, poruczniku – pożegnał się. – Mam tylko jeszcze jedną sprawę. Zgłoszę pana do odznaczenia DSC za ucieczkę.

MacMillan nie odezwał się ani słowem.

– Na pewno zapomniał już pan o tej wpadce z teleksem od attaché? To było tylko nieporozumienie.

– Tak jest, sir – uspokoił go MacMillan.

Adiutant zabrał go generalskim fordem do sklepu dla oficerów, gdzie wzięto miarę na nowy mundur i odprasowano stary.

Mógłbym nie zdawać tych łachów szeregowca, pomyślał były sierżant, i wyjść z tego z jednym uniformem w zapasie.

Pojawił się jeszcze drobny problem z odznakami. Adiutant obiecał wyjaśnić go do następnego dnia, a najdalej do poniedziałku, ale na razie MacMillan musiał obejść się bez naszywki 82. Dywizji, skrzydełek spadochroniarza i Bojowej Odznaki Piechoty, czyli prawie wszystkiego, co mu przysługiwało. Ostały mu się tylko srebrne belki porucznika i skrzyżowane miniaturki karabinów piechura.

– Wystarczy, Mac – uspokoił go adiutant generała. – Wpuszczą cię do kantyny. Jutro przekażemy cię ludziom od ceremoniału i oni wszystkim się zajmą. Wyjaśnią ci też, jak się zachować w Białym Domu i na konferencji prasowej.

Porucznik zaprowadził MacMillana do kwater oficerskich dla kawalerów, pokazał mu kantynę po drugiej stronie placu apelowego i zostawił go w pokoju.

Świeżo upieczony oficer od razu skorzystał z telefonu i upewnił się, że oprócz żołnierza, którego trafiła kula z *Colta*, cała reszta jego ludzi jest już po badaniach i rozjechała się na urlopy. Siostra na dyżurze poinformowała go, że ranny z samolotu *C-54* nie może podejść do aparatu, bo akurat przyjechała do niego rodzina. Na ścianie za telefonem porucznik MacMillan dostrzegł małą nalepkę z napisem „Taxi 4550”.

Idioci ze sztabu wyobrażali sobie pewnie, że będzie trzeźwy jak grzeczny chłopiec i zostanie w koszarach, bo mu nie wypłacili żołdu. Ale on miał przecież pieniądze; prawie tysiąc dolarów, które wręczył mu kapitan statku w Port Saidzie. Nie było żadnych powodów, dla których Mac miał się dzielić tą sumą z resztą.

Po pierwsze, wiedział, że im wypłacą żołd zaraz po przylocie do kraju, a po drugie, gdyby nie on, to jeszcze długo tkwiliby gdzieś w Europie.

MacMillan oparł rękę na aparacie i wykręcił cztery, pięć, pięć, zero.

8
Boston, Massachusetts
22 kwietnia 1945

– Proszę wrzucić dwa trzydzieści pięć, proszę pana.

W aparacie zabrzęczało osiem monet po dwadzieścia pięć centów i jedna dziesiątka. Telefon zadzwonił i za trzecim razem ktoś podniósł słuchawkę.

– Halo!

W oczach porucznika stanęły łzy, a w gardle ścisnęło go tak mocno, że aż zabolało.

– Międzymiastowa do pani Roxanne MacMillan.

– Tu pani MacMillan.

– Proszę mówić.

Monety wpadły z brzękiem do pojemnika w telefonie.

– Roah – zaczął MacMillan. – O Boże – zaniemówił.

– Halo!

– Roxy.

– Halo?

– Roxy, tu Mac.

– Mac? – W głosie słychać było niedowierzanie.

– To ja, kochanie!

– Mac! Myślałam już, że nie żyjesz. Och, Mac!

– Dlaczego?

– Z wojska dzwonili do pracy, a teraz mają zadzwonić jeszcze raz. Powiedzieli też, że przyjadą. Spodziewałam się, że powiedzą mi, że nie żyjesz.

– Wszystko w porządku, kochanie – uspokajał żonę Mac. – Wszystko po staremu.

– Gdzie jesteś, kochanie?

– Na dworcu w Bostonie.

– Co ty tam robisz? Kiedy będziesz w domu?

– Możesz pożyczyć od brata auto i przyjechać do Nowego Jorku?

– Pewnie! Tommy jest w domu. Podwiezie mnie.

– Nie chcę, żeby cię podwoził. Przyjedź sama!

– Ale gdzie, Mac?

– O Boże! Nie pomyślałem!

– Gdzie mam przyjechać, Mac?

– Pamiętasz ten hotel, w którym mieszkaliśmy, jak byłem w Camp Kilmer? Nazywał się chyba Dixie.

– No!

– Będę tam czekał, Roxy.

– A co z tymi wojskowymi?

– Zbieraj się, zanim przyjdą!

– Wpakowałeś się w coś, Mac?

– Po prostu przyjedź, Roxy. Dobrze?

9

Nowy Jork
24 kwietnia 1945

Recepcjonista hotelu Dixie oświadczył, że jest mu przykro, ale nie ma wolnych miejsc.

Żołnierz sięgnął do kieszeni na piersi, wyjął z niej zwitek dolarów, rozwinął go i wybrał dwa banknoty.

– Tak jak mówiłem, pokój dwuosobowy z podwójnym łóżkiem na dwie noce – powtórzył żołnierz i zamachał recepcjoniście banknotami przed nosem.

– No...

– Radzę brać. Więcej nie dam – mruknął wojskowy.

– Wydaje mi się, że właśnie coś się zwolniło – stwierdził pracownik hotelu i chwycił czterdzieści dolarów.

Gdy żołnierz wypełniał książkę meldunkową, recepcjonista pilnie szukał wzrokiem kobiety, nie znalazł jednak nikogo. Spojrzał więc kątem oka na wpis i oniemiał z wrażenia. W rubryce nie znajdowało się tradycyjne „pani Smith i porucznik", ale „państwo MacMillan, Manch Chuck, Pensylwania".

– Gdzie jest bar? – zapytał MacMillan.

– Po drugiej stronie, sir. Ma pan jakiś bagaż?

– Nie mam – odparł porucznik.

– W takim razie musi pan zapłacić z góry, sir – stwierdził recepcjonista.

MacMillan raz jeszcze wyciągnął zwitek banknotów i zapłacił za dwa dni z góry, a następnie przeszedł na drugą stronę, kierując się do baru.

Po godzinie ponownie pojawił się w recepcji i poprosił o klucz. Twarz miał już zaczerwienioną od alkoholu, u jego ramienia uczepiona była jakaś kobieta o rudych włosach i biuście rozsadzającym opiętą suknię.

– Masz klucz? – zapytał.

– Tak, osiemdziesiąt siedem. Przyślę państwu boya.

– Nie chcemy. Daj tylko ten cholerny klucz!

– Tak, proszę pana.

Recepcjonista przypatrzył się, jak oboje wsiadali do windy. Natychmiast po wejściu, zanim jeszcze drzwi zdążyły się zasunąć, żołnierz chwycił kobietę za pośladek i lekko ścisnął.

– Zachowuj się przyzwoicie, na miłość boską! – upomniała go żona. W tym momencie drzwi zamknęły się i winda zabrała państwa MacMillan na ich piętro.

10
Waszyngton
25 kwietnia 1945

– Słyszałem, poruczniku – powiedział do MacMillana siwawy mężczyzna w okularach – że żywiono pewne obawy, czy uda się panu wygospodarować czas na to spotkanie.

Mac i uczepiona jego ramienia żona nie potrafili sklecić odpowiedzi.

– W czasach, kiedy dowodziłem baterią, nauczono mnie, że istnieją różne rodzaje urlopów i sam ze wszystkich korzystałem. Miał pan przez to jakieś nieprzyjemności?

– Co nieco, sir – odpowiedział MacMillan.

– Kiedy naprawdę pojawią się problemy, to proszę mnie o tym osobiście zawiadomić – stwierdził mężczyzna w okularach i podniósł zawieszony na szyi porucznika medal z błękitną wstęgą w białe gwiazdy. – To i tak jest warte tygodniowego urlopu – dodał. – Jeżeli będą się stawiać, to proszę im powiedzieć, że tak rozkazał głównodowodzący.

III

835. kilometr autostrady Frankfurt–Kassel
Okolice Bad Nauheim, Niemcy
6 kwietnia 1945

Poboczem autostrady toczył się wolno motocykl BMW z przyczepą, prowadzony przez dobrze zbudowanego Murzyna z opaską MP na ramieniu. Na antenie radiostacji, tymczasowo służącej za maszt, powiewała niemrawo amerykańska flaga, a krawędzi kosza trzymał się kurczowo drobny pasażer.

W przeciwnym kierunku maszerowały poboczem niekończące się kolumny osowiałych jeńców w mundurach feldgrau. Samą autostradę zajmowały zaś amerykańskie czołgi i ciężarówki. Po lewej stronie drogi, normalnie przeznaczonej do ruchu na południe, sunęła na północ powolna kolumna pancerna oraz nieco od niej szybszy konwój ciężarówek. Drugą połówkę betonowej autostrady blokował nieruchomy sznur samochodów.

Motocykl podjechał do mostu spinającego krawędzie głębokiego urwiska. Niemcy wysadzili środkowe przęsło, którego resztki, w postaci rozkruszonego betonu i pogiętych dźwigarów widać było dwieście stóp niżej, ale saperom udało się dosztukować brakujący fragment jednopasmowym składanym mostem Baileya i trzech żandarmów kierowało przywróconym ruchem. Przepuszczali po sześć czołgów lub ciężarówek, przynaglając je niecierpliwymi ruchami chorągiewek. Kolumnę z prawej zatrzymano, w związku z czym kierowcy porozsiadali się na maskach ciężarówek i z nudów obserwowali jeńców, którzy schodzili ostrożnie na dno urwiska i wolno wdrapywali się na jego przeciwległą krawędź.

Jadący w wózku pasażer krzyknął do kierowcy, żeby ten włączył znajdującą się na wyposażeniu zdobycznego motocykla syrenę. Usłyszał ją któryś z kierujących ruchem żandarmów, odwrócił się, zagrodził Murzynowi drogę i uniósł prawą dłoń. W tym samym momencie pasażer zaczął gwałtownie wymachiwać ręką, rozkazując władczym gestem żandarmowi, żeby się usunął.

Żandarm zaklął w duchu, ale gdy dostrzegł opaskę MP na ramieniu kierowcy, pomyślał, że być może mignęły mu też przed oczami insygnia oficera na kołnierzyku liliputa, i spojrzał w lewo. Pomiędzy wjeżdżającymi właśnie na most dwoma czołgami *M4A3* była piętnastostopowa luka. Co mi zależy, przyszło do głowy żandarmowi. Jak ich rozgniotą, to łatwo będzie zepchnąć w przepaść.

Nie sygnalizując nawet czołgistom, żeby zwolnili, dał znak motocykliście, że może ruszać.

Motocykl przyspieszył gwałtownie z rykiem silnika, wyskoczył przed drugi z czołgów i wyhamował z piskiem opon, ratując się przed wjechaniem na pierwszy. W ten sposób motor ustawił się w kolumnie i wolno sunął przez zaimprowizowany most, przechylając się lekko w prawo, jako że koło wózka toczyło się po deskach pobocza, zamocowanych sześć cali poniżej głównej jezdni.

Kiedy maszyna zbliżała się do końca zbudowanego przez saperów przęsła, kierowca jechał już zbyt szybko i motorem niebezpiecznie zarzuciło przy wjeździe na nienaruszoną część mostu.

Pięćset jardów dalej, po lewej stronie drogi, stała zaparkowana w szczerym polu grupa pojazdów. Były wśród nich jeepy żandarmerii ze światłami i syrenami na błotnikach oraz obrotowymi wysięgnikami, na których montowano karabiny maszynowe, cztery *Half-trucki* ze sprzężonymi półcalówkami, trzy czołgi *M4A3* i pół tuzina ciężarówek GMC. Jednej z nich pilnowało dwóch żandarmów. Przed tylnym wejściem do niej zatknięto w ziemi trzy flagi – amerykańską, czerwony sztandar generała majora z dwoma gwiazdami oraz powiększoną naszywkę 40. Dywizji Pancernej, żółto-niebiesko-czerwony trójkąt z cyfrą czterdzieści w górnym żółtym polu.

Gdy motocykl wyjechał z kolumny pancernej i przyczepiona do anteny flaga zaczęła łopotać na wietrze, ze strzeżonej ciężarówki wyłoniła się postać generała majora Petersona K. Waterforda.

Zatrzymał się na szczycie składanych schodków i włożył na głowę hełm czołgisty z godłem dywizji na bokach i dwoma srebrnymi gwiazdami na przodzie. Generał ubrany był w kurtkę pilota z kołnierzem podszytym futrem (z gwiazdami na pagonach i niedopiętym zamkiem), bryczesy ze skórą naszytą po wewnętrznej stronie nogawek i lśniące w wiosennym słońcu buty kawalerzysty. W podramiennej kaburze spoczywał *Colt .45* automat. Wokół szyi miał zawiązaną żółtą chustkę.

– Jezus, Charley, popatrz na to – roześmiał się Waterford, widząc pędzący motocykl z Murzynem za kierownicą i rozwianą amerykańską flagą. Po dokładniejszym przypatrzeniu się temu dziwolągowi generał dojrzał również pasażera, który czynił nadludzkie wysiłki, żeby nie wypaść z podskakującego na wybojach wózka.

Motor gwałtownie zahamował, o mało co nie wyrzucając go prosto na schody ciężarówki. Waterford z ledwością powstrzymał wybuch śmiechu. Pasażer stanął na baczność w wózku i zasalutował. Tego było już za wiele. Liczył zaledwie metr sześćdziesiąt wzrostu i był tak wątły, że cała głowa ginęła pod hełmem i goglami. Wygląda jak grzyb, pomyślał generał, krztusząc się ze śmiechu przy odpowiadaniu na oddawane mu honory. Gruby Charley, oficer operacyjny w jego sztabie, nie wytrzymał i roześmiał się na głos.

– Panie generale Waterford – odezwał się grzybek i wygramolił się z wózka, po czym schylił się po niemieckiego *Schmeissera* i podbiegł drobnymi kroczkami do schodków ciężarówki, ponownie salutując. W tym momencie generał się zorientował, że ma do czynienia z drobniutkim Żydem w stopniu porucznika.

– Poruczniku, skąd pan wytrzasnął to cudo? – z szerokim uśmiechem na twarzy zapytał Waterford.

– Sir, porucznik S. T. Felter prosi o rozmowę z panem generałem.

– Proszę mówić – odpowiedział rozbawiony dowódca.

– Sir, uważam, że powinniśmy porozmawiać na osobności – odparł porucznik. – To sprawa osobista.

– Osobista? – z twarzy generała zniknęło rozbawienie.

Waterford przyjrzał się dokładnie salutującemu grzybkowi, po czym odwrócił się i wszedł do wnętrza ciężarówki, dając Felterowi znak, żeby ruszył za nim. Gruby odsunął się na bok i przepuścił porucznika.

Wewnątrz mieściło się ruchome stanowisko dowodzenia. Stało tam kilka biurek i z dziesięć telefonów, a ściany obwieszone były przykrytymi celofanem mapami, na które naniesiono w kilku kolorach dyspozycje dla poszczególnych oddziałów oraz ogólne rozmieszczenie sił.

– Dobrze, poruczniku – zaczął generał. – Kim pan jest i o co chodzi?

Felter zdjął hełm, zsunął gogle na szyję i ponownie stanął na baczność.

– Sir, nazywam się S. T. Felter. Przydzielono mnie do przesłuchiwania jeńców w 40. Kompanii Żandarmerii.

– I?

– Panie generale, odnoszę wrażenie, że odnalazłem podpułkownika Bellmona.

– Którego Bellmona? – zapytał Waterford, z trudem panując nad łamiącym się głosem.

– Podpułkownika Roberta F. Bellmona, sir. Pańskiego zięcia.

– Jest pan tego pewny, poruczniku? – nie dowierzał generał. Do wnętrza ciężarówki wszedł Gruby. – Powiedział, że odnalazł Boba – zwięźle zrelacjonował Waterford.

– Na ile można wierzyć tej informacji? – zaciekawił się Charley.

– Oceniłbym to na dziewięćdziesiąt procent – odparł Felter. –

Opiera się na trzech nie powiązanych ze sobą przesłuchaniach. Jednym z jeńców wziętych koło Hoescht był kapitan poprzednio przydzielony do Stalagu XVII-B.

– Słyszałem, że trzymali go w XVII-B – przerwał mu Waterford. – To nic nowego.

– Oficerowie ze Stalagu XVII-B są ewakuowani spod Szczecina na piechotę – objaśnił Felter. – Mogę użyć mapy, sir?

– Proszę bardzo – zgodził się generał.

Porucznik podszedł do wiszącej na ścianie mapy Niemiec, wskazał na niej Stalag XVII-B pod Szczecinem i przedstawił trasę ewakuacji na zachód, jaką zdradził mu przesłuchiwany jeniec.

Generał i Charley spoglądali z zaciekawieniem.

– Wie pan coś o stanie zdrowia pułkownika Bellmona? – odezwał się Waterford.

– Tak, sir. Nic mu nie dolega. Z przesłuchań wynikało, że *de facto* jest starszym obozu.

– W przeciwieństwie do *de jure*? – na wpół sarkastycznie zapytał generał. – Gdzie pan kończył studia, poruczniku?

– Tak jest, sir. W przeciwieństwie do *de jure*. Wydaje mi się, że formalnie starszym obozu jest jakiś pułkownik cierpiący na depresję.

A to ci rezolutny Żydek, pomyślał Waterford, zastanawiając się, skąd Felter może pochodzić. Pewnie z przedmieść Nowego Jorku, domyślał się generał. Dobra szkoła średnia, a potem prawo na Harvardzie.

– Pytałem, gdzie pan kończył studia – powtórzył generał.

– Przez dwa i pół roku byłem w Akademii, sir – odpowiedział porucznik.

– West Point? – z niedowierzaniem spytał Waterford.

– Tak jest, ale zrezygnowałem.

– No cóż, poruczniku – powiedział generał Waterford. – Rozumie pan moje stanowisko, chociaż jestem panu bardzo wdzięczny za dostarczenie mi tej informacji. Rozumie pan, że nie mogę nic z tym zrobić. Dlatego muszę zostawić sprawy swojemu biegowi. Nie mogę, chociaż bardzo bym chciał, wysłać kolumny, by ich uwolniła.

– Tak, sir.

– Na miłość boską, Porky! – wtrącił się Gruby. – Dlaczego nie? Przecież mamy tam co wysłać!

– Wątpię, żeby pułkownik Bellmon tego sobie życzył – odrzekł generał. – Byłby to bardzo rzadki przywilej.

– Przecież chodzi o zwykłe uwolnienie jeńców, Bob nie jest sam.

– To nie jest temat do dyskusji, pułkowniku – uciął Waterford, spoglądając na Feltera.

Generał podszedł do drzwi.

– Charley, spisz nazwisko porucznika i wystaw mu podziękowanie, żeby miał coś w papierach. To była robota dobrego detektywa, Felter. W dodatku taktownie przedstawiona. Dziękuję i proszę informować mnie na bieżąco, jak pan znów coś wynajdzie.

Dowódca 40. Dywizji Pancernej stanął na schodkach, a Gruby wziął do ręki papier i ołówek i pochylił się nad zaimprowizowanym stołem.

– Nazwisko, stopień i numer służbowy? – zapytał.

Felter podał mu dane, i wtedy Charley zdecydował. Wziął drugą kartkę liniowanego papieru, coś na niej napisał i podał Felterowi do przeczytania.

Phil, Porky powiedział, że nie wyśle kolumny z odsieczą, bo byłby to szczególny przywilej. Charley.

– Dwie i pół mili od mostu z dosztukowanym przęsłem – dodał.

– Tak jest, jechałem tamtędy – odparł Felter.

– Stoi tam 393. Niszczycieli Czołgów. Proszę powiedzieć jego dowódcy, pułkownikowi Parkerowi, dokładnie to samo co generałowi Waterfordowi.

– Tak jest, sir. Jeżeli pułkownik Parker ruszy z odsieczą, to chciałbym się dołączyć, sir.

– Nie mogę przewidzieć, poruczniku, co zrobi pułkownik Parker.

– Tak jest, sir.

– Zadzwonię jednak do pańskiego przełożonego i powiem, że przymusiłem pana, żeby tu u nas rozpracował pan parę przypadków. Generał jest bardzo zajęty i nie ma co zawracać mu tym głowy. Rozumie pan, poruczniku?

– Tak jest, sir. – Felter nasunął gogle na oczy i włożył hełm.

– Można coś zaproponować, poruczniku?

– Tak jest, sir. Oczywiście.

– Jak włoży pan pod hełm parę chustek albo skarpetek, to nie będzie panu tak spadał na oczy.

– Faktycznie – zdziwił się Felter, kiedy włożył do hełmu dwie chusteczki, które znalazł w kieszeniach.

– Od razu lepiej – powiedział Gruby. – Teraz będzie pan coś widział.

– Rzadko go używam – wyznał porucznik – ale słyszałem, że generał bardzo tego przestrzega.

— Zbieraj się, Felter – uśmiechnął się Charley i położył mu rękę na ramieniu. – Powodzenia.

2

829. kilometr autostrady Frankfurt–Kassel
Okolice Bad Nauheim, Niemcy
6 kwietnia 1945

Wokół dowódcy 393. Pułku Niszczycieli Czołgów, pułkownika Philipa Sheridana Parkera III, ustawił się półkolem cały jego sztab. Sam pułkownik stał w zapiętej pod szyję kurtce czołgisty na wyłożonym cegłami podjeździe do pałacyku, trzy dni temu zajętego na punkt dowodzenia batalionem. W kaburze przy pasie spoczywał *Colt New Service*, model 1917.

Z murów rezydencji wyglądającej bardziej na francuską niż niemiecką wystawały uchwyty na flagi. W jednym z nich zatknięta była luźno zwisająca flaga Stanów Zjednoczonych, a w drugim proporzec pułku, przedstawiający łeb tygrysa miażdżący czołg. Pułkownikowi zawsze się wydawało, że pasuje on raczej do Disneylandu niż do regularnej armii.

Zgromadzeni nie wyglądali na supermenów. Jedni byli grubi, inni niscy, a jeszcze inni łączyli w sobie obie cechy. Żaden z nich nie był też biały. Mimo to pułkownikowi nie kojarzyli się nigdy z nieporadnymi rezerwistami z batalionowej kolumny transportowej.

Wyglądali po prostu na żołnierzy, którzy sprawdzili się w boju i znają swą wartość. Mając to wszystko na uwadze, Parker był głęboko przekonany, że jego ludzie są co najmniej tak samo dobrze wyszkoleni jak słynni żołnierze Buffalo Soldiers z amerykańskiej 9. Dywizji Kawalerii, która szarżowała pod Kettle Hill, dowodzona przez pułkownika Theodore'a Roosevelta i sierżanta Philipa Sheridana Parkera seniora.

— Baczność! – miękkim głosem zarządził adiutant pułkownika.

— Spocznij! – odpowiedział Parker.

Zebrani stanęli swobodnie, ale ze względu na osobę pułkownika było to spocznij defiladowe.

Pułkownik raz jeszcze powtórzył sobie w myślach, że to na pewno nie jest klnąca na czym świat stoi zbieranina rezerwistów, ale prawdziwi żołnierze.

— Panowie – zaczął dowódca – nie ma żadnej wątpliwości, że ta kampania zbliża się do końca, a my jesteśmy w niej potrzebni jak dziura w moście.

Rozległ się tłumiony śmiech.

– Wydaje mi się, że nasze ostatnie zadanie bojowe mamy już za sobą – kontynuował pułkownik. – Możemy jeszcze pójść do przodu, ale z niemieckimi czołgami już nie powalczymy. Wygląda na to, że Niemcom albo brakło wozów, albo paliwa, żeby uruchomić te, które się jeszcze uchowały. Jest jeszcze parę czołgów okopanych na ważniejszych kierunkach obrony, ale ich załogi po prostu nie zdają sobie sprawy, że sprawa się rypła i to już tylko kwestia czasu. Sytuacja kształtuje się więc tak, że możemy siedzieć cicho i spokojnie czekać na kapitulację z podniesioną głową i poczuciem spełnionego obowiązku. Doszły mnie jednak słuchy, że Niemcy ewakuują na piechotę około dwustu pięćdziesięciu amerykańskich jeńców wojennych na obrzeża Berlina, i mam zamiar stanąć na czele kolumny, która ich oswobodzi. Nikt nie wydał mi takiego rozkazu. Postanowiłem działać na podstawie uprawnień do atakowania celów nieprzyjaciela niezależnie od miejsca i czasu ich pojawienia się. Ruszymy do wschodniej części Niemiec kolumną dwudziestu dział samobieżnych, dziesięciu jeepów i trzydziestu ciężarówek, które zabiorą zaopatrzenie dla jeńców, których mam nadzieję oswobodzić. Nie będę prosił o ochotników, ale ci z was, którzy podejmą roztropną i dalekowzroczną decyzję doczekania wojny tutaj, mogą natychmiast wrócić do swoich zajęć. Baczność! Rozejść się!

Nikt się nie ruszył.

Parker zaczekał, aż jego ściśnięte z emocji gardło rozluźni się na tyle, żeby mógł swobodnie mówić.

– Oczywiście nie wszyscy mogą jechać. Oficerowie uzgodnią to z szefem sztabu, który nigdzie się nie rusza, a reszta z szefem transportu. Nie możemy tworzyć kolumny z samych oficerów. Z doświadczenia wiem, że wychodzą z tego bardzo marne załogi.

Ponownie rozległ się cichy śmiech, tłumiony z szacunku dla dowódcy.

– Nie będę przyjmował żadnych odwołań od decyzji szefów sztabu i transportu – zakończył pułkownik. – Ruszamy za pół godziny.

Porucznikowi Sanfordowi Felterowi pułkownik osobiście odmówił zaszczytu otwierania kolumny zdobycznym motocyklem. Sam pomysł Parker uznał za dobry, tak samo jak łopoczący na zaimprowizowanym maszcie gwiaździsty sztandar (w rzeczywistości wyczerpał on batalionowy zapas flag, zarządzając, aby na każdym z pojazdów powiewała choć jedna), ale Felter był zbyt cenny dla powodzenia całej operacji, żeby ryzykować puszczanie go na czele kolumny. W razie ostrzału byłby pierwszym celem, a wiadomo było, że jego znajomość rosyjskiego na pewno się przyda.

Porucznik jechał w szpicy kolumny. Przed nim znajdował się tylko prowadzący całość motocykl i działo samobieżne – niszczyciel czołgów.

Jednego z pojazdów Felter nigdy jeszcze nie widział. Był to zbudowany z płótna i aluminium oraz wyposażony w silnik o mocy 85 KM samolot obserwacyjny *Piper Cub*, znajdujący się na wyposażeniu baterii haubic samobieżnych kal. 105 mm. Normalnie przysługiwał on całemu batalionowi, czyli trzem bateriom, ale baterię traktowano jako samodzielną jednostkę artyleryjską i również obdarzono samolotem.

Pułkownik zdecydował się zabrać go ze sobą, żeby pilotować kolumnę z powietrza. Gdy przeciskała się przez ciężko zbombardowane Giessen oraz zupełnie nietknięty Marburg, *Piper* wyprzedzał kolumnę i meldował dowódcy o nieprzejezdności szos, zablokowanych przez czekające na rozkaz wymarszu jednostki amerykańskie, wyszukując jednocześnie boczne, często niebrukowane drogi, którymi można było przemknąć niepostrzeżenie.

Za Marburgiem, w miejscowości Colbe, kolumna skręciła prosto na wschód. Czterdzieści mil dalej, po wjechaniu na terytorium przeciwnika, pilot zaczął informować o wykrytych oraz potencjalnych pozycjach niemieckich i możliwościach ominięcia ich bez walki. Wyglądało to w ten sposób, że *Piper* regularnie lądował przed szpicą kolumny, tankował paliwo i dwaj piloci zamieniali się miejscami w kabinie. Jeden wsiadał do wozu pułkownika i pokazywał mu na mapie zaobserwowane z powietrza obiekty, a drugi podrywał maszynę do lotu, zanim zdążył ją ominąć ostatni pojazd kolumny.

Licząc od punktu startu aż do linii rozgraniczenia z wojskami rosyjskimi w miejscowości Zwenkau, kolumna Parkera sunęła do przodu 16,5 mili na godzinę. Średnia ta nie obejmowała ani siedmiu godzin, na które kolumna zatrzymała się w pierwszą noc akcji, ani sześciu godzin, na które stanęła na szczycie wzgórza dominującego nad Zwenkau w drugą noc. Pierwszego dnia kolumna poruszała się więc przez osiem godzin, a drugiego przez czternaście, pokonując łącznie 363 mile w 22 godziny.

Trzeciego dnia o świcie ruszyła na kolumnę od strony Zwenkau tyraliera sowieckiej piechoty. Pułkownik wydał natychmiast rozkaz, żeby nie strzelać, i wysłał jedno z oflagowanych dział samobieżnych na otwartą przestrzeń, demonstrując Rosjanom, że na wzgórzu stoją Amerykanie, a nie Niemcy. Działo momentalnie wpadło jednak pod rzęsisty ostrzał z broni ręcznej i maszynowej i wycofało się z dwoma rannymi.

W dalszym ciągu nie zezwalając na otwarcie ognia, Parker poprosił o dwóch ochotników. Jeden miał kierować zdobycznym motocyklem, a drugi jechać w wózku i wysoko trzymać dużą białą flagę. Do tej roli od razu zgłosił się Felter, ale pułkownik nie wyraził zgody; wcześniej czy później będą się musieli dogadać z Rosjanami, a tylko on znał ich język. Nie można go było narażać.

Motorem pojechał ostatecznie upierający się przy tym Murzyn, który woził nim Feltera, a białą flagę trzymał mówiący po francusku i niemiecku Booker T. Washington Fernwall, docent romanistyki Mississippi State Normal and Agricultural College for Colored.

Na oczach żołnierzy, którzy obserwowali motocykl przez lornetki, z ziemi poderwały się ubrane w szare płaszcze, niskie, krępe sylwetki, zatrzymały parlamentariuszy i odprowadziły ich pod eskortą do Zwenkau.

Gdy nie wrócili po upływie godziny, Parker wezwał majora L. J. Conzalvego, który zastępował gorzko rozczarowanego szefa sztabu, zmuszonego do pozostania z pułkiem w okolicach Bad Nauheim, i oświadczył, że osobiście udaje się do miasteczka półgąsienicowym transporterem. Pułkownik upoważnił go do ruszenia na Zwenkau resztą kolumny i otwarcia ognia, jeżeli sam nie wróci bądź też nie da jakiegoś znaku życia w ciągu godziny.

Parker kazał odwrócić do tyłu lufy sprzężonych pięćdziesiątek, dając w ten sposób oczywisty znak swych pokojowych zamiarów, i ruszył w stronę Rosjan.

Gdy zbliżyli się do kamiennego ogrodzenia, stanowiącego niewątpliwie przedni skraj sowieckiej obrony, pułkownik dał Felterowi ręką znak, żeby stanął obok niego na przednim siedzeniu.

W tej samej chwili wyskoczyło na drogę, groźnie mierząc z pepesz, kilku sowieckich piechurów w zabłoconych mundurach z wełny i gumowych butach, a jeden z nich stanął na środku i zatrzymał pojazd.

Ku swemu zdumieniu Parker dostrzegł, że to Azjaci, a w parę sekund później rozpoznał w nich Mongołów. Potwierdzało to krążącą od dawna plotkę, że sowieckie jednostki szturmowe pierwszej linii nie składały się wcale z Rosjan.

– Radzieckich żołnierzy nie obowiązuje oddawanie honorów pułkownikowi armii amerykańskiej? – ostro zaczął Felter po rosyjsku.

Nikt jednak ani nie odpowiedział, ani nie zasalutował.

– Niech zejdzie z drogi, bo go przejedziemy – kontynuował porucznik, dając kierowcy znak, żeby jechał dalej.

Jak tylko zgrzytnęły biegi i silnik wskoczył na wyższe obroty, Mongoł usunął się na bok.

Wóz ruszył naprzód, minął zabudowania gospodarskie na rogatkach miasta i wtoczył się do centrum, zatrzymując się na obszernym rynku, naprzeciw zabytkowego kościoła.

Porucznik Fernwall i kierowca stali obok motocykla z trójką Rosjan, których Felter i Parker, sami nie wiedząc jak, rozpoznali jako oficerów. Jeden z nich podszedł do wozu i zasalutował.

– To pułkownik Parker z 393. Pułku Niszczycieli Czołgów Armii Stanów Zjednoczonych – poinformował Felter. – Przyślijcie waszego dowódcę.

– Ja jestem dowódcą – odpowiedział jeden ze skośnookich oficerów.

– Z kapitanami nie gadamy – zripostował porucznik.

– On mówi trochę po niemiecku – wtrącił Fernwall. – Odniosłem wrażenie, że po kogoś posyłał.

– Zapytaj go, gdzie są Amerykanie – odezwał się Parker.

– Może lepiej o to nie pytać, panie pułkowniku – zauważył Felter – i dać im do zrozumienia, że dobrze wiemy, gdzie ich szukać.

– Dobra – zgodził się Parker. – Muszę się odlać. Chodź ze mną.

Pułkownik otworzył właz i wyszedł na zewnątrz.

– Zameldujcie przełożonym, że w Zwenkau jest pułkownik z 393. Pułku Niszczycieli Czołgów Armii Stanów Zjednoczonych – powtórzył Felter głośno po rosyjsku i ruszył brukowaną ulicą za Parkerem, który właśnie wchodził do budynku wyglądającego na gospodę. Pułkownik arogancko pchnął drzwi nogą i stanął w głównej izbie. W kąt pokoju wtuliło się kilka kobiet w podartych ubraniach, a dwie nagie leżały martwe na podłodze. Jedna miała ranę postrzałową twarzy, a druga rozcięty bagnetem brzuch.

– Tam jest znak *Herren*, jeżeli chce pan do męskiej – objaśnił porucznik.

Parker wszedł do wskazanej przez Feltera ubikacji. Wewnątrz były pisuary wypełnione po brzegi fekaliami. W powietrzu unosiły się roje much.

– Barbarzyńska hołota! – krzyknął pułkownik, spoglądając na Feltera. – Nie zemdlejesz mi tu przypadkiem?

– Nie, sir!

Parker zapiął spodnie i ostrożnie wyszedł przez główną izbę, nie patrząc ani na martwe ciała, ani na wtulone w kąt kobiety. Przy zderzaku *Half-trucka* stał już sowiecki wóz, a obok niego jakiś wyższy oficer, ubrany o wiele bardziej elegancko od napotkanych wcześniej Azjatów. Pułkownik od razu wyczuł, że to nie jest oficer liniowy.

– Kim on jest? – zapytał Parker. – Poznajesz insygnia?

– Majorem NKWD, choć dystynkcje ma kwatermistrzostwa – odpowiedział Felter.

Major zasalutował i podszedł do obu Amerykanów.

– Dzień dobry, panie pułkowniku – przywitał się po angielsku, mówiąc z silnym rosyjskim akcentem. – Chyba się pan zgubił?

– Dzień dobry, panie majorze – Felter odrzekł po rosyjsku. – Chciałbym panu przedstawić pułkownika Parkera z 393. Pułku Niszczycieli Czołgów.

– Nieźle pan mówi po rosyjsku, panie poruczniku – pochwalił go major, z zaciekawieniem przyglądając się tłumaczowi. – Jest pan może Rosjaninem?

– Jestem Amerykaninem – odparł porucznik.

Major beznamiętnie podał rękę Parkerowi.

– Z pewnością ma pan jednak rosyjskich rodziców? – indagował dalej major, przechodząc na angielski. – Jak już mówiłem, panie pułkowniku, chyba się pan zagalopował?

– Raczej nie – odpowiedział Parker. – Wręcz przeciwnie. Świadomie przyszliśmy tu po amerykańskich jeńców.

– Jakich jeńców? – niewinnie spytał Rosjanin.

– Jeńców Stalagu XVII-B.

– Nie sądzę, żebym rozumiał, o co panu chodzi – obstawał przy swoim major.

– To fatalnie – odrzekł Parker. – Łudziłem się, że pomoże nam pan odnaleźć rodaków, a tak sami będziemy musieli ich poszukać.

– To jest linia frontu – chłodno wycedził major. – Myszkowanie po tych okolicach może być niebezpieczne, panie pułkowniku.

– Pewnie tak – zgodził się Amerykanin – ale jak się ma rozkazy, to nie zwraca się na to zbyt wiele uwagi.

– Jak już wspominałem, nic mi nie wiadomo o żadnych jeńcach – powtórzył major.

Parker przerwał mu, zwracając się do kierowcy:

– Przekaż majorowi Conzalvemu, żeby przysłał tu parę wozów.

– Panie pułkowniku! Zmuszony jestem nalegać, żeby się pan wycofał.

– Co on szwargocze? – Parker zapytał spokojnie Feltera.

– Powiedziałem – powtórzył Rosjanin – że zmuszony jestem...

– Panie majorze – przerwał mu porucznik po rosyjsku – niech pan wyłuszczy po rosyjsku, o co panu chodzi, a ja przetłumaczę.

– Powiedziałem – jeszcze raz powtórzył rozsierdzony Rosjanin z prędkością karabinu maszynowego – że musi się pan wycofać. Ten teren jest zajęty przez Armię Czerwoną.

– Nie rozumiem – odrzekł Parker. – Wycofać się? Gdzie? Z oddali zaczął dobiegać zbliżający się ryk silników.

– Proszę powtórzyć panu pułkownikowi, że domagam się wycofania poza linię rozgraniczenia wojsk! – warknął rozwścieczony major.

– Zapytaj go, co on przez to rozumie? – odpowiedział pytaniem Amerykanin.

Major spojrzał ze złością na obydwu i zamilkł. W porannej ciszy odgłos silników i szczęk gąsienic były coraz donośniejsze. Amerykanów powstrzymać mógł już tylko ogień, ale major nie był na taką ewentualność przygotowany.

– Zapytaj go, Felter, gdzie są jeńcy – chłodno odezwał się pułkownik, patrząc majorowi prosto w oczy.

Na końcu prowadzącej do rynku uliczki pojawił się pierwszy wóz. Obok kierowcy stał rosły czarny oficer, a cztery sprzężone półcalowe *Browningi* gotowe były do strzału i wycelowane prosto do przodu. Dziesięć stóp dalej jechał drugi, a za nim następne. Wszystkie wtoczyły się na rynek, ustawiły się w szyku bojowym po sześć i nie gasiły silników.

– Sprawdź jeszcze raz, Felter, czy major poprowadzi nas do jeńców, czy też woli dać nam wolną rękę.

– Złożę protest – odparł Rosjanin.

– Powiedz mu, co sobie z tym protestem może zrobić – zakończył Parker.

3
Zwenkau, Radziecka Strefa Okupacyjna
8 kwietnia 1945

Dwustu trzydziestu ośmiu oficerów poprzednio internowanych w Stalagu XVII-B zgromadzono w starej drewnianej stodole dwie mile na wschód od miasta. Dwadzieścia stóp dalej żołnierze NKWD rozciągnęli pojedyncze zasieki i nie pozostawili żadnych wątpliwości, czemu mają one służyć. Gdy grupa oficerów usiłowała je przekroczyć, pomagając przy pogrzebie, Rosjanie otworzyli ogień z zamontowanego na jeepie karabinu maszynowego.

Z Niemców pierwszy zginął Oberleutnant Karl-Heinz von und zu Badner. Jeden z Rosjan, którzy dogonili kolumnę jeńców, pchnął kolbą pułkownika von Greiffenberga. Oberleutnant starał się osłonić go przed kopniakami w twarz i za wejście w drogę czerwonoarmiście został natychmiast zastrzelony.

Pół godziny później, kiedy Amerykanie zdołali już upchnąć się w stodole, resztę Niemców ustawiono pod murem i skoszono ogniem karabinów maszynowych. Sowieci zezwolili jeńcom pochować ciała, ale tylko w obrębie zasieków, pod grubą warstwą gnoju.

Po upływie kolejnej godziny, jak gdyby chcąc zademonstrować, że nie żywią do Amerykanów niechęci, Rosjanie wpędzili do stodoły dziesięć Niemek, bez ogródek pokazując zrozumiałymi na całym świecie gestami, do czego mają im posłużyć.

Zanim kobiety te przekazano na łaskę biologicznych instynktów Amerykanów, każda z nich, od trzynastoletniej dziewczynki do sześćdziesięcioletniej matrony, była już wielokrotnie gwałcona. Pułkownik Bellmon musiał siłą powstrzymywać zazwyczaj bardzo spokojnego i dystyngowanego majora łączności, który na serio zamierzył się na dowódcę Rosjan i zaczął wyrywać mu z rąk karabin.

Jeżeli mamy się stąd wydrzeć siłą, pomyślał Bellmon, to na pewno nie w taki sposób. Coś jednak musimy zdziałać. Pułkownik nadal miał przed oczami obraz Katynia i był święcie przekonany, że nakłada to na niego podwójny obowiązek. De facto dowodził grupą jeńców, odpowiadał więc za ich bezpieczeństwo i uchronienie przed masakrą.

Oprócz tego uważał również, że spoczywa na nim obowiązek przekazania odpowiednim władzom amerykańskim dokumentów dotyczących mordu w Katyniu. Była to więc odpowiedzialność po pierwsze jako oficera, a po drugie jako kuriera pułkownika von Greiffenberga.

Bellmon zmusił się do spokojnego przemyślenia całości sytuacji. Dogoniły ich jednostki pierwszoliniowe, jeśliby mieli więc tu zginąć, żołnierze już dawno by ich rozstrzelali.

Pierwszy rzut każdej armii zawsze jest bardziej skory do egzekucji niż nadciągające za nim odwody. Kiedy podejdą, prawdopodobieństwo masakry stanowczo zmaleje, ale wykluczyć go nie będzie można nigdy. Polaków w Katyniu rozstrzelały przecież jednostki NKWD wiele miesięcy po zakończeniu walk. Teraz potrzebowałyby do tego chyba jednak konkretnego rozkazu, rozumował pułkownik. Wojna ma się ku końcowi i oficerowie raczej nie działają pochopnie.

Znacznie bardziej możliwe było to, że Rosjanie podstawią ciężarówki i wywiozą ich w głąb kraju. W wypadku wymarszu w takim kierunku Bellmon zdecydowany był walczyć. Nie miał tylko pojęcia czym.

Dysponował jedynie *Coltem .32*, który dostał od Greiffenberga (*Schmeisser* przepadł w drodze), a jeden pistolet przeciwko setce Rosjan równał się walce gołymi rękami. Pułkownik myślał nawet, by przystawić broń do skroni sowieckiego dowódcy, choć sam dobrze wiedział, że nie jest to najroztropniejszy pomysł. Niestety innych nie miał.

Pozostali jeńcy też nie byli w najlepszej formie. Większość była wyczerpana tak fizycznie, jak i psychicznie, kilkunastu zupełnie poddało się apatii, a ci, którzy przejawiali jeszcze jakąś wolę walki, byli brudni, głodni, wycieńczeni, zawszeni i pozbawieni butów.

Bellmon wysłał jednego z poruczników pod sam szczyt dachu, skąd przez jedną z wielu dziur mógł obserwować pozostałe zabudowania, choć nie było widać prowadzącej do nich drogi.

– Słyszę czołgi, panie pułkowniku – cicho zameldował obserwator.

Bellmon natychmiast wyobraził sobie półkole *T-34* koszących jego oficerów ze sprzężonych z armatami karabinów maszynowych. Dopiero po chwili przyszło mu do głowy, że czołgi mogą jechać na front, a jeżeli nie, to na pewno stanowią godną eskortę dla dwustu trzydziestu ośmiu jeńców wywożonych na tyły.

Po paru sekundach ryk silników i szczęk gąsienic dotarły również do uszu pułkownika. Pojazdy zatrzymały się na niewidocznym z dziury w dachu podwórku, prawdopodobnie formując szyk przed wysokimi na piętnaście stóp wrotami stodoły.

Silniki nagle zamilkły i rozległ się tupot butów po kocich łbach placu oraz ściszone głosy. Przez moment Bellmon łudził się desperacko, że słyszy angielski, porzucił jednak tę myśl, bezskutecznie starając się sklecić jakiś plan działania.

Niespodziewanie zagrała trąbka, której dźwięk był mocno tłumiony przez drewniane wrota. Pułkownik nie wierzył własnym uszom, przekonany, że to halucynacje.

Parę chwil później, gdy tył *Half-trucka* z hukiem rozgniótł bramę, Bellmon nie mógł już wmawiać sobie, że nie słyszy. Ktoś r z e c z y w i ś c i e wygrywał na sygnałówce *When the Saints Go Marching In*.

Upadające po uderzeniu drzwi wzniosły w górę olbrzymi tuman kurzu, który powoli zaczął osiadać na podwórku. Wyłonił się z niego chudy jak szkielet mężczyzna w postrzępionym mundurze i spojrzał na działa. Na głowie miał przechyloną w bok, zgodnie z tradycją czołgistów, furażerkę.

Pułkownik Phillip S. Parker włączył mikrofon i rozkazał:
– Podjechać ciężarówkami. Mamy ich.

Pięciu jeńców wyszło chwiejnym krokiem za Bellmonem, mrużąc oczy, zasłaniając się rękami przed silnym słońcem.

Gruby i bardzo czarny sierżant, który grał na sygnałówce, rozpłakał się, przytknął trąbkę do ust i zagrał jeszcze raz, choć nie bardzo był w stanie wykonać to, co chciał. Nie starczyło mu werwy na wojskowe tempo. Utwór brzmiał smutno i elegijnie, choć w dalszym ciągu przypominał melodię *When the Saints Go Marching In.*

Wychudzony oficer rzucił okiem w stronę działa, uśmiechnął się półgębkiem i machnął ręką. W chwilę później dostrzegł dowódcę oddziału sowieckiego i podszedł do niego z wyprostowanymi ramionami i rozczapierzonymi palcami, jednoznacznie sugerując, że nie będzie przebierał w środkach.

Na pomoc ruszyło mu dwóch ludzi, którzy wyszli za nim ze stodoły. Jeden z nich zerwał się nawet do biegu.

W tym samym momencie któryś z Rosjan puścił pod nogi oficera serię z automatu. Bellmon zatrzymał się, a w pół sekundy później przemówiły sprzężone półcalówki. Czterdzieści kul, w tym osiem smugowych, odbiło się rykoszetem od bruku, pozbawiając jednego z Rosjan czubka głowy i hełmu.

Bezpośrednio po tym porucznik Felter wyskoczył z działa, przebiegł przez podwórze i stanął przed oficerem zamierzającym się na sowieckiego dowódcę.

– Panie pułkowniku! – krzyknął Felter. – Na miłość boską!

Bellmon spojrzał na Feltera, jak gdyby zaskoczony jego obecnością. Jednocześnie rozległ się warkot rozruszników i silników elektrycznych obracających sprzężone *Browningi* w stronę Rosjan.

– Niech cię piekło pochłonie, Jamison! – pułkownik Parker warknął pod adresem strzelca, który wypuścił serię.

Zza węgła stodoły wyskoczył kolejny transporter, a za nim ciężarówka z półcalówką na obrotnicy nad kabiną kierowcy.

Parker zeskoczył na ziemię, wskazał ręką, gdzie mają zaparkować nowo przybyłe pojazdy, i podszedł do stojących naprzeciwko siebie Bellmona i Feltera.

– Jeżeli ruscy mają jakieś radio, to rozbijcie je w drobne kawałki – rozkazał porucznikowi i odwrócił się do podpułkownika.

– Bobby – odezwał się bardzo łagodnym tonem. – Musimy szybko zebrać twoich ludzi i zwijać manatki.

Bellmon wpatrywał się w pułkownika, nie mogąc go rozpoznać.

– Pułkownik Parker? – zapytał w końcu.

Parker przytaknął, najwyraźniej nie mogąc już dłużej ukryć obezwładniających go emocji.

– Bobby – powtórzył pułkownik – musimy szybko brać twoich ludzi na ciężarówki. Nie mamy czasu.

– Tak – sennie odpowiedział Bellmon. Po chwili odzyskał jednak panowanie nad sobą i poprawił się: – Tak jest, sir.

Podpułkownik skierował się chwiejnym krokiem z powrotem do stodoły.

– Rozbroić ich – rozkazał Parker, wskazując na Rosjan. – Broń wrzucić do studni, ludzi zamknąć w budynku i związać kablem telefonicznym.

Pułkownik podbiegł do swego wozu, wskoczył do środka, chwycił do ręki nadajnik i połączył się z samolotem.

– Mieliśmy drobne problemy – powiedział spokojnym głosem. – Chcemy wracać przez Zwenkau. Nie zablokowali nam przypadkiem drogi?

Krążący wysoko *Piper* obniżył lot, prześliznął się nad dachami zabudowań, tak jakby ciekawski pilot chciał sprawdzić, co się tam dzieje, i skierował się w stronę miasteczka.

4
57. Szpital polowy
Giessen, Niemcy
11 kwietnia 1945

Generał major Peterson K. Waterford wszedł z butelką bourbona do izolatki na trzecim piętrze przestronnego, nowoczesnego szpitala internistycznego świeżo oddanego do użytku przez Wehrmacht.

– Poradzisz sobie z tym? – zapytał, wyciągając rękę z trunkiem do bladego mężczyzny z zapadniętymi oczami, siedzącego na skraju łóżka w fioletowym szlafroku i białej piżamie.

Podpułkownik Robert F. Bellmon skinął głową. Teść podał mu rękę, ale w ostatniej chwili zmienił zamiar, objął zięcia i wyściskał go, cały czas trzymając w garści przyniesioną butelkę.

– Przepraszam – odezwał się generał, gdy oderwali się od siebie. – Nie mogłem tu szybciej dotrzeć.

– Nic się nie stało – odrzekł Bellmon.

– Jesteś tylko wyczerpany i niedożywiony – stwierdził Waterford. – Nic ponadto.

– Ale to jest oddział neuropsychiatryczny – odparł pułkownik.

– Nigdy nie byłeś na takim oddziale. Chirurg to mój dawny przyjaciel.

– Przecież wiesz, że mi nie odbiło – ciągnął dalej Bellmon. – Wypadają mi zęby, jestem chudy i w szoku, ale nie zwariowałem.

Waterford podszedł bez słowa do szafki, nalał bourbona do szklanki i podał ją zięciowi. Bellmon wziął go do ręki, nabrał alkoholu do ust i długo smakował przed połknięciem.

– Dawno tego nie piłeś? – zapytał generał.

– W zasadzie nie – odrzekł pułkownik. – Zgodnie ze starą tradycją kawalerii Parker miał przy sobie piersiówkę, gdy ruszał mi na odsiecz.

– Przyznam się, Bob, że gdybym wiedział, że Phil się do tego przymierza, tobym go powstrzymał – zwierzył się Waterford.

– A co to wszystko ma, do diabła, wspólnego z tobą? – wybuchnął Bellmon. – Nie wciskaj mi tego nobliwego kitu o przywilejach. Nie byłem sam. Jakby Parker nie pojawił się tam gdzie trzeba o właściwym czasie, to dwustu trzydziestu ośmiu oficerów albo wąchałoby kwiatki od spodu, albo jechałoby na Sybir.

– Nie będę o tym dyskutował – chłodno odparł generał. – Chciałem tylko, żebyś znał moje stanowisko w tej sprawie.

Bellmon zmierzył teścia lodowatym wzrokiem, najwyraźniej mając coś na końcu języka. Nie dał się jednak ponieść emocjom, dopił bourbona i nalał sobie następną porcję.

– A co dalej? – zapytał.

– Załatwiłem ci mundur. Włożysz go i odwiozą cię do Frankfurtu. Będziesz w domu za trzydzieści sześć godzin.

– Dziękuję uprzejmie za wspaniałomyślność, sir – odpowiedział pułkownik z sarkazmem. – Jeżeli nie masz nic przeciwko temu, to zostanę tutaj i będę pełnił swoje obowiązki.

– Nie zrozumiałeś mnie, Bob – odezwał się Waterford. – Zawiozę cię do Frankfurtu i odstawię do samolotu. Jak nie będziesz w stanie pozbierać się na tyle, żeby wykonać rozkaz przełożonego, to wyślę cię do domu na okręcie szpitalnym w kaftanie bezpieczeństwa.

– Wyślesz mnie do domu? – upewnił się Bellmon.

– Mógłbyś, do cholery, okazać trochę wdzięczności za ten przywilej. George Patton wysyła cię do domu. Eisenhower i cały jego sztab najchętniej zamknęliby cię w domu wariatów – zdenerwował się generał.

– Rozumiesz, o co chodzi w moim oskarżeniu? – nalegał pułkownik.

– Oficer kontrwywiadu, z którym rozmawiałeś, to też mój stary znajomy. Przyszedł z tym do mnie, zanim podał sprawę dalej.

– Chciał, żeby dać mu zdjęcia i resztę dowodów – przerwał teściowi Bellmon.

– Najlepiej zdeponuj to u mnie – stwierdził Waterford.

– Po moim trupie! – wybuchnął Bellmon. – Tego się nie da zatuszować!

– Chcę dostać wszystko, co masz, Bob! – uciął generał. – Proszę cię o to.

– Przecież możesz mi to zabrać – odrzekł Bellmon – ale nie obędzie się bez użycia siły, a wtedy Barbara będzie zmuszona wybierać pomiędzy nami.

– Co ty sobie, do cholery, wyobrażasz! Że coś z tym zrobisz?! Twoje podejrzenia zostały już rozpatrzone i odrzucone jako wroga propaganda!

– To nie są podejrzenia! – warknął rozwścieczony pułkownik. – Byłem tam i widziałem!

– Byłeś jeńcem i znajdowałeś się pod presją psychologiczną – oświadczył generał.

– Do Katynia zabrał mnie Peter-Paul von Greiffenberg – odciął się Bellmon. – O tym też powiedział ci koleżka z kontrwywiadu?

– Nie – odrzekł wyraźnie zaskoczony Waterford. – Tego mi nie przekazał.

– A powiedział ci, że dowódcą grupy, która najpierw poddała się nam, a później została rozstrzelana przez naszych sojuszników pod murem i pogrzebana w gnoju, był twój przyjaciel, Peter-Paul von Greiffenberg?

– O Boże! – wykrztusił generał.

– Nie odbiło mi, tato – podsumował Bellmon. – Dwustu trzydziestu ośmiu oficerów widziało, do czego posunęły się te czerwone diabły.

– Niemieckie ręce też nie są czyste, Bob – stwierdził Waterford.

– A co to ma z tym wspólnego?

– Jeden z moich pułków zajął miejscowość, do której Niemcy spędzili Rosjan, Polaków, a nawet swoich Żydów i po prostu zagazowali. Bob, to były dziesiątki tysięcy, a może nawet miliony. Trupom obcinali włosy i wyrywali złote zęby, a nagie ciała palili w piecach.

Bellmon spojrzał na teścia.

– Nie wierzę, żebyś wciskał mi coś takiego w żywe oczy, jeżeli to nie byłaby prawda.

– Najczystsza, Bob. Byłem tam i sam widziałem – potwierdził generał.

– W takim razie, zgodnie z prawidłami wojny, trzeba będzie osądzić odpowiedzialnych za te barbarzyństwa i powiesić, dokładnie tak samo, jak zamierzam to zrobić z Rosjanami, którzy splamili sobie ręce Katyniem i Zwenkau – skonkludował Bob.

– Nie możesz zapomnieć o tym Zwenkau?

– Zapomnieć?

– To było pożałowania godne nieporozumienie. Obie strony popełniły błąd – tłumaczył Waterford.

– Bo jednego Ruska trafił po rykoszecie?

Generał skinął głową.

– Jeńcy poddali się mnie i ode mnie ich zabrano i rozstrzelano z zimną krwią – upierał się przy swoim pułkownik.

– Według wersji sowieckiej to oni oswobodzili was od Niemców, którzy zginęli w walce.

– Moi ludzie tego nie potwierdzą – oświadczył Bellmon.

– Starszy obozu oszalał – przypomniał Waterford. – Płynie do domu okrętem szpitalnym w kaftanie bezpieczeństwa.

– Ja przejąłem dowództwo – powtórzył pułkownik.

Generał pokręcił głową.

– Nie, Bob.

– Do diabła, tato – nie wytrzymał Bellmon. – Może opowiem ci choć o tej dziewczynie, którą podrzucili nam Rosjanie. Nie miała więcej niż trzynaście lat. Sowieci gwałcili ją na okrągło, a jak im zbrzydła, to wbili jej bagnet do odbytu i dali nam do zabawy. Zmarła w czasie odwrotu. Nie mogliśmy znieść fetoru i pochowaliśmy ją przy drodze. Jej matka tak się bała naszych sojuszników, że nawet nie wyszła z wozu, żeby zobaczyć pogrzeb własnej córki.

– O Boże! To do niczego nie prowadzi! – zniecierpliwił się Waterford. – Chyba nie sądzisz, że o takich rzeczach jeszcze nie słyszałem?

– Nawet jeżeli słyszałeś, to nie spędzają ci raczej snu z powiek – nie mógł się uspokoić Bellmon.

– Powiem ci jasno, Bob, co o tym myślę, i mam nadzieję, że mnie dobrze zrozumiesz. Możesz dalej rozgrzebywać tę sprawę, ale do niczego nie dojdziesz. O cokolwiek oskarżyłbyś Rosjan, Niemcom zawsze będzie można zarzucić coś gorszego. Jak się nie uspokoisz tutaj, to wyślę cię prosto do domu pod opieką psychiatry i skończysz karierę na rencie zdrowotnej. Tyle chyba do ciebie dociera?

– Jeżeli tak ma się zachowywać oficer, to wcale mi na tym zawodzie nie zależy – przerwał mu pułkownik.

– Wrócisz spokojnie do domu, zamkniesz gębę na kłódkę, odczekasz trochę i za rok albo dwa zadecydujesz, czy wkładać kij w to mrowisko czy nie. Zrozum, Bob. Teraz się nie da. Nikt cię nie wysłucha, wszystkie starania pójdą na marne – dokończył generał.

Bellmon zaklął i podszedł do okna. Słońce świeciło coraz mocniej i drzewa zaczynały się już zielenić. Pułkownik czuł jednak tylko palone drewno, stęchłą wodę i lekki odór rozkładających się ludzkich ciał. Spoglądając w okno, Bellmon podniósł do ust szklaneczkę whisky i wypił ją jednym haustem, po czym wrócił do stolika i nalał sobie następną.

– Co więc radzisz? – zapytał, odwracając się do teścia.

– Wydaje mi się, że powinieneś jechać do domu, przytyć, odzyskać siły, pobyć trochę z Barbarą i dziećmi i przemyśleć całą sprawę.

– Ja już to przemyślałem – przerwał mu Bellmon.

– Zadecyduj w takim razie, czy lepiej przysłużysz się krajowi jako generał, kiedy przyjdzie na to czas, czy jako zgorzkniały oficer przeniesiony do rezerwy po utracie zmysłów w obozie – skonkludował Waterford.

– Mówisz, że nikt mi nie wierzy?

– Tego nie powiedziałem – odparł generał. – Ja ci wierzę. Wierzy Patton i dlatego nadstawia za ciebie karku. Powiedziałem tylko, że się mylisz, jeśli sądzisz, że teraz coś w tej sprawie ruszy.

– A co zrobili z Parkerem? Też mu palnęli taką mówkę?

– Patton przypiął mu Srebrną Gwiazdę i szybko wycofał z tego teatru działań, zanim biurokraci Eisenhowera zdążyli zwolnić go ze stanowiska. To przez ciebie, Bob. Ta akcja kosztowała Phila szlify generalskie.

– Co to, do cholery, jest za wojna? – zadumał się pułkownik.

– Parszywa – odrzekł generał. – Słyszałeś o innych?

5

Na powitanie wracającego z Europy podpułkownika Roberta F. Bellmona przewieziono do bazy Andrews pod Waszyngtonem jego małżonkę, dzieci oraz teściową, żonę generała Waterforda.

Pierwszą rzeczą, jaka przyszła Barbarze do głowy, gdy ujrzała Boba schodzącego wolnym i sztywnym krokiem po podstawionych do samolotu schodkach, było to, że jest żoną starego człowieka.

Wszyscy oswobodzeni jeńcy spotkali się z rodzinami w specjalnie do tego celu opróżnionym hangarze. Adiutant dowódcy bazy odczekał, aż Bellmon przywita się z żoną, dziećmi i teściową, po czym podszedł do niego, poklepał go delikatnie po ramieniu i poinformował, że przed budynkiem czeka samochód. Komendant lotniska kończył Akademię na tym samym roku z generałem Waterfordem i Bellmonowie nie będą musieli wlec się autobusem do Szpitala Wojskowego im. Waltera Reeda, gdzie pułkownik zostanie poddany wszechstronnym badaniom.

Dzieci Roberta nie miały pojęcia, kim jest ten wychudzony mężczyzna, Barbara była zaś przekonana, że męża chyba coś trafi, jak się dowie, że zacznie urlop dopiero za trzy dni. Bob nie odezwał się jednak ani słowem. Kiwnął tylko głową, potwierdzając, że przyjął to do wiadomości. Żona była tak zdumiona, że zaczęła się zastanawiać, czy mężowi coś nie dolega. Psychiatra wojskowy ostrzegł ją przecież, że długotrwały pobyt w obozie powoduje silny uraz, i wspominał o przygotowaniu się na odbiegające od normy zachowanie.

Czwartego dnia rano Bellmon zadzwonił do Barbary, która zatrzymała się w hotelu Wardman Park.

– Masz pieniądze? – zapytał.

– O co ci chodzi? – zdziwiła się żona.

– Jak nie będę czekał, aż mi zapłacą, to mogę wyjść zaraz.

– Przyjeżdżaj natychmiast – zadecydowała Barbara.

Pani Waterford poszła z dziećmi do Smithsonian Institution i obiecała zabrać je na obiad. Bellmon chciał w tym czasie kochać się z żoną, ale nic z tego nie wyszło. Nie mógł.

– Psychiatra mnie ostrzegał – tłumaczył się. – Przepraszam.

– Przestań, Bob – zareagowała Barbara. – Mamy przed sobą całe życie, żeby to nadrobić.

Stwierdziła z głęboką ulgą, że niedyspozycja mało Roberta martwi, i natychmiast zmieniła temat.

Bob odsunął się od niej i pokazał małżonce kopię orzeczenia komisji.

Stwierdzamy, że Robert F. Bellmon jest zdrowy na ciele i umyśle i wykazuje jedynie oznaki długotrwałego niedożywienia. W związku z tym kieruje się go na długotrwałe leczenie stomatologiczne, korygujące wywołany niskobiałkową dietą obkurczenie dziąseł i rozluźnienie osadzenia zębów.

Już samo wyrażenie „długotrwałe niedożywienie" przepełniło Barbarę litością.

– Mam trzydzieści dni urlopu – odezwał się Robert. – Mamy rezerwację na koszt rządu w hotelu Greenbrier. Chcesz tam jechać?

– A ty? – upewniła się żona.

– Nie wiem – odparł lekko podenerwowany Bob.

– Na co masz teraz ochotę? – pytała dalej Barbara.

– Chciałbym kupić samochód i wyruszyć w długą drogę do Carmel.

– Dobra – zgodziła się żona. – Kiedy?

– Może teraz? – zaproponował pułkownik.

Barbara wstała z łóżka i zaczęła się ubierać.

Teściowa wróciła z dziećmi do Kalifornii pociągiem, a Bellmon kupił buicka kabriolet i ruszył z żoną do domu w poprzek Ameryki.

Jednym z przystanków na tej długiej trasie było miasteczko w Kansas o szumnej nazwie Manhattan, gdzie Robert złożył wyrazy szacunku świeżo upieczonemu emerytowi, pułkownikowi Philipowi Sheridanowi Parkerowi III.

Przy następnym spotkaniu pani Parker zwierzyła się Barbarze, że nigdy wcześniej nie widziała męża tak pijanego, jak po wieczorze z Bobem. Obie kobiety usiłowały dociec, co tak zalazło ich małżonkom za skórę, musiały się jednak zadowolić tylko tym, że ani jeden, ani drugi nie zdradził się ani słowem, co też było pewnym pocieszeniem.

Barbarę kusiło, żeby spytać panią Parker, czy Phil również stał się impotentem, ale słowa uwięzły jej w gardle. Żony oficerów nie rozmawiały na takie tematy.

Powrót do Carmel zajął im trzynaście dni.

Gdy tylko przyjechali na miejsce, pułkownik zajął się samochodem. Siedział sam w garażu i godzinami składał, rozkładał i pucował silnik, grzebał przy hamulcach. Rankami bardzo często spacerował nad Pacyfikiem i regularnie upijał się do nieprzytomności przed piątą po południu.

Barbara doszła do przekonania, że to błędne koło. Pił, bo stał się impotentem, a ponieważ zawsze był pijany albo na kacu, nie reagował na jej wdzięki i pieszczoty. Po wypróbowaniu wszystkich możliwych sposobów prócz paradowania po domu w samych majtkach stwierdziła, że trzeba po prostu poczekać.

Bob załatwił sobie trzydziestodniowe przedłużenie urlopu, ale dziesiątego dnia nadszedł pocztą rozkaz stawienia się w Fort Bragg w Karolinie Północnej w celu podjęcia obowiązków służbowych.

– Znudziłaś się już Kalifornią, kochanie? – zapytał. – Może wolałabyś pojechać tam wcześniej i znaleźć jakieś przyzwoite lokum?

– To nie jest zły pomysł – zgodziła się Barbara.

Tuż po lunchu w przeddzień wyjazdu Bob zaczął gorączkowo przeglądać rzeczy, które przeleżały wojnę w Fort Knox, a po powrocie z niewoli odesłane zostały do Carmel, i wybrał z nich to, co wydawało mu się najpotrzebniejsze w nowym miejscu pracy.

Na siedemnastą teściowa zaprosiła przyjaciół na mały koktajl i Barbara obawiała się, że mąż się spije, zanim pierwszy gość zdąży przekroczyć próg domu. Nie wspominając nawet o przyjęciu, poszła z nim do sypialni i dotrzymywała mu towarzystwa, udając, że pomaga pakować rzeczy.

Za kwadrans piąta, gdy szukała właśnie pantofla w spakowanej już walizce, nieoczekiwanie usłyszała trzask zamykanego wieka wojskowego kufra i podniosła wzrok na Boba.

– Gotowy? – spytała.

– Gotowy – odparł z uśmiechem. – Wszystkie niepotrzebne rzeczy są w walizie, którą bierzemy do samochodu, a wszystko, co niezbędne, idzie pocztą i nie dotrze do Fort Bragg przed Bożym Narodzeniem 1948.

– No to się ubieraj! – przerwała mu Barbara, ponownie pochylając się nad walizką.

– Coś dokładnie przeciwnego chodzi mi po głowie – stwierdził Robert.

Barbara nie bardzo rozumiała, co miał na myśli, dopóki nie podszedł do niej, nie przycisnął swego stojącego na baczność członka do jej pośladków i nie wsunął jej ręki pod majtki. Wyprostowała się, odchyliła głowę do tyłu i wtuliła ją w szyję Boba, po czym ostrożnie położyła dłoń na jego kroczu, jak gdyby się bała, że to złudzenie. Chwilę później Barbara odwróciła się, nie puszczając go, podeszła do łóżka i rozłożyła się na nim swobodnie. Potem ściągnęła majtki i naprowadziła Boba na cel.

W drodze z Carmel do Fort Bragg dzieci Bellmonów zajmowały się głównie same sobą, a w hotelach, w których rodzina nocowała, zawsze miały osobny pokój. Krępowali je tylko rodzice, którzy nieustannie trzymali się za ręce, pieścili się na okrągło i w ogóle zachowywali jak podstarzałe nastolatki.

6
Obóz 263.
Okolice Kyrtymii, ZSRR
21 czerwca 1945

Niemieckim jeńcom kazano opuścić wagony natychmiast po dotarciu na miejsce i wybrano z nich brygadę do ładowania węgla na węglarkę. Ponieważ brakowało łopat, ustawili się w długi łańcuch pomiędzy zwałem a parowozem, podawali sobie bryły węgla z rąk do rąk. Po napełnieniu węglem lokomotywę odczepiono od długiego sznura wagonów, przetoczono na jego drugi koniec i pociąg szybko opuścił bocznicę. W Rosji brakowało wagonów i parowozów, wykorzystywano je więc do maksimum. Jeńcom rozdano chleb i kiełbasę. Nie jedli za wiele przez ostatnie trzy tygodnie i wydzierali sobie teraz racje z rąk.

Jeńcy rozstawili wokół bocznicy przenośne drewniane kozły obciągnięte drutem kolczastym, rozstawiono wartowników i wyznaczono linię, której nie wolno było przekraczać. Bardziej zaawansowane środki bezpieczeństwa były zbędne, jako że Kyrtymia stanowiła wyspę wśród bagien całkowicie zalanych wodą z roztopów. Nawet gdyby jeńcy mieli na to siły, nie mieliby dokąd uciekać.

Przez cztery pierwsze dni, do czasu uporania się z obozową biurokracją, nowo przybyłych trzymano tam, gdzie wysiedli z bydlęcych wagonów. Dokumenty części z nich, w tym wszystkich esesmanów, odłożono od razu na bok, a ich samych skierowano do osuszania bagien. Akta pozostałych jeńców przeglądano dalej, poszukując ludzi, którzy mogliby pomóc w zarządzaniu obozem. Mile widziani byli przede wszystkim Niemcy mówiący po rosyjsku oraz stolarze, cieśle, krawcy, gajowi i urzędnicy. Nadmiar panował tylko wśród kucharzy i kelnerów.

Akta części z nich NKWD odkładało do specjalnych teczek. Dotyczyło to jeńców, którzy albo przyznawali się do sympatyzowania ze Związkiem Radzieckim i socjalizmem, albo wyrażali takie poglądy w przeszłości. Uznano po prostu, że mogą się jeszcze do czegoś przydać, i kierowano ich do prac dających szansę, choć wcale nie pewność, przetrwania zimy na bagnach.

Wyselekcjonowano też grupę, na której teczkach osobowych zaznaczono, że powinna przeżyć. Znalazła się na nich także adnotacja: „Należy sporządzać comiesięczne raporty o stanie zdrowia i postępach w reedukacji w/w". NKWD spodziewało się, że interesujący je jeniec nie tylko jeszcze żyje, ale również czyni zadowalające kroki w zrozumieniu i umiłowaniu socjalizmu.

Jednym z jeńców, na którego teczce znalazła się taka adnotacja, był były komendant Stalagu XVII-B, oznaczony w aktach NKWD jako Greiffenberg Peter-P. von (uprzednio pułkownik), 88-234-017.

Przydzielono go do pracy w kantorze brygadzisty drwali. Dzięki temu nie miał on za dużo kontaktu z syberyjskim świeżym powietrzem, co dla przeżycia zimy na bagnach miało kluczowe znaczenie.

IV

1
Fort Bragg, Karolina Północna
9 lipca 1945

Nad kieszenią munduru podpułkownika Paula Hanrahana widniało dwanaście wielobarwnych baretek, a nieco wyżej Bojowa

Odznaka Piechoty (stopień Ekspert). Była to stylizowana miniatura srebrnego karabinu skałkowego, umieszczona na błękitnym tle i otoczona wieńcem posrebrzanych listków dębu. Jeszcze wyżej znajdowały się skrzydełka spadochroniarza z dwoma gwiazdkami, oznaczającymi oddanie dwóch skoków bojowych.

Na piersi porucznika Rudolpha G. MacMillana nie było żadnych baretek, nosił on tylko Bojową Odznakę Piechoty najwyższego stopnia oraz skrzydełka spadochroniarza z pięcioma gwiazdkami.

Porucznik wszedł do gabinetu pułkownika i zasalutował. Jego twarz promieniała radosnym uśmiechem.

– Jak się, do diabła, czujesz, ty Szkocie bez spódniczki? – zapytał Hanrahan, niedbale odpowiadając na oddawane mu honory i wychodząc zza biurka, żeby uścisnąć dłoń MacMillana.

– Jeżeli porucznikowi wolno się tak odezwać – odparł uśmiechnięty od ucha do ucha MacMillan – to pułkownik z bożą pomocą wygląda nawet na pułkownika.

– Mac, ty też nieźle wyglądasz – odrzekł Hanrahan, pokazując mu, żeby siadał na obciągniętym skórą fotelu. – Z małym wyjątkiem.

– Jakim wyjątkiem?

– Mamy tu rozkaz, żeby oficerowie nosili baretki – wyjaśnił pułkownik.

MacMillan wzruszył obojętnie ramionami.

– Chcesz kawy, Mac? – zapytał Hanrahan.

– Z przyjemnością – odpowiedział porucznik. – O co tu w ogóle chodzi?

W roku 1940 Hanrahan był młodym porucznikiem, a MacMillan zaledwie kapralem. Razem oddawali swe pierwsze skoki ze spadochronem, gdy całe siły powietrznodesantowe US Army składały się jeszcze tylko z 1. Próbnego Batalionu Desantowego 82. Dywizji Piechoty, i obaj byli już doświadczonymi skoczkami, zanim komukolwiek zaświtało w głowie, że w ten sposób też można walczyć, na długo przed decyzją przemianowania 82. Dywizji Piechoty na Powietrznodesantową.

Po raz ostatni MacMillan widział obecnego pułkownika w roku 1942, kiedy to ówczesny podporucznik Paul Hanrahan zniknął nagle z 508. Pułku Piechoty Spadochronowej. Nikt nie znał szczegółów, ale uparcie krążyła plotka, że oddelegowano go na jakąś supertajną misję do Grecji, wykonywaną wspólnie z czymś, co nazywano OSS.

– Starszy oficer z odpowiednim stażem i doświadczeniem pouczy cię teraz na temat dalszego rozwoju twojej kariery – ciągnął pułkownik. – Słuchaj uważnie. – Hanrahan podał MacMillanowi filiżankę kawy.

– Dzięki – odezwał się porucznik. – Możesz mnie jakoś wyratować od tych historyków? Zwariuję tam!

– Skończyła się jedna wojna, zaczynamy więc przygotowania do następnej – zagadkowo oświadczył pułkownik. – Będzie w niej miejsce i dla historyków. Zakładamy, że jeżeli ktoś przeszedł przez całą wojnę tak jak ty, to musiało mu się trafić coś godnego najwyższej pochwały. Historycy spiszą tę sagę MacMillana i zmuszą niczego niepodejrzewających ludzi do czytania. Będziesz nieśmiertelny, Mac!

– Bez sensu! To wszystko bzdury! – krzyknął MacMillan.

– Wstydziłbyś się! – odparł ze śmiechem Hanrahan.

– Dywizja wraca do kraju. Załatwisz mi kompanię?

– Mógłbym, ale nie załatwię – odrzekł pułkownik, patrząc porucznikowi prosto w oczy.

– Dlaczego? – nie rozumiał MacMillan.

– Można ci powiedzieć prosto z mostu, tak żeby nie rozniosło się po dywizji?

– Można – odpowiedział Mac.

– W razie wybuchu wojny dostaniesz kompanię – zaczął Hanrahan. – Jeżeli jednak będzie pokój, to wszystko się zmieni. Nikt nie będzie potrzebował dowódców kompanii po podstawówce, choćby mieli nie wiem jakie medale – pułkownik spojrzał na MacMillana, chcąc sprawdzić jego reakcję. Na razie nie wyglądał on na zaskoczonego.

– Wojna wygrana, żołnierze niech więc zbierają zabawki i wynoszą się do swojej piaskownicy? – skomentował porucznik. – Nie myśl sobie, że cię objeżdżam.

– Dwudziestosześcioletnich pułkowników też nie za bardzo lubią – pocieszył go Hanrahan.

– Chcą ci odpruć gwiazdki?

– Powiedzmy – odparł wymijająco pułkownik. – Pokażę ci coś, Mac. – Hanrahan kiwnął ręką, wskazując MacMillanowi, aby podszedł do biurka, na którym leżała jego teczka osobowa, i położył palec na jednej ze stron.

18. 04. 45 Powrót pod Dowództwo Sił Zbrojnych USA, Ambasada USA, Kair

20. 04. 45 Przelot transportem wojskowym z Kairu do Fort Derens

22. 04. 45 URP, cztery dni urlopu

26. 04. 45 Przelot do Kwatery Głównej Departamentu Wojny

20. 04. 45 Fort Bragg, przydział do Sekcji Historii Wojsk Lądowych

– Co, do cholery, znaczy to URP – zaciekawił się Mac. Rozumiał wszystkie pozostałe wpisy, ale z takim nigdy się jeszcze nie spotkał.

– Też musiałem pytać – odparł pułkownik. – Ustny Rozkaz Prezydenta.

– Faktycznie – przypomniał sobie MacMillan. – W Białym Domu prezydent opowiadał, że w czasach gdy dowodził baterią, też istniały urlopy bez rozkazu i on to dobrze rozumie.

– To wcale nie jest śmieszne, Mac – przerwał mu Hanrahan. – Te trzy litery zostaną ci w papierach, dopóki nie pójdziesz do cywila.

– I co w tym złego?

– Znaczy to tyle, że zwiałeś na urlop bez przepustki.

– Ale nie według tej notatki – upierał się porucznik. – Miałem URP! – powtórzył, nie literując skrótu, ale wymawiając go jak jedno słowo.

– Nie miałeś rozkazu i zostałeś ułaskawiony przez prezydenta. Nie było żadnego URP! – zdenerwował się Hanrahan. – Za każdym razem, kiedy jakiegoś półgłówka zaciekawi ten skrót, powtórzy się cała historia, ale im pozostanie w pamięci tylko to, że nie miałeś przepustki, bo tak będzie im się podobać. Mają na ciebie haczyk, Mac. Na twoim miejscu pilnowałbym, czy już go nie zarzucili.

– O co ci, do diabła, chodzi? Jestem tym pieprzonym bohaterem czy nie? Nie czytałeś wpisu?

– Nie przesadzaj. Naprawdę jesteś bohaterem, ale w tym właśnie problem – uspokajał go pułkownik.

– Za cholerę nic z tego nie rozumiem! – obruszył się porucznik.

– No to uważaj. Jeden oficer na dwudziestu dostaje przydział bojowy, jeden na dziesięciu ma szansę na jakiś medal, a jeden na, powiedzmy, dziesięć tysięcy może zostać odznaczony tym co ty.

– No to co? – nadal nie pojmował MacMillan.

– No to jest ich od groma, a ty tylko jeden. Można to uznać za zazdrość w rodzaju „dlaczego właśnie ten półgłówek, a nie ja”.

– Zazdroszczą? No i co z tego?

– To, że będą wygrzebywać z twoich papierów, co się da – cierpliwie wyjaśniał Hanrahan. – Na przykład twoje nędzne wykształcenie.

MacMillanowi nie przypadły do gustu rady pułkownika, ale ufał Hanrahanowi. Przyszło mu jednak do głowy, że chodzi tu o coś zupełnie innego. Postanowił zagrać va banque.

– A co by było, gdybym zrezygnował i wrócił do sierżanta?

– Nie ma sensu z niczego rezygnować – odrzekł Hanrahan.

– Właśnie mi wyłożyłeś, że nie nadaję się na dobrego dowódcę kompanii – odparł Mac. – Może i nie, ale na pewno będę niezłym sierżantem.

– Wcale nie powiedziałem, że nie będziesz dobrym dowódcą kompanii – zaprzeczył pułkownik. – W ogóle mnie nie słuchasz!

– No to w takim razie co mi powiedziałeś? – dopytywał się Mac.

– Wyłuszczyłem ci – objaśnił Hanrahan – że jesteś świeżo upieczonym oficerem i możesz spokojnie zapomnieć o awansach na pięć, sześć lat, a może i dłużej.

– Wcale mi nie przeszkadza, że jestem tylko porucznikiem – odpowiedział MacMillan. – Odniosłem jednak wrażenie, że będą mi chcieli to zabrać.

– Sęk w tym, że musisz przeczekać ten czas, zajmując się czymś na uboczu, gdzie nie będzie za dużo chętnych na twoją robotę.

– No to koło się zamyka i wracamy do kompanii – stwierdził Mac – znam się tylko na spadochronach i na niczym innym.

Hanrahan zaczynał powoli tracić cierpliwość. Nie dało się ukryć, że MacMillan nie jest zbyt bystry.

– Już jest po wojskach spadochronowych – zaczął z innej strony pułkownik. – Nie pozbierają się po tej wojnie. Tylko na miłość boską, nie rozноś tego po bazie.

– No to wypaliłeś z grubej rury – odrzekł zaskoczony porucznik. Brzmiało to dla niego jak oskarżenie bohatera o tchórzostwo.

– Rany boskie! Pomyśl tylko! Byłeś na Sycylii; przypomnij sobie, co zrobiła z nami przez pomyłkę flota i ile samolotów zestrzelili, zanim doleciały do tej przeklętej strefy zrzutu? Pamiętasz, jak nas zmasakrowali w Normandii? Skakałeś za Ren. To była klęska. Nie rozumiesz! – wykrzykiwał Hanrahan.

Pułkownikowi wydało się, że MacMillan wpatruje się w niego jak skrzywdzony chłopiec.

– Mac! Byłeś tam! – ryknął Hanrahan. – Nie widziałeś, jak rozrzutnie marnowano ludzi? Przecież wzięli cię tam do niewoli?

– Nigdy się nie spodziewałem, że coś takiego usłyszę – odezwał się w końcu porucznik – a już najmniej, że właśnie od ciebie. Przecież to my rozkręciliśmy wojska spadochronowe!!

– Jestem żołnierzem, Mac. Nie spadochroniarzem ani nikim innym. Jestem zwykłym żołnierzem i moim obowiązkiem jest widzieć rzeczy takimi, jakie są, a nie takimi, jakie chciałbym, aby były.

– Uważasz, że już po nas? Naprawdę tak ci się wydaje? – nie wierzył Mac.

– To bardzo mało wydajna metoda transportu wojsk i, co gorsza, jej skuteczność będzie spadać z każdym dniem. Oprócz tego to olbrzymie marnotrawstwo utalentowanych ludzi i drogiego sprzętu.

– Co to wszystko ma znaczyć? – dopytywał się porucznik. Przecież to nie była rozmowa pomiędzy pułkownikiem i podwładnym ani porucznikiem i kapralem. Było to spotkanie przyjaciół i fachowców, starych towarzyszy broni.

– Chyba wiesz, że kapral wojsk spadochronowych jest równie dobrze wyszkolony jak porucznik piechoty? – zapytał Hanrahan.

– Słyszałem o tym i święcie w to wierzę – z uporem w głosie stwierdził MacMillan. – Gdybym zgłosił się pół roku później, już by mnie nie wzięli. Miałem za słaby wynik na teście.

– O to mi właśnie chodzi – ucieszył się pułkownik. – Wymagania na kurs spadochronowy były prawie takie same jak do szkoły kadetów.

– Zgadza się – przytaknął uspokojony porucznik.

– Stosuj więc taką samą logikę do całej sytuacji – zachęcił go Hanrahan. – Jeśli ktoś nadaje się na porucznika, to powinien nim być, a nie tracić czas na stanowisku zastępcy dowódcy drużyny. Jeżeli ludzie mają ginąć, a na tym ta gra polega, to gospodarujmy nimi z głową. Każdy zabity w powietrzu sierżant wojsk spadochronowych mógłby utrzymać przy życiu dwudziestu piechociarzy, gdyby był sierżantem piechoty.

– Boże – wydobył z siebie MacMillan, podszedł do okna, wyjrzał na zewnątrz.

Pułkownik poczuł się zadowolony, że w końcu coś do niego dotarło. Trzeba nim będzie jeszcze wstrząsnąć, pomyślał, żeby się naprawdę dogadać.

MacMillan odwrócił się w końcu do środka i oparł ręce na parapecie.

– Chodzi ci o to, że sam pomysł jest chybiony?

– W tej wojnie zrobiliśmy dwa błędy, Mac – łagodnym głosem kontynuował Hanrahan. – Spadochroniarze i bombowce.

– Coś się jednak udało. Przecież wygraliśmy – odrzekł Mac z sarkazmem.

– Flota zrobiła, co do niej należało – zgodził się pułkownik – tak samo jak artyleria, ale decydowały czołgi, i to po obu stronach. – Mac podniósł wzrok na Hanrahana. – Zastanowiło cię kiedyś, dlaczego nie skakaliśmy za Ren koło Kolonii albo dlaczego nie było akcji na Berlin?

– Odpowiedz mi, Red – odezwał się MacMillan. – Jestem tylko głupim jak but spadochroniarzem, który ma nie czuć różnicy między gruszką a pietruszką.

– Jak czołgi przeszły Ren, to miały za sobą wsparcie i siłę ognia. Nie jakieś tam marne haubice 105 milimetrów z pięćdziesięcioma pociskami, ale duże kalibry i tyle amunicji, ile dusza zapragnie. A na Berlin nie skakaliśmy, bo 2. Pancerna była już za Łabą.

– Ale Berlin wzięli Rosjanie?

– Wróć! W tej wojnie były trzy błędy. Eisenhower oddał im stolicę. 2. Pancerna mogła ją zająć, ale Ike kazał im się zatrzymać.

– Serio? – MacMillan nic o tym nie słyszał. – Po co?

– Względy polityczne – odparł Hanrahan, ważąc każde wypowiedziane słowo. Przyszło mu właśnie do głowy, że porucznik mógł się nigdy nie zastanawiać, po co w ogóle toczono tę wojnę, i im dłużej nad tym myślał, tym bardziej był tego pewien. MacMillan walczył bohatersko i nadstawiał karku tylko dlatego, że ktoś wydał mu rozkaz.

– Nie miałem o tym pojęcia – stwierdził Mac. Pułkownik zamilkł. – Co mi w takim razie radzisz, Red. Iść do czołgów? Przecież jestem z piechoty. Piechoty spadochronowej – niepewnie spytał MacMillan.

– Nie. Nie idź do czołgów. Po pierwsze wcale by cię tam nie chcieli, a po drugie, gdyby nawet, to dokopaliby ci gorzej niż w wojskach spadochronowych – wyjaśnił Hanrahan.

– Dokopaliby mi? Przecież jestem spadochroniarzem. Mówisz tak, jakbyś się nie czuł oficerem Osiemdziesiątej Drugiej – zdziwił się porucznik.

– Nie jestem spadochroniarzem od czasu, kiedy opuściłem 508. Pułk Piechoty Spadochronowej – oznajmił pułkownik.

– Ale masz dwie gwiazdki za skoki bojowe – zauważył MacMillan.

– Byłem w Grecji – zwierzył się Hanrahan – skakałem z *B-24* i *B-25*. Skok bojowy definiuje się przecież jako oddany na teren zajęty przez nieprzyjaciela.

– Nigdy o tym nie pomyślałem – zgodził się porucznik. – Jak słyszę „skok bojowy", to zawsze przychodzą mi na myśl całe pułki i dywizje.

– Znam cię na tyle długo, żeby ci to otwarcie powiedzieć bez wciskania kitu o ważnych powodach – oświadczył pułkownik.

– Ale co? – zapytał MacMillan.

– Mac, skakaliśmy po czterech, po pięciu, a czasami nawet w pojedynkę, ale zadawaliśmy Niemcom większe straty niż całe pułki i bataliony. Kto wie, może nawet dywizje.

– Ty i jeszcze ze trzech albo czterech facetów? – nie dowierzał porucznik.

– Goniło nas po Grecji więcej Niemców, niż możesz to sobie wyobrazić, a każdy Szwab szukający nas po górach nie walczył na froncie, i o to właśnie chodziło. Trzeba było związać siły nieprzyjaciela. Wszystkie te operacje Geronimo czy Market-Garden nie miały sensu.

MacMillan poczuł się trochę nieswojo. Najpierw zdał sobie sprawę, że rzeczywiście wydawało mu się, że skoki w pojedynkę z bombowca to nie skoki bojowe, a po chwili posunął się jeszcze dalej. Skacząc z całym pułkiem, nigdy nie był sam. Akcje Hanrahana musiały więc być bardziej niebezpieczne od jego własnych skoków na rozpoznanie, choć wykonywano je na parę godzin przed głównym zrzutem dywizji. Do przerażonego porucznika dotarło nagle, że Hanrahan wyskakiwał z samolotu z pełną świadomością, że po nim nikt już nie będzie lądował.

– Co masz zamiar robić w tej pokojowej armii, jaka się nam kroi? – zaciekawił się.

– Wracam do Grecji – odparł pułkownik.

– Dlaczego się na to decydujesz? – wypytywał dalej MacMillan.

– Lubię być pułkownikiem, a powiedzieli mi, że będę nim nadal, jeśli pojadę. Po prostu zależy mi na tych listkach na kołnierzu.

– Co tam jest do roboty?

– Będę szkolił Greków – objaśnił Hanrahan. – Wysyłamy doświadczonych oficerów razem z paroma naprawdę dobrymi sierżantami i instalujemy jako doradców przy kompaniach, a nawet batalionach. To właśnie będę robił, Mac. Za cenę dwóch czy trzech ludzi dostajesz kompanię.

– Superludzi? Zawodowców, którzy zawsze wiedzą, co robią? – dociekał porucznik.

– Superzawodowców, Mac, ale nie ciesz się. Nie możesz jechać.

– Kto mi, do diabła, zabroni! Dlaczego?

– Bo jesteś bohaterem. Cały czas ci to tłumaczę. Armia okryłaby się hańbą, gdyby żołnierz odznaczony najwyższym orderem w państwie zginął na jakimś greckim wzgórzu w wojnie, do której się nawet nie przyznajemy.

– Bez medalu też można żyć. Oddam go – stwierdził MacMillan.

– Przestań się wydurniać. Ten medal gwarantuje ci przejście za dwadzieścia lat na emeryturę w stopniu majora, a może nawet podpułkownika.

– Nie chcę, żebyś sobie pomyślał, że mi odbiło, ale nie piszę się na jakąś czarną robotę przez najbliższe piętnaście lat, żeby skończyć jako major. Jestem żołnierzem – upierał się porucznik.

– Dopóki się nie uciszy i wszystko nie wróci do normy, musisz przez parę lat siedzieć spokojnie i do niczego nie wtykać nosa – pouczył go Hanrahan.

– No to co mam robić?

– Zajmij się lotnictwem wojsk lądowych.

– Chyba żartujesz – zdumiał się MacMillan. – Lotnictwem wojsk lądowych?

Pułkownik już nie wytrzymał i odpowiedział lodowatym, pogardliwym tonem:

– Może byś, Mac, pomyślał trochę, zanim otworzysz gębę?

Mac zaczerwienił się i spojrzał na Hanrahana.

– Dobra – burknął po dłuższym milczeniu. – Słucham. Powiedz mi, o co chodzi w tym lotnictwie wojsk lądowych.

– Do armii wchodzą teraz małe samoloty i helikoptery. Będzie się to wszystko szybko rozwijać, bo lotnictwo idzie na coraz większe bombowce i wojska lądowe same będą się musiały zająć mniejszymi maszynami.

– A co to ma wspólnego ze mną? – dalej nie rozumiał MacMillan.

– To dobre miejsce, żeby się przechować – odrzekł Hanrahan. – Bardzo niewielu lotników ma jakieś pojęcie o wojskach lądowych. Należy pamiętać o odznaczeniu: możesz być grubą rybą w małym stawie.

– Chyba czujesz, że nie wierzę w nic z tego, co tu usłyszałem? – skomentował porucznik.

– Jeszcze nie skończyłem – uciął pułkownik. – Załatwiłem ci miejsce w Riley.

– Szkoła lotnictwa? Co mam tam robić?

– Przejdziesz czterotygodniowy kurs, po którym będziesz pilotem łącznikowym – odpowiedział pułkownik.

– Chyba żartujesz – zareagował Mac. – Przecież to szoferaki z licencją!

– Niektórzy pewnie tak – odrzekł Hanrahan – ale reszta to tacy sami żołnierze jak ty. Dostają też dodatek za wylatane godziny, tak jak my za skoki. Nie masz więc chyba nic do stracenia.

– A więc przez najbliższe dziesięć czy piętnaście lat mam latać tymi samolocikami? Szofer latającego jeepa na posyłki?

– Ale będziesz już wtedy kapitanem, a przy odrobinie szczęścia może nawet majorem – pułkownik skierował wzrok na MacMillana. – Wojska powietrznodesantowe są skończone, Mac. Albo pójdziesz do lotnictwa wojsk lądowych, albo do końca życia będziesz gadającą głową na spotkaniach z rekrutami i weteranami. Możesz mi wierzyć.

Zanim porucznik wyraził w końcu zgodę, wpatrywał się jeszcze w Hanrahana przez pełną minutę.

– A więc lotnictwo wojsk lądowych? – zapytał pułkownik.

MacMillan skinął głową.

– Szlag by to trafił – wybuchnął porucznik. – Poczekaj, niech się tylko Roxy o tym dowie.

– Tyle samo startów co lądowań, Mac.

2

Sandhofen, Niemcy
16 lutego 1946

Generał major Peterson K. Waterford wprowadził zwyczaj przyjmowania nowo przydzielonych młodszych oficerów w swoim gabinecie, mieszczącym się w Kwaterze Głównej Dowództwa Amerykańskiej Żandarmerii Wojskowej w Niemczech. Plotka głosiła, że koszary zaprojektował sam Albert Speer, dążąc do zapewnienia kandydatom na oficerów SS lepszych warunków do nauki niż te, jakie oferowano kadetom akademii marynarki, lotnictwa i armii lądowej.

Gabinet zajmowany obecnie przez generała był najbardziej imponujący w całej jego karierze. Na ścianie za biurkiem wisiały skrzyżowane ze sobą czerwona flaga generała majora z dwiema gwiazdami i żółty sztandar kawalerii, do którego dodano przekłute błyskawicą duże C (symbol żandarmerii wojskowej). Samo biurko miało zaś dwanaście stóp długości, sześć szerokości i stało prawie dziesięć jardów od wejścia.

Waterford ustawiał oficerów przed tym gigantem, wygłaszał trzydziestominutową mowę, podawał rękę na powitanie i rozsyłał nowo przybyłych do poszczególnych pułków, batalionów, kompanii, plutonów.

Zastępca adiutanta, porucznik Davis, gromadził w poczekalni przed gabinetem od dwudziestu do trzydziestu takich delikwentów tygodniowo, częstował ich herbatą i pouczał, jak zachować się po drugiej stronie drzwi, na których widniał grawerowany w mosiądzu napis: „Generał major Peterson K. Waterford. Dowódca Żandarmerii".

Porucznik za każdym razem wyjaśniał, że ceremonia ma na celu wprowadzenie posiłków przysłanych ze Stanów Zjednoczonych do zespołu oraz uzmysłowienie obecnym, jakim zaszczytem

111

jest pełnienie służby właśnie w żandarmerii i pod dowództwem generała.

Grupy przybywały tak często, że Davis. przestał już zwracać uwagę na to, kogo instruuje; porucznik MacMillan wpadł mu w oko tylko ze względu na swój wygląd. Wszyscy oczekujący na spotkanie mieli na mundurach wielobarwne baretki, oznaczające nadane im medale, odznaczenia, tak jak życzył sobie tego Waterford w specjalnym rozkazie wręczanym każdemu przylatującemu do Niemiec oficerowi. Nie miał ich tylko Mac, choć na jego piersi połyskiwały trzy odznaczenia, które się do tego kwalifikowały. Tuż poniżej kołnierza munduru nosił on Bojową Odznakę Piechoty (Ekspert), skrzydełka spadochroniarza z pięcioma gwiazdkami, a na samym dole gapę pilota.

Generał nie zająknął się ani słowem na temat zlekceważenia jego rozkazu, ale gdy uścisnął już rękę wszystkim obecnym i zaczęli oni opuszczać gabinet, dodał tubalnym głosem:

– Panie poruczniku MacMillan, mógłby pan zostać jeszcze chwilkę po wyjściu panów oficerów?

Davis był święcie przekonany, że już pierwsze kroki porucznika w kwaterze sztabu żandarmerii zaprowadziły go na krawędź przepaści. Waterford niezawodnie wpadnie w swój legendarny szał i zmiesza go za te baretki z błotem, rozumował adiutant.

Na to też wyglądało.

– Poruczniku – zaczął dowódca – jestem nieco zdziwiony, że nie nosi pan baretek.

MacMillan stanął na baczność i nie odezwał się ani słowem. Biedny przybłęda, pomyślał Davis.

– Gdybym miał pańskie odznaczenia, poruczniku, to nosiłbym je z dumą na wypiętej piersi – ciągnął generał.

Na twarzy MacMillana zarysowało się zdumienie.

– Tak jest, poruczniku. Znam wszystkie pańskie ordery i doskonale wiem, za co je przyznano. Uprzedzono mnie też, że w sytuacjach stresowych ma pan skłonności do nadużywania języka w stosunku do starszych stopniem oficerów.

– Sir? – zapytał MacMillan.

– Pieprzyć to – zacytował Waterford. – Niech pan każe grać sygnał do ataku.

Porucznik wyglądał w tej chwili na zupełnie zdezorientowanego. Generał potrzymał go w tej kłopotliwej niepewności przez pełną minutę, po której podszedł do niego, wyciągnął rękę i wyjaśnił.

– Bob Bellmon jest moim zięciem, Mac. Witam w sztabie.

– Dziękuję, sir – odrzekł MacMillan.

– Dobrze się przypatrz temu oficerowi, Davis – głośno oznajmił Waterford. – Mało komu dają choćby Brązową Gwiazdę bez posiekania na kawałki. MacMillan nie był nawet draśnięty. Gdyby nosił baretki, tak jak powinien, jedna z nich byłaby błękitna z białymi gwiazdkami.

– Rozumiem, sir – odpowiedział adiutant.

– Nie mam pojęcia, co z tobą, do diabła, Mac zrobić – kontynuował generał. – Bobby prosił mnie, żeby się tobą zaopiekować, i oczywiście spełnię jego życzenie. Za nic w świecie nie pozwolę, żeby facet z takim medalem latał na jakichś tam kulawych samolocikach.

– Sir – odezwał się porucznik. – Można coś zaproponować?

– Słucham – odrzekł Waterford.

– Kompania zmotoryzowanej piechoty, sir?

– Bobby mnie uprzedzał, że będziesz o to prosić – pokręcił głową generał. – Raczej nie.

– Tak jest, sir – zgodził się MacMillan.

– Co robiłeś przedtem, Mac, zanim zacząłeś wyskakiwać z samolotów?

– Byłem ordynansem.

– Ordynansem? U kogo?

– U pułkownika Neala z 18. Dywizji Piechoty.

Waterford zamyślił się.

– Dlaczego nie? Chyba niezły pomysł – stwierdził po chwili milczenia generał.

– Sir?

– Na razie możesz być moim latającym adiutantem – wyjaśnił Waterford. – I tak niedługo zabiorą mi starszego adiutanta, będziesz więc w rezerwie jako lotniczy taksówkarz. Jak ci się to podoba?

– Jak pan generał sobie życzy, sir.

– W takim razie mamy problem z głowy – zakończył Waterford. – Davis, dopilnuj, żeby załatwili mu papiery, i zaprowadź go na kwaterę.

Generał raz jeszcze uścisnął dłoń MacMillana i dodał:

– Za parę dni, jak już się urządzisz, zaprosimy cię z żoną na obiad. Czuj się tu jak u siebie w domu, Mac. Bob traktuje cię jak rodzinę i my też, mam nadzieję, szybko znajdziemy wspólny język.

Wkrótce kolega z gabinetu szefa sztabu powiadomił Davisa, że Waterford napisał do Departamentu Wojny list, domagając się natychmiastowego awansu porucznika MacMillana na stopień kapitana.

W uzasadnieniu generał zaznaczył, że na obecnym stanowisku „wykazuje się on takimi samymi predyspozycjami do pracy sztabowej, jakimi odznaczał się, wedle znanych mi dokumentów, na polu walki".

Davis myślał z goryczą, że „predyspozycje do pracy sztabowej" wyglądają na papierze nieco inaczej niż w rzeczywistości. Porucznik był po prostu obrotny. Jeżeli tygodniowa racja numer sześć dla całej dywizji (wino, piwo, alkohole) zawierała skrzynkę naprawdę dobrej whisky, to automatycznie lądowała ona w piwnicy generała i w kwaterze latającego adiutanta. Kiedy zaś pani Waterford wydawała obiad dla rodzin wyższych oficerów, to na stole pojawiała się dziczyzna, choćby miało to oznaczać, że w góry Taunus wysłano drużynę piechoty z rozkazem niewracania do koszar bez dzika i jelenia.

MacMillan wyszukał w obozie przesiedleńców węgierskiego szewca i zatrudnił go do robienia butów z miękkiej skórki dla oficerów oraz pantofli dla ich żon. Udało mu się nawet wytrzasnąć skądś wagon kolejowy należący uprzednio do jakiejś faszystowskiej szychy i z pomocą piętnastu ludzi zamienić go w „ruchomy punkt dowodzenia" dla generała Waterforda. Dzięki temu mógł on teraz odwiedzać w Berlinie kolegę z Akademii w stylu godnym Reichsmarschalla Göringa i podróżować po Hesji horchem, który należał do samego Rommla, a którego znalazł oczywiście MacMillan i doprowadził do idealnego stanu.

Davis mógł tylko zagryzać wargi i żalić się na boku. Jakby tego wszystkiego było mało, ulubioną partnerką do gry w golfa i najbliższą przyjaciółką generałowej została żona porucznika, Roxanne. Jednym słowem świeżo upieczony adiutant rozpychał się na wszystkie strony i dla Davisa zostawało coraz mniej miejsca. Nie bardzo mu się taki stan rzeczy podobał, ale na razie niewiele mógł na to poradzić.

Jedyną osobą, która potrafiła się oprzeć MacMillanowi, był major Robert Robbins, dowódca lotnictwa dywizji. Łączył on w sobie rzadkie kwalifikacje absolwenta West Point oraz dobrego pilota i doskonale wiedział, jak sobie w takiej sytuacji radzić. Nieustannie przypominał generałowi, że przystoi mu pilot starszy stopniem od jakiegoś tam marnego porucznika, który dopiero co zaczął latać, i przy każdej okazji podkreślał, że sam ma licencję pilota od roku 1941. Dzięki takiej taktyce udało mu się obronić przed zakusami MacMillana pozycję osobistego pilota Waterforda.

Autostrada Frankfurt–Chemnitz
Okolice Bad Hersfeld, Niemcy
10 maja 1946

Autostrada wiła się między polami i lasami, a jej dwa biegnące w przeciwnych kierunkach pasma oddalały się od siebie tak często, że stawały się nawzajem niewidoczne. Kiedy ruch zamierał, pasażerów mogło dzięki temu ogarniać przemiłe uczucie zawieszenia w czasie i przestrzeni.

Tą właśnie drogą pędził nowiutki, ciemnogranatowy chevrolet, przysłany w częściach ze Stanów, zmontowany w fabryce General Motors w Belgii. Miał tablice rejestracyjne używane przez żołnierzy Sił Okupacyjnych, a ponad nimi mniejsze, oznaczające, że właścicielem wozu nie jest oficer.

Za kierownicą siedział lekko przygarbiony mężczyzna po czterdziestce z kwadratową twarzą i tak krótko przystrzyżonymi włosami, że z daleka było widać sześciocalową bliznę nad czołem. Na kurtce mundurowej połyskiwały cztery rzędy baretek i Bojowa Odznaka Piechoty, a na rękawach widniały naszywki starszego sierżanta. Na jednym z nich dodatkowo znajdowało się jeszcze dziesięć poprzecznych pasków, każdy z nich oznaczał trzy lata służby, a na drugim kolejny zestaw sześciu naszywek – każda z nich symbolizowała sześć miesięcy służby w warunkach wojennych.

Obok podoficera na przednim siedzeniu jechała drobna, siwa kobieta w podobnym wieku, ubrana w spódnicę, bluzkę i niedopięty sweter. Na ręce, którą od czasu do czasu sięgała do torebki po papierosa, dostrzec można było wytartą złotą obrączkę oraz zegarek. Za każdym razem, gdy kobieta chciała zapalić, sierżant sięgał do kieszeni po zapalniczkę marki Ronson.

Tylne siedzenie wozu zawalone było drewnianymi skrzynkami i papierowymi torbami. Wystawały z nich kartony papierosów, pudełka mydła, krwiste połcie mięsa i inne rarytasy.

Kiedy samochód wyskoczył zza jednego z zakrętów, niespodziewanie wyszło mu naprzeciw dwu żołnierzy dających znaki, aby się zatrzymał. Obaj mieli na głowach lakierowane hełmy z insygniami żandarmerii oraz skórzane pasy typu Sam Brown i *Colty .45*.

– Szlag by to trafił – zaklął sierżant, widząc, że to zasadzka, po czym spojrzał na siedzącą obok kobietę i dodał: – Przepraszam.

– W porządku, Tom – uspokoiła go pasażerka.

Chevrolet zahamował i zatrzymał się na poboczu. Jeden z żandarmów podszedł do auta, a kierowca otworzył okno.

– Wpadliście jak śliwka w kompot – zaczął żandarm. – Sześćdziesiąt osiem mil na godzinę na odcinku z ograniczeniem do pięćdziesięciu.

– I co teraz? – zapytał szofer.

– Podejdź na drugą stronę i zameilduj się u porucznika – odparł żandarm, wskazując na zamaskowany wjazd na polną drogę.

Dwadzieścia jardów dalej stały trzy jeepy i ciężarówka, a nad rozkładanym stolikiem rozpięty był brezentowy daszek. Sierżant skinął głową, zamknął okno i ruszył z miejsca.

– Przepraszam – odezwał się do kobiety.

– Trudno – odpowiedziała.

– Co mam teraz zrobić? – zapytał szofer.

– Zapłać im dwa dolary – poradziła pasażerka i parsknęła śmiechem.

Sierżant zatrzymał wóz, zaciągnął hamulec, włożył leżącą na tylnym siedzeniu czapkę i wysiadł. Idąc powoli w stronę osłoniętego daszkiem stolika, odruchowo obciągał mundur.

Kobieta od razu spostrzegła, że porucznikowi nigdzie się nie śpieszy. W końcu pojawił się jednak za stolikiem, rozsiadł się na rozkładanym krzesełku i pozwolił kierowcy zameldować się zgodnie z regulaminem.

Sierżant podał dowódcy patrolu prawo jazdy i dokumenty rejestracyjne, a on podniósł się wolno od stolika i podszedł do samochodu.

– Pani jest Niemką? – zapytał.

– Nie, Amerykanką – odparła kobieta.

– Co jest na tylnym siedzeniu? – pytał dalej porucznik i nie czekając na odpowiedź, otworzył drzwi chevroleta. – Jezu! – wykrzyknął. – Co wy chcecie z tym zrobić? Otwieracie sklep?

– Poruczniku... – kierowca urwał w pół zdania.

– Co powiedzieliście, sierżancie? Świnie z wami pasłem, czy co?

– Przepraszam, sir – tłumaczył się kierowca. – Nie chciałem pana urazić.

– Stój na baczność i nie ruszaj się z miejsca, dopóki nie wydam innego rozkazu! Jasne?

Sierżant spojrzał na kobietę. Dała mu dyskretny znak ręką, żeby trzymał nerwy na wodzy, i kierowca dostosował się do życzenia dowódcy patrolu.

– Co pan sobie wyobraża, poruczniku? – spytała kobieta.

– Zamykam wasz czarnorynkowy interes, proszę pani.

– Nie miałam pojęcia, że nie wolno przewozić przydziałowego towaru prywatnym wozem – rezolutnie odparła pasażerka chevroleta.

– Kogo chce pani na to nabrać? – zapytał porucznik. – Tego towaru starczyłoby na otwarcie sklepu.

– To miał być prezent – wyjaśniała dalej.

– Prędzej mi kaktus na dłoni wyrośnie – uciął porucznik i przywołał stojących pod daszkiem żandarmów.

– Rozładujcie towar – rozkazał. – Chcemy mieć dokładny spis.

– Oskarża nas pan o nielegalny handel? – dopytywała się kobieta.

– Zgadza się – potwierdził dowódca patrolu.

– Aresztuje nas pan?

– Ma to pani jak w banku.

– Można stąd zadzwonić?

– Nie, nie można – stanowczo zaprzeczył porucznik. – Oboje z mężem jesteście aresztowani. Zrozumiano?

– Zawsze myślałam, że aresztowanym przysługuje prawo do skorzystania z telefonu. Grzecznie proszę pana o udostępnienie mi tej możliwości.

Porucznik przyglądał się jej przez chwilę, po czym zapytał:

– Do kogo chce pani dzwonić?

– Czy to ważne?

– W porządku – zgodził się. – Proszę za mną.

Zaprowadził ją do stolika, na którym leżał aparat. Kobieta zauważyła, że stojący obok młody kapral o dziecięcych rysach twarzy był mocno zażenowany postawą przełożonego.

– Wywołaj jej centralę – rozkazał dowódca.

Chłopak zakręcił korbką telefonu.

– Halo! – krzyknął do słuchawki. – Jest czternasta centrala żandarmerii.

– Wie pani, jak się tym posługiwać? – upewnił się porucznik. – Żeby mówić, musi pani wcisnąć guzik.

– Dziękuję – odpowiedziała kobieta, podnosząc słuchawkę. – Daj mi Kratę sześć sześć – powiedziała do telefonisty.

Porucznik popatrzył na nią z zaciekawieniem. Krata sześć była kryptonimem szefa aresztu żandarmerii. Krata sześć sześć najprawdopodobniej oznaczała jakiegoś sierżanta, który mu podlega, pomyślał dowódca patrolu. Ten zatrzymany facet też przecież jest sierżantem. Stary numer z chodami w sztabie, ale tym razem nic z tego nie wyjdzie.

– Charley? – zapytała kobieta. – Świetnie, że jeszcze jesteś.

Charley, kimkolwiek on był, powiedział coś, czego porucznik nie dosłyszał, a potem znowu odezwała się kobieta.

– Aresztowali mnie z Tomem. Nie, nie żartuję. Jakieś dziesięć mil za Bad Hersfeld, za przekroczenie szybkości i nielegalny handel, do którego się nie przyznaję. Tak, jest tu jakiś oficer – dodała kobieta i podała słuchawkę porucznikowi.

– Porucznik Corte – ostrym tonem zaczął dowódca posterunku.

– Poruczniku – odezwał się głos z drugiego końca linii. – Według regulaminu, po swoim nazwisku należy dodać „sir", jeśli rozmówca nie jest niższy stopniem. Słyszał pan o tym?

O Boże! Ona zna jakiegoś oficera – przemknęło mu przez myśl.

– Tak jest, sir – odpowiedział dowódca patrolu. – Przepraszam, sir.

– Może od razu wyjaśnimy całą sprawę. Dano mi do zrozumienia, że aresztował pan za przekroczenie szybkości starszego sierżanta Thomasa T. Dawsona?

– Tak jest, sir. Sześćdziesiąt osiem mil na godzinę przy ograniczeniu do pięćdziesięciu.

– Wie pan oczywiście, że sierżant jest ordynansem kwatery głównej sztabu żandarmerii?

– Nie, sir. Nic o tym nie słyszałem. Sir, mimo całego mojego szacunku dla tego stanowiska muszę go ukarać. Przekroczył dozwoloną prędkość i jest na to dowód.

– Oskarżył go pan też o nielegalny handel?

– Tak jest, sir. Jego żonę także. W samochodzie jest tyle towaru, że można by otworzyć sklep.

– Powiedział pan „z żoną"?

– Tak jest, sir. Z kobietą, która do pana dzwoniła.

– Dzwoniła do mnie nie pani Dawson, poruczniku, ale pani Marjorie Waterford, żona generała Petersona K. Waterforda.

Twarz porucznika zrobiła się blada jak płótno.

– Poruczniku – kontynuował głos ze sztabu – jako oficer dyżurny nakazuję natychmiastowe zwolnienie sierżanta Dawsona i pani Waterford. Proszę zezwolić im na odjechanie i w trybie pilnym napisać raport o całym zajściu. Dostarczy mi go pan do rąk własnych. Zrozumiano?

– Tak jest, sir!

– W takim razie proszę mi pozwolić porozmawiać jeszcze z panią Waterford.

Porucznik dosłyszał: „W zasadzie nic mi się nie stało, ale to, co zrobił z Tomem, jest niewybaczalne. Od kiedy mam do czynienia z wojskiem, nie słyszałam, żeby oficer tak odzywał się do sierżanta". Skończywszy, pani generałowa odwróciła się do dowódcy patrolu:

– Rozumiem, że jesteśmy wolni, poruczniku?

– Tak, psze pani – odpowiedział Corte. – Pani Waterford, gdybym tylko wiedział...

– Nie o to chodzi, poruczniku – przerwała mu kobieta. – Dżentelmen byłby tak samo elegancki w stosunku do żony sierżanta, jak i do żony generała.

– Przepraszam najmocniej...

– Według prawa jest pan oficerem – ciągnęła dalej generałowa – ale raczej nie jest pan dżentelmenem. – Pani Waterford czekała na odpowiedź, ale porucznik milczał. – Do widzenia – powiedziała w końcu generałowa i podziękowała kapralowi, który podał jej słuchawkę.

Kiedy chevrolet wyjechał ponownie na autostradę, sierżant spojrzał w bok na swoją pasażerkę.

– Powie pani o tym półgłówku szefowi?

– Myślałam o tym, ale raczej nie, Tom. Strach przed nieznanym i niepewność są gorsze od zszarganych papierów. Lepiej dać mu szansę, żeby to przemyślał.

Sierżant się roześmiał.

– Może ma pani rację, ale on nie miał prawa tego zrobić.

– Teraz dwa razy się zastanowi, zanim znów się tak zachowa – odparła generałowa.

– Ani chybi – zgodził się kierowca.

Chevrolet wjechał do Bad Hersfeld w pobliżu linii rozgraniczenia stref okupacyjnych amerykańskiej i sowieckiej i zatrzymał się przed czteropiętrowym blokiem bez windy. Obładowani torbami i pudłami obydwoje wdrapali się na ostatnie piętro i zapukali do oszklonych drzwi.

Otworzył im wysoki, chudy jak szczapa mężczyzna w znoszonym i połatanym swetrze.

– Cześć, Günther – odezwała się pani Waterford. – Chyba pamiętasz sierżanta Dawsona?

– Miło znów widzieć pana generała, sir – przywitał się Tom.

– Jesteś tak hojna, Marjorie, że mnie to krępuje – odpowiedział generał.

– Nie wygłupiaj się – ucięła żona generała Waterforda. – Mamy jeszcze trochę w samochodzie. Mógłbyś pomóc sierżantowi wnieść to na górę, a ja przywitałabym się z Gretą?

– Oczywiście – odrzekł generał. – Greta! – zawołał. – Przyjechała Marjorie Waterford.

Żona Generalmajora Günthera von Hamma nie wyglądała wiele lepiej od męża. Jej ubranie też było zniszczone, a twarz ziemista i zapadnięta.

– Och, Marjorie! Ciągle nas zawstydzasz. Jakoś sobie radzimy.

– Wiem, że nie głodujecie – stwierdziła żona Waterforda i pocałowała Gretę w policzek – ale dajemy to, czego sami nie zużyjemy – wyjaśniła, sięgając do torebki po butelkę whisky. – Nie mam pojęcia jak ty, ale ja koniecznie potrzebuję łyka czegoś mocnego.

Generał von Hamm, który szkolił się w Saumur razem z generałem Waterfordem, potrzebował aż trzech rund, żeby razem z sierżantem wnieść do mieszkania przywiezione zapasy.

– Poczęstuj się, Tom – zachęcała go pani Waterford, kiedy skończyli. – Chyba możesz?

– Nie teraz, proszę pani. Dziękuję bardzo – poprawił się kierowca.

– Może jednak... – upierała się z uśmiechem generałowa.

– Jeśli pani nalega, ma'am – zgodził się w końcu sierżant.

Marjorie rozumiała, że Tom czuje się nieswojo, pijąc z generałami i ich żonami, ale z drugiej strony obawiała się, że Günther może sobie pomyśleć, iż jankeski sierżant nie chce wypić whisky z byłym wrogiem.

Niemiecki generał wcale tak nie myślał, ale był bardzo czuły na tym punkcie i konieczność przyjęcia pomocy żywnościowej oraz mydła i papierosów stanowiła już tak potężny cios dla jego dumy, że Amerykanka wolała nie ryzykować ewentualnych przytyków ze strony sierżanta.

Dla równowagi Marjorie oznajmiła, że mąż zakłada drużynę polo, i bardzo tym ucieszyła Günthera, któremu przypomniało to stare dobre czasy. Von Hammowie nie mieli jednak dla pani Waterford radosnych nowin.

– Elizabeth von Greiffenberg zabiła się dziesięć dni temu – zaczęła Greta.

– Nie! – krzyknęła Marjorie.

– Dowiedzieliśmy się wczoraj – dodał von Hamm. – Trucizna.

– Straszne – wykrztusiła roztrzęsiona żona Waterforda. Szczególnie szkoda jej było męża Elizabeth, Petera-Paula, który zarządzał Stalagiem XVII-B, w którym przebywał jej zięć. Rosjanie rozstrzelali go na samym końcu wojny.

– Nie mogła dojść do siebie – wyjaśnił Niemiec.

– Czuję się za to osobiście odpowiedzialna – stwierdziła Marjorie. – Powinnam była jej jakoś pomóc.

– Co jeszcze mogłaś zrobić? I tak już dużo pomogłaś – pocieszała ją Greta.

– Coś tam na pewno mogłam – odparła Amerykanka.

– I tak by się z tobą nie chciała zobaczyć – oznajmiła żona von Hamma. – Kiedy widziałam się z nią ostatnim razem, powiedziała mi, żeby jej nie odwiedzać. Ona... ona... Ona nie mogła dojść do siebie.

– A co z dziewczyną? – zaciekawiła się Marjorie.

Greta pokręciła głową.

– Nikt nie wie, gdzie jest. Wszyscy się boją, że wyjechała na wschód. Mają tam krewnych – odpowiedział za żonę Günther.

– O Boże! – przeraziła się Amerykanka. – Biedactwo! Ile ona ma lat? Szesnaście?

– Siedemnaście – poprawiła ją Greta.

– Przepraszam, że się wtrącam, ale powinniśmy się zbierać – odezwał się sierżant.

– Faktycznie – potwierdziła Marjorie. – Wystarczy, Tom, że już nas raz zatrzymali za przekroczenie szybkości.

4
Mannheim, Niemcy
11 maja 1946

Na lotnisku polowym 8. Dywizjonu Żandarmerii stało obok siebie pięć samolotów *Stinson L-5*. Na ogonach miały wypisane „US Army" i numery seryjne, z boku każdego kadłuba widniały białe gwiazdy amerykańskiego lotnictwa, a tuż poniżej siedzenia pasażera domalowano jeszcze godło żandarmerii.

Prowadzony przez harleye z migającymi światłami i wyjącymi syrenami wjechał na płytę lotniska czterodrzwiowy horche, który uprzednio był rzekomo własnością samego feldmarszałka Rommla, a zaraz za nim pojawiły się dwa jeepy wyposażone w karabiny maszynowe z żandarmami w chromowanych hełmach.

Kawalkada zatrzymała się obok najbliższego samolotu i w otwartych przez kierowcę drzwiach limuzyny pojawił się generał major Peterson K. Waterford w hełmie z błyszczącymi w słońcu dwiema srebrnymi gwiazdkami na przodzie oraz godłami żandarmerii na bokach. Wziął do ręki szpicrutę, dotknął nią krawędzi nakrycia głowy, odpowiadając w ten sposób na oddawane mu honory, i podszedł do samolotu.

Major Robert Robbins zasalutował ponownie.

– Dzień dobry, panie generale – przywitał się.

– Dobry – odrzekł Waterford, po raz wtóry dotykając hełmu szpicrutą.

Robbins zdjął czerwoną tabliczkę z dwiema srebrnymi gwiazdami, wsunął ją w specjalny uchwyt przymocowany do kadłuba i usadowił się za sterami.

Wszystko było w stanie najwyższej gotowości. Przed odlotem sprawdzono maszynę od śmigła po światło ogonowe i wszystko było w porządku. Major przekręcił główny włącznik, podpompował paliwo do silnika i wcisnął starter. Rozrusznik zaskoczył momentalnie, śmigło wykonało kilka nieregularnych obrotów, rozwiewając niebieskie spaliny wokół kokpitu, i niespodziewanie stanęło w miejscu. Rozrusznik szarpnął nim jeszcze parę razy, ale uparcie zatrzymywało się po zaledwie kilku nierytmicznych obrotach. Silnik nie zapalił.

– Majorze – lodowatym tonem spytał generał – MacMillan na pewno przygotował drugą maszynę?

– Na sto procent, sir. Rezerwowy samolot jest w pełnej gotowości.

– Świetnie – odrzekł Waterford z wyraźnie udawanym zadowoleniem.

– Bardzo przepraszam, panie generale – tłumaczył się Robbins.

– Nie przesadzaj – pocieszył go Waterford. – Każdemu się może zdarzyć.

– Maszyna kapitana stoi obok, panie generale, ale nie bardzo rozumiem, jak MacMillan się w niej z nami zmieści.

– Za to ja wiem, majorze – uciął Waterford. – Kapitan będzie pilotował, a ty zajmiesz się tym gruchotem.

Generał wygramolił się z kabiny, wyciągnął z niej swoją generalską tabliczkę i dumnym krokiem podszedł do stojącego obok L-5.

Waterford podał tabliczkę MacMillanowi i zmierzył go wzrokiem od stóp do głów.

– Maszyna działa, Mac? – zapytał.

– Tak jest, sir. Powinna działać.

– Wiesz, dokąd lecimy? – upewnił się generał.

– Tak jest, sir.

– No to do dzieła – zakończył generał. Usadowił się na tylnym siedzeniu i zapiął pasy.

Major Robbins podszedł do samolotu i stanął na wysokości kabiny pilota.

– Powiedziałem, że lecę z kapitanem – powtórzył Waterford.

– Sir, chciałem tylko panu generałowi przypomnieć, że kapitan MacMillan dopiero co ukończył kurs pilotażu.

– Nie szkodzi, majorze. Za to na szczęście nie jest półgłówkiem!

– Tak jest, sir.

– Jeżeli kapitan uważa, że może tym bezpiecznie lecieć, to

ja mam w tej materii takie samo zdanie. Na co jeszcze czekamy, Mac?

MacMillan zasiadł za sterami i wcisnął starter. Silnik zakrztusił się na moment i natychmiast zaskoczył. Stojąc prawie na baczność, major czekał, aż *L-5* skieruje się na pas.

Waterford uchylił górną połówkę drzwi i kiwnął na niego ręką. Przytrzymując zwiewaną przez pęd powietrza czapkę, Robbins podbiegł do samolotu.

– Nigdy nie wierzyłem w tę całą *l'audace*! – krzyknął generał. – Harcerze mają lepsze hasło: Czuwaj! Czuwaj, bo nie znasz dnia ani godziny!

Po domknięciu drzwi kapitan spojrzał przez ramię na przełożonego. Wyciągnął on do przodu palec wskazujący i MacMillan ruszył na pas, sprawdzając po drodze żyroskop. Kiedy maszyna nabrała już nieco szybkości, pilot pchnął drążek do przodu, odrywając tylne koło od ziemi, a następnie zaczął go wolno cofać. Samolot uniósł się w powietrze.

Wznosząc się coraz wyżej, MacMillan okrążał lotnisko.

– Do diabła z tym kręceniem – usłyszał w słuchawkach głos generała. – Leć wzdłuż autostrady.

Pilot skinął głową.

– I nie leć za wysoko – dodał Waterford.

MacMillan skinął głową po raz drugi i wyrównał lot na wysokości około 700 stóp.

– Co zrobiłeś z maszyną Robbinsa? – zapytał generał. – Mam nadzieję, że nie będzie mógł tego na ciebie zwalić.

– Nawet nie tknąłem jego samolotu, panie generale.

– Bzdura! – przerwał mu Waterford. – To zbyt dobrze udawało przypadkowy defekt.

– Głupio wyglądał, prawda, sir! – uśmiechnął się Mac.

Waterford roześmiał się cicho.

– Wcale bym się nie dziwił, gdyby po przeglądzie silnika wyszło na jaw, że ktoś zapomniał dokręcić świece.

– Ty cholerny cwaniaczku! – ryknął generał. – A co by było, jakby silnik stanął w powietrzu ze mną na pokładzie?

– Sprawdziłem to własnoręcznie, panie generale – uspokoił go kapitan.

– Niezły z ciebie lis, Mac. Prawie taki jak ja! – skomentował Waterford, zmieniając temat. – Wszystko gotowe w Bad Nauheim, kapitanie?

– Tak jest, sir. Byłem tam dziś rano. Wszystko zapięte na ostatni guzik.

Czteropasmową autostradę widać teraz było pod lewym kołem.

W ciągu kilku minut *L-5* doleciał do Renu, a po prawej pojawiły się ruiny Frankfurtu. Trzydzieści mil dalej MacMillan zaczął skręcać w prawo.

– Dowodziłem największą jednostką, jaką udało się sklecić na tej drodze – odezwał się generał. – Mój wóz dowodzenia praktycznie był sztabem 9. Armii. – MacMillan ponownie skinął głową. – Zapomniałem tylko o jakimś błyskotliwym cytacie dla potomności. Ty jesteś ode mnie lepszy, Mac. Chyba ci tego nigdy nie wybaczą.

– Tak jest, sir.

– Za każdym razem, kiedy Bobby opowiada, jak zostawił cię w obozie, przypomina mi się to twoje: „Pieprzyć to. Niech pan każe grać sygnał do ataku". To ci się udało, Mac. Trzeba by to oczywiście wygładzić, takich rzeczy nie piszą w podręcznikach do historii, ale szkoda, że sam o czymś podobnym nie pomyślałem.

– To tam, sir – przerwał mu pilot, wskazując ręką w prawo.

Samolot znajdował się nad parkiem w Bad Nauheim. Na płaskim terenie widać było dwie bramki i długi szereg wojskowych ciężarówek zaparkowanych po lewej stronie boiska. Kapitan obniżył lot, zwolnił, wylądował i podkołował do czoła kolumny. Do samolotu natychmiast podbiegł młody porucznik ze złotym akselbantem i gwiaździstą tarczą adiutanta generała majora na kołnierzu. Zasalutował i otworzył drzwi *L-5*.

– Mam nadzieję, panie generale, że lot był przyjemny – przywitał się.

– Przyjemny od chwili, gdy wsiadłem do maszyny, w której nie zapomnieli czegoś naprawić – odrzekł Waterford.

– Coś nie gra, Davis? – zapytał MacMillan.

– Wszystko gotowe, Mac – chłodnym tonem odparł porucznik.

Obaj adiutanci nigdy nie pałali do siebie zbytnią sympatią. Dopóki nie pojawił się MacMillan, Davis był prawie pewien, że w swoim czasie dostanie awans na starszego adiutanta Waterforda. Mac wystawił go jednak do wiatru. On dalej zasuwał jak zwykły ordynans, a szanse awansu nikły w oczach.

Jak w każdym sztabie obowiązki powierzane adiutantom były pomiędzy nich bardzo dokładnie rozdzielane. Młodsi dbali o potrzeby materialne generała i pilnowali spraw bieżących, a starsi towarzyszyli mu w trakcie wizyt oficjalnych, zaznajamiając się przy okazji z pracą w sztabie, co nie było bez znaczenia dla dalszej kariery. Davis wypełniał więc pokornie swoje obowiązki, wyczekując awansu, starszym adiutantem został jednak MacMillan i cała czarna robota ponownie spadła na barki porucznika.

– Gdzie są moi zawodnicy, Davis? – zapytał Waterford.

– Proszę tędy, sir – odpowiedział MacMillan, uprzedzając porucznika. – Mam nadzieję, że będzie pan zadowolony z tego, co wymyśliłem.

– Też mam taką nadzieję, Mac – odparł Waterford.

Generał ruszył przez boisko, uderzając szpicrutą o but przy co trzecim kroku. Kiedy zbliżył się do drugiego końca pola gry, dwunastu zawodników stanęło na baczność. Wszyscy poubierani byli w zwykłe wojskowe bryczesy; tylko jeden z obecnych miał na sobie oficerskie spodnie.

Cała grupa stała na baczność bez jakiejkolwiek komendy.

– Miło cię znowu widzieć, Charley – powiedział Waterford do stojącego na końcu oficera po trzydziestce. – Sadełko ci się zawiązało, ale wytopimy ten tłuszcz do ostatniego grama.

– Witam, sir – odpowiedział oficer.

– Przejdźmy od razu do rzeczy – Waterford podniósł głos, tak aby wszyscy go dobrze słyszeli. – Mamy tu grać w polo, a nie walczyć. Rozkazuję wam zapomnieć o tym, że gracie z facetem, który kiwnięciem palca w bucie może zrujnować wam karierę. Na boisku stopnie są nieważne. W czasie gry jesteście przede wszystkim sportowcami, a dopiero na drugim miejscu żołnierzami. Będę się do was zwracał po imieniu, a wy do mnie – tu zrobił przerwę – „sir".

Generał usłyszał śmiech, którego oczekiwał, i zwrócił się do stojącego najbliżej oficera.

– Frank Daily, sir – przedstawił się zawodnik.

– Dużo grałeś, Frank? – zapytał Waterford. – Jaką masz kategorię?

– Pierwszą, sir.

Generał przeszedł wzdłuż całego szeregu, zadając po kolei te same pytania. Na samym końcu stał rosły, muskularny i dość przystojny młodzieniec.

– Craig Lowell, sir – przedstawił się.

– Nie obraź się, Craig, ale masz chyba za mało lat, żeby już dobrze grać w polo. Raczej cię jeszcze nie klasyfikowali?

– Mam trzecią kategorię, sir – odrzekł Lowell.

– Gdzie grałeś? – zainteresował się generał.

– West Palm, sir, Ramapo, Houston, Los Angeles.

– Znasz Bryce'a Taylora?

– Tak, sir – odparł Craig.

– Co tam u niego słychać?

– Marnie, sir. Może nawet już nie żyje. Dziadek pisał mi w liście, że rozmawiał z jego żoną.

– Chodź ze mną, Craig – zakończył Waterford. – Muszę się przebrać. – Generał mrugnął na MacMillana. Do diabła, pomyślał. Skąd on wytrzasnął gracza z trzecią kategorią? Razem z Grubym Charleyem, który przed wojną miał dwójkę, i tym szpetnym facetem ze środka szeregu może się jakoś uda zmontować drużynę na mecz z żabojadami. – O zawodniku z trójką nawet nie marzyłem. Sam generał miał siódemkę.

Waterford rozłożył składane schodki i wszedł do samochodu sztabowego, którym przejechał pół Europy, używając go jako kwatery i punktu dowodzenia. Wnętrze urządzone było komfortowo i ze smakiem. Na stole stał dzbanek gorącej kawy, woda z lodem i nakryty ręcznikiem talerz z kanapkami.

– Częstuj się, Craig – zaprosił go do stołu generał – i opowiadaj, co się stało ze starym Bryce'em.

Generał ściągnął skórzaną kurtkę, mundurową koszulę i podkoszulek, a następnie włożył wojskowy T-shirt z misternie wyszytym z przodu i z tyłu numerem jeden. Tymczasem Lowell relacjonował wszystko, co dziadek przekazał mu o nieuleczalnej chorobie Bryce'a Taylora.

– Jak się nazywa twój dziadek? – zapytał Waterford.

– Geoffray Craig, sir. Moja matka jest z domu Craig – wyjaśnił Lowell.

– No tak Cabotowie rozmawiają tylko z Lowellami, a Lowellowie wyłącznie z Panem Bogiem. Z Bostonu?

– Nie, sir. Z Nowego Jorku.

– Ale masz akcent z Harvardu – upewnił się generał.

– Studiowałem tam.

– No tak – stwierdził zadowolony z siebie Waterford i odwrócił się do MacMillana.

– Chcę, żebyś sprawdził, co się stało z moim starym kumplem Taylorem, Mac. Po pierwsze, czy żyje, a jak nie, to napisz jakiś ładny list z kondolencjami do żony. Adres dostaniesz od Craiga. Po drugie, jeżeli żyje, to odszukaj gdzie, wywiedz się, jak mu się powodzi i czy ma jakieś kłopoty.

– Tak jest, sir – kapitan przyjął do wiadomości.

– Na jakiej pozycji najczęściej grałeś, Craig? – wypytywał dalej generał, zapinając rozporek, upychając podkoszulek w spodniach i postękując przy dociąganiu pasa.

– Na trójce, sir.

– Dobra. Spróbujemy w ten sposób. Powiedz reszcie, żeby wypisali sobie numery na koszulkach. Zagrasz z trójką przeciwko mnie. Gruby będzie twoją jedynką. Musimy ściągnąć z niego trochę sadła.

– Tak jest, sir – odpowiedział krótko Lowell i wyszedł na boisko.

Jakiś sierżant prowadził właśnie do wozu sztabowego cztery kuce. Zdaniem Craiga wyglądały bardzo marnie, ale lepszych nie było i zarezerwowano je dla generała. Reszta miała do dyspozycji jeszcze bardziej wymizerowane wierzchowce.

Na początek wszyscy pograli „każdy z każdym", jak to określił generał, a później zagrali mecz sześciu na sześciu. Pod wodzą Waterforda niebiescy wygrali siedem do czterech.

Generał przyjął szklanicę mocno schłodzonej mrożonej kawy i opróżnił w paru łykach. Dosłownie tryskał świetnym humorem.

– Panowie! – oznajmił. – Dzięki MacMillanowi mamy pokoje w jednym z uzdrowisk w Bad Nauheim. Wśród wszystkich dziwacznych rzeczy, w które wierzyli Niemcy, mieściło się również i to, że ta śmierdząca tutejsza woda ma właściwości lecznicze. Wsiądziemy zaraz do samochodów i pojedziemy pod prysznic. MacMillan załatwił lód do whisky, będzie się też więc można czegoś napić.

Generał i Charley ruszyli sztabowym fordem, MacMillan usiadł obok kierowcy, reszta rozlokowała się w pozostałych wozach i cała kawalkada skierowała się w stronę uzdrowiska.

– Zatrzymaj tego przeklętego gruchota! – wrzasnął nagle Waterford.

Kierowca zahamował z piskiem opon, a kolejne samochody o mały włos nie ponajeżdżały na siebie.

– Co on, do diabła, wyprawia? – retorycznie zapytał generał i otworzył okno. – Craig, gdzie ty, do cholery, idziesz? – ryknął.

– Odprowadzam konie, sir – odparł Lowell.

– A od czego mamy szeregowców – zapytał zdziwiony Waterford.

– Panie generale – bąknął MacMillan – nie zdążyłem panu powiedzieć, bo pan tak popędził na boisko...

– Co powiedziałeś, Mac?! – wolno spytał Waterford.

– Sir, to jest szeregowy Lowell.

Generał machnął ręką na Craiga, zamknął okno i pokazał kierowcy, żeby jechał dalej.

– Jasna cholera, Mac! Dlaczego mi to zrobiłeś? Zawstydziłem chłopaka!

– Nie chciałem, sir – tłumaczył się kapitan.

– Przecież cię prosiłem, żebyś mi przedstawił wszystkich ludzi z całej dywizji, którzy grali kiedyś w polo.

– Tak jest, sir. Dokładnie tak było.

– A co facet z trzecią kategorią robi między szeregowcami? Przecież to prawdziwy dżentelmen, Mac! Mało tego, to Lowell i Craig. Chyba słyszałeś, co powiedział. Na miłość boską, co on robi między tym mięsem armatnim?

– Gra w golfa w drużynie dywizji – odrzekł kapitan, biorąc dosłownie retoryczne pytanie generała.

– W golfa? W golfa?

– Tak jest, sir. To sportowiec.

– Nie przyszło mi do głowy, Mac, że możesz grzebać w papierach szeregowców. Czasami jesteś po prostu za dobry na adiutanta.

– Pan generał pozwoli, że coś wyjaśnię.

– Próbuj, Mac, bo mam wielką ochotę wysłać cię do stajni, żebyś wywalał gnój razem z Lowellem.

– Za pozwoleniem pana generała, sir, doszło do tego tak: kiedy dostałem od pana to polecenie, największym problemem było to, że nie miałem zielonego pojęcia o polo.

– Tak jak o paru innych rzeczach – wtrącił się Waterford.

– I zacząłem wypytywać – kontynuował MacMillan – czy ktoś się na tym zna. Szybko trafiłem na Lowella i on pomógł mi to wszystko zorganizować. Naprawdę dużo o tym wie.

– Widziałem – odparł generał. – Gdyby Charley mógł szybciej ruszać tą tłustą dupą, to zieloni nie daliby nam wygrać. Craig wysuwał ci z dziesięć razy, Charley, a ty nic z tym nie potrafiłeś zrobić.

– Jestem trochę bez formy, sir – bronił się pułkownik.

– To będzie cytat tygodnia! – ucieszył się generał. – Jedź dalej, Mac.

– Przyprowadziłem szeregowca Lowella, sir – kończył Mac Millan – żeby był rezerwowym. Reszta to oficerowie.

– Mac – odezwał się generał – za sześć tygodni i dwa dni moja drużyna gra z dywizją francuską generała Quilliera. Francuzi nie tolerują ekip mieszanych i moja też będzie się składała z samych oficerów. Mój zespół wygra. Nie da się tego zrobić bez Lowella na trójce.

– Mam nadzieję, że tym razem dobrze pana zrozumiałem, sir – zakończył kapitan.

5
Bad Nauheim, Niemcy
12 maja 1946

Odprowadziwszy wraz z niemieckimi stajennymi konie, szeregowy Lowell wsiadł do swego czarnego jeepa i ruszył przez miasto na pole golfowe żandarmerii, gdzie znajdowała się jego kwatera. Marzyło mu się, aby zatrzymał go któryś z żandarmów, albo jeszcze lepiej, jeden z tych żółtodziobów prosto po szkole oficerskiej.

„Kawalerzysto" zaczepiliby go, jako że żandarmeria uparcie udawała kawalerię i wszyscy byli wachmistrzami i rotmistrzami kawalerzystami, a nie szeregowymi, „gdzie tak się upaćkałeś błotem?"

Mógłby wtedy spokojnie odpowiedzieć: „Nic poważnego. Grałem w polo z generałem Waterfordem i profosem".

Niestety, nikt go nie zatrzymał. Craig zaparkował wóz za sklepem, na którego piętrze mieściła się jego kwatera, i wąskimi schodami wszedł do pokoju. Jedyną zaletą tej klitki była odległość od koszar; nikt mu tu nie przeszkadzał. Jeżeli był potrzebny, ktoś musiał po niego przyjść, a zwykle niewielu podoficerów zdobywało się na taki wysiłek. Dużo prościej było zwalić czarną robotę na kogoś, kto napatoczył się po drodze.

Lowell zdjął buty i ściągnął przepocone ubranie. Generał zagonił ich na śmierć. Jeżeli reszta jest tak samo zmęczona jak ja, pomyślał nie bez satysfakcji, to ci panowie oficerowie dopiero musieli dostać w kość; wszyscy z wyjątkiem generała. Tylko on nie wyglądał na skrajnie wyczerpanego, kiedy klakson jeepa odtrąbił koniec ostatniej części meczu.

Craigowi przez myśl nawet nie przeszło, że Waterford może tak dobrze grać w polo, tak samo jak generał wcale nie podejrzewał, że Lowell nie jest oficerem.

Zupełnie rozebrany Craig pochylił się i przyjrzał swoim nogom. Nie był zbudowany jak kulturysta, ale jego wzrost i umięśnienie sugerowały sporą siłę oraz wytrzymałość. Po wewnętrznej stronie ud skóra była lekko zaczerwieniona na skutek przegrzania, nie wyglądało to jednak na nic poważnego.

Lowell przepasał się ręcznikiem i zszedł na parter do łazienki, zabrawszy ze sobą brzytwę. Choć zarost miał bardzo jasny, z jakiegoś niewiadomego powodu po ośmiu godzinach rzucał się w oczy tak samo, jak gdyby był kruczoczarny, i szeregowy koniecznie musiał się ogolić, bo dowódca pilnował tego jak oka w głowie.

Craig w ogóle nie zaprzątał sobie głowy tym, co mogło się zdarzyć, gdy generał dowiedział się o jego stopniu. Bardziej ciekawiło go to jako kuriozum, niż martwiło. Po pierwsze, na pewno nie próbował dać do zrozumienia, że jest oficerem, a po drugie, MacMillan znał całą prawdę. Jeżeli generał zdecyduje się miotać gromy, to spadną one raczej na kapitana niż na niego. Dla takich szarż szeregowcy byli po prostu niezauważalni.

Pozycja MacMillana wydawała mu się zaś tak silna, że nawet trafienie generalskim gromem nie było w stanie mu zaszkodzić.

Lowell przypomniał sobie strzępki rozmów majorów i pułkowników z pola golfowego w Bad Nauheim i zdał sobie sprawę, że wszyscy głęboko mylą się w ocenie adiutanta. Wydawało im się, że MacMillan jest błaznem na dworze króla Waterforda, niegroźnym idiotą, któremu medal trafił się jak ślepej kurze ziarno. Sam sposób zwracania się MacMillana do generała uznawano już za sztandarowy żart dywizji.

W oczach Craiga Mac był jednak wicekrólem, szarą eminencją za tronem dowódcy, a nie błaznem czy ordynansem. Zdania tego nie opierał na żadnych faktach, jako że ich nie znał, ale na paru niuansach w zachowaniu generała: kilku rzutach okiem, swego rodzaju zagubieniu, gdy w pobliżu nie było adiutanta, oraz dyskretnej uldze, kiedy się pojawiał.

Już wcześniej Lowell miał okazję poznać żonę Waterforda, szczupłą, wysoką i siwą kobietę, zupełnie niepodobną do swego męża – playboya. Gdy dzwoniła do klubu, zawsze pytała, kiedy na polu jest jakiś wolny termin, i nigdy nie anonsowała po prostu swego przybycia, jak to miały w zwyczaju robić małżonki innych wysokich rangą oficerów. Pani Waterford zawsze się upewniała, kiedy może zagrać, zwykle wybierając bardzo wczesne pory, i niezawodnie stawiała się na polu wraz ze swoją stałą partnerką Roxy MacMillan, rudą, piersiastą i obdarzoną zaraźliwym śmiechem.

Obie miały razem siedmioro dzieci, a pani generałowa już dwukrotnie została babcią.

Przy pierwszym spotkaniu żona Waterforda najwyraźniej doszła do wniosku, że Lowell jest Niemcem. Wchodząc do budynku klubu, usłyszała, jak rozmawia po niemiecku z chłopakami do szukania piłek, i uwierzyła, że jest Szwabem, czyli istotą stojącą w hierarchii społecznej jeszcze niżej od szeregowca.

– Dzień dobry – odezwała się po niemiecku z ciężkim angielskim akcentem. – Jaki śliczny poranek!

– Piękny, Frau Waterford – odparł Craig i przeszedł na angielski. – Szeregowy Lowell, szef chłopców donoszących piłki – zameldował.

– Według MacMillana w całej dywizji nikt nie gra lepiej od ciebie w golfa – błyskawicznie odparowała generałowa. – Może zagrałbyś z nami. Upiekłbyś dwie pieczenie na jednym ogniu; poznalibyśmy się, a przy okazji miałybyśmy szansę się czegoś nauczyć. Gramy tylko ze sobą, bo wstyd nam próbować z kimś innym, a oprócz tego obie potrzebujemy lekcji konwersacji po niemiecku.

– Nie ruszymy się bez ciebie – oznajmiła Roxy, wyciągając rękę do Craiga. – Jestem Roxy MacMillan – przedstawiła się.

Po zakończeniu gry Lowell doszedł do wniosku, że obie panie przypadły mu do gustu. Żona generała przypominała mu zmarłą babcię, a panią MacMillan, jak dawniej mówiono o ludziach dobrych i prostych, można by do rany przyłożyć.

To, jaką rolę odgrywa golf w wojsku, dotarło do świadomości kompletnie zaskoczonego szeregowca dopiero po przybyciu do sztabu żandarmerii w Bad Nauheim. Zawsze wydawało mu się bowiem, że jest to sport klasy średniej i arystokracji, a nie rozrywka sierżantów, którzy w hierarchii armii są przecież odpowiednikami parobków. Okazało się jednak, że przed wojną w golfa grali wszyscy, którzy mieli więcej belek niż kapral. Lowell szybko się zorientował, że z jednej strony przyczyniał się do tego rząd, płacąc za utrzymanie pól golfowych, a z drugiej strony generalicja, która szukając pretekstu do podtrzymywania tego przywileju, zachęcała do gry wszystkich zdolnych do utrzymania kija w dłoni.

MacMillan, którego Craig z początku zaliczał do kategorii wojskowych parobków, grywał w środy po południu, zwykle z płatnikiem, majorem Emmonsem. Czasami dołączał do nich Waterford, ale najczęściej na polu stawiali się tylko major i kapitan. Rozgrywali dziewięć dołków, a następnie spędzali kilka godzin w barze, zajadając hamburgery i sącząc piwo.

W kilka tygodni po rozpoczęciu w miarę regularnych lekcji z obiema paniami Lowell stał pod domkiem klubowym i miał cichą nadzieję, że już nigdy nie będzie uczył gry w golfa. Niespodziewanie podszedł do niego MacMillan i wręczył mu dolara.

– Kup parę piw i przyjdź do szatni – oznajmił. Brzmiało to dość elegancko, ale mimo to był to rozkaz, a nie zaproszenie.

Kiedy Craig wrócił z piwami, MacMillan wychodził właśnie spod prysznica z ręcznikiem na biodrach. Natychmiast odwrócił się tyłem, opuścił ręcznik i wciągnął spodenki.

– Rozumiem, że dajesz mojej żonie lekcje golfa – odezwał się kapitan, stojąc plecami do Lowella.

– Tak jest, sir – potwierdził Craig.

– Oraz lekcji niemieckiego – dodał Mac, odwracając się.

– Tak jest, sir.

– Gdzie się nauczyłeś po niemiecku? – zaciekawił się kapitan.

MacMillan nie lubił ludzi typu Lowella. Z natury zawsze był podejrzliwy w stosunku do przystojnych młodzieńców, a ten przystojny, młody szeregowy w dodatku mówił wyszukaną angielszczyzną i miał w sobie jakiś tajemniczy czar. Nie ulegało wątpliwości, że to nowy rekrut, któremu trzeba utrzeć nosa.

– Kobieta, która się mną opiekowała, gdy byłem mały, była Niemką – odpowiedział Craig.

– Czego szukasz w wojsku, Lowell? – pytał dalej Mac.

– Nie bardzo rozumiem, sir.

– Administracja wojskowa ciągle szuka ludzi ze znajomością niemieckiego – wyjaśnił MacMillan. – Za pół roku dostałbyś sierżanta, a przed końcem służby może nawet sztabowego.

– Jeżeli mógłbym wybierać, to wolałbym zostać tutaj.

– No tak, nie potrzebujesz pieniędzy – zauważył kapitan.

– Nie, nie potrzebuję. – Lowell zachodził w głowę, jak Mac do tego doszedł, choć wcale go to nie dziwiło.

– Moja żona uważa, że jesteś bardzo miłym młodzieńcem – ciągnął dalej adiutant. – Daj mi znać, jak się rozmyślisz.

– Dziękuję, sir.

– Przed wojną też byłem sportowcem – pochwalił się kapitan. – Na Hawajach byłem mistrzem w półciężkiej. – MacMillan otworzył butelkę, osuszył ją błyskawicznie i skończył się ubierać. Craigowi nie przyszło do głowy nic, co mógłby dodać. – Osobiście nie uważam cię jednak za miłego młodzieńca – wyłuszczył wreszcie kapitan. – Jesteś przeklętym cwaniakiem. – Kiedy Mac dostrzegł, że Craig osłupiał, szybko poszedł za ciosem: – Moja rada, cwaniaczku: Nie przeceniaj tego, że jesteś ekspertem generałowej od golfa i uczysz ją szwargotać.

Lowell zarumienił się, ale nie odpowiedział pięknym za nadobne.

– Doskonale wiem, że nigdy ci to nawet nie zaświtało w głowie, Lowell – zakończył adiutant i opuścił szatnię klubu.

Miesiąc później MacMillan ponownie zainteresował się szeregowym.

– Mam do ciebie pytanie, cwaniaczku – zagaił rozmowę. – Co wiesz o polo?

– A co by pan chciał wiedzieć?

– A co by pan chciał wiedzieć, sir – poprawił go kapitan.

– Tak jest, sir – zareagował natychmiast Lowell, zauważając, że dawny porucznik MacMillan stał się tymczasem kapitanem. – Nie chciałem pana obrazić, sir.

– Wcale tak tego nie odebrałem – uciął MacMillan – ale powiem ci coś, Lowell. Zachowujesz się tak, jakbyś myślał, że w wojsku wszyscy są od zamiatania końskich gówien.

– Nic takiego nie miałem na myśli, sir – szczerze odparł szeregowy.

– Ale uważasz nas wszystkich za takie gówno, co?

– Pana nie uważam – odparował bez zastanowienia Lowell.

MacMillan zmrużył oczy, zmarszczył brwi. W ostatniej chwili Lowell przypomniał sobie, żeby dodać „panie kapitanie".

– To mi pochlebia – stwierdził z sarkazmem Mac, ale Craig łatwo wyczuł, że kapitan udaje. Adiutant odnotował w pamięci to, co usłyszał, i czuł się zadowolony. – A skoro mowa o końskim gównie, opowiedz mi o polo – poprosił.

– A co by pan chciał wiedzieć?

– Wszystko. Na razie wiem tylko, że gra się w to na koniach.

– Sir, byłoby mi łatwiej, gdybym wiedział, do czego pan zmierza.

– Generał postanowił zagrać w polo – bąknął kapitan. – Co to, do cholery, jest siódma kategoria?

– To cholernie dobry zawodnik, sir.

– Generał ma siódemkę – wyjaśnił Mac. – Co to znaczy?

– To handicap – wytłumaczył mu Craig i objaśnił zasady gry.

MacMillan miał kilka pytań, ale Lowell niczego nie musiał powtarzać dwa razy.

– Jutro do szóstej rano masz zrobić listę sprzętu potrzebnego dla jednej drużyny. Wszystko. Od butów do podków. Konie znalazłem w Austrii, a w Fort Riley jest magazyn wypchany sprzętem. Mam tam znajomego, który przyśle nam całe wyposażenie. Rozpisz tylko dokładnie, co potrzeba, a potem pomnóż wszystko przez trzy.

– Sir, mam dzisiaj służbę...

– Nie masz. Od godziny pracujesz dla mnie. Załatwiłem to już z oficerem dyżurnym. Generał chce mieć drużynę polo i musimy dopilnować, żeby ją miał.

Dwa dni później Craig Lowell znalazł się niespodziewanie na pokładzie samolotu sztabu żandarmerii, pilotowanego przez szefa lotnictwa dywizji, majora Robbinsa.

Awionetka wylądowała w Alpach, nieopodal Salzburga, gdzie administracja wojskowa trzymała prawie pięćset zdobytych na Niemcach koni. Początkowo były ich tysiące, ale zwierzęta pociągowe szybko rozdano rolnikom, jako że kraj potrzebował chleba. Pozostawiono jedynie konie hodowlane, których pilnowano jak zagrabionych skarbów oczekujących na powrót w ręce prawowitych właścicieli.

Dziesięć dni później w tym samym miejscu pojawił się konwój ciężarówek, na które załadowano siedemdziesiąt wybranych przez Craiga zwierząt, i szybko odjechał w stronę Niemiec. Wśród wyselekcjonowanych koni nie było ani jednego kuca do polo, nie brakowało za to pięknych koni pod siodło (jeden z niemieckich koniuszych zwierzył się szeregowemu, że przywieziono je w ostatnich dniach wojny z Węgier), które sporym nakładem sił można było przyzwyczaić do gry.

Podróż do Bad Nauheim zajęła pięć dni, koniom to jednak nie zaszkodziło. Niemieccy stajenni mieli olbrzymie doświadczenie w transporcie zwierząt nawet w gorszych warunkach. Gdy konie dotarły na miejsce, MacMillan miał już wszystko gotowe; od stajni i karczmy po boisko w parku i mieszkania dla koniuszych.

W magazynach stało zaś dwadzieścia skrzyń przysłanych samolotem z Fort Riley w Kansas. Na każdej z nich widniał napis: „Transport lotniczy poza kolejnością. Łatwo psujące się środki weterynaryjne. Odprawiać natychmiast".

Wewnątrz znajdowały się: siodła, podkowy, kije do polo, bryczesy oraz pozostały sprzęt, którego zażyczył sobie Lowell. Dzień później z całego obszaru jurysdykcji żandarmerii zaczęli zjeżdżać gracze, a po upływie dwóch dalszych dób szeregowy Craig Lowell spotkał się z generałem Petersonem K. Waterfordem i poinformował go, że ich wspólny znajomy, Bryce Taylor, jest nieuleczalnie chory na raka.

6

Pozostał jedynie problem, jak wprowadzić szeregowego Lowella na boisko. MacMillan sprawdził jego teczkę i okazało się, że Craiga wylano ze studiów. Absolwentów w szczególnych okolicznościach można było promować bezpośrednio, kapitan nosił się więc z zamiarem dokonania pewnych „poprawek" w dokumentach, ale ostatecznie zrezygnował. Lowell miał dopiero dziewiętnaście lat i to też należałoby „poprawić", a za wiele takich „korekt" zbyt rzucałoby się w oczy.

Adiutant zdecydował się więc porozmawiać w tej sprawie z płatnikiem, majorem Williamem C. Emmonsem. W pewnym sensie byli znajomymi, jako że obaj stacjonowali przed wojną w Fort Riley, ale w rzeczywistości Mac z ręką na sercu nie mógł sobie przypomnieć, żeby spotkał się tam kiedykolwiek z tym nazwiskiem. Mimo że w dawnych czasach MacMillan niewiele miał do czynienia z papierkową robotą, a biurokraci rzadko widywali podoficerów, mieli jednak wspólnych znajomych.

W dniu ataku na Pearl Harbor Emmons był specem od finansów w stopniu starszego szeregowego, miał za sobą trzy lata służby i dzięki wtajemniczeniu w arkana ekonomii pobierał taką samą pensję co sierżant (grupa szósta). Miesiąc później został

bezpośrednio awansowany na podporucznika korpusu finansowego i spędził resztę wojny w budynku agencji ubezpieczeniowej
Prudential, zarządzając całą armią urzędników, którzy przygoto-
wywali i wysyłali czeki z zapomogami i wypłatami odszkodowań,
co doprowadziło go do stopnia majora.

Emmons nie tylko znał armię od podszewki i doskonale rozumiał problem MacMillana, ale potrafił nawet wskazać wyjście
z tego pata. Zrozumieli się bez słów; nie musieli nawet uzgadniać
szczegółów. Gdy major znajdzie się w potrzebie, adiutant będzie po
prostu wiedział, że ma stanąć na głowie, aby to załatwić, i kropka.
Żadnych dżentelmeńskich gestów i rewanży. Szeregowy Lowell,
który od świtu do zmroku albo grał w polo, albo ćwiczył konie, nie
miał zielonego pojęcia, że tryby wojskowej machiny administra-
cyjnej zaczęły się już kręcić na jego korzyść.

Kwatera Główna
Żandarmerii US Army

APO 109 Nowy Jork
Rozkaz specjalny z 19. 05. 1946
Nr 134

Wyciąg

35. Szeregowy Lowell Craig W., 32667099 MOS 7745 Kwt. Gł. USA
Żand. 109, przeniesiony do Działu Finansowego Żand. USA, Kwt. Gł.
APO, bez transportu, 07. 01. 1946, z przyczyny drastycznego braku
szeregowego personelu finansowego.

Z rozkazu
generała majora Waterforda
Charles A. Webster
pułkownik

Kwatera Główna
Dział Finansowy Żandarmerii

APO 109 Siły Okupacyjne
19. 05. 1946
Temat: drastyczny niedobór oficerów
w dziale finansowym

Wydano

przez: Dowódcę Naczelnego Żandarmerii APO 109, Siły Okupacyjne

Do: Dowódcy Sił Okupacyjnych na europejskim teatrze działań wojennych, APO 757

1. Odnośnie do korespondencji w powyższym temacie z dnia 03. 04. 1946
2. Dział finansowy Kwt. Gł. zatrudnia trzech (3) oficerów – MOS 1444, zgodnie z siatką organizacyjną dla służb pomocniczych: nie może przysłać żadnych uzupełnień ze strefy wewnętrznej Stanów Zjednoczonych przez najbliższe sześć (6) miesięcy.
3. Dział finansowy Kwt. Gł. został upoważniony do bezpośredniego promowania dwu odpowiednio wykwalifikowanych poborowych na stopień ppor. korpusu finansowego w związku z w/w brakiem personelu.
4. Dotyczy pkt. 2. Zgłosi wniosek o bezpośrednią promocję jednego (1) dodatkowego oficera na stopień por. korpusu finansowego w celu uzupełnienia kadr.

William C. Emmons
major, szef finansów dywizji

Kwatera Główna
Żandarmeria US Army
APO 109
19. 05. 1946
Do: Dowódcy Naczelnego Żandarmerii, APO 757
1. Zawiadamiamy dowództwo o drastycznym niedoborze wykwalifikowanych oficerów finansowych i poważnych następstwach, jakie z tej racji mogą grozić gotowości bojowej dywizji.
2. Prosimy o zgodę na bezpośrednią promocję.

Z rozkazu
generała majora Waterforda
Charles A. Webster
pułkownik

Kwatera Główna
Żandarmeria US Army
APO 757 22. 05. 1946
Do: Dowódcy Żandarmerii Sił Okupacyjnych, APO 109
Niniejszym udzielamy pełnomocnictwa do bezpośredniego pro-

mowania na stopień ppor. korpusu finansowego jednego (1) poborowego o wysokich kwalifikacjach zawodowych.

Z rozkazu
generała Claya
Edward K. McNeal
pułkownik

Kwatera Główna
Żandarmeria Sił Okupacyjnych
APO 109 23. 05. 1946
Do: Szefa finansów Żandarmerii
Wykonać

Z rozkazu
generała majora Waterforda
Charles A. Webster
pułkownik

Kwatera Główna
Żandarmeria US Army
APO 109 Nowy Jork
24.05.1946
Rozkaz specjalny
Nr 137

Wyciąg

16. Szer. Lowell Craig W. US 37667099, Kw., Gł. Żand., APO 109 zwolniony z dotychczas pełnionych obowiązków. Z pełnymi honorami
kończy on służbę poborowego, UP, AKG 615/365, ze względu na
objęcie stanowiska oficerskiego.

17. Ppor. Lowell, Craig W., kor. fin., O-495302 stawił się w Kwt. Gł.
Żandarmerii. Z dniem dzisiejszym skierowany do służby w dziale finansowym.

18. Ppor. Lowell, Craig. W., kor. fin., O-495302, dział finansowy,
przeniesiony z dniem dzisiejszym do sekcji wojsk panc., na
okres jednego roku, na podstawie zarządzenia Kwt. Gł. (O przydziale nowo promowanych oficerów do działów specjalnych).

19. Ppor. Lowell, Craig. W., kor. fin., O-495302, sekcja panc., Kwt.
Gł. Żandarmerii US Army, przeniesiony z dniem dzisiejszym
do 17. Szwadronu Kawalerii Pancernej, na podstawie rozkazu
Kwt. Gł. (O przydziale oficerów jednostek panc., do szwadronów
konnych). Miejsce pobytu: 40. Tymczasowy Pluton Konny 17.

Z rozkazu
generała majora Waterforda
Charles A. Webster
pułkownik

7

40. Tymczasowy Pluton Konny,
Żandarmeria US Army
Bad Nauheim, Niemcy

Szeregowy Lowell podjechał do stajni 40. Tymczasowego Plutonu Konnego własnym jeepem i włączył klakson. W chwilę później któryś z niemieckich koniuszych otworzył lewą połówkę olbrzymiej bramy.

Kiedy wóz znalazł się w środku, koniuszy zamknął je ponownie i podszedł do prowadzącej na piętro klatki schodowej, obok której zatrzymał się Craig, pomógł mu rozładować przywiezione na tylnym siedzeniu zapasy.

Znajdowało się tam między innymi radio Zenith jeszcze w fabrycznym pudle, kilka pudełek mydła Ivory, trzy kartony papierosów Camel, dwa pudełka holenderskich cygar, coca-cola, puszkowane piwo Schultz, karton batonów czekoladowych Hershey zwykłych i drugi z migdałami, i sześć dużych puszek rozpuszczalnej kawy Nescafé. Wszystko to pochodziło ze sklepu garnizonowego, do którego szeregowy Lowell udał się na zakupy.

– Radio, cygara i piwo zawieź do mnie – rozkazał Craig. – Dobrze wiesz, co zrobić z resztą.

– *Jawohl, Herr Rittmeister* – odrzekł koniuszy.

Tytuł ten dosłownie oznacza nauczyciela jazdy konnej, ale był to również stopień w niemieckiej kawalerii odpowiadający kapitanowi piechoty oraz godność drobnej szlachty. Wszyscy stajenni zaczęli się tak do niego zwracać, a sam Lowell traktował to jako dobry żart.

Przed udaniem się do kwatery Craig sprawdził jeszcze oba skrzydła stajni, boksy, siodła oraz szatnie, w których gracze przechowywali sprzęt. Początkowo miał drobne problemy z koniuszymi, wszystko się jednak zmieniło, kiedy odkryli, że ich młody zwierzchnik mówi płynnie po niemiecku i zna się na koniach.

Inspekcja wypadła bardzo pomyślnie. Koniom nic nie dolegało, stajnie były czyste, siodła zadbane, a w szafkach czekały na jeźdźców dwa świeżo odprasowane komplety strojów do gry w polo.

Skończywszy lustrację, Craig udał się po schodach do swej nowej kwatery. Od samego początku wiedział o tych pokojach nad stajnią i bez namysłu zadecydował, że zagwarantują mu one znacznie wyższy standard od klitki nad sklepem przy polu golfowym. W dzień po rozegraniu pierwszego meczu z generałem Lowell przeniósł się do nowego mieszkania.

– Panie kapitanie – zapytał MacMillana – nad stajniami jest dobre miejsce do spania. Mogę się tam przenieść?

– Gdzie teraz śpisz?

– Nad sklepem.

– Przenoś się.

Teoretycznie między koniuszymi nie czyniono różnic. Wojsko zatrudniało ich w zamian za minimalną płacę, jeden posiłek dziennie oraz farbowane na czarno mundury do pracy przy koniach. Jeden z nich, Ludwig, był jednak „równiejszy" od reszty i aspirował do roli swego rodzaju „brygadzisty".

To właśnie on zorganizował uporządkowanie obu pokoi nad stajnią. Przez noc znalazło się w nich łóżko bez porównania wygodniejsze od wojskowej pryczy, wyściełane fotele, stół, biurko, skrzynka z lodem, kilka lamp i dywan, a w dwadzieścia cztery godziny później do stolika pomiędzy fotelami dotarła końcówka telefonu, umożliwiająca szeregowemu dzwonienie bez konieczności zbiegania po schodach do dyżurki w stajni.

Wchodząc do pokoju, Lowell ze zdumieniem spostrzegł, że ktoś zajął się praniem, odprasował mundury i porozwieszał je w szafie. W równie nieskazitelnym stanie znajdował się wiszący obok nich strój do jazdy konnej oraz stojące przed łóżkiem świeżo wypastowane buty.

Craig zdjął kurtkę, rozwiązał krawat, wyjął piwo ze skrzynki z lodem i rozpakował radio. Po przeczytaniu instrukcji obsługi podłączył zakupioną w tym samym sklepie dużą baterię i włączył odbiornik. Szybko udało mu się wyszukać stację US Army AFN Frankfurt i, wertując raz jeszcze instrukcję oraz popijając zimne piwo, zaczął przysłuchiwać się audycji Burnsa i Allena.

Niespodziewanie ktoś zapukał do drzwi.

– Kto tam? – zapytał Craig po niemiecku.

– Kapitan MacMillan.

– Proszę wejść – odpowiedział. Niech to szlag, pomyślał.

Adiutant był ostatnią osobą, którą Lowell pragnął ujrzeć na progu swojej nowej kwatery. To pewnie sprawka koniuszego, który regularnie meldował mu o stanie koni. Łudził się, że przy okazji poczęstują go piwem albo papierosami.

Craig właśnie doszedł do wniosku, że jest chyba jedynym żołnierzem sił okupacyjnych, który kupuje papierosy na czarnym rynku. Wszyscy inni nie tylko handlowali swymi przydziałami, ale ściągali nawet na bazary dostawy ze Stanów.

Lowell nosił się już nawet z zamiarem napisania do matki, żeby mu przysłała cały karton, ale ostatecznie zrezygnował. Na pewno nie pojęłaby, o co mu chodzi, i wybrała jakieś ekstrawaganckie papierosy z monogramem. Nie było sensu nawet próbować.

Mógł przecież pozwolić sobie na zakup trzech kartonów na tydzień i roztropne rozdzielanie ich pomiędzy koniuszych w zamian za pranie bielizny, prasowanie ubrań, czyszczenie butów oraz pewność, że zwierzęta i sprzęt zawsze będą w idealnym stanie, kiedy oficerowie zjadą się na mecz. Tego rodzaju praca odpowiadała mu o wiele bardziej od nadzorowania chłopców do szukania piłek i Craig postanowił zrobić wszystko, co w jego mocy, aby ją utrzymać.

MacMillan wcale nie ukrywał, że nie lubi szeregowego, istniały zatem powody do obaw, że po ujrzeniu nowej kwatery natychmiast odeśle go do koszar albo wyekspediuje na wieś.

Kapitan wszedł i rozejrzał się po pokoju.

– Bardzo tu ładnie – odezwał się.

– Dziękuję, sir.

– Masz jeszcze jakieś piwo?

– Tak jest, sir – odparł Craig. – Oczywiście.

Adiutant obszedł mieszkanie, otwierając po drodze drzwi do szafy i łazienki.

– Bardzo tu ładnie – powtórzył. – Nawet lodówka! – zdziwił się. – Tak jak mówiłem, Lowell. Zawsze wypływasz na wierzch. Zupełnie jak gówno.

To była wpadka na całej linii. Nie mając już nic do stracenia, Craig postanowił zaryzykować.

– Dowódca kompanii wyobraża sobie, że śpię na słomie – odezwał się, podając gościowi piwo, otwieracz i szklankę.

– Klasa! – bąknął MacMillan. – Kryształ? – zapytał.

– Tak jest. Czeski. Rocznik, według znaku firmy, około 1880, wyszukałem to w bibliotece.

– Interesują cię kryształy? – Kapitan najwyraźniej był przygnębiony tym odkryciem, jako że, w jego mniemaniu, kolekcjonowanie takiego szkła równało się publicznemu przyznaniu do homoseksualizmu. Nigdy nie podejrzewał o to Lowella, ale po błyskawicznym namyśle nie mógł i takiej możliwości wykluczyć.

– Właściwie nie – odpowiedział Lowell. – Przyniósł mi to jeden z koniuszych, powiedział, że to dobry kryształ. Sprawdzałem go dokładnie, ale piwo smakuje z niego tak samo jak ze zwykłej szklanki.

MacMillan uśmiechnął się, co dało Craigowi promyk nadziei na pozostanie w tym utajnionym apartamencie.

– Masz jakieś plany na wieczór? – zapytał kapitan.

– Myślałem, że się położę i posłucham radia – odparł Lowell, wskazując ruchem głowy na nowy aparat. – Najnowszy nabytek – dodał.

– Może przyszedłbyś do nas na kolację – niepewnie zaproponował Mac. Szeregowy najwyraźniej ociągał się z odpowiedzią, kapitan dodał więc szybko: – Nie krępuj się. Roxy już dawno chciała cię zaprosić.

– To bardzo miło z pana strony, panie kapitanie – wykrztusił w końcu Lowell. – To duży zaszczyt, ale...

– Co się, do cholery, z tobą dzieje – uciął gwałtownie MacMillan.

– Naprawdę chciałem to powiedzieć. To zaszczyt. Mało kto pamięta o samotnych szeregowcach. Pan kapitan pewnie rzadko jednak spędza noce w domu i żona wolałaby chyba nacieszyć się tego wieczoru mężem, niż gościć jednego z pańskich podwładnych.

MacMillan nie odezwał się ani słowem.

– Z ręką na sercu, panie adiutancie. Przyzwyczaiłem się do samotności i tak mi jest najlepiej, choć naprawdę uważam pańską propozycję za zaszczyt.

– Ogolić się! – rozkazał kapitan. – Poczekam. To świeży mundur?

– Tak jest, sir.

– Włóż go.

8

Kapitanowi MacMillanowi i jego żonie przydzielono czternastopokojową willę na stokach gór Taunus z widokiem na leżące u ich stóp uzdrowisko. Craigowi od razu skojarzyła się ona z domem postawionym przez jego kuzyna Petera w West Hampton i odruchowo zastanowił go los poprzednich właścicieli tej rezydencji, ale Mac nie dał mu zbyt wiele czasu na domysły. Lowell szybko zaparkował jeepa obok buicka adiutanta i podążył za nim po ceglanych schodach.

Drzwi otworzyła im wprawdzie niemiecka służąca, prawie w tej samej chwili wybiegła im jednak na spotkanie Roxy MacMillan ubrana w białą bluzkę, rozpięty niebieski sweter i plisowaną spódnicę. Chwyciła Lowella za rękę i ucałowała w policzek.

– Gratuluję! – wykrzyknęła. – Tak się cieszę.

Craig zupełnie nie rozumiał, z jakiego powodu żona kapitana kipi takim entuzjazmem, i ku swojemu przerażeniu dostrzegł, że mąż daje jej znaki, aby się uspokoiła.

– Przepraszam – bąknęła Roxy. – Mam niewyparzoną gębę. Co pijesz, Craig? Mamy wszystko.

– Najchętniej piwo, jeżeli państwo mają pod ręką – odparł Lowell.

– Świetnie. To będzie pasowało do steków – ucieszyła się żona kapitana i spojrzała na męża. – Jezu, Mac. Dlaczego mu nie powiesz?

– Faktycznie, sir. Proszę mi wyjaśnić, o co chodzi – szeregowy zdobył się na pytanie.

– Roxy, przynieś nam po piwie i postaw na werandzie – poprosił Mac.

Weranda miała rozmiary mola (trzydzieści stóp na osiem) i była obramowana czerwonymi kamieniami oraz murkiem z cegły. Rozciągał się z niej widok na Bad Nauheim. Lowell widział wyraźnie pięciopiętrowy budynek sztabu z białej cegły i szkła, jedyny nowoczesny budynek w całym mieście, park miejski z boiskiem do gry w polo, a nawet czerwone dachy stajni.

– Pięknie tu – zagadnął.

Roxy weszła na werandę i podała piwo.

– Kawał drogi od kurników – odezwała się i stuknęła w szyjkę butelki szeregowego. – Niech ci się darzy, chłopcze.

– Kurników? – zdziwił się Lowell.

– Taki był nasz pierwszy dom – wyjaśniła Roxy. – Pobraliśmy się w Manhattanie, w Kansas, tuż obok Fort Riley, i mieszkaliśmy najpierw u rodziców, a później, jak Mac przeszedł do 82. Spadochronowej i przenieśliśmy się do Fort Benning, jakiś południowiec wykombinował, że lepiej wyjdzie na zdzieraniu z wojska niż na hodowaniu kur, wyczyścił kurnik i zamienił na trzy mieszkania. Ściany z dykty i kibel na gnoju pięćdziesiąt jardów za chatą. Brał od nas pięćdziesiąt dolarów na miesiąc, a mąż zarabiał wtedy sto pięćdziesiąt dwa dolary i osiemdziesiąt centów razem z dodatkiem za skoki i mimo to promienieliśmy szczęściem, że w ogóle udało się nam coś dostać.

– Ale tu naprawdę jest wspaniale – szczerze przyznał Craig, wskazując ręką na willę i dziedziniec.

– Miało to być skromniejsze, na miarę kapitana, ale Mac dodał trochę przepychu.

Lowell nie wiedział, co odpowiedzieć, poprzestał więc na uśmiechu.

– Powiedziałeś mu już? Zrób to, na miłość boską, bo nigdy nie zaczniemy! – nalegała Roxy.

– Jezus Maria, kobieto – zaperzył się adiutant. – Czy ty naprawdę musisz się do wszystkiego wtrącać?

– Chcesz, żebym sama mu powiedziała? Dobra. Masz to jak w banku!

– Już mówię – burknął kapitan.

Craig obserwował ich z rosnącą niecierpliwością.

– Myślałeś kiedyś o tym, żeby zostać oficerem? – spytał w końcu MacMillan.

– Tylko przelotnie – odparł Lowell. – Podczas szkolenia chcieli, żebym poszedł do szkoły kadetów.

– Trzeba było pójść – wtrąciła się Roxy.

– Nie chciałbym wojsku nic ujmować, ale już po trzech dniach pobytu w armii zorientowałem się, że to nie dla mnie – odrzekł Craig.

– To dlatego, że znasz tylko jedną stronę życia w mundurze, a w rzeczywistości istnieje jeszcze druga, o wiele przyjemniejsza. Sam się przekonasz.

Craiga zastanowiło, co to, u diabła, mogło znaczyć, postanowił jednak powstrzymać się od wszelkich uwag, które mogłyby urazić żonę MacMillana. Uważał ją za porządną kobietę, choć wcale nie bał się kapitana.

– Zostało pani jeszcze piętnaście miesięcy i jedenaście dni, żeby mnie przekonać – uśmiechnął się szeregowy.

– Jutro o ósmej rano będziesz promowany na podporucznika – oznajmił drętwym głosem adiutant.

– Co proszę? – nie zrozumiał Lowell.

– To, co usłyszałeś – rzekł MacMillan, uśmiechając się do osłupiałego szeregowca.

– Słyszałem, co pan powiedział, panie kapitanie, ale nie mogę w to uwierzyć.

– Spokojnie. Ja ci to mówię i możesz mi wierzyć – potwierdził adiutant.

– Teraz możemy zaczynać – westchnęła Roxy i raz jeszcze soczyście ucałowała Lowella w policzek.

– Chwileczkę! – żachnął się Craig. – Nikt mnie się nie pytał, czy chcę być oficerem!

– Co to, do cholery, za wymysł! Co się z tobą dzieje? – zdenerwowała się Roxy.

– Może ja ci wyjaśnię – odzyskał głos MacMillan. – Generał chce wygrać z żabojadami w polo. Nie mam pojęcia, dlaczego mu na tym tak zależy, ale mnie to nie interesuje. Powiem ci tylko, że jemu chodzi o coś więcej niż zwycięstwo w uganianiu się na koniach za piłką.

– Byłam żoną szeregowca – znowu wtrąciła się Roxy – i wiem, co to znaczy. Oficerom jest tysiąc razy lepiej.

– Zamkniesz się w końcu czy nie – warknął Mac.

Żona spojrzała na niego z wyrzutem.

– Generałowi się wydaje, że wygramy mecz, tylko jeśli ty będziesz w drużynie – ciągnął dalej kapitan – a oni nie grają z szeregowcami. Waterford powiedział, że musisz zagrać. Rozumiesz?

Lowell skinął głową, ale nie odezwał się ani słowem.

– W związku z tym – kontynuował gospodarz – jutro rano promuje cię na oficera. Oczywiście nie masz zielonego pojęcia ani o wojsku, ani o służbie. Najgłupszy kapral wie więcej od ciebie, Lowell, nie mówiąc o oficerach. Obaj zdajemy sobie z tego sprawę, ale nie o to chodzi. Masz być oficerem i dżentelmenem, wsiąść na konia i grać. Zrozumiano?

– A co będzie po sezonie? – zapytał Craig.

– Generał dostanie wkrótce jeszcze jedną gwiazdkę, a to oznacza powrót do Stanów. Do niczego się nie wtrącaj, a ja ci daję słowo, że zdejmiemy ci tę złotą belkę tak szybko, jak ci ją nadaliśmy.

– I znowu będę szeregowcem?

– Pójdziesz do cywila – twardym głosem odpowiedział MacMillan. – Dopilnuję, żeby twoje podanie o zwolnienie ze służby czynnej ze względu na stan zdrowia zostało rozpatrzone pozytywnie.

– Nie tak to sobie wyobrażałam – nie wytrzymała Roxy. – Myślałam, że jest dla niego jakiś przydział. W ogóle mi się to nie podoba.

– Kiedy będę mógł przejść do cywila? – zapytał rzeczowo Craig.

– Za sześć miesięcy będziesz w domu. Masz moje słowo.

– Dobra – zgodził się Lowell.

– Ty mały gnojku – ze złością w głosie syknął kapitan. – Jak byłem w twoim wieku, to dałbym sobie uciąć lewe jajo za przydział oficerski.

– Wybaczy pan, panie kapitanie – odrzekł Lowell, wstając.

– Chwileczkę! – krzyknęła Roxy – zatrzymaj go. To jest moje przyjęcie. Ja go tu zaprosiłam i nie chcę, żeby to się tak skończyło. Zostawcie wasze poglądy za drzwiami.

– Nie wybaczę – warknął adiutant. – Generał będzie tu za dziesięć minut. Zostaniesz i będziesz się tak zachowywał, jakby wszystko ci się podobało. Zrozumiano?

– To chyba rozkaz, o ile ja się na tym znam – odezwał się Waterford z końca werandy. – Nie mam tylko pojęcia, Mac, jak go wyegzekwować.

Lowell i MacMillan wstali.

– Dobry wieczór, Craig – zagaiła pani Waterford, podeszła do niego i podała mu rękę. – Miło cię widzieć.

– Dobry wieczór – odpowiedział Lowell, zastanawiając się, ile z tej rozmowy usłyszał generał. Wyglądało jednak na to, że do jego uszu doszło jedynie ostatnie warknięcie adiutanta.

– Rozumiem, że jutro będzie promocja – dodała pani generałowa. – Moje gratulacje. Będzie z pana świetny oficer!

Craig skierował na nią wzrok, zachodząc w głowę, czy naprawdę mówi to, co myśli, czy też zachowuje tylko pozory.

– Dziękuję – odrzekł.

Dwie niemieckie pokojówki wniosły rozciętą na pół pięćdziesięciolitrową beczkę na nóżkach, a generał ściągnął bluzę, rozwiązał krawat i podwinął rękawy, po czym założył wielki biały fartuch z wymalowanym na przodzie rubasznym kucharzem w czapce. Nieco niżej widniał napis „Szef kuchni i zmywalni butelek".

Przebrawszy się, Waterford dołożył węgla drzewnego do ognia i zabrał się do przygotowywania głównego punktu menu, popijając piwo prosto z butelki.

Steki w jego wykonaniu były wspaniałe; mocno spieczone na zewnątrz i różowiutkie w środku. Roxy podała do nich pieczone ziemniaki, chleb czosnkowy oraz sałatkę i rozpoczęła się uczta. W czasie jedzenia rozmawiano wyłącznie o polo, z czego Lowell był niezmiernie zadowolony, tym bardziej że MacMillan nie miał na ten temat nic do powiedzenia.

Ale numer, pomyślał szeregowy. Pogram sobie w polo, wyjdę sześć miesięcy przed czasem i po drodze będę jeszcze oficerem. Czego więcej można sobie życzyć?

V

1
Bad Nauheim, Niemcy
24 maja 1946

Dowództwo Sił Okupacyjnych zdawało sobie sprawę z faktu, że ludzie potrzebują prywatnych samochodów, nie miało jednak ochoty na pokrywanie kosztów transportu dziesiątek tysięcy pojazdów ze Stanów Zjednoczonych. Zdecydowano się więc na rozwiązanie kompromisowe, zlecając fabryce zbrojeniowej w Griesheim przystosowanie jeepów z demobilu do potrzeb cywilnych.

Przerabiano je tam według oryginalnej dokumentacji i obowiązkowo malowano na czarno, odróżniając w ten sposób auta prywatne od służbowych. Gotowe sprzedawano następnie sklepom garnizonowym po 430 dolarów za sztukę, a te z kolei udostępniały je żołnierzom, którzy nosili się z zamiarem kupna samochodu i mieli szczęście w losowaniu. Przerobionych wozów było znacznie mniej od potencjalnych nabywców, losowano je więc tak samo jak kupony do gry w bingo w klubach garnizonowych.

Pierwsza i ostatnia wizyta szeregowca Lowella w kantynie spowodowana była właśnie chęcią obejrzenia takiej loterii i zakończyła się tym, że nieoczekiwanie znalazł się on wśród dziesięciu szczęśliwców, którym trafiły się samochody.

Craig w galowym mundurze zaparkował niedawno wygrany wóz za sztabem dywizji i udał się do urządzonej w piwnicach kawiarni, gdzie czekał już na niego MacMillan. Kapitan kazał mu ściągnąć kurtkę mundurową, a kiedy rozkaz został posłusznie wykonany, rozciągnął ją na stoliku i zabrał się do zdejmowania dystynkcji szeregowca z kołnierza (liter US oraz sylwetki czołgu z I wojny światowej, odciśniętych na mosiężnych krążkach), po czym wyciągnął do Lowella rękę i podał mu je.

– To na pamiątkę – wyjaśnił, rozdzierając tekturowe pudełko i przystępując do przypinania wyjętych z niego dystynkcji podporucznika (liter US, sylwetki czołgu, ale bez okrągłego tła, oraz złotej belki noszonej na naramiennikach). Skończywszy, oddał kurtkę Craigowi i wpiął belkę podporucznika również w furażerkę, wyrzucając starą wełnianą czapkę szeregowca do kosza.

– Nie będzie ci już potrzebna – stwierdził, wręczając Lowellowi oficerskie nakrycie głowy. – Nosi się ją za pasem, a nie pod naramiennikiem – dodał.

– Tak jest, sir.

Obaj wyszli z kawiarni, podjechali windą na czwarte piętro hotelu, obecnie zaadaptowanego na budynek sztabowy, i skierowali się do apartamentu na końcu korytarza, przerobionego na biura.

– Dzień dobry, sierżancie – MacMillan przywitał się z siedzącym w przedsionku podoficerem. – Mam nadzieję, że pułkownik Webster nas oczekuje...

– Oczywiście – odparł sierżant. – Pięknie mu się dzień rozpoczął dzięki panu, panie kapitanie.

– Nie pańskie zmartwienie, sierżancie. Pański problem to mieć wszystko przepisane na maszynie.

– Wie pan, że dzwonił do generała – oznajmił podoficer.

– Tego się spodziewałem – mruknął Mac. – Generał z pewnością potwierdził wspaniałe i wszechstronne predyspozycje Lowella do stopnia oficerskiego.

Rozbawiony sierżant spojrzał na Craiga z politowaniem, pokręcił głową i sięgnął po telefon.

Ty gnoju, pomyślał Lowell. Za kwadrans będziesz musiał do mnie mówić „sir"!

– Panie pułkowniku – zameldował podoficer. – Przyszedł kapitan MacMillan. – Po wysłuchaniu uwag Webstera dodał: – Tak jest, sir – i odłożył słuchawkę. – Rozumiem z tego, że pułkownik się uspokaja – skomentował kąśliwie. – Powiedział, żeby wszystko podpisać.

Mac skinął głową. Na ten znak sierżant wstał i warknął do Lowella:

– Tylko się nie ruszaj! – po czym podał mu pióro oraz gruby na cal plik dokumentów. Craigowi ręka ścierpła, zanim dotarł do połowy formularzy, a gdy kończył, z jego i tak mało czytelnego podpisu została już tylko falująca kreska.

Po podpisaniu całego pliku nastąpiła pięciominutowa przerwa, którą adiutant przeplotkował z sierżantem o jakimś wspólnym znajomym z dawnych czasów. Nagle odezwał się telefon.

– Tak jest, sir – powiedział do słuchawki podoficer, przez chwilę wsłuchiwał się w czyjś głos, a następnie powtórzył to samo i zakończył rozmowę. – Panowie, teraz przyjmie was pan pułkownik – oznajmił.

Craig wszedł do gabinetu tuż za kapitanem, depcząc mu prawie po piętach, i zasalutował równocześnie z nim.

– Dzień dobry, panie pułkowniku – przywitał się MacMillan, ale Webster zupełnie go zignorował.

– To pan jesteś Lowell?

– Tak jest, sir!

W oczach Webstera połyskiwała głęboka nienawiść. Nie cierpiał bezpośrednich promocji inżynierów, profesorów i innych fachowców, których armia tak często obdarzała godnością oficera, ale przyjmował do wiadomości, że są niezbędni. Pomysł promowania tego szczawika tylko dlatego, że Waterford chciał grać z nim w polo, doprowadził go jednak do szewskiej pasji.

„Dziękuję panu za cenne uwagi" – powiedział generał, kiedy Webster zadzwonił do niego z protestem – „ale zależy mi na tym oficerze".

Pułkownik podniósł się zza biurka. Wyglądał dostojnie i poważnie.

– Proszę stanąć na baczność – rozkazał – podnieść prawą dłoń i powtarzać za mną: ja, imię, nazwisko.

– Ja, Craig Lowell.

– Przysięgam uroczyście i ślubuję.

– Przysięgam uroczyście i ślubuję – powtarzał bezmyślnie Craig – że będę bronił Konstytucji Stanów Zjednoczonych przed wszelkimi wrogami wewnętrznymi i zewnętrznymi w kraju i za granicą, będę gorliwie wykonywał wszystkie rozkazy prezydenta

Stanów Zjednoczonych i przełożonych, zgodnie z regulaminem Sił Zbrojnych Stanów Zjednoczonych, a także ze wszystkich sił będę wypełniał obowiązki korpusu oficerskiego, w poczet którego niniejszym zostałem przyjęty. Tak mi dopomóż Panie Boże Ojcze Wszechmogący.

Webster opuścił prawą dłoń i z bezgraniczną pogardą w głosie oznajmił:

— Gratuluję. Od tej chwili jest pan członkiem korpusu oficerskiego US Army. Ceremonia skończona.

MacMillan i Lowell zasalutowali i ruszyli do wyjścia, kiedy pułkownik nagle dodał:

— Nie ujdzie ci to na sucho, Mac!

Kapitan nie zareagował. Obaj przeszli poczekalnię i wrócili korytarzem do windy. Adiutant nie odezwał się ani słowem, dopóki ponownie nie znaleźli się w piwnicy.

— Generał będzie wolny o piętnastej trzydzieści. Dostosuj do tego swój rozkład dnia.

— Tak jest, sir – odpowiedział Lowell.

— Zanim nie staniesz mocno na nogach, radzę ci nie wtykać do niczego nosa – dodał MacMillan. Craig skinął głową. – Nie patrz tak, jakby cię to cholernie przerażało! Ty zawsze wypływasz na wierzch!

Lowell kiwnął jeszcze raz głową, widząc, że kapitan tego od niego oczekuje, ale w rzeczywistości nie był wcale taki przestraszony. Webster niewątpliwie wpadł w szał z powodu tej promocji i doszczętnie nim gardził, musiał sobie jednak zdawać sprawę z faktu, że Craig nie miał żadnego wyboru. To MacMillan nadstawiał karku, a nie były szeregowy.

Kiedy Craig przechodził przez parking, zmierzając do swego jeepa, minął go jakiś sierżant, zasalutował regulaminowo i mruknął: „dzień dobry, sir". Podporucznik Lowell nie mógł sobie odmówić przyjemności zapytania „Jak leci, sierżancie?" oraz arcyregulaminowego odpowiedzenia na oddane mu honory.

Ale ze mnie świnia, pomyślał. Zrobiłem to zupełnie umyślnie!

Wróciwszy do stajni, Craig wszedł na piętro i ze zdumieniem stwierdził, że na łóżku nie ma pościeli. Równie pusto było w szafie i niczego nierozumiejący podporucznik zaczynał już nerwowo myszkować po pokoju, kiedy niespodziewanie natknął się na uśmiechniętego od ucha do ucha koniuszego.

— Pozwoliłem sobie spakować rzeczy pana porucznika i odesłać je do hotelu oficerskiego – wyjaśnił Ludwig. – Buty i bryczesy są w szatni.

– Szybko się rozniosło... – stwierdził Lowell.

– Zechce pan porucznik przyjąć życzenia długiej i owocnej kariery od byłego rotmistrza 17. Dywizji Kawalerii Westfalskiej.

– Czyli od ciebie, Ludwig? – upewnił się Craig.

Koniuszy skinął głową.

– Dziękuję – odparł Lowell. – Ta „długa i owocna kariera" skończy się chyba tak szybko, jak się zaczęła. Wystarczy, że przegramy mecz z Francuzami.

– Na pewno wszystko pójdzie dobrze – z przekonaniem stwierdził Ludwig. – Koniki są w coraz lepszej formie, a to jest osiemdziesiąt procent wygranej.

– Grałeś w polo? – niespodziewanie zapytał Lowell.

– Owszem – potwierdził Niemiec – i z pewnością jeszcze zagram.

Nagle Craig zdał sobie sprawę, że optymizm koniuszego jest sztuczny i udawany.

– Na miłość boską, nie wspominaj tego przy generale, bo też zostaniesz podporucznikiem.

– Wcale by mnie to nie martwiło – odrzekł Ludwig. – To brzmi dużo lepiej niż Unterwachmeister.

– Co to, do cholery, znaczy?

– Grenzpolizei, czyli Straż Graniczna, przyjęła mnie jako Unterwachmeistera. To jest to samo co starszy szeregowy.

– Nie rozumiem – przerwał mu Lowell. – Co ty wygadujesz?

– Jestem żołnierzem tak samo jak pan, panie poruczniku. Została mi jednak tylko Legia Cudzoziemska i Straż Graniczna. Innej pracy w tym fachu nie ma. W Legii jest pełno faszystów, wybrałem więc Straż.

– Tu się mylisz, Ludwig. Wcale nie jestem żołnierzem.

Niemiec uśmiechnął się i pokręcił z niedowierzaniem głową.

– Właśnie, że pan jest – skonstatował – i to coraz lepszym.

Craig zmienił temat. Komplement koniuszego wprawił go w zakłopotanie. Sam pomysł, że zostanie dobrym oficerem, wydał mu się absurdalny, ale zrobiło mu się żal Ludwiga, oficera przegranej armii, który – poniżony do roli stajennego – musi prawić nadęte komplementy dziewiętnastoletniemu szczawikowi.

– Odchodzisz? – zapytał. – Kiedy?

– Zostanę do meczu z Francją – odpowiedział koniuszy. – Bardzo bym chciał, żeby moja drużyna im dołożyła.

Unterwachmeister otworzył Lowellowi drzwi i ukłonił mu się w pas.

Żaden z graczy nie odezwał się ani słowem, kiedy Craig wszedł do szatni, aby przebrać się w strój do gry. Przywitano go tylko skinięciami głowy, które zaledwie potwierdzały, że zauważyli jego obecność. Jeżeli o promocji wiedzą już Niemcy, to tym bardziej musiało to dotrzeć do oficerów, pomyślał Lowell. Pewnie nie chcą się sparzyć i dmuchają na zimne. MacMillan miał rację, ja zawsze wypływam na wierzch, pocieszył się w myślach i przypomniał sobie komplement Ludwiga. Bzdura, pomyślał.

Lowell wyszedł z szatni i zbliżył się do swego konika.

– *Guten Morgen, Herr Leutnant* – przywitał go szeroko uśmiechnięty koniuszy i pomógł mu dosiąść kasztanowej klaczy.

2

Dzień był cichy, spokojny i bardzo słoneczny, idealny do gry. Ćwiczyli więc aż do jedenastej, oszczędzając lepsze konie na popołudnie, kiedy miał dołączyć do nich generał. Po tym wiosennym poranku Craig doszedł do wniosku, że na boisku jest tylko trzech prawdziwych graczy: Waterford, Charley i szeregowy Lowell; reszta po prostu bawi się w polo, a to zupełnie co innego.

Craig uśmiechnął się i poprawił samego siebie. Jest ich trzech: generał, Charley i porucznik Lowell. Zastanawiał się, dlaczego najzwyczajniej w świecie nie przypięli mu tej belki na sam mecz i nie kazali udawać oficera? Na pierwszy rzut oka wyglądało to na o wiele prostsze wyjście z sytuacji. Ostatecznie Lowell doszedł jednak do wniosku, że widocznie nie zezwalają na to zawiłe zasady wojskowej etyki. Udawanie oficera najwyraźniej się w nich nie mieści, ale promowanie go bez jakichkolwiek kwalifikacji jest jak najbardziej godne oficera i dżentelmena. Dla nich to zupełnie inna sytuacja, pomyślał. Z drugiej strony, nie ma żadnych wątpliwości, że faktycznie jestem oficerem. Wszystkie podpisane dokumenty oraz szał Webstera w czasie przyjmowania przysięgi są tego najlepszymi dowodami.

Zlany potem i strasznie zganiany Charley zakończył wreszcie trening. Lowell strzelił właśnie gola i cała długość boiska dzieliła go od stojących na ciężarówkach koniuszych, weterynarza oraz żołnierzy czekających na oficerów z lodem i ręcznikami. Craig oparł kij na ramieniu i ruszył stępa w ich stronę. W połowie boiska dołączył do niego Charley.

– Ładny strzał – zagadnął.

– Miałem szczęście – skromnie odparł Lowell, choć rzeczywiście był to cholernie dobry strzał z pełnego zamachu w galopie. Dzięki idealnemu zgraniu konia i jeźdźca piłka przeleciała między słupkami jak pocisk.

– Mógłbyś mnie podwieźć na lunch? – zapytał Charley. – Muszę wpaść na chwilę do sztabu.

– Oczywiście, sir.

W czasie gry podsłuchał, że Charley przeszedł całą wojnę u boku Waterforda jako wyższy oficer wojsk pancernych, ale przydzielono go do żandarmerii i mianowano profosem, żeby mógł kiedyś zostać generałem. To artystyczne środowisko nigdy nie przyjęłoby do siebie jakiegoś szaraka promowanego z komendanta policji.

Jak się dowiedział Lowell, tu także istniał jednak precedens. Profosem żandarmerii Sił Okupacyjnych w Europie był generał brygadier H. Norman Schwartzkopf, poprzednio zatrudniony na stanowisku pułkownika policji stanowej w New Jersey. To właśnie on złapał porywacza dziecka pułkownika Lindbergha i dorównywał sławą samemu Edgarowi Hooverowi. Był pewnym kandydatem na następnego profosa US Army, Charley miałby więc możliwość wskoczenia na jego obecne stanowisko.

Dopiero gdy Charley poprosił Craiga, by go podrzucił na lunch, przyszło mu do głowy, że skoro jest oficerem, to nie przystoi mu jeść w kantynie batalionu łączności obok stajni. W chwilę później zorientował się, że o to właśnie chodziło w tej prośbie. Profos po prostu starał się pomóc Lowellowi w przepoczwarzeniu się z szeregowca w oficera.

Charley wybiegł ze sztabu (dwupiętrowej budowli z szarego kamienia kojarzącej się Craigowi wyłącznie ze stacją benzynową) już po trzech minutach, wgramolił się do jeepa, rozparł wygodnie w fotelu i wystawił jedną nogę na zewnątrz, opierając ją na płaskiej części błotnika.

– Bayrischen Hof – zaczął bez ceregieli – to jeden z trzech hoteli dla nieżonatych oficerów, przeważnie niższych rangą. Większość wyższych albo jest tu z rodziną, albo ma krewnych w okolicy. Kuchnia wydaje lunch dla wszystkich, którym nie chce się jechać do domu, a żonaci zatrzymują się jeszcze czasem na drinka po pracy. Wieczorem zostają tu już jednak wyłącznie kawalerowie, spędzając czas w nocnym barze. Ostatnio zniesiono zakaz fraternizacji, kręci się tam więc mnóstwo różnych Fräulein, od bardzo dystyngowanych do drugiego końca skali.

Lowell skinął głową, nie odzywał się jednak ani słowem, ponieważ nie miał pojęcia, co powiedzieć.

– Na wysokim szczeblu zadecydowano – ciągnął dalej szef aresztu – że jeżeli oficerowie mają spadać pod stół i przytulać się tam do dziewczyn osiągalnych za funt kawy albo kilka par pończoch, to lepiej, żeby robili to z dala od swych podwładnych.

Jeep dojechał do hotelu, zanim pułkownik zdążył dokończyć

przemowę. Charley pokazał Craigowi, gdzie jest parking, a następnie zaprowadził go tylnymi drzwiami do jadalni.

Obaj podeszli do stolika zajmowanego przez kapitana żandarmerii, który poderwał się z krzesła na widok profosa.

– Znajdzie się miejsce dla dwóch starych koniarzy? – retorycznie zapytał Charley, wślizgując się za stolik. – Kapitan Winslow, porucznik Lowell – przedstawił ich sobie pułkownik.

Uścisnęli sobie ręce. W tym samym momencie niemiecka kelnerka przyniosła kawę i położyła na obrusie menu. Z lekkim rozczarowaniem Lowell spostrzegł, że jedzenie niczym się nie różni od dań serwowanych w kantynie. Kiedy po obiedzie Charley zostawił obok talerza 35 centów w zastępujących pieniądze bonach, Craig zrobił to samo.

– Lowell – skończywszy jeść, odezwał się Charley – jeżeli chcesz sprawdzić, czy cię dobrze zameldowali, to zamówię jeszcze jedną kawę i poczekam tu z kapitanem.

– Dziękuję, sir – odpowiedział Craig. – Bardzo miło było pana poznać, panie kapitanie.

– Zobaczymy się wieczorem – odrzekł Winslow. – Ja też tu mieszkam.

Odchodząc, Lowell usłyszał, że Charley opowiada kapitanowi, jak ten nowo przybyły chłopak świetnie gra w polo.

Sierżant z recepcji zaprowadził go do pokoju – jasnego i przestronnego pomieszczenia na ostatnim piętrze – i objaśnił mu działanie pralni oraz poradził dobrze zamknąć papierosy i inne dobra, bo miejscowi kradną wszystko, co im w ręce wpadnie. Kiedy schodził na dół, profos czekał już na niego przy schodach.

3

Generał przyleciał z MacMillanem samolotem łącznikowym punktualnie o 14.30. Wszyscy gracze czekali na niego z lepszymi konikami i w dziesięć minut po lądowaniu zaczął się mecz.

Gdy klakson jeepa oznajmił koniec czwartej części gry, Lowell znalazł się sam na sam z generałem na końcu boiska. Obaj ruszyli stępa w stronę ciężarówek.

– Tylko ty, Charley i ja – odezwał się Waterford. – Przemyśl to i powiedz mi, kto jeszcze może z nami zagrać.

O Boże! Pierwszy dzień jestem oficerem, a generał już prosi mnie o radę, pomyślał Craig.

Po treningu ordynansi generała oraz znajdujące się akurat w pobliżu żony oficerów tradycyjnie serwowali koktajle w wozie sztabowym, nadarzała się więc okazja, aby przedstawić Lowella małżonce Charleya. Ku jego radości wydała mu się bardzo podobna do pani Waterford.

Wypiwszy koktajl, Craig podjechał do Bayrischen Hof i rozgościł się w pokoju. Wziął spokojnie prysznic i przeczekał godzinę dzielącą go od otwarcia baru, czytając armijną gazetę „Stars and Stripes" oraz słuchając radia.

Pozostali zawodnicy również zeszli do baru zaraz po jego otwarciu, ale żaden z nich ani nie przysiadł się do Lowella, ani nie zaprosił go do swojego stolika. Wszyscy ograniczyli się do zauważenia jego obecności dyskretnym skinieniem głowy. Craig doszedł do wniosku, że się boją, a w najlepszym wypadku po prostu nie wiedzą, co z nim zrobić. Prościej jest trzymać się na dystans.

O szóstej, po dwóch piwach, Lowell samotnie udał się do jadalni, a po kolacji wsiadł do jeepa i pojechał przez park do miejskiego kina, które tak samo jak wszystkie inne budynki użyteczności publicznej zajęte było przez wojsko, kupił bilet za 35 centów i obejrzał film z Bogartem.

Po projekcji wrócił do Bayrischen Hof i zamierzał udać się prosto do pokoju, ale przy recepcji zauważył go Winslow, którego poznał w czasie lunchu, i zaprosił do baru. Pierwsze piwo postawił kapitan, drugie Craig, a po trzecim Winslow zwierzył się, że jego ojciec ukończył Akademię w tym samym roku co Charley.

Tymczasem Lowellowi wpadła w oko wysoka, ciemnooka blondynka w futrzanej etoli, która siedziała przy stoliku obok z dwoma oficerami i drugą także elegancko ubraną kobietą. Jeden z nich najwyraźniej obmacywał ją pod stołem, bądź też usiłował to robić, i wywołało to u Craiga niesmak.

Z jednej strony wydawało mu się, że pozycja, na którą awansował, może dać mu szansę wypróbowania swych sił w łóżku z kimś tak eleganckim jak siedząca obok piękność, a z drugiej wcale mu się do tego nie spieszyło po tym, jak prawie zwymiotował na filmie o chorobach wenerycznych, na który wysłano go zaraz po przybyciu do Niemiec. Wyryło mu się w pamięci, że rozsądny człowiek nie zaczepia na chodniku kobiet w futrze, oferując w zamian tabliczkę czekolady, a oficer za wszelką cenę powinien strzec się rzeżączki i syfilisu, które kładą się cieniem na honorze korpusu oficerskiego US Army.

Drażniło go bardzo, że taka ładna kobieta pozwala się obmacywać takiemu moczymordzie, ale w końcu zadecydował, że to nie jego sprawa, pożegnał Winslowa i poszedł spać jak grzeczne dziecko.

O północy zbudził go brzęk tłuczonego szkła, pisk kobiety, stek wyzwisk i głośne trzaskanie drzwiami. Wstał i wyjrzał na korytarz. W kącie stała dziewczyna, która tak bardzo spodobała mu się w barze, i ubierała się szybkimi, nerwowymi ruchami. Z rozpuszczonymi włosami wyglądała jeszcze młodziej, a w jej dużych oczach połyskiwało przerażenie.

Dwóch oficerów z pomocą sierżanta ledwo powstrzymywało rozwydrzonego kapitana, który obmacywał ją wieczorem. Jak tylko udało się im wepchnąć go do pokoju i zatrzasnąć drzwi, recepcjonista podszedł do dziewczyny i łamaną niemczyzną kazał jej natychmiast wynieść się z hotelu.

Minęła Lowella i czmychnęła po schodach jak przestraszony zając. W jej oczach błysnęły jednocześnie wstyd, strach, złość i bezradność. Zdecydowanie za ładna na ten zawód, pomyślał. Prostytutki zwykle wyglądają na ponętne rozpustnice, a ona podobna była raczej do czyjejś młodszej siostry niż do zdecydowanej na wszystko ladacznicy.

Lowellowi od razu przywiodło to na myśl kobietę, której imię zawsze przekręcał. (Jako dziecko ujrzał on Penelopę Cumings w koszuli nocnej z mocno prześwitującymi, nabrzmiałymi piersiami i od tego czasu miał problemy z wymówieniem jej imienia i nazwiska.)

Kiedy Niemka zbiegła na parter, Lowell zamknął drzwi, ale nadal dochodził do niego zza ściany pijany bełkot kapitana. Był niezmiernie podniecony; prawie tak samo jak w Spring Lake, gdy ujrzał siostrę Cusha w samej koszuli. Na jej widok miał wtedy erekcję, czego się bardzo wstydził, i teraz to się powtórzyło.

Craig podszedł do okna i wyjrzał na ulicę. Dziewczyna w futrze właśnie wybiegała z hotelu. Zatrzymała się na chodniku, rozejrzała się dookoła, po czym ruszyła szybkim krokiem w stronę parku i zniknęła w zaroślach. Pewnie poszła na skróty, pomyślał Lowell, ale po chwili dostrzegł, że zatrzymała się dwieście jardów dalej i oparła o drzewo. Craig wywnioskował z tego, że postanowiła zaczekać tam na jakiegoś żołnierza wracającego alejką do koszar i zaryzykować po raz drugi. Jeszcze bardziej podniecony postanowił się temu przyjrzeć.

Na chodniku pojawiło się dwóch żołnierzy, dziewczyna nie ruszyła się jednak z miejsca. Parę minut później wyminął ją jakiś oficer wracający do Bayrischen Hof, ale z nim również nie spróbowała szczęścia.

Craiga zaczęło ściskać w gardle. Szybko się ubrał, zszedł po schodach i wybiegł na ulicę, śledzony wzrokiem przez recepcjonistę.

Lowell wszedł do parku, ale dziewczyny już nie było. Przez

moment poczuł się jak ostatni głupiec. Szybko wypatrzył jednak w ciemnościach rąbek jej sukienki; musiała widzieć, jak wychodził, i najwyraźniej starała się ukryć w cieniu.

– *Guten Abend* – odezwał się.

Dziewczyna wyszła zza drzewa, mocno przyciskając do piersi torebkę. Starała się uśmiechnąć, ale wyszedł jej z tego taki wymuszony grymas, że Craiga aż ścisnęło w dołku. Pomimo to dostrzegł, że zdążyła już zaczesać włosy, które spływały jej teraz na ramiona. Do diabła, pomyślał, faktycznie wygląda jak siostra Cusha.

– *Guten Abend* – miękkim, ledwo słyszalnym głosem odpowiedziała Niemka.

– On był pijany – zaczął Lowell, ale dziewczyna nie zareagowała. – Nic pani nie zrobił? Można panią odwieźć do domu? – pytał Craig, ale Niemka nadal milczała.

– Jestem droga – bąknęła po chwili zawahania, mówiąc po angielsku z lekkim zażenowaniem w głosie.

W Lowellu wszystko zawrzało. Chciał powiedzieć tylko to, co usłyszała, i nie mógł zrozumieć, jak mogła doszukać się w jego słowach zawoalowanego pytania „Za ile?" Proponował jej podwiezienie do domu i nie kryła się za tym żadna niedwuznaczna propozycja. Porucznik sięgnął do kieszeni, wyjął kilka bonów i wręczył je Niemce.

Dziewczyna przeliczyła, kiwnęła wtuloną w ramiona głową i schowała banknoty do torebki, która po ciemku wyglądała na bardzo kosztowną, ze skóry aligatora. Pewnie pożyczyła od kogoś, domyślił się Lowell, licząc pieniądze razem z Niemką. Łącznie dał jej 55 dolarów, wielokrotnie przebijając aktualne ceny.

Dziewczyna podniosła wzrok na porucznika; w jej oczach połyskiwał strach i przekora.

– Nawet za tyle pieniędzy nie zrobię nic ustami – zastrzegła się dziewczyna po angielsku, mówiąc z dość przyzwoitym, wojskowym akcentem.

Craigowi momentalnie przypomniały się ryki pijanego kapitana. Pewnie tego właśnie chciał, a ona odmówiła, wywnioskował.

– Dokąd idziesz? – zapytała, kiedy ruszył alejką.

– Po jeepa – odparł Lowell. – Odwiozę cię do domu.

– Może powinniśmy pójść do twojego pokoju? – zaproponowała Niemka.

Craigiem targały jednocześnie trzy myśli: chciał pomóc dziewczynie w nieszczęściu, miał ochotę zaciągnąć ją do łóżka i pragnął umocnić swe głębokie przekonanie, że nawet długim kijem nie dotknąłby tej zawszonej, faszystowskiej dziwki.

Nagle porucznik zdał sobie sprawę, że w rzeczywistości chodzi mu tylko o to drugie. Chciał się z nią kochać, rozpalić jej żądze do czerwoności i zamęczyć pieszczotami. Może dlatego, że była taka podobna do siostry Cusha, którą zawsze uważał za stuprocentową dziewicę? Te niesforne myśli zupełnie zaskoczyły Lowella. Czyżby w głębi duszy naprawdę był zwierzęciem marzącym tylko o obmacywaniu dziewczynek?

To wcale nie jest mała dziewczynka, usprawiedliwiał się sam przed sobą Craig. Być może wygląda na szesnaście lat z tą niewinną buzią i dużymi oczami, ale na pewno jest stuprocentową dziwką, tak samo jak siostra Cusha była stuprocentową dziewicą.

Porucznik odczekał, aż Niemka go dogoni, wziął ją za rękę i zaprowadził do hotelu. Sierżant z recepcji zmierzył go wzrokiem, poznał dziewczynę i zaczął coś mówić, ale Lowell przerwał mu w pół zdania, zdziwiony własną odwagą.

– Proszę się do tego nie wtrącać, sierżancie.

– Nie chcę tu już mieć żadnych scen, panie poruczniku – wycofał się recepcjonista.

– Nie będzie scen – uspokoił go Lowell i zaprowadził dziewczynę do siebie.

Niemka rozejrzała się po pokoju, spojrzała na Craiga i weszła do łazienki. Porucznik usłyszał, że skorzystała z ubikacji, a po chwili rozległ się szum wody. Kiedy wyszła, miała na sobie jedynie tanie bawełniane majtki. Jej piersi nie były duże, Lowell ledwo widział zarys sutek, ale wyraźnie nabrzmiewały; dziewczyna była blada i wychudzona, ale nabrała już kobiecych kształtów.

Zdjęła pled z łóżka i położyła się wygodnie. Craig spojrzał na nią z góry. Niemka sięgnęła dłońmi do majtek, uniosła biodra w górę i ściągnęła je energicznym ruchem. Kępka włosów nie była szersza od kciuka Lowella. Dziewczyna spojrzała mu prosto w oczy, a następnie odwróciła głowę.

Pamięta, żeby zachowywać się skromnie i nieśmiało, pomyślał Craig. Nie mógł oczywiście wiedzieć, jak bardzo była zadowolona, że zrobi to pierwszy raz właśnie z młodym, przystojnym mężczyzną, a nie ze zboczonym kapitanem, który zaczął ją bić, gdy mu odmówiła.

Lowell rozebrał się tam, gdzie stał; ubranie rzucił na podłodze. Nagi położył się obok Niemki.

Dziewczyna nie chciała nawet na niego spojrzeć, Craig położył jej więc dłoń na piersi. Była jędrna i rozpalona, tak jak wydawało mu się od początku. Pomyślał, że on też zaraz będzie gotowy, choć w rzeczywistości nie zdążył jeszcze nawet nabrzmieć. Lowell przesunął dłoń po jej ciele w stronę krocza, ale dziewczyna nadal nie reagowała. Zupełnie tak, jakby porucznik głaskał kloc drewna, a nie kobietę. Znowu dotknął jej piersi, a Niemka przewróciła się na plecy i rozłożyła nogi. Craig ułożył się między nimi, ale nic się nie stało; penis zwisał bezwładnie, tak jak przedtem. Porucznik wstał, wyszedł do łazienki i zaczął go gwałtownie masować, nie na wiele się to jednak zdało. Przez pięć minut usiłował coś z tym zrobić, przywołując nawet lubieżne myśli, ale nic nie pomagało.

Może to przez te wspomnienia o siostrze Cusha, zastanawiał się Lowell. Przecież to pierwszy raz! Dlaczego musiałem wybrać dziwkę wyglądającą na porządną dziewczynę i ślinić się teraz jak zboczeniec?

Craig długo się zastanawiał, co jej powiedzieć; kiedy w końcu wyszedł z łazienki, Niemki już nie było.

Wściekły i poniżony starał się zasnąć, ale miotał się po łóżku przez trzy kwadranse, wstał więc, wszedł do łazienki i zaczął się masturbować. Penis nabrzmiał momentalnie, a w chwilę później porucznik poczuł nadchodzący orgazm. Sperma rozprysła się po podłodze i zanim Lowell mógł wrócić do łóżka, musiał jeszcze powycierać ją papierem toaletowym, czołgając się na kolanach.

4

Następnego wieczoru dziewczyna pojawiła się w Bayrischen Hof dziesięć minut po wejściu porucznika. Całe popołudnie spędził u krawca, przymierzając szyte na miarę galowe mundury oraz szukając dodatków do swego wyposażenia (obszytej skórą czapki oficerskiej, gabardynowego płaszcza, butów do gry w polo i butów czołgisty).

Po zakupie jeepa Craig został praktycznie bez pieniędzy, wysłał więc do domu telegram z prośbą o tysiąc dolarów. Odpowiedź, w postaci upoważnienia do pobrania tej sumy w agencji American Express, nadeszła w ciągu 48 godzin, ale z powodu gorączkowych przygotowań do meczu polo przeleżała kilka dni w kieszeni munduru. Dzisiaj porucznik znalazł wreszcie czas, żeby odebrać gotówkę, dzięki czemu mógł sobie pozwolić na zakupy.

Kiedy pokazał czek w agencji, wyglądało na to, że coś jest nie w porządku. Urzędnik wziął go do ręki i wyszedł na zaplecze, a po chwili wrócił z uśmiechniętym kierownikiem.

– Wybaczy pan – odezwał się dyrektor – ale upoważnienie wystawiono na szeregowego Lowella.

– Właśnie zostałem promowany na oficera – wyjaśnił Craig. – Mogę pokazać książeczkę wojskową.

– Nie trzeba, panie poruczniku – odparł kierownik. – Mam tu
coś jeszcze dla pana – dodał i wręczył mu telegram.

J. Franklin Potts
Dyrektor naczelny
American Express/Niemcy

Do użytku wewnętrznego
agencji w Bad Nauheim

Otrzymaliśmy gwarancję pokrycia sum pobieranych przez szeregowego Craiga W. Lowella, żandarmeria US Army, Bad Nauheim,
do wysokości 1000 dolarów miesięcznie, kredytowane przez Morgan
Guaranty New York oraz Craig Powell Kenyon and Dawes. Zwracam
uwagę, że Lowell jest wnukiem Geoffreya Craiga, szefa Craig Powell Kenyon and Dawes. Telegram upoważnia do wypłat w/w kwot.
Ellworth Fellows
dyrektor działu europejskiego,
Paryż

– Proszę się nie krępować, panie poruczniku. Jeżeli będziemy
mogli panu w czymś pomóc...
– To bardzo miło – odrzekł Lowell.
– Jak już mówiłem, panie poruczniku, niech się pan zupełnie
nie krępuje.
Opuszczając budynek agencji, Craig uśmiechnął się pod nosem
i postanowił czym prędzej udać się do sklepu garnizonowego. Dziadek dał mu tysiąc na miesiąc, bo myślał, że wnuczek jest grzecznym szeregowcem. Niech się tylko dowie, że został oficerem!
Telegram przypomniał Lowellowi, że pomiędzy Cambridge
w Stanach Zjednoczonych a Bad Nauheim jest sześć godzin różnicy, i pogrążył go we wspomnieniach.
Starzy kumple ze Szkoły św. Marka oraz nowi z Harvardu,
a przynajmniej ci, których dziekan postanowił bronić przed poborem, bo przepowiadał im świetlaną przyszłość, tarzają się teraz
pewnie w trawie na jakimś obozie szkoleniowym oficerów rezerwy
i sposobią do przysięgi, zadumał się porucznik. Gdybym tak mógł
przenieść się teraz do Stanów! Wszyscy musieliby stawać przede
mną na baczność, salutować i zwracać się do mnie „sir"!
Przyszło mu jeszcze do głowy, żeby zrobić sobie zdjęcie w mundurze oficera i rozesłać do znajomych. Pierwsze dostałby Bunky
Stevens z dedykacją: „Zabawa jest przednia. Żałuj, że cię tu nie
ma!"

Kiedy przymierzał mundury i czekał na resztę po zapłaceniu rachunku, ponownie wrócił myślami do domu. Nie pozwalał sobie na to często. Prawda była taka, że armia kompletnie go przerażała. Przez całe życie nic nie napełniło go takim strachem jak bezgraniczna władza kaprala nad rekrutem, jakiej doświadczył już na szkoleniu rekruckim. Nawet po śmierci ojca tak się nie bał. Od momentu, kiedy pięć miesięcy wcześniej zgłosił się do komendy uzupełnień, Craig przestał być sobą, dumnym Lowellem, i stał się nędznym obszczymurkiem, jak bez ogródek wyjaśnił mu kapral. Poradził mu też oddać duszę Bogu, bo jego dupa należała już do armii.

Szkolenie napawało go takim przerażeniem, że po raz pierwszy w życiu świadomie i wytrwale starał się robić to, czego od niego wymagano. Nie został, co prawda, wzorowym żołnierzem, ale szybko osiągnął nieznacznie niższy stopień doskonałości – żołnierza niewidocznego.

Nie zwracał na siebie uwagi, nie pyskował i nie jęczał, a na strzelaniu pamiętał, żeby w ostatniej próbie spudłować. Doskonale wiedział, że jak będzie miał same dziesiątki, co leżało w granicach jego możliwości, to wyciągną go na apelu z szarej masy szeregowców i zrobią instruktorem strzelania. Oznaczałoby to spędzenie reszty służby na strzelnicy, po osiem godzin dziennie w huku wystrzałów i dymie. Na to nie miał najmniejszej ochoty.

Porządnego stracha napędziło mu też przeniesienie do Camp Kilmer, który okazał się tylko przystankiem w drodze do Niemiec. Bał się tak bardzo, że cały przysługujący mu z tej okazji urlop spędził na Long Island, pijąc i usiłując nie myśleć o przyszłości. Transport do Bremerhaven był po prostu dwutygodniowym piekłem Dantego na morzu i dopiero po dotarciu na miejsce i otrzymaniu przydziału do żandarmerii życie zaczęło jako tako przypominać to, do czego był przyzwyczajony; podobieństwa ograniczały się niestety tylko do pościeli na pryczy, prysznica i jedzenia na talerzu.

Już po tygodniu pobytu w Niemczech (w tym dwóch dniach w żandarmerii) Craig zrozumiał, że dowództwo interesuje się wyłącznie odsetkiem zachorowań na choroby weneryczne i niczym więcej. Przypominało o tym nawet radio.

Wojskowy spiker czytał podniosłym głosem: „Jest godzina szósta czasu środkowoeuropejskiego. Żołnierzu, pamiętaj! Choroby weneryczne czają się na ulicy! Penicylina zawodzi w co siódmym przypadku!"

Wojsko rozwiązywało ten problem za pomocą czystego i zdrowego sportu, wychodząc niewątpliwie z założenia, że żołnierze będą tak wyczerpani po rozgrywkach, iż nie będą już mieli sił na pieprzenie się z Niemkami. Na komendę grano więc we wszystko, co zdołała wymyślić cywilizacja Zachodu. Ku zdumieniu Lowella, mieścił się w tym i golf.

To mu się od razu spodobało. W domu uganiał się z kijem golfowym po trawnikach łączących się z polami Turtle Creek Country Club, od kiedy tylko nauczył się chodzić, nic więc dziwnego, że w pierwszym występie na polu żandarmerii, pomimo fatalnych kijów, pokonał dziewięć dołków w trzydziestu pięciu uderzeniach, schodząc o jeden punkt poniżej normy. Od razu zakwalifikowało go to do drużyny dywizji, a z czasem zapewniło posadę szefa chłopców do szukania piłek.

Był to punkt zwrotny jego kariery. Najpierw wyprowadził się z koszar do budynku klubowego, gdzie panowały trochę bardziej cywilizowane warunki, a później przyplątało się polo i szybko został oficerem.

Craig złościł się na siebie za ten strach i niepokój. Okazało się przecież, że armia jest lustrzanym odbiciem społeczeństwa, któremu służy, czyli on i tak będzie Lowellem, i wcześniej czy później wypłynie na wierzch. (Niby dlaczego miałoby być inaczej, filozoficznie pytał sam siebie po promocji na oficera.)

Jedni myli czołgi, kopali okopy i czekali w kolejce do agencji American Express, na której okienku pojawiała się wywieszka „Okres oczekiwania na realizację czeków wynosi minimum trzy tygodnie", a Craig grywał sobie w golfa, szykował się do wielkiego meczu w polo i we wszystkich sklepach mógł kupować na kredyt.

Oprócz tego dodawała mu sił pewność, że wszystko to się wkrótce skończy i spokojnie wróci do domu, a na statku znajdzie się jakaś kabina, która osłodzi mu trudy podróży. Na pewno nie będzie to już kawał brezentu w ładowni, trzydzieści stóp pod linią wody. Takie warunki zapewniano szeregowcom, a nie oficerom.

Przez pierwsze dni w domu nie odmówi sobie oczywiście przyjemności paradowania w mundurze oficera. Przebierze się dopiero, gdy nadejdą bagaże. Do tego czasu pokazywać się będzie wyłącznie w mundurze wyjściowym. Kto wie, może nawet ze szpicrutą, choć to już chyba byłaby przesada. Do klubu At Jack's and Charley's powinien wystarczyć sam mundur; Bunky Stevens będzie jeszcze studentem, a on oficerem powracającym z rozdartej wojną Europy!

Podporucznik Craig Lowell przesunął kufel piwa po ladzie baru w hotelu Bayrischen Hof, zatoczył nim małe koło po kontuarze i zatopił się w marzeniach.

— Można się przysiąść? – zapytała nieśmiało dziewczyna z zeszłej nocy.

Jezu! Jeszcze tego mi brakowało. I to akurat teraz! Craig spojrzał jej prosto w oczy i przeraził się jeszcze bardziej. Jak ona może się tym zajmować? Jest o wiele ładniejsza od siostry Cusha. Po prostu jest piękna.

– Oczywiście, że można – odpowiedział, naśladując jej niemiecki akcent, czego natychmiast zaczął żałować. Na szczęście Niemka w ogóle się nie zorientowała.

– *Senk you* – podziękowała.

– No cóż – zaczął niepewnie Lowell.

– Czekałam w parku, aż pan wróci do hotelu.

– Może czułabyś się swobodniej, mówiąc po niemiecku? – zaproponował.

– Na pewno – odrzekła dziewczyna i spojrzała na porucznika z wdzięcznością. – Wydawało mi się, że zeszłej nocy mówiłeś po niemiecku, ale nie byłam pewna. Byłam taka zdenerwowana...

– Postawić ci drinka? – zapytał.

– Coca-colę, *bitte schön*.

– *Jawohl, Herr Leutnant* – przyjął zamówienie barman.

– Mieszkasz w Bad Nauheim?

– Mieszkałam w pobliżu, koło Marburga – odparła. – Takie śliczne miasteczko uniwersyteckie. Musisz koniecznie tam pojechać przed wyjazdem z Niemiec.

Powiedziała to tak, jakby była z biura podróży, pomyślał Craig i zamknął oczy. Wyobraził ją sobie nagą na łóżku z maleńką kępką włosów na łonie.

– Pójdę już – oznajmiła. – Nie będę ci przeszkadzać.

– Nie! – z głębi duszy porucznika wyrwał się protest. – Zostań. Zapraszam cię na kolację! – Wyglądała na przestraszoną. Lowell uśmiechnął się więc szeroko i dodał łagodniejszym tonem: – Umawialiśmy się, że będziemy rozmawiać po niemiecku. Pamiętasz?

– Tak – bąknęła niepewnie.

Kapitan, który tak potwornie spił się poprzedniej nocy, siedział przy stoliku obok i nabijał się z naiwności porucznika.

– Co z niej za fachowiec, jak nie chce lizać – powiedział sam do siebie.

Craig zapytał, czy nie miałaby ochoty na kino. Dziewczyna zgodziła się bardzo chętnie, poszli więc na film z Bogartem, który Lowell oglądał już wcześniej. Usiedli obok siebie i mniej więcej w połowie seansu porucznik dotknął jej ręki. Była chłodna i wiotka.

Po projekcji, kiedy Craig sięgał do stacyjki jeepa, Niemka złapała go za ramię.

– Musimy porozmawiać – oświadczyła.

– O czym?

– Pójdę z tobą, ale nie na jedną noc. Rozumiesz?

– Nie.

– Muszę zrobić to, co zostało opłacone, ale nie może to być jedna noc.

– Dlaczego to robisz?

– Nie mam ojca – odpowiedziała. – Zabrali mi dom i nie znalazłam pracy.

– Co się stało z mieszkaniem?

– Zarekwirowali.

– A matka?

– Nie żyje. Nie chciała już dłużej tego znosić.

Lowell postanowił nie wgłębiać się w to, co dziewczyna chciała przez to powiedzieć.

– Potrzebuję pieniędzy, ale nie mogę znaleźć pracy – kontynuowała. – Nie mam już nikogo, zrobię więc to, za co mi zapłaciłeś. Tylko nie przez jedną noc.

– Najpierw musimy się jednak umówić – dodała.

– W jaki sposób?

– Będziesz mi dawał stówę na miesiąc i kupował towar do handlu na placu – wyjaśniła, patrząc mu w oczy. – Będę dla ciebie dobra... Dałeś mi już pięćdziesiąt pięć. Jak dodasz jeszcze czterdzieści pięć i kupisz towar, to będziesz mnie miał przez cały miesiąc.

– Zostaw sobie tę forsę – odezwał się w końcu porucznik. – Podwiozę cię do domu. – Robi się scena jak z nudnego filmu, pomyślał.

– Nie mam domu – odezwała się dziewczyna z desperacją w głosie.

– Co chcesz przez to powiedzieć? Jesteś bezdomna? Gdzie spałaś wczoraj? – pytał Craig.

Jeżeli chce mnie naciągnąć na litość, to robi to bardzo przekonywająco, zauważył w myślach. Niby dlaczego taki dżentelmen nie miałby pomóc biednej kobiecie? Lowell szybko zaczął się jednak wstydzić swoich domysłów.

– W parku – przyznała się bezbarwnym głosem.

– Spędziłaś noc w parku?

Dziewczyna skinęła głową i wtuliła ją w ramiona.

– Jeśli chcesz, zrobię to ustami – jęknęła. To był już szczyt rezygnacji i kompletna kapitulacja. Craig wyczuł, że wszystko, co mówi, jest prawdą.

– Zamknij się – warknął, włączył silnik i gwałtownie ruszył z miejsca. – Zrobimy tak – oświadczył. – Spędzisz noc u mnie. Nic między nami nie będzie. Dam ci forsę i jutro wynajmiesz sobie jakiś pokój. Zobaczę też, czy nie ma w koszarach jakiejś pracy.

Dziewczyna rozpłakała się. Kiedy podjechali pod Bayrischen Hof, powiedziała mu, żeby zatrzymał wóz, wyskoczyła na ulicę i pobiegła do parku. Lowell czekał, nie potrafiąc zrobić tego, co podpowiadała mu logika. Ogarnęła go błoga niemoc.

Niemka wróciła z walizą, która, tak samo jak torebka, zrobiona była z bardzo drogiej skóry i miała już swoje lata.

– Ukryłam ją na drzewie – wyjaśniła.

Craig nigdy w życiu nie czuł się tak upokorzony jak w chwili, gdy przechodził przez hall Bayrischen Hof z dziewczyną w futrze i taszczącą olbrzymią walizę. Przeszywał go wzrok sierżanta z recepcji oraz spojrzenia wszystkich oficerów siedzących w barze.

W pokoju dziewczyna zapytała, czy może się wykąpać. Porucznik skinął głową i momentalnie wyobraził ją sobie nago w wannie.

Przecież za to, do cholery, zapłaciłem, pomyślał. Mam prawo oglądać ją w stroju Ewy i robić z jej ciałem, co mi się żywnie spodoba. Powiedziała, że może nawet mnie lizać!

Craig nie wszedł jednak do łazienki. Włożył czystą bieliznę (zwykle sypiał nago) oraz bawełniany szlafrok i zaczekał na dziewczynę. Pojawiła się po paru minutach w sięgającej kostek nocnej koszuli. Lowell podszedł wtedy do wiszących na krześle spodni, wyjął portfel i podał jej równowartość pięciu dwudziestodolarowych banknotów.

– Jutro znajdziesz sobie jakiś pokój – wyjaśnił. – Powinno cię to postawić na nogi. Wystarczy?

Niemka wzięła bony ze łzami w oczach.

– Dziękuję bardzo. Bóg zapłać.

Lowell zaklął w myślach. Tego mi jeszcze brakowało!

W łóżku odwrócili się do siebie plecami. Craig dość długo leżał na boku, ale w końcu zasnął. Postanowił, że nawet nie dotknie dziewczyny. Po pierwsze, na pewno ma syfa, rzeżączkę i Bóg wie co jeszcze, a po drugie, dżentelmeni nie robią przecież takich rzeczy; nie wykorzystują nieszczęść i życiowych niepowodzeń słabszej płci.

Porucznik budził się powoli, śniąc, że dotyka wspaniałych kształtów Marjorie Jackson. Kiedy otworzył oczy, zdumiał się, że faktycznie śpi w łóżku z kobietą. Rozbudził się na dobre i podniecił jak nigdy w życiu, kiedy przypomniał sobie, kto to jest! Koszula nocna podsunęła jej się powyżej bioder, a Craig położył jej we śnie rękę na brzuchu. Poczuł, że penis nabrzmiał mu jak zeszłej nocy w łazience.

Powstrzymując się siłą woli, Lowell zabrał ostrożnie rękę.

– Nie śpię – odezwała się miękkim głosem po niemiecku.

– Co? – zdziwił się porucznik.

Dziewczyna przetoczyła się na plecy.

– Powiedziałam, że nie śpię – powtórzyła i rozłożyła szeroko nogi.

Craig wczołgał się pomiędzy jej uda. Tym razem nie musiał się wstydzić, że jest mężczyzną. Nie powtórzyło się upokorzenie z poprzedniej nocy. Miał tylko problemy z trafieniem.

Gdzie, do cholery, jest ta dziurka, denerwował się porucznik, poślinił palec i zaczął szukać. Kiedy znalazł, wsunął członek i pchnął z całej siły. Niemka jęknęła i zacisnęła zęby na swojej dłoni.

Teraz było jeszcze łatwiej. Pracował jak dobrze naoliwiona maszyna, a dziewczyna postękiwała z bólu i przyjemności. Jej ciało zaczęło falować w rytmie ruchów jego bioder. W pewnym momencie przestała gryźć rękę i wpiła paznokcie w szyję Lowella, odbierając mu oddech. Ciało kobiety drżało rozpalone do czerwoności, a usta przyzywały po kolei Jezusa, Marię i Józefa. Craig miał orgazm. Zerwał się szybko z łóżka i pobiegł do łazienki, tak jak radzono na filmie o chorobach wenerycznych. Syf pewny jak w banku, pomyślał.

Kiedy wrócił do sypialni, Niemka leżała na boku zwinięta w kłębek i gapiła się w ścianę. Gdy podszedł do niej, wstała i wyszła do łazienki, a po powrocie spokojnie ułożyła się obok porucznika. Cała historia powtórzyła się o brzasku.

Przeklęta anatomia, zżymał się Lowell, kiedy poczuł przez sen, że nabrzmiały penis szaleje i wciska się w gołe ciało Niemki. Teraz nie było już problemów z trafieniem, a jej ciało zareagowało jeszcze intensywniej. Tym razem porucznik nie zrywał się już na równe nogi i nie biegł do łazienki. Do cholery z tym, zdenerwował się. I tak złapałem!

– Jak masz na imię? – spytała, uspokoiwszy nieco oddech.

– Craig – odpowiedział.

– Ja jestem Ilse – zrewanżowała się. – Ilse Berg.

W wydziale zatrudnienia obcokrajowców na pytanie o nazwisko odpowiedziała „Greiffenberg", ale urzędnik miał kłopoty z pisownią i nie rozumiał jej wymowy, warknął więc tylko: „Do dupy z tym, Fräulein. Będziesz się nazywać Berg", i z pracy tłumaczki, o którą się starała, nic nie wyszło.

Urzędnik wpisał nazwisko Berg na formularzu i obiecał, że za miesiąc albo dwa coś się może znajdzie. W takiej sytuacji nazwisko przestało mieć dla niej znaczenie.

Dziewczyna wyciągnęła rękę i uścisnęła dłoń Craiga. Wmawiała sobie, że naprawdę miała szczęście. Znalazła miłego i wyrozumiałego jankesa, który nie tylko młodo wyglądał, ale i zachowywał się, jak gdyby miał osiemnaście lat, a skoro był oficerem, musiał przecież być o wiele starszy. Przyrzekła sobie, że zrobi wszystko, aby ze swojej strony dotrzymać umowy. Żeby tylko Craig jej nie porzucił.

Ilse nie śmiała nawet myśleć, że między nimi może coś być, ale czekała na porucznika po południu, kiedy zwykle wracał z treningów. Lowell zatrzymał wóz naprzeciwko Bayrischen Hof, a ona podbiegła do niego drobnymi kroczkami i wskoczyła do środka. Pojechali trzy mile za Bad Nauheim, gdzie Ilse wynajęła od rolnika dwupokojowe mieszkanie. Do jego wyposażenia należał mały stolik z różą we flakoniku oraz olbrzymie łóżko. Oboje spojrzeli na siebie i w tym samym momencie zaczęli się bez słowa rozbierać.

5
Baden-Baden
Francuska Strefa Okupacyjna
4 lipca 1946

Boisko do gry w polo znajdowało się obok Grand Hotelu i było jednym z najstarszych w Europie, wybudowanym dla zaspokojenia potrzeb angielskiej arystokracji, która podpatrzyła tę grę w Indiach i sprowadziła na Stary Kontynent. Podczas wojny zamieniono je na warzywniak i trawa na razie niczym nie przypominała tego, co generałowie Waterford i Paul-Marie Antoine Quiller pamiętali z międzywojnia, ale i tak o klasę przewyższała murawę z Bad Nauheim.

Jak zwykle Francuzi starali się oczywiście upić Amerykanów przed meczem, początkowo w barze, a później przy obiedzie, na szczęście Waterford zorientował się, co się święci, i nakazał wszystkim ścisłą abstynencję. Do rozkazu nie zastosował się tylko młody Lowell.

Generał postanowił mu jednak wybaczyć. Po pierwsze, Craig nikogo nie znał w tym towarzystwie i poza piciem nie miał w zasadzie nic do roboty, a po drugie, Waterford doszedł do wniosku, że mimo klasycznego kaca, którego niewątpliwie nie uniknie, porucznik i tak będzie grał o niebo lepiej od reszty.

Amerykanie prowadzili pięcioma bramkami w czwartej części gry, kiedy Francuz z trójką czysto uderzył piłkę z pełnego wymachu i posłał ją w kierunku bramki przeciwnika. Po dobrym trafieniu piłka przeleciała około dwudziestu jardów, skozłowała i przybliżyła się jeszcze bardziej do bramki drużyny Waterforda. Zanim zdążyła zatrzymać się w trawie, przejął ją grający z jedynką generał Quiller, trafił kijem równie dokładnie i wyekspediował czterdzieści jardów dalej.

Gracze przegalopowali obok widzów i minęli kolejno: orkiestrę żandarmerii w chromowanych hełmach z trębaczami gotowymi do odegrania sygnału, orkiestrę Francuzów z bębnami przystrojonymi skórami lampartów, namioty, w których przygotowywano konie, limuzyny generałów oraz wozy sztabowe, zbliżając się błyskawicznie do bramki, za którą zaparkowany był samolot *Stinson L-5*.

Grający z czwórką Charley ruszył galopem za generałem Quillerem, pochylił się do przodu, stanął w strzemionach, wyprzedził Francuza, zamachnął się kijem ponad głową i trafił kozłującą piłkę, posyłając ją w przeciwnym kierunku.

Dostrzegł to grający z trójką Lowell, zawrócił konia prawie w miejscu i pogalopował za toczącą się po ziemi piłką, z kijem uniesionym wysoko nad głową. Zamachnął się nim tak potężnie, że pomimo tętentu kopyt słychać było wyraźny świst, i piłka poszybowała ponownie w stronę bramki francuskiej.

Widzowie nagrodzili to zagranie ściszonymi oklaskami, a trębacze żandarmerii zwrócili oczy na generała i zagrali sygnał do ataku.

Waterford nadjechał galopem z drugiej strony boiska, źle ocenił prędkość kozłującej po trawie piłki i niewiele brakowało, żeby się z nią rozminął. Uratował się jednak uderzeniem spod ogona. Trafił piłkę, gdy znajdowała się już obok tylnych kopyt konia. Piłka przeleciała około dwudziestu jardów, dając mu dość czasu, aby ponownie unieść kij i zamachnąć się do kolejnego uderzenia. Tym razem trafienie było czyste i piłka poszybowała prosto do przodu.

Waterford ponownie uniósł kij ponad głowę i ponaglił konia do jeszcze szybszego galopu, a trębacze ponownie zagrali sygnał do ataku. Generał wykonał obszerny ruch kijem i trafił idealnie, co najlepiej można było ocenić po czystym dźwięku uderzenia.

Śledząc uważnie lot piłki, Waterford obejrzał się do tyłu. Z kijem opartym swobodnie na ramieniu galopował mu na pomoc numer trzy, przygotowując się do uderzenia, na wypadek gdyby generał spudłował. Waterford był jednak na to za ambitny.

Podniósł kij, ponownie usłyszał trębaczy grających do ataku i kolejny raz trafił. Przez chwilę przyglądał się biernie lotowi piłki zmierzającej prosto do bramki Francuzów, a potem spiął konia ostrogami i pognał do przodu.

Urwał przy tym chyba strzemię, bo pochylił się nisko nad grzywą konia, jak gdyby tracił równowagę, ale pomimo to przemknął w pełnym galopie między słupkami bramki.

Zabrzmiał gong.

Unikając w ostatniej chwili zderzenia z samolotem, koń skręcił gwałtownie w prawo i wysadził generała z siodła. Waterford upadł ciężko na ziemię, uderzył barkiem o murawę i przewrócił się na twarz.

Jadący za nim Lowell oswobodził dłoń z kończącej kij pętli i gwałtownie ściągnął wodze. Zeskoczył z siodła, zanim rozpędzony koń zdążył się zatrzymać. Porucznik podbiegł do swego przełożonego, ukląkł i przewrócił go na plecy. Od razu stwierdził, że Waterford go nie widzi, choć wzrok ma skierowany w jego stronę.

Ułamek sekundy później nadjechał generał Quiller i wyskoczył z siodła równie żwawo jak Craig. Spojrzał w oczy zdobywcy gola i przeżegnał się. Tuż za Francuzem nadciągnęli pozostali. Jako ostatni przybiegł z trybun poczerwieniały z wysiłku i zdyszany kapitan MacMillan.

Quartier General de l'Armée
de l'Occupation
d'Allemagne
4 lipca 1946

Generał major Peterson K. Waterford zmarł nagle o 15.00, najprawdopodobniej na skutek ataku serca. Szczegóły w drodze

MacMillan, kapitan

Pilne
Kwatera Główna Sił Okupacyjnych
Do: Departament Wojny, Waszyngton
Do rąk własnych szefa sztabu
Treść: Meldunek z Kwatery Gł. Żandarmerii
Według niepotwierdzonego meldunku sygnowanego MacMillan, kapitan, generał Peterson K. Waterford zmarł dziś o 15.00 w Baden-Baden.

Clay, generał

Pilne

Kwatera Główna Sił Okupacyjnych

Do: Departament Wojny, Waszyngton

Do rąk własnych szefa sztabu

Treść: Meldunek z Kwatery Gł. Żandarmerii

Zgon generała majora Petersona K. Waterforda potwierdzony
o 15.30. Generał zmarł na chorobę wieńcową w czasie gry w polo.
Pani Waterford była na miejscu. Dalsze szczegóły podamy w miarę
napływu informacji.

Clay, generał

6

Bad Nauheim, Niemcy
4 lipca 1946

Kwatera Główna
Żandarmerii Armii Stanów Zjednoczonych
APO 109 Rozkaz ogólny nr 66
04. 07. 1946

Niżej podpisany przejmuje niniejszym dowództwo żandarmerii
US Army od godziny 16.15.

Richard M. Walls
generał brygadier

Gdy generał Walls uprawiał futbol amerykański w West Point,
koledzy nazywali go Ścianą, jako że mało kto był w stanie przepchnąć się obok niego w czasie gry. Dwadzieścia pięć lat później,
w dniu zgonu Waterforda, wyglądał jeszcze potężniej. W sztabie
żandarmerii odpowiadał za artylerię i w chwili gdy podano oficjalną wiadomość o śmierci dowódcy, ze względu na swój stopień
przejął tymczasowo jego stanowisko.

Pierwszym jego krokiem był wyjazd na lotnisko, gdzie zamierzał oczekiwać na przylot pierwszego samolotu z Baden-Baden.
Wygramolił się z niego kapitan MacMillan, poprawił mundur,
podszedł do sztabowego chevroleta i z werwą zasalutował.

Walls odpowiedział na oddawane mu honory z kamienną twarzą.

– Dobra, MacMillan – odezwał się. – Jak to było?

– Generał nie miał żadnych problemów przez pierwsze trzy
części gry, sir. W ostatnich sekundach czwartej stracił chyba równowagę i spadł z konia. Zanim dobiegłem, sir, już nie żył.

– A pani Waterford?

– Była na widowni. Natychmiast kazałem żabojadom wysłać meldunek do kwatery głównej.

– Oczywiście za zgodą pani Waterford? Postanowiłem, że nabożeństwo za duszę generała odbędzie się jutro o czternastej.

– Tak jest, sir.

– Jak pani Waterford to znosi?

– Bardzo dobrze, sir. Jest z nią Charley... to znaczy pułkownik Lunsford. Obaj kończyli Akademię w tym samym roku, co, mam nadzieję, nie uszło uwagi pana generała.

– Rozmawiałem z generałem Clayem – oznajmił Walls. – Lotnictwo oddaje do dyspozycji pani Waterford samolot *C-54*. Może nim wrócić do Stanów i, jeżeli taka jest jej wola, zabrać ze sobą ciało męża.

– Wydaje mi się, że pani Waterford chce pochować generała w West Point – stwierdził Mac.

– Już pan zdążył się tego dowiedzieć? – zdziwił się Walls. – Jest pan niezwykle operatywny! Dobra, kapitanie. Zrobimy tak. Ze względu na mój szacunek dla zmarłego oraz pani Waterford może się pan uważać za szefa wszystkich ceremonii pogrzebowych do momentu, gdy ciało generała opuści teren pozostający pod moim dowództwem.

– Dziękuję, sir!

– A potem poszuka pan sobie nowego lokum, kapitanie.

– Sir?

– Nie przesłyszał się pan. Dla Waterforda mógł być pan zabawny, a nawet przydatny, ale nie dla mnie.

– Czy pan generał mógłby być nieco konkretniejszy? – zapytał stojący idealnie na baczność MacMillan.

– Mam długą listę pańskich ekscesów. Pierwszy przychodzi mi na myśl ten szeregowiec od golfa, któremu załatwił pan promocję na oficera. Mam kontynuować?

– Nie, sir. To nie jest konieczne.

– Nie życzę sobie nikogo podobnego do pana w żadnym z moich pododdziałów. Uważam, że pomimo pańskich odznaczeń nie nadaje się pan na oficera, i zdania nie zmienię. Jest pan świnią! Nadaje się pan do macania kur, a nie do noszenia munduru oficera. Jasne?

– Tak jest, sir. Pan generał wyraził się wystarczająco jasno.

VI

Strefa zrzutów Carentan
Fort Bragg, Karolina Północna
5 lipca 1946

Major Robert F. Bellmon, zastępca dowódcy ciężkich ładunków w szefostwie wojsk powietrznodesantowych w Fort Bragg był traktowany przez równych mu stopniem, jak i przez czterech pułkowników oraz szesnastu podpułkowników podejrzliwie, a nawet pogardliwie. Zredukowanie do stopnia majora, choć „bez zawinienia", nie spotkało wszystkich oficerów awansowanych przedwcześnie, o czym wszyscy wiedzieli.

Jeżeli nawet faktycznie stał się jedynie ofiarą systemu i rzeczywiście był dobrym dowódcą, to co w takim razie dobry oficer wojsk pancernych robił na ochotnika u spadochroniarzy? Dlaczego wojska pancerne pozbyły się dobrego oficera i wysłały go do szkoły spadochronowej, a potem na kurs Rangersów?

Odpowiedzią na te wszystkie wątpliwości było przydzielenie majora do szefostwa w roli eksperta od zrzutu sprzętu zmechanizowanego.

Nikt nie potrafił wskazać na żaden konkretny dowód związanych z Bellmonem podejrzeń, ale dwie tyczące się majora sprawy były dla wszystkich zupełnie jasne. Po pierwsze mieszcząca się w Fort Knox siedziba szefostwa wojsk pancernych błyskawicznie dowiadywała się o wszelkich pociągnięciach Fort Bragg, co sugerowało, że Bob może być szpiegiem w obozie spadochroniarzy, tym bardziej że oni sami mieli wtyki u pancerniaków. (Tak właśnie rywalizowały ze sobą rodzaje wojsk i służb US Army.) Po drugie zaś dla nikogo nie ulegało wątpliwości, że major jest kimś obcym i nigdy nie będzie jednym z nich.

Bellmon poddał się bez oporu wszystkim rytuałom zwykle wymaganym od potencjalnych spadochroniarzy – wstąpił do Związku Spadochronowego i wpiął w klapę munduru skrzydła skoczka – ale nie na wiele się to zdało. Nawet po przeniesieniu do korpusu ogólnowojskowego, co symbolicznie oznaczało, że nie czuje się on już pancerniakiem, współpracownicy nadal podejrzewali, że Bob śmieje się z nich w skrytości ducha, i mieli rację.

Dla majora armia pełna była budzących śmiech dziwolągów. Jako młody kapitan wpakował się w tarapaty, wybuchając śmiechem na widok munduru zaprojektowanego przez generała Pattona dla czołgistów. Innym razem doprowadził do szewskiej pasji jednego ze sztabowców Eisenhowera, przekręcając kryptonim kwatery głównej i upierając się przy swojej frywolnej wersji.

Tymczasem wśród oficerów szefostwa zaczęło krążyć zdjęcie, którym komendant szkoły spadochronowej postanowił uhonorować najstarszego stopniem kursanta. Wysłany na pokład samolotu fotograf uchwycił moment, w którym major wykonywał swój piąty, kwalifikujący skok z C-47. Na zdjęciu nie było jednak widać zaciętej twarzy, powagi i determinacji. Widniał na nim zatykający sobie palcami nos Bellmon, z prawą ręką na głowie i mocno zaciśniętymi powiekami. Każdy od razu rozpoznawał w nim małego chłopca szykującego się do skoku na głęboką wodę.

Major jechał teraz jeepem (prowadził go zawsze sam, sadzając przydzielonego mu kierowcę z tyłu) do strefy zrzutów Carentan i w głębi duszy nadal uśmiechał się z przekąsem.

Na skraju strefy stało kilka jeepów i ciężarówek, w których czekało na niego pięciu oficerów oraz dwudziestu pięciu ich podwładnych.

Szefostwo wojsk powietrznodesantowych, tak samo jak szefostwo wojsk pancernych, piechoty i artylerii, podlegało dowództwu naczelnemu wojsk lądowych, żołnierze mieli więc na sobie zwykłe mundury polowe. Poszczególne służby różniły się od siebie tylko okrągłymi naszywkami z kolorowym paskiem – niebieskim dla piechoty, złotym dla czołgistów i czerwonym dla artylerii. Tylko spadochroniarze mieli dodatkową naszywkę z napisem „Airborne", i to najbardziej rozśmieszało majora.

Do jeepa podszedł jakiś kapitan.

– Samolot właśnie wystartował z lotniska w Pope, panie majorze.

– Dziękuję.

Dzisiejsza próba polegała na zrzucie lekkiego czołgu M-24 ze specjalnie przystosowanego samolotu C-113. Pojazd przytwierdzono łańcuchami do ruchomej platformy, a tę z kolei ułożono na pokładzie transportowca. Kiedy samolot pojawi się nad strefą zrzutów, załoga odłączy łańcuchy i zwolni spadochron pilotujący, który po wypełnieniu powinien wyciągnąć paletę z czołgiem, a potem wyszarpnąć trzy duże spadochrony transportowe, które powinny teoretycznie łagodnie sprowadzić ładunek na ziemię. Platformę zaprojektowano w taki sposób, aby się składała przy kontakcie z podłożem, co miało łagodzić skutki uderzenia o grunt. Następnie *Choffee* miał zostać od niej odpięty i zjechać o własnych siłach, gotów do walki.

Niemożność wspierania desantów powietrznych ciężkim sprzętem była ich największą wadą i tym właśnie zajmował się Bellmon, wychodząc z założenia, że na rozwiązanie tego problemu ma mniej więcej tyle szans co na zostanie primabaleriną.

Trzy minuty po meldunku kapitana Bob wysiadł z jeepa, aby sprawdzić, czy na swoich stanowiskach znajdują się już fotografowie, kamerzyści, sanitariusze oraz trzyosobowa załoga, która zajmie się czołgiem po wylądowaniu.

Major podszedł do czołgistów, którzy natychmiast stanęli na baczność.

– Spocznij! – zakomenderował Bellmon. – I co?

– Dzień dobry, panie majorze – odpowiedzieli chórem.

– Wyląduje? – zapytał Bob. – Jakie ma, według was, szanse?

– Mniejsze niż zero – odparł dowódca załogi.

– O, wy, ludzie małej wiary! – biblijnie odrzekł major.

W oddali pojawił się samolot, który ze względu na kształt kadłuba potocznie nazywano Latającym Pudłem. Maszyna nadleciała nad strefę zrzutów i zatoczyła szerokie koło, a ktoś z obsługi naziemnej zapalił świece dymne, żeby ułatwić załodze zorientowanie się w prędkości i kierunku wiatru.

Po kolejnym skręcie transportowiec zszedł na planowaną wysokość dwóch tysięcy stóp.

Bellmon podniósł do oczu lornetkę. W powietrzu błyskawicznie pojawił się spadochron, a zaraz za nim drewniana paleta z czołgiem. W chwilę później zaczęły się wypełniać czasze spadochronów transportowych i *M-24* zakołysał się na mocujących go łańcuchach.

– Przynajmniej to działa – mruknął Bellmon.

W tym samym momencie jeden ze spadochronów zaczął drgać i deformować się.

– Urwał się! – krzyknął ktoś z załogi czołgu. – Tak jak mówiłem!

W sekundę później złożył się drugi ze spadochronów i platforma zaczęła spadać pionowo w dół. Po upływie kolejnych kilku sekund nie wytrzymał trzeci i czołg runął jak kamień, ciągnąc za sobą strzępki spadochronów.

– Raczej nie będziecie dzisiaj potrzebni – Bob odezwał się ironicznie do załogi i szybko ruszył w stronę jeepa. Wyczuł, że czołgiści są o krok od wybuchu śmiechu, i nie miał zamiaru ich upokarzać. Wskoczył do wozu i podjechał do zgruchotanego czołgu.

Lufa ustawiona była tak jak do transportu, odwrócona do tyłu i zablokowana nad silnikiem. Jakaś siła, powstała albo przy wyrzuceniu czołgu z samolotu, albo przy szarpnięciu spadochronów, wyrwała ją z mocowania, a uderzenie o ziemię dodatkowo zgięło na kształt litery U, choć lufa była zrobiona ze specjalnie wzmacnianej stali.

Tego było już za wiele. Siadając za kierownicą jeepa, najpierw uśmiechnął się szeroko, a następnie parsknął niepohamowanym śmiechem. Minęła dłuższa chwila, zanim opanował się na tyle, aby ruszyć z miejsca.

– Włącz radio, Tommy – rozkazał kierowcy, gdy skręcał w polną drogę prowadzącą do Fort Bragg. – Niech wiedzą, że wracamy.

Kierowca uruchomił radiostację i połączył się z Fort Bragg.

– Panie majorze – odezwał się po chwili. – Komendant bazy chce się z panem natychmiast zobaczyć.

– Komendant?

– Tak jest, sir!

– Ktoś mu już doniósł o mojej radości? – Bellmon wybuchnął śmiechem.

Kwatera komendanta mieściła się w szeregu dwupiętrowych budynków z cegły, które major pamiętał sprzed wojny. Bob zaparkował przed wejściem, wysłał kierowcę na kawę i wszedł do środka.

Z gabinetu dowódcy widać było kwatery wyższych oficerów oraz kino. Bellmon zatrzymał się więc u sekretarki generała i wyjrzał przez okno, żeby sprawdzić, co aktualnie grają. Był przekonany, że szef przyjmie go najwcześniej za kwadrans.

– Wejdź, Bob – generał odezwał się niespodziewanie zza pleców Bellmona.

Zwykle najpierw adiutant meldował wezwanym, że komendant przyjmie ich o takiej a takiej godzinie, a sam dowódca nigdy się z petentami osobiście nie witał.

– Gdzie się, do cholery, podziewałeś? – zagadnął generał. Wprowadził zaskoczonego Boba do gabinetu i położył mu rękę na ramieniu.

Major uśmiechnął się z przekąsem.

– Proszę mi wybaczyć, sir – odezwał się Bob. – Zrzucaliśmy *M-24*. Spadł nam prosto na lufę i zgiął się w U. Mam chyba jakieś zboczone poczucie humoru.

Generał milczał.

– Wezwałem cię – oznajmił w końcu – bo dzwonili po ciebie od szefa sztabu i nikt cię nie mógł znaleźć.

– Sir, jeżeli miał pan z tego powodu jakieś...

– Nie mój szef sztabu, Bob. Naczelny.

– Nie rozumiem, sir.

– Nie mogliśmy cię odnaleźć, powiedział mi więc, o co chodzi. W ten sposób spadł na mnie smutny obowiązek poinformowania cię, że generał major Peterson K. Waterford zmarł nagle wczoraj o piętnastej czasu niemieckiego. Znaliśmy się od tak dawna i przykro mi, Bob...

– Wie pan, co się stało?

– Atak serca – odrzekł generał. – Grał w polo z Francuzami...

– O Boże!

– Pomyślałem, że wolałbyś sam przekazać to Barbarze, ale...

– Powiem jej, sir. Dziękuję.

– Powiadomiłem już Caroline. Przyszło mi do głowy, żeby ci dać parę minut na rozmowę z żoną, a potem zostawić ją z jakąś kobietą...

– Dziękuję bardzo, sir.

– Generał odszedł chyba tak, jak chciał, grając w polo – zadumał się komendant.

– Dokładnie to samo przyszło mi na myśl, sir.

– Adiutant szykuje już dla was rezerwację na samolot, będzie w kontakcie. Ja też przyjadę na pogrzeb.

– Jeszcze raz dziękuję, panie generale.

– Porky Waterford był trochę nietypowy – zaczął generał, ale załamał mu się głos, a w oczach stanęły łzy – ale był cholernie dobrym żołnierzem.

2

Do malutkiego gabinetu Bellmona wszedł jego bezpośredni przełożony i zastał go wpatrzonego w okno z filiżanką kawy w ręku.

– Dzwoniłem na kwaterę, Bob, ale powiedzieli mi, że jesteś tu. Po pierwsze, strasznie mi przykro, a po drugie, wcale nie musisz tu siedzieć.

– Dziękuję, sir – odrzekł Bellmon. – U żony jest Caroline, żona szefa sztabu. Chciała, żebym wyszedł. Później dzwonił kolega z roku teścia, generał Dess z lotnictwa. Powiadomił, że przyśle swój samolot, i upierał się, żeby z niego skorzystać. Zostało mi więc trochę czasu i pomyślałem, że najłatwiej będzie zabić go tutaj.

– Jeżeli tylko moglibyśmy ci w czymś pomóc, Bob... Wysłałem Janice do Barbary.

– W pewnym sensie to żołnierska śmierć – zadumał się major. – Zmarł, grając w polo!

– Żołnierz powinien zginąć od ostatniej kuli w ostatniej bitwie. To było blisko ideału. Napijemy się?

– Za chwilę przyjdą absolwenci kursu Rangersów – odpowiedział Bellmon. – Nie chcę, żeby było ode mnie czuć wódą.

– Ja się nimi zajmę.

– Jeżeli pan pozwoli, panie pułkowniku, to sam wolałbym z nimi porozmawiać. Albo zajmę się czymś konkretnym, albo dalej będę się gapił w okno.

– Rozumiem. Gdyby jednak ci to nie odpowiadało, to pamiętaj, że cały dzień jestem w budynku.

– Dziękuję, sir.

– Rozumiem, że zrzut *M-24* się nie udał. Masz jakiś pomysł?

– Trzeba będzie wykombinować jakiś lepszy sposób na desantowanie czołgów – ogólnikowo odparł Bellmon.

– Przemyśl to i sporządź notatkę służbową. Oczywiście jak już będzie po wszystkim – dodał na odchodnym.

– Tak jest, sir.

Cywilna sekretarka Bellmona, obsługująca jeszcze trzech innych oficerów, wetknęła głowę w otwarte drzwi i zapukała we framugę. Major odwrócił się od okna.

– Przyszło do pana pięciu poruczników, panie majorze – oznajmiła.

– Już wychodzę, Bob – powiedział pułkownik. – Tak mi przykro...

– Dziękuję, sir – odrzekł Bellmon i skinął głową na sekretarkę. – Proszę przysłać pierwszego.

Do gabinetu wmaszerował z czapką pod pachą podporucznik piechoty Sanford T. Felter, zatrzymał się trzy stopy przed biurkiem, oddał honory i wyrecytował: „Porucznik Felter melduje się zgodnie z rozkazem, sir". Bellmon odsalutował, ale ani jego oczy, ani twarz nie sugerowały, że rozpoznał porucznika.

– Proszę usiąść, Felter – zaproponował, wskazując ręką na obite suknem krzesło. – Jaką kawę pan pije?

– Czarną, sir – odpowiedział.

Tym razem major wyglądał o wiele lepiej niż przy poprzednim spotkaniu z Felterem. Twarz się wypełniła i ciało nie było już tak wychudzone, a z oczu zniknęła niezdrowa szklistość.

Bellmon nalał kawy do filiżanki, obszedł biurko i podał ją Felterowi.

– Należą się panu gratulacje – ciągnął dalej major. – Kiedy sam byłem kursantem, nie miałem szans, żeby skoczyć z wyróżnieniem. Wręcz odwrotnie.

– W mojej grupie był taki, panie majorze, który wykombinował, że niscy mniej ważą i mają mniejsze szanse.

Bellmon roześmiał się i spojrzał na porucznika z zaciekawieniem.

Nie spodziewał się takiej uwagi od młodszego absolwenta. To nie było ani aroganckie, ani złośliwe, ale po prostu pewne siebie.

– W pewnym sensie miał rację – odrzekł major, z trudem tłumiąc śmiech. – Rzucę teraz szybko okiem na pańskie papiery i ostrzegam, żeby pan sobie nie roił, że toczę z panem wojnę psychologiczną i każę panu czekać. Po prostu nie miałem na to czasu.

– Tak jest, sir.

Historia służby Feltera okazała się bardzo ciekawa, a nawet fascynująca. Bellmonowi nigdy nie przyszłoby do głowy, że ten mały człowieczek zdążył już być na froncie, gdyby nie przeczytał tego w odpowiednim raporcie.

01.01. 1945 Zwolniony z Korp. Kadetów z honorami (trzeci rok) ze względu na objęcie stanowiska dowódczego.

02.01. 1945 Promowany na ppor. piechoty i przydzielony do 40. Dyw. Panc.

02.01. 1945 19.01. 1945 Transport do 40. Dyw. Panc. (APO 40)

19.01. 1945 40. Kompania Żandarmerii, 40. Dyw. Panc. (przesłuchiwanie jeńców wojennych)

23.04. 1945 Oddelegowany do administracji wojskowej w Bawarii (ocena zdobytych dokumentów)

03.07. 1945 Awansowany na por. piechoty

01.07. 1945 (automatyczny awans po sześciu miesiącach w warunkach bojowych)

17.08. 1945 04.10. 1945 Urlop pofrontowy

05.10. 1945 Podstawowy Kurs Oficera Piechoty, Fort Benning

02.04. 1946 Ukończył Kurs Oficera Piechoty, Fort Benning

21.04. 1946 Ukończył Kurs Spadochronowy, Fort Benning

23.04. 1946 Kurs Rangersów, Fort Bragg

02.07. 1946 Ukończył Kurs Rangersów z wyróżnieniem, Fort Bragg

– Widzę, że był pan w Diabelskim Cyrku? – zdziwił się Bellmon, jako że Felter nie nosił odznaki 40. Dywizji Pancernej, do której uprawniała go służba na froncie.

– Tak jest, sir.

– Spotkał się pan kiedyś z generałem Waterfordem?

– Raz, sir. Rozmawialiśmy jakieś piętnaście minut.

– Przykro mi o tym mówić, poruczniku, ale generał zmarł wczoraj, grając w polo.

– To wielka strata – odparł Sandy.

Bellmonowi przyszła nagle ochota, by przycisnąć tego małego Żydka do muru.

– Dlaczego pan tak mówi? Jeżeli widział go pan tylko raz przez piętnaście minut, to jak mógł pan wyrobić sobie o nim opinię, obojętnie, negatywną czy pozytywną?

– Wydaje mi się, sir, że miałem na myśli stratę, jaką poniosła armia. Generała Waterforda uznawano za jednego z lepszych dowódców dużych jednostek pancernych.

Bellmon skinął głową, zdumiony, że porucznik odpowiedział bez namysłu i nie kadził nadętymi kondolencjami.

– Owszem – odrzekł. – Ciekawi mnie, jak pan widzi swoją przyszłość, poruczniku. Chce pan zostać w armii?

– Tak jest, sir!

– Zrezygnował pan jednak z Akademii i nie ma pan skończonych studiów. Jak chce pan sobie z tym poradzić?

– Zapisałem się na wydział zaoczny na Uniwersity of Chicago. Skończę za parę miesięcy.

– Zaocznie?

– Tak jest, sir. Nauki polityczne.

– Godne pochwały – sucho stwierdził major.

Ten gnojek ma odpowiedź na każde pytanie, zdumiał się, zauważając jednocześnie, że czepia się go zupełnie bez powodu. Przecież nie obchodzi go ani to, że Felter jest Żydem, ani to, że znał teścia, którego on lubił, a może nawet i kochał. Wszystkiemu winne roztrzęsienie.

– Przepraszam – odezwał się Bellmon. – Czepiam się. Właśnie zmarł mi teść, ale to jeszcze nie powód, żeby torturować pana pytaniami.

Felter milczał.

– Poruczniku – ciągnął major po chwili przerwy. – Doceniając pański wysiłek i osiągnięcia w szkole imienia J. Wayne'a, zwanej też szkołą komandosów, daję panu w imieniu armii wolną rękę w wyborze wydziału. Mam pulę dwudziestu pięciu etatów.

– Tak jest, sir.

– Nie jest pan ani rozbawiony, ani oburzony tą mało szacowną formą nazwania naszej szkoły...

– Słyszałem to już wcześniej – odrzekł Sandy.

– I jak pan zareagował? Rozbawieniem czy wściekłością na szarganie świętości?

– Rozbawieniem, sir – odparł Felter, gładząc krótko ostrzyżone włosy, które zaczynały już rzednąć. Ten gest sprawił, że Bellmon przypomniał sobie, skąd go zna.

– Teraz też pana to bawi, Felter? – zapytał Bellmon lodowatym głosem.

Wściekał się na siebie za to, że go nie poznał.

– Sir?

– Bawi pana ta sytuacja?

– Nie bardzo rozumiem, o co panu chodzi, sir.

– Za to ja bardzo dokładnie wiem, o co mi chodzi, poruczniku. To nie jest nasze pierwsze spotkanie.

– Tak jest, sir.

– Nie wspomniał pan, że mnie zna. Można wiedzieć dlaczego?

– Pozostawiłem panu majorowi przyjemność rozpoznania jednego ze swoich oswobodzicieli – wytłumaczył Felter, a po pauzie dodał – albo nie.

– Co się z panem działo po powrocie? – zaciekawił się Bellmon.

– Dostałem rozkaz nierozmawiania na temat kolumny Parkera – zaczął Sandy – a później wysłali mnie do Monachium.

– Słyszał pan, co mnie spotkało?

– Owszem. Pan major był hospitalizowany.

– Z czubkami – sprecyzował Bellmon. – Słyszał pan?

Felter kiwnął nieznacznie głową.

– Nie wspomniał pan o tamtym spotkaniu, bo sądzi pan, że wtedy chwilowo postradałem zmysły?

– Przeglądałem materiały katyńskie i jestem przekonany, że to Rosjanie rozstrzelali polskich jeńców.

– Gdzie pan to widział? – zdumiał się major.

– Polski Rząd Emigracyjny, to znaczy by* rząd, przekazał te dokumenty Bibliotece Kongresu i są ogólnodostępne.

– Ale zechciał się pan pofatygować – dodał Bellmon.

– Byłem tym zainteresowany – odpowiedział Felter.

– Rozmawiał pan z kimś na temat Katynia albo kolumny Parkera?

– Jeszcze nie, sir.

– Nawet z żoną?

– Nie, sir. Moja żona jest bardzo wrażliwą kobietą.

– Ja też z nikim jeszcze o tym nie rozmawiałem, poruczniku.

– Tak jest, sir.

– Zdegradowali mnie zaraz po wojnie, Felter. Może byłem za młody na ten stopień. Pozostało mi tylko uwierzyć, że jestem czternasty na liście awansów na podpułkownika. Jak odzyskam ten stopień, to i tak będę jeszcze młodym pułkownikiem. Rozumie mnie pan, poruczniku?

– Znaczy to, że nie ma pan żadnych problemów ze zdrowiem, majorze – odparł Felter – i z zachowaniem dyskrecji.

– O pewnych rzeczach nie powinniśmy rozmawiać, Felter, dopóki nie sprawdzimy, kto nas słucha.

– Zgadza się, sir.

– Nie jesteśmy sami – dodał Bellmon.

– Tak jest, sir.

– Wykazuje pan niezwykłe zrozumienie sprawy jak na pański stopień i staż – stwierdził Bellmon. Zamilkł na chwilę i uśmiechnął się. – Być może rozumie pan nawet, jakim stekiem bzdur jest filozofia Rangersów.

Na twarzy Feltera pojawił się niewyraźny uśmiech.

– Coś panu przecież zawdzięczam, Felter. Dzięki wam przeżyłem dzień wyzwolenia. Proszę mi powiedzieć, jak pan widzi swoją przyszłość.

– Nie bardzo wiem, co powiedzieć, sir – odrzekł Felter.

– Kim chce pan być za dwadzieścia lat, w roku 1966? Powinien pan już wtedy być przynajmniej majorem, a może nawet podpułkownikiem i dowodzić batalionem. Co pan o tym myśli?

– Sir – zaczął Felter – wydaje mi się, że mam zadatki na oficera wywiadu.

– Dlaczego?

– Mam zdolności językowe. Znam niemiecki, polski i rosyjski. Mówię także trochę po francusku.

– Rosyjski?

– Rodzina mojej matki stamtąd pochodzi, sir.

– Wywiad to nie tylko języki – odparł Bellmon, któremu właśnie się przypomniało, że planował zabić tylko trochę czasu, rozmawiając z tym żółtodziobem. Nie podejrzewał, że nadarzy mu się sposobność doradzenia czegoś porucznikowi, któremu zawdzięczał życie i który, jak się okazało, wcale nie był żółtodziobem.

– Tak jest, sir, rozumiem to – odpowiedział Felter.

– Rzecz w tym, poruczniku, że najlepszymi oficerami wywiadu w ostatniej wojnie, a więc pewnie i we wszystkich przyszłych wojnach, byli i będą cywile. Umiejętności zawodowego oficera nie zawsze przydają się w wywiadzie. Chodzi mi o to, że w tym fachu potrzeba zdolnych ludzi, ale w czasie pokoju w armii nie ma miejsca dla intelektualistów.

– Będzie więc pokój, sir?

– Proszę się wyrażać jaśniej, Felter – powiedział Bellmon. – Nie bardzo rozumiem, co ma pan na myśli.

– Tydzień temu przeczytałem w gazecie, że przejęliśmy od Anglików Grecję, sir – wyjaśnił Felter. – To chyba nie jest służba garnizonowa?

Przez chwilę Bellmon w milczeniu szukał czegoś w leżącej przed nim na biurku szarej kopercie.

Notatka służbowa

Zapis rozmowy pomiędzy szefem sztabu Kwatery Głównej Dowództwa Wojsk Powietrznodesantowych a Gabinetem Komendanta Uzupełnień przy Departamencie Wojny (J. C. McKee i ppłk. Keneth Oates).

Płk Oates stwierdził, że szef sztabu spełnił prośbę Grupy Doradczej Armii Amerykańskiej o wysłanie do dowódcy Armii Greckiej 86 oficerów w charakterze konsultantów. Powinni oni, jeżeli to możliwe, znać j. grecki, posiadać doświadczenie bojowe i wyrażać chęć odsłużenia w trudnych warunkach co najmniej jednego roku.

Fort Bragg wraz z podległymi mu jednostkami dostał zadanie oddelegowania dwóch oficerów. Płk Oates nalegał, aby dostarczyć mu nazwiska w ciągu 24 godzin. Ochotnicy zostaną przewiezieni transportem wojskowym do Frankfurtu, a stamtąd przerzuceni do Aten.

– Gdzie jeszcze na świecie widzi pan punkty zapalne, poruczniku? – spytał major. – To nie jest oczywiście żaden egzamin – dodał.

– Sir, wydaje mi się, że powiedziałem już za dużo.

– Gdzie jeszcze, poruczniku – powtórzył Bellmon. – Najwyższy czas, żeby się pan w końcu nauczył, że jeżeli mówi pan A, powinien pan być gotów powiedzieć również B.

– Tak jest, sir – odrzekł Felter. – Indie, sir, wraz z ich dążeniami do niepodległości, Indochiny, zmagające się z francuskim kolonializmem, oraz Chiny, gdzie chyba wygrają komuniści, co nie pozostanie bez wpływu na pozostałą część tego obszaru, poza tym: Filipiny, Korea i Palestyna.

– Co może pan powiedzieć o Palestynie?

– Syjoniści nie ustąpią, a Arabowie na pewno nie będą chcieli tolerować żydowskiego państwa.

– Po czyjej jest pan stronie?

Felter doszedł do wniosku, że niewyparzona gęba zapędziła go w końcu w kozi róg.

– Jestem Żydem, wyznaję judaizm i moje sympatie leżą po stronie państwa żydowskiego – odparł Felter.

– A gdyby wysłano pana do Palestyny i kazano walczyć po stronie Anglików przeciwko syjonistom?

– Nie wiem, sir, chybabym zrezygnował.

– Niech pan o tym nikomu nie mówi, Felter – doradził Bellmon. – Niech pan nigdy nie pozwoli poznać wrogowi swoich zamiarów. Mój kolega z roku wystąpił niedawno z wojska i walczy po stronie syjonistów.

– Nie pochwala pan tego, sir.

– Nie, poruczniku. Staję się przez to w pańskich oczach fanatykiem i antysemitą.

– Nie, sir, ale na tym przykładzie widać, że, tak jak mówiłem, Palestyna jest punktem zapalnym. Obie strony konfliktu nie bardzo mają gdzie ustąpić. W pewnym sensie ta sytuacja przypomina konflikt w Irlandii, którą, nawiasem mówiąc, też zaliczam do punktów zapalnych.

– Nawet nie pomyślałem o Irlandii – wyznał Bellmon. Powiedziawszy to, zdał sobie sprawę, że Felter ma bardzo zbliżony do jego własnego pogląd na świat: jednocześnie realistyczny i cyniczny. – Następny pański przydział to stanowisko dowódcze – oświadczył Bellmon oficjalnym tonem. – Młodzi oficerowie muszą się nauczyć odpowiedzialności. Ma pan do wyboru: etat w 1. Dywizji Kawalerii na Kiusiu w Japonii, w 187. Pułkowej Grupie Bojowej Powietrznodesantowej na Hokkaido, w 24. Dywizji Piechoty na Hawajach, w 5. Dywizji Piechoty w Fort Riley w Kansas oraz tutaj, w 82. Dywizji w Fort Bragg. Możecie również zostać instruktorem poborowych w 1. Dywizji Piechoty w Niemczech albo w 88. Dywizji Górskiej w Trieście. Proszę się zdecydować, poruczniku.

– Słyszałem, sir, że poszukuje się oficerów na wyjazd do Grecji. Czy to też uznałby pan za stanowisko dowódcze?

– Skąd pan o tym wie?

– Dowiedziałem się na kursie, sir. Kilku znajomych już się zgłosiło.

– Słyszałem, że wybiera się ochotników spośród doświadczonych oficerów – odparł Bellmon – a to pana nie dotyczy, przynajmniej oficjalnie.

– Jeżeli częścią mojej edukacji ma być służba na stanowisku dowódczym, to wolałbym, żeby to było stanowisko na froncie.

– Do czego pan dąży, poruczniku? Chce pan wyrobić sobie reputację kogoś, kto dąży do konfrontacji z bezbożnymi hordami ze Wschodu?

– Uważam, sir, że obowiązkiem oficera jest dowiedzieć się jak najwięcej o potencjalnym wrogu.

– Zgadza się – potwierdził Bellmon – problem tylko w tym, że historycznie rzecz biorąc, mało kto był w stanie zidentyfikować przyszłego wroga na tyle szybko, żeby to zrobić. Co będzie, jeżeli się pan myli?

– Tak samo jak pan, majorze, dobrze wiem, że naszym wrogiem jest Związek Radziecki.

– Proszę uważać, z kim pan na ten temat rozmawia – ostrzegł go Bellmon. – Dla wielu ludzi ZSRR jest po prostu oswojonym niedźwiadkiem.

Felter skinął głową.

– To trudna misja – ciągnął dalej Bellmon. – Nie może pan zabrać ze sobą rodziny, a pańska żona nie skorzysta z możliwości słodkiego życia w okupowanych Niemczech.

– Jestem na to przygotowany, sir.

Bellmon podniósł słuchawkę i polecił sekretarce, aby połączyła go z pułkownikiem McKee. W chwilę później zadzwonił telefon. Bellmon odebrał go i ustawił słuchawkę w ten sposób, żeby Felter mógł słyszeć głos pułkownika.

– Tu major Bellmon, sir. Mam kandydata na Grecję.

– Kogo?

– Porucznika nazwiskiem Felter. Ukończył właśnie z wyróżnieniem kurs Rangersów. Zgłasza się na ochotnika i myślę, że powinniśmy go wysłać.

– Czyżby, Bob? – odparł pułkownik McKee. – Po pierwsze, mam już kilku przymusowych ochotników, a po drugie, co ten chłopak nabroił?

– Nic, sir. Tak jak mówiłem, skończył szkołę z wyróżnieniem i chce jechać.

– Nie rozumiemy się, Bob. Wypychamy ludzi do Grecji, a nie wysyłamy ich tam w nagrodę. To nie jest przydział na ciepłą posadkę.

– Ale porucznik Felter chce jechać, panie pułkowniku. Jakkolwiek by było, skończył kurs z wyróżnieniem, ma więc prawo wybrać sobie przydział.

– Chyba coś zataiłeś, Bellmon, ale nie będę dochodził szczegółów. Chcesz wepchnąć tego faceta do Grecji, w porządku. Podaj mi tylko jego imię, nazwisko, stopień i numer służbowy.

3
West Point, Nowy Jork
9 lipca 1946

Generała majora Petersona K. Waterforda pochowano na cmentarzu Amerykańskiej Akademii Wojskowej w West Point. Pod koniec ceremonii po salwach honorowych, gdy umilkła hejnałówka, szef sztabu US Army wręczył pani Waterford złożoną w trójkąt flagę Stanów Zjednoczonych, którą przykryta była trumna. Następnie rozpoczęła się stypa w kwaterze komendanta szkoły. Major Robert Bellmon wyszukał w tłumie kapitana Rudolpha MacMillana.

– Nie zdążyłem ci wcześniej podziękować, Mac – zaczął major. – Teściowa opowiadała mi, jak bardzo jej pomogłeś.

– Do diabła – powiedział zażenowany MacMillan. – Byłem bardzo dumny z generała.

– A on z ciebie – dodał Bellmon.

W tym momencie podszedł do nich szef sztabu US Army.

– Muszę wracać, Bob – zagadnął. – Chciałem jednak najpierw się pożegnać i podziękować panu, kapitanie MacMillan, za pomoc udzieloną pani Waterford.

– Cała przyjemność po mojej stronie – odparł Mac.

– Długo służył pan pod dowództwem Porky'ego? – zapytał szef sztabu.

Był szczupłym, wysokim mężczyzną, jednym z nielicznych czterogwiazdkowych generałów cieszących się przywilejem noszenia Bojowej Odznaki Piechoty, która z polecenia generała Omara Bradleya przysługiwała tylko żołnierzom, którzy sprawdzili się w bezpośrednim starciu z przeciwnikiem. Niejeden generał, uhonorowany tą odznaką z własnego rozkazu, zmuszony był odpiąć ją od munduru.

– Nie, sir – odrzekł MacMillan – niedługo, ale pułkownik... to znaczy major Bellmon i ja znamy się od dawna.

– Byliśmy razem w stalagu, panie generale – odezwał się Bellmon.

– Oczywiście, podejrzewałem, że coś w tym jest – odparł generał, spoglądając na gwiaździstą baretkę kapitana. – To pan jest tym słynnym MacMillanem?

– Jedynym i niepowtarzalnym – zaśmiał się Bellmon.

– Co pan zamierza dalej robić? – zapytał szef sztabu. – Został pan teraz bez przydziału, nieprawdaż? Co chcielibyście wybrać?

– Cokolwiek armia rozkaże, sir – odparł kapitan.

– Bez przesady, MacMillan, armia jest pańskim dłużnikiem – stwierdził generał.

– Sir, skoro pan poruszył ten temat, chciałem właśnie zapytać majora Bellmona, czy nie ma na oku jakiegoś zajęcia dla starego, spracowanego żołnierza.

– Masz jakąś fuchę dla kapitana, Bob? A gdzie ty w ogóle... aha, w spadochronowej... słyszałem o tym.

– Wydaje mi się, sir – zaczął Bellmon – że mógłbym znaleźć jakieś zajęcie dla MacMillana...

– Mówi się, że nie będziesz się już długo męczył w Fort Bragg. I. D. White chce cię mieć w Knox. Dlaczego nie miałbym...? – generał urwał w pół zdania i lekko odwrócił głowę w stronę zbliżającego się do nich, dostojnie wyglądającego, siwowłosego majora ze złotym akselbantem adiutanta na ramieniu.

– Tom – zwrócił się do niego szef sztabu – major Bellmon skontaktuje się z tobą w sprawie szczegółów. Chodzi o to, żeby kapitan MacMillan dostał przydział do Knox. Każ komendantowi uzupełnień, aby znalazł mu tam coś do roboty.

– Sir – odezwał się MacMillan – jak tylko wchodzę do gabinetów ludzi z uzupełnień, zaraz chcą, żeby im opowiadać, skąd mam ten medal. Czy nie można by po cichu ściągnąć mnie do Knox? Szef sztabu roześmiał się.

– Przemyć go jakoś do Knox, Tom. Rozumiem problem kapitana.

– Tak jest, sir – odpowiedział adiutant. – Musimy już jechać, sir.

– Jeszcze tylko pożegnam się z panią Waterford – zakończył szef sztabu. – Idź po samochód.

4
Baza Lotnicza McGuire
Wrightstown, New Jersey
10 lipca 1946

Sharon Lavinsky Felter wstydziła się sama przed sobą, ponieważ zaczęła nienawidzić męża w dniu jego wyjazdu. Nie znaczyło to wcale, że przestała go kochać. Kochała go, od kiedy tylko mogła sięgnąć pamięcią. Zrozumiała jednak, że można jednocześnie kochać i nienawidzić. Nienawidziła Sandy'ego, kiedy udawał przed nią oficera, wydawał jej rozkazy i nie troszczył się wcale o to, jaki ona ma na daną sprawę pogląd.

Sharon pojechała z mężem, matką, ojcem i teściami do McGuire nowiutkim buickiem. Teraz, gdy Sandy wyjeżdżał, taki nowy wóz był jej zupełnie niepotrzebny. Po pierwsze nie prowadziła zbyt dobrze, a po drugie za każdym razem, gdy nim ruszała, buick chciał jechać tam, gdzie mu się podobało; tak jakby sam mógł sobą kierować. Niestety, w sprawie samochodu Sharon nie miała nic do powiedzenia. Jej ojciec, a szczególnie teść i teściowa, mogli przynajmniej wyrazić głośno swoją dezaprobatę. Sharon usłyszała tylko: „Kwestia samochodu nie podlega dyskusji". Teściowie argumentowali, że wóz jest za drogi, że Sharon tak naprawdę nie potrzebuje samochodu, a w ostateczności w garażu stoi plymouth, którym wszędzie może dojechać, gdyby nawaliła ciężarówka z piekarni. Jeżeli Sandy naprawdę musi mieć drogi samochód, to będzie mógł go sobie kupić, kiedy wróci i odzyska rozum. Porucznik Felter wysłuchał obiekcji i wszystkie zignorował. „Spróbuj to zrozumieć, Sharon", powiedział do żony. „Mam już dość powtarzania w kółko tego samego, ale powiem ci jeszcze raz, że jestem zawodowym oficerem".

Powtórzył to trzydzieści pięć razy.

Sharon nie wiedziała dlaczego, ale Sandy był bardzo zadowolony, kiedy pewnego dnia wyciągnął ze skrzynki jakiś list. Na jazdę do Fort Dix, gdzie zrobiono mu badania lekarskie i zaprzysiężono, zmarnowali cały dzień. Pomimo to nadal pozostał tylko porucznikiem i wcale więcej nie zarabiał. Dla Sharon jedyna różnica polegała na tym, że skrócono mu numer służbowy. Oficerowie zawodowi, domyślała się Sharon, muszą sprostać innym obowiązkom niż powołani do służby oficerowie rezerwy. Możliwe, że z niezrozumiałych dla niej powodów należało do nich posiadanie drogiego nowego samochodu tylko po to, żeby czekał w garażu na powrót właściciela.

– Stać nas na to. Wolę dołożyć tych parę stów i kupić dobrego buicka. Gdybym uważał, że naprawdę go nie potrzebujemy albo nas na niego nie stać, to nie kupowalibyśmy go. Nie wracajmy już do tej sprawy, Sharon.

Sandy zmusił żonę, żeby wróciła nowym wozem z Newark do bazy lotniczej McGuire, choć była to rzecz, która nie przyśniłaby się jej w najgorszym koszmarze.

– Jak nie pojedziesz teraz – powiedział – to do końca życia będziesz się bała go prowadzić. Chcę sprawdzić, czy dasz sobie radę.

Samochód był duży, ale mimo to zapchany. Z przodu, oprócz Sharon, siedzieli jeszcze jej ojciec i Sandy, a jej matka i teściowa zajmowały siedzenia w tyle. Ponieważ bagażnik był bardzo obciążony walizami, przód wozu tak się podniósł, że ledwo widziała koniec maski.

Wszyscy starali się ukryć napięcie, ale widać je było wyraźnie na ich twarzach. Felterowie i Lavinscy czuli się urażeni i zdezorientowani zachowaniem Sandy'ego. Najpierw zgłosił się na ochotnika do wojska, zamiast spokojnie przeczekać wojnę w West Point, a teraz, kiedy dzięki Bogu wrócił cały i zdrowy, nie chce skorzystać z nadarzającej się okazji zwolnienia ze służby.

Sharon zgadzała się ze wszystkim, co próbowała uzmysłowić Sandy'emu jego matka. Tłumaczyła mu, że gdyby tylko zechciał, mógłby zrobić prawdziwą karierę. Bóg obdarzył go rozumem, dzięki któremu mógłby zostać nawet lekarzem czy prawnikiem.

Wojsko miało fundusze, by pokryć koszty studiów, a ponadto czekała na nich w spadku piekarnia. Na pewno starczyłoby im zatem pieniędzy na kupno nowego mieszkania i powiększenie rodziny, jeżeli mieliby na to ochotę. Sandy miał więc pod ręką wszystko, o czym może marzyć rozsądny człowiek, i rzucał to wszystko w błoto, jak mały chłopiec nieświadomy wartości talentu. Został żołnierzem! Tak jakby uważał, że jest Napoleonem, bo był najniższy w rodzinie. Tylko jego ojciec starał się rozładować atmosferę i uciszyć żonę.

Może Sandy chce się sprawdzić, ponieważ jest niewielkiego wzrostu? Po jakimś czasie zmądrzeje. Jest przecież jeszcze młody, nie miał dotychczas gdzie się wyszaleć.

Pan Felter doradzał rodzinie, aby przestała się martwić i doceniła fakt, że jego syn nie zaczął pić, grać w karty albo uganiać się za dziewczętami jak inni chłopcy w jego wieku.

Powtarzał, że Sandy niedługo przejrzy na oczy i zrozumie, gdzie jego miejsce. Dopóki jednak cieszy go wyskakiwanie z samolotów i jedzenie węży w dżungli, czego ich uczyli na kursie Rangersów, to muszą się z tym po prostu pogodzić. Choć brzmiało to miło, nie przyniosło pociechy Sharon, która naprawdę nie oczekiwała wiele. Zadowalało ją zupełnie malutkie mieszkanie w Columbus niedaleko Fort Benning oraz w Fayetteville w Karolinie Północnej, w pobliżu Fort Bragg. Jak napisano w Biblii: „Dokąd ty pójdziesz, tam i ja będę". Jeżeli Sandy życzyłby sobie, aby poszła z nim na biegun północny, zrobiłaby to i czuła się szczęśliwa. Nowy przydział męża był jednak gorszy. Oznaczał, że przynajmniej przez rok ona będzie pracować w piekarni, a on będzie Bóg wie co wyprawiał w Grecji. Tak więc jadąc w samochodzie do McGuire, Felterowie i Lavinscy z jednej strony byli wściekli na Sandy'ego, z drugiej zaś współczuli Sharon i im obojgu. Gdy dotarli na miejsce, Sandy kazał żonie zaparkować na obszarze oznaczonym „Parking dla personelu odlatującego za granicę".

Porucznik Felter wysiadł z samochodu, wyjął z bagażnika dwie ciężkie walizy i podszedł wraz z Sharon do hali odlotów. Za nimi, niechętnym krokiem, podążali rodzice.

– Spójrz, Sharon, kto tam stoi – powiedział cicho Sandy, tak jakby mówił do samego siebie.

– Kto, Sandy?

– Koledzy z mojego roku. Wcześniej zgłaszają się do jednostek i dostają dwa tygodnie urlopu w Niemczech.

Sharon nie bardzo orientowała się, co miał na myśli, ale wiedziała przynajmniej, o kim mówi. W poczekalni siedziało dwudziestu podporuczników ubranych w wyjściowe, letnie mundury, na które składały się: koszula, bluza, spodnie i czapka z daszkiem. Towarzyszyło im dwadzieścia młodych kobiet w kostiumach przybranych kwiatami, pewnie ich żony i narzeczone. Sharon głęboko kochała swojego męża i nie zamieniłaby go na żadnego innego, gdy jednak porównała Sandy'ego w mundurze polowym i pozostałych poruczników, stwierdziła, że jej mąż wygląda na roznosiciela mleka.

– Kochanie, dlaczego nie nosisz wyjściowego munduru?

– Gdybyś miała spędzić osiemnaście godzin w samolocie, też wybrałabyś polowy – odparł Sandy, uśmiechając się z przekąsem.

Felter podniósł walizy i podszedł do wyjścia. Sharon podążyła za nim.

– Poruczniku – warknął sierżant, przyglądając się ciężkim walizom. – Przekroczył pan limit bagażu.

– Niech pan przeczyta ten rozkaz, sierżancie – równie niemiłym głosem odpowiedział Felter.

Sierżant przyjrzał się dokumentowi.

– W porządku, sir, pomyliłem się – odrzekł pojednawczo.

Sharon spostrzegła nagle, że przygląda im się kilku podporuczników. Miała niemiłe uczucie, iż powodem ich zainteresowania jest mundur męża.

– Jeszcze tylko parę minut, sir – dodał sierżant. – Proszę nie wychodzić z poczekalni.

– Dziękuję – powiedział Sandy, wziął Sharon pod rękę i podszedł do grupy podporuczników.

– Cześć, Nesbitt – przywitał się. – Jak leci, Pierce, O'Connor?

– Niech mnie kule biją, to ty, Felter? – zawołał jeden z nich.

– Niech mnie kule biją, sir – rzucił ktoś z grupy. – Patrzcie na tę srebrną belkę.

– Myszowaty, sir, pozwoli pan, że przedstawię panu moją żonę – powiedział.

– Miło mi – odpowiedział Sandy. – Pozwoli pan, że przedstawię moją.

Gdy zaczął witać się ze wszystkimi, jeden z podporuczników wyjaśnił Sharon, że „porucznik Felter studiował z nami przez jakiś czas w Akademii". Nie podobało jej się przezwisko męża, choć on sam twierdził, że mu to nie przeszkadza.

– Lecisz do Niemiec, Myszowaty? – zapytał któryś z podporuczników.

– Do Grecji – odparł Felter.

– Do Grecji? – zdziwił się tamten.

187

– Tworzą tam grupę doradców wojskowych – wyjaśnił Sandy.
– Nie wiedziałem – odpowiedział speszony podporucznik.

Chociaż Sharon wiedziała, że nie było sensu paradować w wyjściowym mundurze na pokładzie samolotu, chciałaby, żeby jej mąż ładnie wyglądał albo przynajmniej przypiął do munduru odznaczenia. Nie nosił nawet butów spadochroniarza, choć był do tego upoważniony, nie wspominając o skrzydełkach skoczka i naszywce Rangera.

Przysłuchując się temu, co porucznicy mówili o Sandym, Sharon wywnioskowała, że nie znaczył dla nich zbyt wiele.

Myszowaty Felter wygląda w ich oczach tak jak dawniej: mały, słaby i chudszy od szkieletu. Spotkanie z młodymi absolwentami West Point potwierdziło również jej najgorsze obawy. Sandy tłumaczył, że misja w Grecji jest dla niego wielką szansą. Ci młodzi podporucznicy z pewnością tak nie myśleli. Nie mieli nawet pojęcia, że Stany Zjednoczone wysyłają do Grecji żołnierzy. Oni jechali do 1. Dywizji albo do Żandarmerii w Niemczech i zabierali ze sobą żony. Gdy wrócili do rodziców, Sharon wyczuła, że tamci zaczęli szeptem wymieniać uwagi na ich temat. W tym samym momencie zapowiedziano samolot.

Obie matki rozpłakały się na głos, kiedy Sandy zaczął się z nimi żegnać. Sharon udało się powstrzymać łzy aż do chwili, gdy Sandy zniknął w głębi samolotu. Kiedy maszyna zaczęła kołować na pas, płakała już rzewnie w ramionach swojej mamy.

W drodze do domu pan Felter powiedział coś strasznego. Nie przypuszczał zresztą, że ktoś to usłyszy; po prostu głośno myślał: „Jeżeli wysyła się kogoś na śmierć, to chyba lepiej, że wysyła się Żyda".

Sharon z kolei wmawiała sobie, że Sandy jest z pewnością najsprytniejszy z całej ekipy. Wierzyła, że nie tylko sprawdzi się na nowym stanowisku, ale może dostrzeże też fakt, że to, co robi, wcale nie jest dla nich najlepsze. Wróci do domu i zaczną budować wspólne życie.

Sharon doszła do wniosku, że mąż zrozumie to, gdy będzie za nią tęsknił.

5
Bad Nauheim, Niemcy
11 lipca 1946

Komendant uzupełnień żandarmerii pułkownik Charles A. Webster wszedł do gabinetu dowódcy, generała Richarda Wallsa, chcąc zwrócić mu uwagę na kilka pociągnięć personalnych. Generał Walls nie był pewny swojej przyszłości, jako że nie poinformowano go, czy będzie dowodził na stałe, czy tylko do momentu zjawienia się jakiegoś generała ze Stanów, który zastąpi zmarłego Waterforda. Na razie dowodził żandarmerią z tego samego gabinetu, z którego poprzednio wydawał rozkazy artylerii.

– Wydaje mi się, że widziałem już kiedyś to pismo, sir – przyznał Webster, podając generałowi teleks. – Miałem nadzieję, że może o nas zapomną.

– O co chodzi?

– Dowództwo Wojsk Okupacyjnych zażądało od nas dwóch doświadczonych oficerów na misję do Grecji. Obaj powinni mówić po grecku.

– I?

– Znalazłem ludzi z takimi kwalifikacjami, ale ich przełożeni nie wyrazili zgody.

– Co się, do diabła, dzieje w tej Grecji?

– Naprawdę nie wiem, sir. Tak jak mówiłem, miałem nadzieję, że o nas zapomną.

– Więc w czym problem? – zapytał Walls i zaczął czytać teleks.

Pilne
Dowództwo Sił Okupacyjnych 10. 07. 1946
Do dowódcy żandarmerii US Army
Do rąk własnych komendanta uzupełnień
1) Ponaglenie w związku z teleksem 55098 z 27 maja 1946.
2) Proszę natychmiast dostarczyć dane osobowe dwóch oficerów wybranych do służby w grupie doradców wojskowych w Grecji.
3) Zwracamy uwagę na wymagania wyszczególnione w poprzednim teleksie. Preferowani ochotnicy.

Z rozkazu gen. Claya

Po przeczytaniu teleksu generał Walls wcisnął go do ręki Websterowi.

– Pomyślę o tym – odezwał się. – Nie mam ochoty oddawać im doświadczonych oficerów. Jeżeli ruszą na nas Rosjanie, to jak, do licha, będę walczył? Z oficerami, którzy jeszcze nigdy nie strzelali?

– W ten sposób wracamy do sprawy porucznika Lowella, sir – przypomniał Webster. – Czy pan generał nadal zamierza postawić go przed sądem oficerskim z wnioskiem o zwolnienie ze służby?

– Ten gnojek tak krótko jest oficerem, że nie możemy go nawet postawić przed sądem oficerskim – odparł generał Walls. – Nie należy źle mówić o zmarłych, ale to było za dużo nawet jak na Waterforda. A przy okazji, co porabia MacMillan? Znalazł sobie jakiś nowy etat?

– Tak jest, sir. Otrzymaliśmy wczoraj teleks. Dostał przydział do Knox i już do nas nie wróci.

– Szkoda, chętnie wysłałbym go do Grecji – stwierdził generał, spoglądając na Webstera. Przyszedł mu do głowy pewien pomysł i ponownie zabrał się do czytania teleksu.

– Piszą tu, pułkowniku, że preferują ochotników, ale nie znaczy to przecież, że domagają się tylko takich oficerów. Nadmieniają również, iż chętni powinni być doświadczeni, mówić po grecku i godzić się na roczną służbę w ciężkich warunkach. Myślę, że porucznik Lowell kwalifikuje się na roczną służbę w ciężkich warunkach. A co pan myśli, panie pułkowniku?

– Z pewnością się nadaje, sir – odpowiedział Webster. – Jeżeli tylko pan, generale, zdecyduje się nie zwalniać go ze służby.

– Obecnie ma on przydział do jednostki liniowej, zgadza się?

– Tak jest, sir!

– Ma więc doświadczenie. Szkoda wprawdzie, że nie mówi po grecku, ale jeżeli spełnia dwa wymagania z trzech, to i tak nie jest chyba źle, co pułkowniku?

– Oczywiście, sir.

– Jacy kandydaci przychodzą panu jeszcze do głowy, Webster?

– Kontrwywiad meldował mi, panie generale, że w 19. Kompanii jest kapitan, który chyba nie jest w stu procentach mężczyzną, jeżeli pan wie, o co mi chodzi, generale.

– Kto jeszcze?

– W Wydziale Operacyjnym mamy porucznika, który wystawiał czeki bez pokrycia.

– Tego czarodzieja oszczędzimy – uśmiechnął się generał. – Ma pan jeszcze kogoś, pułkowniku?

– Nie, sir. Nikt więcej nie podpadł.

– Niech pan ich obu już dzisiaj zwolni z żandarmerii – zakończył generał Walls.

Do gabinetu Charleya, mieszczącego się w budynku sztabu żandarmerii, który Lowellowi kojarzył się wyłącznie ze stacją benzynową, wszedł jeden z pełniących służbę żandarmów.

– Wydaje mi się, że powinien pan o tym wiedzieć, sir – zaczął.

– O co chodzi?

– Przed chwilą zadzwonił pułkownik Webster z polecenia generała Wallsa i wysłał wszystkich ludzi na poszukiwanie porucznika Lowella. Chce, żeby go aresztowali i doprowadzili do jego gabinetu.

Charley zamyślił się na moment, po czym wykręcił numer pułkownika Webstera.

– Charlie, co to za kawał z rozkazem aresztowania Lowella?

– Generał chce się go pozbyć z żandarmerii jeszcze przed zmrokiem.

– A potem?

– Wybrał go na misję do Grecji – z triumfem w głosie odpowiedział Webster.

– Na miłość boską, Charlie, widziałem ten teleks! Oni żądają doświadczonych oficerów, którzy mówią po grecku! Nie można winić chłopaka za to, że Waterford zrobił z niego oficera!

– Może zechciałby pan, pułkowniku, omówić to z generałem?

– Nie – zaprzeczył Charley – doprowadzę go do pańskiego gabinetu najpóźniej za godzinę.

– Dzięki za współpracę, pułkowniku – zakończył Webster.

Charley odłożył słuchawkę i sięgnął po czapkę.

– Kierowca siedzi w samochodzie? – zapytał stojącego wciąż w pokoju żandarma.

– Tak jest, sir. Wie pan, gdzie znajduje się Lowell?

– Chyba tak. To ty wypisałeś nakaz aresztowania?

– Sierżant wcisnął mi go do ręki, zanim zdążyłem sięgnąć po formularz. Mam go anulować, sir?

– Nie, lepiej tego nie ruszaj – zdecydował pułkownik. – I tak już jestem na „czarnej liście" Wallsa.

7

Czterdzieści pięć minut później porucznik Craig Lowell wszedł do gabinetu pułkownika Webstera.

– Sir – zaczął, salutując – porucznik Lowell melduje się na rozkaz.

– Spocznij, poruczniku – odparł Webster. – Ta rozmowa jest oficjalnym powiadomieniem o przegrupowaniu sił na naszym teatrze działań wojennych. Zgodnie z regulaminem muszę pana uprzedzić, że nieposłuszeństwo rozkazom oznacza dezercję. Rozumie pan, co mówię, poruczniku?

– Tak jest, sir.

– Z rozkazu generała Claya zostaje pan, poruczniku, zwolniony ze służby w żandarmerii i z dniem dzisiejszym przeniesiony do Grupy Amerykańskich Doradców Wojskowych w Grecji. Zabierze pan ze sobą mundury polowe, wyposażenie osobiste oraz mundury w odcieniu 33, niezbędne do długotrwałej służby w ciężkich warunkach. Mundury w odcieniu 55 wraz z całym dobytkiem i samochodem proszę zdać kwatermistrzowi, który prześle je do magazynów armii w Brooklynie. Będą tam czekać do chwili pańskiego powrotu do kolejnego przydziału za granicą bez żadnych opłat. Do godziny osiemnastej musi się pan zameldować się w bazie lotnictwa Rhine-Main.

– Tak jest, sir.

– Są jakieś pytania?

– Brakuje mi pieniędzy, sir. Czy mogę wstąpić do agencji American Express, aby pobrać trochę gotówki?

– Wypłacimy panu, poruczniku, sto dolarów na poczet przysługującej panu odprawy.

– Niestety, sir, obawiam się, że to nie wystarczy.

– W Grecji nie będzie pan potrzebował pieniędzy, poruczniku – sucho stwierdził pułkownik.

– Nie, sir.

– Kapitan Young z mojego sztabu pomoże panu załatwić wszystkie formalności. Jeżeli nie ma pan dalszych pytań, to może pan odejść.

– Tak jest, sir.

Lowell zasalutował, wykonał w tył zwrot i wyszedł z gabinetu. Komendant uzupełnień garnizonu, kapitan Roland Young, który cieszył się już z tego, że osobiście dopilnuje odejścia tego chłystka podszywającego się pod oficera, został niemile zaskoczony widokiem czekającego na nich profosa. Tego człowieka nie mógł po prostu zlekceważyć, chociaż, jak szeptano w koszarach, tak jak i inni ludzie Waterforda, miał teraz pewne nieprzyjemności.

– Wysłałem jeepa po Ilse – powiedział Charley Lowellowi. – Przywiozą ją tu za parę minut.

Kapitan Young pomyślał, że pułkownika Webstera na pewno zainteresuje fakt, że profos, jawnie lekceważąc regulamin żandarmerii, zezwolił na użycie wojskowego samochodu w charakterze taksówki dla jakiejś Niemki.

– Dziękuję, sir – odezwał się Lowell. Co zrobią z Ilse, pomyślał.

– Dokąd go wysyłacie, kapitanie? – zapytał Charley.

– Porucznik ma się zameldować w bazie Rhine-Main do godziny osiemnastej, sir – odpowiedział Young.

– Ci biurokraci działają zadziwiająco szybko, kiedy im na tym zależy. – Kapitan doszedł do wniosku, że ta uszczypliwa uwaga może również zaciekawić pułkownika Webstera.

– Czy mogę być jeszcze w czymś pomocny panu pułkownikowi? – zapytał. – Zostało nam niestety bardzo mało czasu na niezbędne formalności.

– I tak nie mam nic do roboty, więc będę wam towarzyszył.

Najsmutniejsze w tym wszystkim jest to, rozmyślał później Charley, przypominając sobie scenę pożegnania w pokoju Lowella w Bayrischen Hof, że wyglądali jak Romeo i Julia, kiedy ze łzami w oczach przysięgali sobie wierność!

Również on był wzruszony i obiecał, że będzie pośredniczył w wymianie listów pomiędzy Lowellem i Ilse. Co więcej, przysiągł Craigowi, że zaopiekuje się dziewczyną. Oczywiście, będzie nad nią czuwał, ale jest przekonany, że rozpacz nie potrwa dłużej niż tydzień, a za dwa tygodnie znajdzie ukojenie w łóżku innego oficera. Nie pomoże nawet pożyczone od niego trzysta dolarów, które Lowell wcisnął Ilse do ręki.

8
Baza Lotnicza Rhine-Main
Frankfurt nad Menem, Niemcy
11 lipca 1946

Po dwudziestu dwóch godzinach lotu, przerywanego dwukrotnie w celu zatankowania paliwa w Gander na Nowej Fundlandii oraz w Prestwick w Szkocji, samolot transportowy *C-54* wylądował we Frankfurcie nad Menem. Na oficerów przydzielonych do służby w Niemczech i na ich żony oczekiwał komitet powitalny. Przejeżdżającymi przez Frankfurt tranzytem zajęła się żandarmeria. Felter miał wymięty mundur i koniecznie chciał się wykąpać. Na lotnisku nie były jednak dostępne ani świeże mundury, ani prysznice. Poinformowano go tylko, że samolot do Aten odlatuje o osiemnastej. Ponieważ była dopiero piętnasta, porucznik miał przed sobą trzy godziny do własnej dyspozycji. Stwierdził więc, że może podjechać autobusem do Hauptbanhof. Poprzednim razem, kiedy widział Frankfurt, miasto leżało jeszcze w gruzach, a on sam oglądał je z kosza zdobycznego motocykla.

Wysiadając, ujrzał na hotelu Am Banhof biało-czarny znak informujący, że znajdują się tam kwatery dla nieżonatych oficerów. Pewnie jest też restauracja, pomyślał, przypominając sobie, że nie jadł nic od międzylądowania w Prestwick, a podczas lotu z Gander do Szkocji podano mu tylko kanapkę, jabłko i karton mleka.

Porucznik wchodził już prawie do hotelu, gdy podszedł do niego elegancko ubrany żandarm.

– Chwileczkę, sir – zatrzymał go, salutując. – Mogę sprawdzić pańskie dokumenty?

Felter wręczył mu rozkaz wyjazdu.

– Pozwoli pan ze mną, poruczniku – powiedział żandarm.

– O co chodzi?

– Jest pan zatrzymany, sir. Pański mundur jest niezgodny z regulaminem.

– Jestem w podróży – wyjaśnił Felter.

– Mimo to pozwoli pan ze mną, sir – powtórzył żandarm i ruchem ręki, sztywnym tak, jak gdyby był ołowianym żołnierzykiem z *Dziadka do orzechów,* wskazał na budynek stacji. Mieścił się w niej posterunek dowodzony przez porucznika noszącego na kurtce mundurowej skrzydełka spadochroniarza i naszywkę 82. Dywizji na rękawie.

Felterowi przypomniało się, że 82. pozostawiła w Europie jeden pułk, który miał za zadanie strzec Kwatery Głównej Sił Okupacyjnych. Zauważył także, iż porucznik nosił odznakę piechoty i prawdopodobnie służył w żandarmerii tylko chwilowo.

– Jak pan wygląda, poruczniku? – zapytał go spadochroniarz. – Ma pan coś na swoje usprawiedliwienie?

– Jadę z Fort Bragg do Grecji – wyjaśnił Felter.

Wzbudziło to pewne zainteresowanie porucznika i przez chwilę Felter miał nadzieję, że całą sprawę uda się jakoś wyjaśnić.

– Co robiliście w Bragg?

– Byłem na kursie Rangersów.

Porucznik spojrzał znacząco na pierś Feltera, który sięgnął w tym momencie do kieszeni, wyjął garść monet, wyciągnął spomiędzy nich odznakę spadochroniarza i uśmiechnął się. Porucznik nie odwzajemnił uśmiechu.

Felter poświadczył przyjęcie kopii raportu o swoim uchybieniu na formularzu G 102, którego oryginał miał zostać przesłany drogą służbową do jego przełożonych. Z raportu wynikało, że przekroczył przepisy, nosząc nieregulaminowy mundur; zamiast szarooliwkowej kurtki mundurowej z wełny miał na sobie bawełnianą koszulę khaki, był bez krawata i nie miał odznaki spadochroniarza.

W części formularza przeznaczonej na uwagi porucznik dodał, że mundur Feltera był wymięty, a on sam nieogolony.

Porucznik żandarmerii zadzwonił do swoich przełożonych, którzy postanowili, że ponieważ Felter jest we Frankfurcie tylko przejazdem, należy odstawić go na lotnisko i przekazać pod opiekę oficera dyżurnego aż do odlotu. Przysłano w tym celu służbowego forda.

Przyłapano mnie pierwszy raz od czasu, kiedy wstąpiłem do West Point, pomyślał Felter.

Porucznik żandarmerii eskortował go do hali odlotów, zadzwonił do oficera dyżurnego i poczekał, aż pojawi się on w drzwiach, po czym przekazał „aresztanta", tak jak gdyby to była jakaś przesyłka. Feltera zaprowadzono do małego pokoiku, w którym siedziało już dwóch oficerów: kapitan artylerii oraz rosły, muskularny blondyn w doskonale dopasowanym mundurze z dystynkcjami podporucznika wojsk pancernych. Wyglądał zbyt idealnie, aby mógł być prawdziwy. Przypominał raczej modela pozującego do plakatów reklamujących służbę w armii.

– Proszę mieć go na oku, panie kapitanie – powiedział dyżurny oficer. – Proszę dopilnować, żeby wsiadł do właściwego samolotu.

Kapitan skinął głową, ale nie odezwał się ani słowem, dopóki oficer nie wyszedł.

– Proszę usiąść obok niego, poruczniku – wskazał na perfekcyjnie przystojnego blondyna.

Felter zrobił, co mu kazano, spoglądając przy okazji na swego sąsiada. Przez chwilę obaj porucznicy taksowali się wzrokiem i formułowali pierwsze sądy.

Felter był przekonany, że choć zdarzają się wyjątki, to na ogół oficerowie wyglądający jak gwiazdorzy filmowi rzadko byli równie fachowi jak przystojni.

Oprócz tego od chwili gdy major Bellmon pozwolił mu przysłuchiwać się rozmowie telefonicznej, Felter wiedział, że dla większości oficerów przydział do Grecji równa się prawie degradacji. Z zachowania kapitana artylerii Felter wywnioskował, że jeżeli również udaje się do Grecji, to na pewno nie robi tego z własnej woli. Po prostu go tam wypchnięto.

Nie trzeba było być specjalnie przenikliwym, aby stwierdzić, że przystojny podporucznik w szytym na miarę mundurze znajdował się w identycznej sytuacji. Nawet podporucznikom z West Point zdarzało się przecież zaszaleć po promocji.

Zwykle wpadali za pijaństwo, ale nie tylko. Zdarzały się przekroczenia prędkości, hazard, zbytnie zainteresowanie kobietami, a nawet wszystko naraz. Zanim Sanford Felter dowiedział się, że siedzi obok niego podporucznik Lowell, był już przekonany, że musiał on zrobić coś, co podważało fundamentalne pryncypia armii.

Zdanie, jakie wyrobił sobie przez ten czas Lowell, było dla Feltera równie nieprzychylne.

Sandy nie imponował warunkami fizycznymi, łysiał, a mundur polowy był na niego za duży o kilka rozmiarów.

Lowell pomyślał więc, że to jeden z Żydów, którzy zdobywają sto dziesięć punktów na testach i po znajomości dostają się do szkół oficerskich. W armii brakowało podporuczników, trudno więc było nie skończyć takiej szkoły i nie zostać oficerem. Jako porucznik z pewnością do niczego się nie nadawał i wojsko chciało się go pozbyć.

– Felter – przedstawił się w końcu Sandy, wyciągając rękę do przystojnego blondyna.

– Lowell – odezwał się podporucznik i uścisnął podaną dłoń.

Felter dostrzegł, że kapitan artylerii podszedł do okna, oszczędzając sobie kłopotu przedstawienia się.

– Nie ulega wątpliwości, że ktoś nas tu lekceważy – stwierdził Lowell, posyłając znaczące spojrzenie w stronę kapitana.

Felter się uśmiechnął.

– Skąd pochodzisz? – zapytał.

– Z Nowego Jorku – odpowiedział Lowell.

– A ja z Newark – pochwalił się Felter.

– Co nabroiłeś? – tym razem pytanie zadał Lowell.

– Według żandarmerii naruszyłem wszystkie istniejące regulaminy i w dodatku się nie ogoliłem – odparł Felter.

– Ale co przeskrobałeś wcześniej? – powtórzył Craig. – Dlaczego wysyłają cię do Grecji?

– Zgłosiłem się na ochotnika.

Lowell nic nie odpowiedział. Sandy wywnioskował z tego, że mu nie uwierzył.

– A ty? – zapytał.

– Podobno w Atenach wszystko stoi na głowie – odparł Lowell – i generał Clay doszedł do wniosku, że tylko ja mogę postawić to na nogi.

Felter stłumił wybuch śmiechu.

– A pan, kapitanie? – zagadnął Lowell. – Jaką szokującą zbrodnię pan popełnił?

– Jak będę miał coś do powiedzenia, poruczniku, to panu powiem. Teraz proszę siedzieć na miejscu i nie odzywać się – zirytował się kapitan.

Lowell bezczelnie klasnął dłonią w usta.

– Szuka pan zaczepki, poruczniku? – warknął kapitan.

– Czym mnie pan może postraszyć, panie kapitanie? Wyśle mnie pan do Grecji?

Kapitan spojrzał na niego wściekłym wzrokiem.

– Niech się pan, do cholery, zamknie.

– Tak jest, sir – odparł Lowell.

Felter pokręcił jednak głową i Lowell zamilkł.

Pół godziny później podjechał po nich jeep i zawiózł obu do samolotu *Douglas C-47* oznakowanego godłem European Air Transport Command. Poniżej kabiny pilota wymalowano postać półnagiej kobiety z dużymi piersiami oraz podpis „Greasy Goddes II". Siedzenia w samolocie były złożone, a pokład przystosowany do transportu olbrzymich skrzyń, za którymi znajdowały się worki z pocztą. Nad głowami pasażerów przeciągnięta była gruba lina używana w trakcie skoków lub zrzutów, a na jej końcu widniały dwa światełka sygnalizujące dotarcie do strefy zrzutu. Samolot został wyraźnie przystosowany do potrzeb spadochroniarzy i Feltera zastanowiło, czy nadal jest używany w tym celu.

Kapitan samolotu poprosił ich o dane osobowe i zapisał je w karcie przewozowej. Jeden egzemplarz wręczył obsłudze naziemnej, po czym wszedł do kabiny. W chwilę później zawarczały silniki.

– Jak wystartujemy, poszukajcie sobie jakiegoś worka z pocztą, aby się na nim przespać – powiedział kapitan, opierając się o sufit.

Kilka minut później maszyna kołowała już na start.

Po zatankowaniu paliwa w Neapolu samolot skierował się przez mrok ku Atenom.

VII

1
Ateny, Grecja
12 lipca 1946

O świcie samolot wylądował na lotnisku Elliniko, gdzie powitał ich sierżant armii amerykańskiej w angielskich butach i z *Thompsonem* na ramieniu i poprowadził do ciężarówki, jakiej żaden z nich jeszcze nie widział.

Kapitan usiadł w szoferce obok kierowcy, a reszta usadowiła się pod plandeką. Po chwili samochód ruszył w stronę Aten. Obejrzawszy się, Lowell dostrzegł linię brzegu.

– Jesteśmy nad morzem – oświadczył. – Sądzisz, że to Śródziemne?

Felter przecząco pokręcił głową.

– To jest Saronikos Kolpos – oświadczył.

– Co? – zapytał Lowell, tłumiąc śmiech.

– Saronikos Kolpos – powtórzył Felter. – Grecja zajmuje półwysep pomiędzy Morzem Jońskim i Morzem Egejskim. Na południe od nas znajduje się Morze Kreteńskie, a my mamy przed sobą Saronikos Kolpos.

– Poruczniku – roześmiał się bez skrupułów Lowell – czyżby wkuł pan na pamięć całą encyklopedię?

Felter również się uśmiechnął. Jeszcze jeden niedouczony żółtodziób, pomyślał. Nic dziwnego, że przełożeni chcieli się go pozbyć.

Postanowił sobie, że będzie trzymał Lowella na dystans, dając mu jednocześnie do zrozumienia, iż nie ma zamiaru zawierać z nim bliższej znajomości. Na razie było to jednak niewykonalne, ponieważ obaj byli sobie równi stopniem i Felter nie mógł mu niczego zakazać.

– Wiem, co to jest! – krzyknął w parę minut później Lowell, wskazując na Akropol. – To Koloseum!

– Akropol, idioto – poprawił go Felter.

– Akropol, Koloseum, cóż za różnica?

– W tym, co widzisz, narodziła się kultura – tłumaczył Felter, nie wiedząc do końca, czy Lowell przypadkiem nie żartuje. – W Koloseum rzucali was, chrześcijan, na pożarcie lwom.

– Niech to szlag... – odparł Lowell, udając przerażenie.

Ciężarówka minęła hotel Grand Bretagne, zajechała na jego zaplecze i zatrzymała się.

Żołnierze weszli od tyłu do budynku otoczonego workami z piaskiem. Wewnątrz czekał na nich jakiś major, który pokazał im, gdzie jest jadalnia, i objaśnił, jak go znaleźć po śniadaniu.

W eleganckiej, choć nieposprzątanej jadalni hotelowej podano im kawę, chleb, jajecznicę i solony boczek z racji wojskowych.

Po posiłku odszukali majora, który odesłał ich do podpułkownika artylerii. Był to mężczyzna w wieku około trzydziestu lat z ospowatą twarzą.

Na widok przysłanych mu ludzi nie usiłował nawet ukryć rozczarowania. Oświadczył im tylko, że przydziały dostaną po południu, po załatwieniu wszystkich formalności.

Młody lekarz wojskowy zaszczepił ich przeciw kilku lokalnym chorobom i wręczył każdemu fiolkę tabletek, ostrzegając, żeby nie usiłowali nawet myć zębów w wodzie nieoczyszczonej tymi rozpuszczającymi się tabletkami. Następnie major z korpusu łączności wygłosił im mowę o roli amerykańskich doradców wojskowych, komendant uzupełnień, dwa razy starszy od tego gnojka, który z takim zadowoleniem wywalił Lowella z żandarmerii, zebrał od nich dane o rodzinie i wręczył każdemu odbity na powielaczu formularz testamentu.

Zdziwił się bardzo, ale nie odezwał ani słowem, kiedy przeczytał, że Craig Lowell zdecydował się pozostawić wszystkie swoje doczesne dobra Niemce imieniem Ilse.

Pomyślał tylko, że Fräulein Ilse nie będzie pierwszą puszczalską Niemką, która wzbogaci się na śmierci jakiegoś dzieciaka, w którego majątek się wkupiła. Ostatecznie to nie jego problem ani pieniądze. Cóż za różnica między szwabską dziwką a pazernymi krewnymi w Stanach? Musiał w każdym razie wyjaśnić Lowellowi, że armia w żaden sposób nie ma prawa scedować jego ubezpieczenia na jakąś Niemkę. W razie śmierci agencja ubezpieczeniowa może wypłacić odszkodowanie tylko obywatelowi Stanów Zjednoczonych.

Pod wieczór zaprowadzono ich na czwarte piętro hotelu do sali balowej zamienionej na magazyn broni.

Wydano im brytyjskie hełmy, wyjaśniając, że kształt amerykańskich za bardzo przypomina hełmy Wehrmachtu i Armii Czerwonej, których używa komunistyczne podziemie. Hełmu brytyjskiego nie dało się już z innymi pomylić, ponieważ, jak stwierdził ogorzały kapitan artylerii, przypominają wyglądem piersi kobiety.

Pozwolono im też wybrać broń. W magazynie znajdowały się: karabiny *M1 Garand* kaliber .30-06, brytyjskie *Lee-Enfieldy* kaliber .303, niemieckie *Mausery* kaliber .7,92, a nawet kilka rosyjskich *Mosinów*.

Ponadto do wyboru były jeszcze amerykańskie karabiny maszynowe *M1* i *M2* kaliber .30, *Thompsony* kaliber .45 oraz brytyjski *Sten*. Z broni krótkiej dostępne były: *Colty* .45, *Lugery* kaliber 9 mm, rewolwery *Webley* .455, *Smith and Wesson* .38 i *Browningi ACD* .32, robione w Belgii z niemiecką swastyką na okładzinie, tuż pod znakiem firmowym Browning Bros. Ogden, Utah, USA wybitym na zamku.

– To stare gruchoty – wyjaśnił sierżant wyglądający na całkowicie pozbawionego złudzeń. – W przyszłości Grecy dostaną amerykański sprzęt i nie będzie żadnego problemu. Na razie musicie się zadowolić tym, co zostawili Anglicy i Niemcy, czyli *Lugerami*, *Mauserami* i *Schmeisserami*. Powinniście poznać tę broń, bo Grecy niczego innego nie mają. Najlepszy jest *Schmeisser*; *Sten* nadaje się tylko na złom. *M1* jest lepszy od *Lee-Enfielda*, ale tam, gdzie jedziecie, nie przyda wam się z powodu braku pasującej do niego amunicji. Słyszałem jednak, że do karabinu pasują naboje z broni maszynowej. Możecie spróbować rozładować magazynki i użyć do karabinów.

Lowellowi przypomniało się, jak bezskutecznie próbował przeładować magazynek *Garanda* na strzelnicy w Fort Dix.

– Mogę dać wam tyle amunicji, ile potrzebujecie – ciągnął dalej sierżant – ale sami będziecie musieli ją dźwigać. *Webley* .455 to też złom, a *Smith and Wesson* jest jeszcze gorszy. Nie mam tu nic lepszego od *Colta* .45, jeżeli potraficie się nim posługiwać. Jeśli nie, polecam *Lugery*. Wszędzie pełno jest amunicji, która do nich pasuje.

– Co powinniśmy wybrać zgodnie z regulaminem? – grzecznie zapytał Felter.

– Jeszcze się nie zdecydowali – odpowiedział podoficer. – Niektórzy twierdzą, że doradca techniczny nie jest żołnierzem i nie musi być uzbrojony, ale mało kto wierzy w te bzdury. Gdyby wybrał pan coś amerykańskiego do obrony przed złodziejami, to polecam *Colta* i *Garanda* albo *Thompsona*. Musi mi pan podpisać pobranie broni. Reszta broni nie podlega ewidencji. Oficjalnie nie mam jej na stanie.

Porucznik Felter wybrał *Colta* .45 oraz *Thompsona* i pokwitował odbiór. Kapitan z 19. Dywizji Polowej Artylerii Zmotoryzowanej zdecydował się na *Colta* i *Garanda*. Lowell strzelał już z *Thompsona* przy „zaznajamianiu się z bronią" w Fort Dix i w żaden sposób nie mógł trafić w tarczę. Zdecydował się więc na *M1* oraz, dając się ponieść fantazji, *Lugera*. Nie tylko nigdy z niego nie strzelał, ale w ogóle dopiero drugi raz w życiu trzymał w ręku pistolet. (W Fort Dix strzelał z *Colta* .45, niestety równie niecelnie jak z *Thompsona*.) Natomiast gdyby zechciał, mógłby trafić same dziesiątki z *Garanda*.

Sam był zaskoczony, jak dobrze sobie z nim radził. Legendarny odrzut tej broni, przerażający innych rekrutów, wydawał mu się o wiele łagodniejszy od odrzutu *Browninga*, którego dziadek podarował mu na dwunaste urodziny.

Craig ćwiczył wiele godzin na strzelnicy, którą zbudował za domem, wyczuł więc *Garanda* po piątym strzale, a po tygodniu odrzut przestał mu w ogóle przeszkadzać. Mając *Garanda M1*, mógł sobie pozwolić na *Lugera*, na którego zawsze miał ochotę. Pistolet ten wyglądał naprawdę groźnie. Używały go wszystkie szanujące się filmowe czarne charaktery, a czasami nawet Humphrey Bogart i Alan Ladd, ale strzelanie z niego do ludzi było dla porucznika tak samo nierealne jak te filmy.

Lowell zabrał ze sobą podłużną puszkę z napisem „320 sztuk amunicji kalibru .30-06 w magazynkach i luzem" oraz dwie osobne taśmy amunicji do *Garanda*. Kapitan dodał mu jeszcze dwa kartony naboi do pistoletu, na których napisane było po niemiecku „Für Pistolen-08 9 mm Deutsche Waffen und Munitionsfabrik, Berlin, 50 Patronen". Wynikało z tego jasno, że zarówno pistolet, jak i amunicja przeznaczone były do użycia przez armię niemiecką, w co mimo wszystko z trudem uwierzył.

Wieczorem w hotelowej jadalni spożywali kolację, na którą składały się wojskowe racje mięsa, a później zastali przed drzwiami pokoju kopię rozkazu specjalnego Kwatery Głównej Grupy Amerykańskich Doradców w Grecji.

Feltera i Lowella przydzielono do jednego pokoju. Kapitana artylerii, ze względu na wyższy stopień, umieszczono oddzielnie.

– Cholera – zaklął Lowell, siadając na łóżku.

W ręku trzymał przeczytany przed minutą rozkaz. Wymieniono w nim jego nazwisko tuż obok nazwiska kapitana, co oznaczało, że obu przydzielono do Oddziału Dowódców przy 27. Królewskiej Dywizji Górskiej.

Felter został skierowany do Sztabu Doradców, gdzie miał zajmować się DAB w Wydziale Operacyjnym.

– Co, do diabła, znaczy to DAB? – zapytał Lowell.

– Chyba Analiza Dokumentów – odrzekł Felter.

Z wyrazu twarzy Lowella wywnioskował, że mówiło mu to jeszcze mniej niż sam skrót.

– W pewnym sensie jestem lingwistą – stwierdził Felter.

– Serio?

– Moi rodzice pochodzą z Europy – odparł Felter. – Jako dziecko nauczyłem się niemieckiego, polskiego i rosyjskiego.

– Miałem niemiecką guwernantkę – pochwalił się po niemiecku Lowell.

– Potrzebujemy ludzi, którzy znają ten język. Powiedziano mi, że mapy są w większości niemieckie i będę się zajmował ich adaptacją. Nie wspomniałeś kapitanowi, że znasz niemiecki?

– Powiedziałem mu, że nie znam – odparł Lowell po niemiecku.

– No to idź i powiedz mu, że znasz. Będziesz mógł tutaj zostać – nalegał Felter. – W górach szybko zginiesz.

– Skąd wiesz? – spytał Lowell.

– Chyba nie sądzisz, że kurs oficerów rezerwy kwalifikuje cię do tego, co masz robić?

– Dostałem bezpośrednią promocję – odparł Lowell – i nie mam pojęcia, czego uczą na takim kursie.

– Dostałeś bezpośrednią promocję? Na jakie stanowisko?

– Właściwie po to, żebym mógł grać w polo w drużynie generała – odrzekł Lowell.

– I ja mam w to wierzyć...

– Tak się składa, że to prawda.

– Nigdy nie dowodziłeś? – zapytał Felter.

– Wylali mnie ze studiów i dopadła mnie komisja poborowa – wyjaśnił Lowell. – Po wstępnym przeszkoleniu zostałem oficjalnym przedstawicielem żandarmerii do gry w golfa, a później w polo.

– Nie masz żadnych kwalifikacji do funkcji dowódcy na pierwszej linii – stwierdził Felter.

– A ty masz? – zapytał Lowell.

Felter pominął to pytanie milczeniem.

– Szybko zginiesz, nie rozumiesz tego? – przekonywał dalej Lowella.

– Od kiedy włożyłem mundur oficera – powiedział Lowell – wszyscy, z nielicznymi wyjątkami, wychodzili ze skóry, starając się udowodnić mi, że nie jestem prawdziwym mężczyzną. Mam tego dość i chcę się przekonać, czy rzeczywiście jestem nikim.

– Nawet nie wiesz, co za bzdury wygadujesz – zdenerwował się Felter.

– Ty też, widzisz, nawet ty!

– Jestem zawodowym oficerem – podniesionym głosem odparł Felter.

– Pewnie, że tak – z sarkazmem stwierdził Lowell.

– Posłuchaj, idioto. Byłem w West Point, walczyłem pod koniec wojny i jestem Rangerem – spokojniej wyjaśnił Felter.

– Co takiego? – spytał zaskoczony Lowell. – Za żadne skarby nie wyglądasz na Rangera.

– Dzięki – odparł Felter.

Uśmiechnęli się do siebie. Felter wstał.

– Dokąd idziesz?

– Powiedzieć komendantowi, że mówisz po niemiecku – rzekł Felter.

– Nie idź! – krzyknął Lowell. – Daj temu spokój. To dla mnie bardzo ważne.

Felter zatrzymał się w drzwiach i spojrzał na Lowella.

– Jeżeli byłeś w West Point i Bóg wie gdzie jeszcze, to co tu, do diabła, robisz? – zapytał Lowell.

– Prosiłem o ten przydział.

– Dlaczego? – zdziwił się Lowell.

– Żeby zdobyć doświadczenie.

– Ja też chcę zdobyć doświadczenie, więc się nie wtrącaj.

– Masz jakąś manię wielkości czy co?!

– Chcę po prostu zobaczyć, co się stanie – odparł Lowell. – Jak powiesz, że znam niemiecki, to będzie to twoje zdanie przeciwko mojemu.

Felter przyglądał mu się przez chwilę i podszedł do opartego o ścianę koło łóżka *Garanda.*

– Wiesz, jak się nim posługiwać? – zapytał.

– Trochę – odparł Lowell – ale byłbym wdzięczny, gdybyś pokazał mi, jak działa ten *Luger.*

– Po co wybrałeś *Lugera,* jeśli nie wiesz, jak się z nim obchodzić? – zapytał Felter, wznosząc oczy do góry.

– Wiem już, że nie mam pojęcia, jak strzelać z *Colta* .45 – stwierdził Lowell – i wydawało mi się, że *Luger* jest ładniejszy.

– Zwariowałeś! – stwierdził Felter i wziął do ręki *Lugera.* – Chodź tutaj, pokażę ci, jak to działa.

– Dziękuję, sir. Jest pan bardzo łaskawy poruczniku, sir – powiedział Lowell z uśmiechem. – Naprawdę jesteś Rangerem, ty mały pigmeju?

– Tak jest, cymbale – odciął się Felter.

2

O północy rozległ się przeraźliwy huk. Lowell, który miotał się po łóżku, śniąc o Ilse, zerwał się i zapalił światło.

– Zgaś – rozkazał Felter ostrym szeptem.

Przerażony Lowell zobaczył, że stoi on pod ścianą z pistoletem w ręku. Nic nie rozumiejąc, zastosował się do polecenia Feltera, a następnie zaczął się głupio śmiać, uzmysławiając sobie, że ten przeraźliwy huk był odgłosem wystrzału oraz że znajdują się w kraju, w którym trwa rewolucja, i mają broń z ostrą amunicją.

Lowell wyślizgnął się z łóżka i po omacku szukał *Garanda.* Znalazł go w kącie pokoju i załadował do niego łódkę z ośmioma nabojami, robiąc przy tym straszny hałas. Włożenie łódki przypominało trzaśnięcie drzwiami. Krew uderzyła mu do głowy, Lowell stanął między łóżkami z *M1* przy ramieniu i osłaniał wejście do pokoju.

Ktoś zapukał. Palec Lowella zaczął się zaciskać na spuście, zanim przyszło mu do głowy, że jeżeli ktoś chciałby ich zabić w łóżku, to nie pukałby do drzwi. Gdy to zrozumiał, zdjął palec ze spustu, trzymał go jednak w pobliżu i nadal mierzył w drzwi.

– Oficer dyżurny – zabrzmiał głos z zewnątrz.

Felter szarpnął gwałtownie drzwi i do pokoju wpadło światło z korytarza.

Kiedy oficer ujrzał Feltera i Lowella z bronią w rękach, na wpół szyderczo podniósł ręce do góry.

– Przypuszczam, że słyszeliście ten huk – stwierdził. – Wiecie, skąd pochodził?

– Chyba obok – odparł Felter, opuszczając pistolet.

Lowell również nie wiedział. Oficer odwrócił się i poszedł dalej korytarzem. Felter pobiegł za nim, a w jego ślady poszedł Lowell. Czuł się głupio i trzymał broń w pogotowiu.

Zapukali do drzwi pokoju kapitana artylerii. Ponieważ nikt nie odpowiadał, otworzyli je sami.

– Cholera! – krzyknął oficer na służbie, wchodząc do środka.

Lowell spojrzał nad głową Feltera. Kapitan artylerii, którego wyrzucono z żandarmerii razem z Lowellem, położył się na łóżku, włożył lufę pistoletu do ust i strzelił. Szczątki potylicy rozprysnęły się po całym pokoju. Jego twarz miała bardzo dziwny wyraz, a oczy były szeroko otwarte, jak gdyby się w kogoś wpatrywał.

Lowell z ledwością zdążył dobiec do łazienki w swoim pokoju. Gdy w chwilę później wszedł oficer dyżurny, żeby zadzwonić, Lowell nadal wymiotował.

– Przepraszam, że pana niepokoję o tej porze, pułkowniku, ale dobrze by było, gdyby mógł pan przyjść do 707. Ten nowy kapitan palnął sobie w łeb.

Oficer odłożył słuchawkę i spojrzał na rzygającego, bladego i przerażonego Lowella.

– Nic ci nie jest? – zapytał z autentyczną troską w głosie.

3

Następnego dnia rano do stolika w jadalni podszedł sierżant i oznajmił Felterowi, że komendant chce się z nim zobaczyć. Lowell pożegnał się z Felterem i uścisnął mu rękę.

– Uważaj na siebie – powiedział Felter – i, na miłość boską, nie rób nic głupiego.

– Ty też – odwzajemnił się Lowell.

Obaj byli zaskoczeni uczuciem, jakie ogarnęło ich przy rozstaniu. Felter miał ochotę raz jeszcze zapytać, czy może powiedzieć komendantowi, że Lowell zna niemiecki, ale w końcu zdecydował się tego nie robić. Przyszło mu do głowy, że pomyśli o tym raz jeszcze, gdy będzie się widział z komendantem.

Wróciwszy pół godziny później do pokoju, Felter zastał Lowella leżącego na łóżku, oczekującego na rozkaz wymarszu. Lowell nie odezwał się ani słowem, kiedy Felter podszedł do szafy i wyciągnął swoje walizy.

– W swej niezgłębionej mądrości armia zdecydowała się oszczędzić cię, Lowell – stwierdził Felter.

– Mówiłem przecież, do cholery, żebyś się nie odzywał – warknął zdenerwowany Lowell i usiadł na łóżku.

– Mianowano mnie właśnie na miejsce kapitana – wyjaśnił Felter – i obaj jedziemy do 27. Królewskiej Dywizji Górskiej, czymkolwiek ona jest.

4

Odległość z Aten do Joaniny na brzegu jeziora o tej samej nazwie (tam właśnie mieściła się Kwatera Główna 27. Królewskiej Dywizji Górskiej) wynosiła w linii prostej dwieście mil. W rzeczywistości droga lądowa była prawie dwa razy dłuższa.

Wojskowa ciężarówka marki Dodge posuwała się dwadzieścia mil na godzinę po wąskiej, kamienistej i błotnistej drodze, która wiła się po przepaścistych stokach granitowych gór. Od czasu do czasu samochód przejeżdżał przez uczepione skał malutkie wioski, w których domy z bielonego kamienia zbudowane były tak, aby wykorzystać każdy skrawek płaskiej powierzchni. Lowell i Felter spędzili w drodze dwadzieścia sześć godzin, zatrzymując się na noc w miejscowości Preveza nad Morzem Jońskim, ponieważ, jak objaśnił im sierżant kierujący ciężarówką, po zmierzchu na drogach panowali komuniści.

Sztab 27. Dywizji mieścił się w piętrowym budynku z bielonych kamieni o murach grubości osiemnastu cali, dodatkowo wzmocnionych sięgającymi piętra workami z piaskiem.

Na warcie przed tą twierdzą stało dwóch nieogolonych Greków o ogorzałych twarzach, ubranych w angielskie mundury. Obydwaj mieli przewieszone przez ramię brytyjskie karabiny *Lee-Enfield* .303 i beznamiętnie się przyglądali, jak Felter z Lowellem zwijają koce, biorą bagaże oraz wynoszą skrzynki z amunicją.

Z wnętrza budynku machnął do nich ręką wyglądający na kompetentnego amerykański sierżant w brytyjskim battledressie i podkutych butach.

Żaden z nich nie zasalutował.

– Pułkownik wróci na kolację – oświadczył sierżant. – Chcecie coś zjeść? Gdy skinęli głowami, dodał: – Mamy racje greckie i amerykańskie. Po greckich będziecie mieli sraczkę, póki się nie przyzwyczaicie. Po amerykańskich będziecie ciągle rzygać.

W chwilę później jakaś Greczynka w czarnej koszuli, z głową opatuloną chustką podała im na blaszanych talerzach potrawę z jagnięciny i po grubej pajdzie razowego chleba.

Pułkownik okazał się chudym, żylastym rudzielcem z odznaką korpusu łączności na kołnierzu.

– Nazywam się Hanrahan – przedstawił się. – Będziecie, panowie, ze mną pracować – oświadczył, a potem przez pół minuty mówił coś po grecku, bacznie im się przyglądając. Ponieważ nie zrozumieli ani słowa, pułkownik pokręcił z niezadowoleniem głową. – Chyba za dużo oczekiwałem – powiedział po angielsku. – W armii jest pewnie z pięć tysięcy oficerów pochodzących z Grecji, którzy daliby się posiekać, aby móc tu przyjechać. A co dostałem? Nie obraźcie się, panowie, ale ta wojna naprawdę stoi na głowie – zakończył pułkownik, a następnie pokazał im mapę.

Znajdowali się trzydzieści mil od granicy z Albanią. Cyfry na mapie wskazywały wysokość wzniesień od 5938 do 8192 stóp. Lowell był przygotowany na to, że będzie wysoko, ale nie aż tak.

– Nasza misja – wyjaśniał dalej pułkownik – polega na powstrzymywaniu tych gnojków od szmuglowania sprzętu wojskowego z Albanii do Grecji. Nie możemy zablokować każdej ścieżki, ale możemy zablokować drogi. Robimy to ze stanowisk na szczytach gór w stylu powieści *Lives of the Bengal Lancer*. Po prostu budujemy małe forty z karabinami maszynowymi do obrony własnej i moździerzami do blokowania dróg. Działamy w ten sposób, że ja jestem doradcą dywizji, w której są trzy pułki, a w każdym z nich trzech Amerykanów: dwóch majorów i kapitan. W każdym batalionie jest jeden doradca, jeśli to możliwe porucznik, ale najczęściej jakiś sierżant. Oprócz tego mamy jeszcze sierżantów i kaprali w niektórych kompaniach. Właściwie nie uczymy tych ludzi sposobów walki, bo oni zdobyli już doświadczenie na komunistach. Nie mają natomiast zielonego pojęcia o jeepach, ciężarówkach i czołgach. Wy macie im w tym pomóc, poruczniku.

– Sir, ja nic nie wiem o czołgach – wyznał Lowell.

– To widać – odparł pułkownik.

– A na czym pan się zna, poruczniku? – zapytał Feltera.

– Skończyłem kurs Rangersów.

– Świetnie – rzekł pułkownik – potrzebujemy tutaj Rangersów prawie tak samo jak czołgistów, którzy nie mają pojęcia o czołgach.

– Mógłbym spróbować pojeździć czołgiem – zaproponował Felter. – Byłem na takim szkoleniu.

Hanrahan spojrzał na Feltera z zaciekawieniem.

– Gdzie? – zapytał.

– W West Point, sir.

– Był pan w Akademii? – zdziwił się Hanrahan.

– Przez dwa lata, sir.

– Dlaczego tylko dwa? – zapytał sucho pułkownik.

– Zostałem promowany jako lingwista, sir.

– Z jakimi językami?

– Głównie słowiańskimi, sir. Oprócz tego niemiecki i trochę francuskiego.

– A grecki?

– Nie znam, sir. Mam nadzieję szybko się go nauczyć.

– Pomożemy panu – odrzekł Hanrahan. – Przyda nam się też pańska znajomość rosyjskiego, poruczniku.

Felter skinął głową.

– Nie mam nic przeciwko West Point – kontynuował Hanrahan – choć jestem dumny z tego, że wywodzę się z Beast Barracks.

Felter nie zareagował, choć Hanrahan spojrzał mu prosto w oczy.

– Mamy nieprzerwane dostawy amunicji do moździerzy kal. 81 mm i 4,2 cala – informował pułkownik. – Dowożą ją angielskie wodnosamoloty, którym udaje się lądować na jeziorze. Gromadzimy też zapasy amunicji do amerykańskiej broni krótkiej i właśnie dostaliśmy kilka *M1*. Sądzę, że wyślę panów do kompanii albo z Amerykanami, którzy mówią po grecku, albo z Grekami, którzy się jakoś dogadają z wami po angielsku. Będziecie prowadzić instruktaż obsługi *M1*. Musicie im tylko pokazać, jak go rozkładać i składać. Oni wiedzą już wszystko o strzelaniu. Mamy tu paru sierżantów, którzy znają się na czołgach... w ogóle wszyscy sierżanci są bardzo kompetentni. Proszę im się do niczego nie wtrącać, zrozumiano? Nauczą was wszystkiego, co konieczne o samochodach opancerzonych *M8 Greyhound*. Macie pilnować, żeby były na chodzie.

– Tak jest, sir – powiedział Lowell.

– Jakieś pytania? – zapytał pułkownik.

Lowell nie odezwał się ani słowem. Hanrahan spojrzał więc na Feltera.

– Wygląda pan, jakby się nad czymś zastanawiał. O co chodzi?

– Sir – zaczął Felter – zaciekawiło mnie po prostu, dlaczego na pańskim mundurze widnieją naszywki korpusu łączności.

– Służyłem w piechocie, jeżeli to pana interesuje. Przyleciałem do Grecji w 1942 roku jako młody podporucznik, żeby obsługiwać radiostację, i zostałem. Po wojnie wróciłem do kraju, a teraz przysłano mnie tutaj ponownie, ponieważ znam tutejsze warunki i ludzi. Wystarczy?

– Nie chciałem być wścibski, sir – powiedział Felter.

– Jeśli zauważę, że jest pan wścibski, nie omieszkam pana o tym poinformować – odparł pułkownik i po raz pierwszy się uśmiechnął.

Lowell odwzajemnił uśmiech.

– Gdyby pan wiedział, o czym myślę, Lowell, to raczej nie uśmiechałby się pan – stwierdził pułkownik. – A myślałem o tym, że zamiast obiecanych doświadczonych i wyszkolonych oficerów znających grecki dostałem dwóch poruczników, z których jeden jest głupszy od drugiego.

– Powiedziałbym, sir – odezwał się Lowell – że to bardzo powściągliwa ocena sytuacji. Uśmiechałem się, ponieważ zauważyłem, że gdy Felter popisywał się głupotą, pytając, co tu robi łącznościowiec, nie starczyło panu rozumu, żeby się zorientować, że coś nie gra.

Wbrew oczekiwaniom Feltera pułkownik nie wpadł w szewską pasję.

– Jeżeli dobrze zapamiętacie, że jesteście tandemem idiotów, będziecie siedzieć cicho i mieć oczy otwarte na wszystko, co dzieje się dookoła, to może jakoś przeżyjecie. Oczywiście, jeśli nie dacie plamy z *M1*.

Hanrahan sięgnął do szuflady rozpadającego się biurka, wyciągnął stamtąd butelkę o niespotykanym kształcie oraz trzy małe szklanki.

– Czas na drinka, panowie – oświadczył. – Tutejszy alkohol nazywa się ouzo. Smakuje jak cykoria, ale można się do niego przyzwyczaić.

Mówiąc to, rozlał zawartość butelki i dał każdemu po szklaneczce.

5

12. Kompania 113. Pułku 27. Królewskiej Dywizji Górskiej składała się z greckiego kapitana, dwóch poruczników, trzech sierżantów, pół tuzina kaprali i sześćdziesięciu trzech szeregowców oraz amerykańskiego sierżanta greckiego pochodzenia rodem z Alabamy. Rozlokowała się ona w dwóch fortach po obu stronach wąskiej drogi wijącej się dnem doliny.

Amerykański sierżant, który przedstawił się jako Nick, był kędzierzawym blondynem po dwudziestce. Ubrany był w oliwkowe spodnie, wojskowy sweter, brytyjską bluzę oraz, jak wszyscy inni w całej kompanii, podkute buty angielskiego piechura i nie używał hełmu ani innego nakrycia głowy. Na rękawie bluzy widniał grecki krzyż, a tuż nad nim plakietka z napisem „Ameryka" po grecku i angielsku. Uzbrojony był w zatknięty za pas *Colt .45* oraz przewieszony przez ramię automatyczny karabin *Browning*. Lowellowi przypomniały się pierwsze dni w wojsku i kapral, który go zwymyślał pierwszego dnia szkolenia rekruckiego. Tamten też nosił *Browninga*. Teraz role się odwróciły, to on, Lowell, będzie wydawał sierżantowi rozkazy. *Browning* był w rzeczywistości lekkim karabinem maszynowym, który mógł opróżnić dwudziestonabojowy magazynek w czasie potrzebnym na pierdnięcie i powszechnie zwano go BAR-em.

W rękach kogoś, kto wiedział, jak się nim posługiwać, była to broń tej samej jakości co *Garand*, czyli cholernie dobra. Szeregowy Lowell z wielką przyjemnością ćwiczył na strzelnicy w Fort Dix także z BAR-em, a jego osiągnięcia zdumiewały i wprawiały w podziw i w szewską pasję kaprala, który nie cierpiał studentów, a przystojnych studentów z Harvardu w szczególności.

BAR był ciężki i dlatego nikt nie nosił go dłużej, niż musiał, i fakt, że sierżant Nick miał go przy sobie, z pewnością nie był powodowany chęcią popisywania się. Co więcej, sierżant odkręcił dwójnóg, na którym zwykle opierało się lufę, by ułatwić celowanie. Sugerowało to, że używał karabinu jako broni osobistej, a z tego wynikały dwie rzeczy: sierżant był niewątpliwie prawdziwym żołnierzem oraz miał do czego strzelać. Lowell po raz pierwszy uświadomił sobie absurdalność swojego położenia. Nie miał tu racji bytu jako szeregowy, nie posiadał również kwalifikacji oficera. Dziwiło go tylko, że nie czuł się przerażony, a wręcz przeciwnie, nie mógł się doczekać, kiedy wejdzie do akcji.

To pewnie naiwność, zwana również głupotą, pomyślał.

Sierżant dotknął ręką brwi, udając, że salutuje, i Lowell odpowiedział tym samym gestem. Przy okazji pomyślał, że w ten sposób doświadczony sierżant wita zupełnie zielonego podporucznika, przybyłego prosto ze szkoły oficerskiej. Gdyby sierżant wiedział, że Lowell ma mniej więcej dziesięć procent wiedzy najsłabszego absolwenta Akademii, dłubałby palcem w nosie, a nie bawił się w salutowanie.

Sierżant rzucił okiem na skrzynię półciężarówki. Leżało tam szesnaście karabinów *M1* wraz z amunicją, skrzynie granatów moździerzowych, pudełka amunicji .303 do karabinów brytyjskich oraz racje żywnościowe.

– Czy to nasze *M1*? – zapytał.

Lowell patrzył na niego i zastanawiał się nad tym, co by się stało, gdyby powiedział prawdę. Na przykład: Proszę posłuchać, sierżancie, nie wiem, czym powinien się zajmować oficer. Proszę mi powiedzieć, co mam zrobić, i dopilnować, żeby nic mi się nie stało.

– Czy te *M1* są dla nas? – ponowił pytanie sierżant.

– Tak – odpowiedział Lowell, wysiadając z *Half-trucka*.

– Mam udzielić podstawowego instruktażu obsługi wszystkim oficerom – oświadczył, dziwiąc się, że jego głos brzmi pewniej, niż się spodziewał.

– Najwyższy czas, aby ci ludzie mieli czym walczyć – stwierdził sierżant. – Może podejdzie pan na stanowisko dowodzenia. Przedstawię pana oficerom.

Nick wziął Lowella za ramię i poprowadził do bunkra zbudowanego z worków z piaskiem poukładanych pomiędzy granitowymi głazami. Dowódca był wąsatym oficerem o oliwkowej skórze z pięciocalową blizną na prawym policzku. Ten facet przejrzy mnie na wylot, pomyślał Lowell. To chyba najbardziej wojownicza postać, jaką w życiu widziałem.

Witając się, kapitan prawie zmiażdżył dłoń Lowella stalowym uściskiem spracowanej ręki. Uśmiechnął się przy tym tak, jak gdyby naprawdę cieszył się z przyjazdu porucznika.

Pozostali oficerowie sprawiali wrażenie raczej onieśmielonych. Kapitan położył rękę na ramieniu Lowella i zaprowadził go do tylnego wyjścia z bunkra. Na zewnątrz stał 3,5-calowy moździerz z przygotowanymi do użycia skrzynkami amunicji. Ustawiono go w naturalnym zagłębieniu między głazami i tak jak bunkier obłożono workami z piaskiem, wokół których wykonano indywidualne stanowiska strzeleckie.

Zachowując przyjazny wyraz twarzy, kapitan zdjął z ramienia swojego *Lee-Enfielda*.

– On mówi – przetłumaczył Nick – że mają teraz taką broń, i pyta, czy zechciałby ją pan wypróbować.

– Dziękuję – odparł Lowell. – Wziął karabin od kapitana i przyjrzał mu się uważnie. Ten typ broni widział tylko raz, w magazynie w Atenach.

Szeroko uśmiechnięty kapitan dodał coś po grecku.

– On powiedział, że bardzo zależy mu na tym, aby pan spróbował – przetłumaczył sierżant.

– Do czego mam strzelać? – zapytał Lowell.

Kapitan chyba zrozumiał, o co mu chodzi, bo wziął do ręki karabin, ustawił się w pozycji strzeleckiej i wymierzył w stronę doliny. Obok drogi stał malutki słupek kilometrowy. Lowellowi wydawało się, że znajduje się on w odległości co najmniej dwustu jardów. Kapitan wyjaśnił mu na migi, że to właśnie jest cel, który miał na myśli. Położył się na ziemi, szybkim ruchem odbezpieczył broń i wystrzelił.

Lowell zauważył, że ludzie trzymają tu naboje w komorze, tak aby w każdej chwili móc nacisnąć spust.

Pocisk odłupał od słupka kawał betonu. Kapitan wstał, podniósł karabin i, w dalszym ciągu uśmiechając się szeroko, podał go Lowellowi.

Porucznik pomyślał, że to już czyste szyderstwo.

– On chyba chce sprawdzić, czy ma pan pojęcie o tym, o czym będzie pan mówił – odezwał się Nick.

Lowell przyjął postawę strzelecką. Ciekawe, co, do cholery, zrobię, jeżeli spudłuję? Wystrzelił. Na środku drogi wzbił się w powietrze mały kłębek kurzu. Spudłował o sześć stóp. Nerwowo przeładował i wystrzelił ponownie. Czuł się okrutnie poniżony, kiedy okazało się, że znów nie trafił, tym bardziej że grecki kapitan i amerykański sierżant uśmiechnęli się z przekąsem. Miał być ekspertem, a nie trafił z dwustu jardów do celu wielkości stopy kwadratowej.

Przyjrzał się dokładniej celownikowi *Enfielda* i zdał sobie sprawę, że nie ma zielonego pojęcia, jak się nim posługiwać.

– Dajcie mi *M1* – powiedział.

Gdy przyłożył *Garanda* do ramienia i odbezpieczył go, przypomniał sobie, że nie przestrzelił broni i nie zgrał przyrządów celowniczych. Źle zrobił, oddając *Enfielda*. Mógł przecież jeszcze raz przymierzyć się z niego do tego cholernego słupka. Niestety, co się stało, to się nie odstanie. Lowell spojrzał na karabin i sprawdził celowniki.

– Nigdy jeszcze nie strzelałem z tego żelastwa – powiedział cicho, ale tak, żeby Nick go usłyszał.

Sierżant spojrzał na niego z pogardą w oczach. Craig uświadomił sobie, że pogrębia nie tylko siebie, lecz również Nicka, który też jest doradcą. Znalazł jednak wyjście.

– Powiedz kapitanowi – zwrócił się do sierżanta, podając mu *M1* – że to by było dla mnie za proste, bo strzelałbym z własnej broni.

Nick uniósł ze zdziwieniem brwi, ale nie odezwał się ani słowem.

– Powiedz mu, że wezmę nieużywanego *M1* z samochodu,

zgram go trzema nabojami, a potem rozwalę w drzazgi ten przeklęty słupek.

– Jedyna nadzieja dla nas obu w tym, że się panu uda – powiedział Nick z powątpiewającym wyrazem twarzy i przetłumaczył słowa Lowella na grecki.

– Powiedz mu, żeby wybrał jakiś karabin – dodał Craig.

Sierżant zaprowadził kapitana do skrzyni z *M1*, ten rzucił okiem na cztery *Garandy* i wybrał pierwszego z brzegu, po czym wręczył go Lowellowi. Porucznik odbezpieczył broń i spojrzał w lufę. Było w niej aż grubo od smaru.

Lowell ustawił celownik na dwieście jardów.

– Powiedz kapitanowi, że lufa jest pełna smaru. Przeczyszczę ją dwoma strzałami.

Nick powtórzył to po grecku, a Lowell wsunął łódkę z nabojami, przeładował karabin i wystrzelił dwa razy w powietrze.

Następnie, przygotowując się do wyzerowania, usiadł na ziemi.

– Powiedz kapitanowi, że na tak małą odległość i tak duży cel, karabin ten nie wymaga pozycji leżącej.

– Kładź się na ziemi, na miłość boską, i traf w ten cholerny słupek – warknął Nick, szeroko uśmiechając się dla niepoznaki. – Jak wyczują, że udajesz albo masz dwie lewe ręce, będziesz skończony.

– Proszę przetłumaczyć to, co powiedziałem, sierżancie – odparł Lowell, decydując się postawić wszystko na jedną kartę. – I dodać, że dobry strzelec nie potrzebuje podpórki.

Nick zaczął tłumaczyć na grecki.

– Powiedz mu, że będę teraz zerował broń – dodał Lowell.

Craig wymierzył bardzo starannie, wypuścił powietrze z płuc i delikatnie nacisnął spust. Zupełnie przypadkowo przyrządy były prawie wyzerowane. Kula trafiła zaledwie dwie stopy od celu. Za drugim razem brakowało już tylko kilku cali.

Lowell przywołał ruchem ręki kapitana i wskazał na celownik.

– Powiedz mu, że czasami tylko dwa strzały wystarczają do sprawdzenia broni. Przesunę teraz celownik o dwanaście kresek w prawo i na tę odległość każda z nich przesuwa punkt, w który uderza kula, o dwa cale. – Dla lepszego zrozumienia pokazał to na palcach.

Uśmiechając się nieszczerze, kapitan wysłuchał tłumaczenia i skinął głową.

– Powiedz mu, że teraz zademonstruję, jak odłączyć częściowo zużyty magazynek i założyć nowy.

– Mam nadzieję, panie poruczniku, że pan, do cholery, trafi – odezwał się Nick.

Lowell wymienił łódkę na nową, przyłożył *Garanda* do ramienia, wycelował, wstrzymał oddech i delikatnie nacisnął spust. Trafił w dziesiątkę. Kawał betonu oderwał się od słupka i wyleciał w powietrze. Craig błyskawicznie wystrzelił pozostałe siedem nabojów. Gdy skończył, ze słupka została połowa.

Podnosząc się z błogim uczuciem triumfu, Lowell wyszczerzył zęby do Nicka, z niskim ukłonem podał *Garanda* kapitanowi i wytłumaczył mu na migi, żeby też spróbował. Sam ukląkł koło niego i pomógł załadować. Grek wystrzelał wszystkie naboje ogniem ciągłym. Rozpromienił się, wstał i podał karabin Lowellowi.

– Skurczybyk – powiedział po angielsku. Poklepał porucznika po policzku, pocałował go, a potem z podziwem przyjrzał się jeszcze *Garandowi*.

– To jest naprawdę coś – odezwał się Nick. – Oni tu zwykle tylko podają ręce. Pan go po prostu zachwycił.

Grek uśmiechnął się do amerykańskiego porucznika, a on odwzajemnił się tym samym, uśmiechając się tak szeroko, że zaczęły go boleć mięśnie policzków.

Bardzo zawiłą gestykulacją kapitan zaprosił go z powrotem do bunkra, dodając coś po grecku.

– Powiedział, że byłby zaszczycony, gdyby zechciał mu pan pokazać, jak działa ten cudowny karabin, a wtedy on i jego ludzie będą w stanie zabić więcej bezbożnych komunistów – przetłumaczył Nick, bacznie obserwując twarz Lowella. – Oni mówią serio, poruczniku – dodał. – Bardzo dobrze, że nie wziął pan tego za żart.

Lowell poczuł przypływ radości.

– Proszę powiedzieć kapitanowi, że czuję się zaszczycony możliwością objaśnienia tak wspaniałemu strzelcowi, jak działa karabin używany przez amerykańską armię.

6
Punkt o współrzędnych C431/K003
Mapa Grecji 1:250 000
22 lipca 1946

Prawdę mówiąc, gdyby nie Ilse, misja byłaby bardzo ciekawa. Tak myślał Lowell. Przez cały czas przypominała bowiem film. Dni były ciepłe, wieczory chłodne, ale nie zimne, i nikt nie nastawał na jego życie. Co więcej, Lowell polubił rolę oficera. Nie takiego od grania w polo, ale prawdziwego dowódcy, któremu powierzono obowiązki. Wypełniał je uczciwie i czerpał z tego przyjemność.

Cieszyło go, że jest w stanie sprostać złożonej na jego barkach odpowiedzialności. Ta misja była lepsza nawet od funkcji instruktora strzelania, jaką mu kiedyś oferowano. Teraz tylko dzięki niemu najpierw 12. Kompania, a później pułk i cała dywizja nauczą się właściwie posługiwać karabinem *M1 Garand*. Nawet Felter przyznawał, że Lowell zna się na rzeczy, a Felter był przecież w West Point i, choć na to nie wyglądał, był Rangerem.

Lowell był dumny jak paw, kiedy się okazało, że cała 12. Kompania sprawnie posługuje się *M1*, podczas gdy Felter wciąż jeszcze instruował swoich ludzi, jak ten karabin działa. Sandy był niewątpliwie dobrym żołnierzem (inaczej nie skierowano by go przecież na kurs Rangersów), ale był marnym nauczycielem i nie nadawał się na dowódcę. Craig Lowell przy całej swej skromności uwierzył, że prowadząc kurs obsługi *M1*, zademonstrował cechy prawdziwego oficera. Najpierw pokazał grupce żołnierzy, że mógłby z dwustu jardów trafić muchę, co momentalnie podniosło jego prestiż jako nauczyciela. Następnie rozbijał w drobny mak słupki kilometrowe, strzelając tak szybko, jak tylko pozwalały na to możliwości broni, podnosząc z kolei jej prestiż. Po takim wstępie cała reszta nie stanowiła już problemu. Lowell tłumaczył zasady działania karabinu, a Nick przekładał jego zwięzłe zdania na grecki. Żołnierze garnęli się do nauki i wchłaniali informacje jak gąbka. Porucznikowi w niczym nie przypominało to kursu, w którym sam kiedyś uczestniczył. Pewnie dlatego, że źle go zorganizowano. Kiedy doczekali się w końcu możliwości oddania pierwszego strzału, mieli tak serdecznie dość gapienia się na broń, czyszczenia i strzelania na sucho bez naboi, że nie podobałaby się im, nawet gdyby była automatem do rozdawania zimnego piwa.

Nieco później okazało się, że Felter potrzebuje pomocy, i Craig z satysfakcją zajął się jego kompanią.

Felter zadzwonił później do pułkownika Hanrahana i zameldował, iż ma kłopoty, natomiast Lowell radzi sobie dobrze. Zaproponował więc, żeby Craig robił to dalej, dzięki czemu on sam mógłby wrócić do sztabu i uzupełnić swoją wiedzę o czołgach. Hanrahan się zgodził. Felter wrócił więc do Joaniny, a Lowell prowadził instruktaż użycia *Garanda* dla całego pułku.

To dziwne, myślał Lowell, że Hanrahan i Felter uczyli się w West Point. Akademia zawsze kojarzyła mu się z takimi ludźmi jak generał Waterford i Charley. Hanrahan był niewątpliwie dobrym oficerem, ale zachowywał się jak irlandzki sierżant policji, a nie jak dżentelmen. Choć trudno było to sobie wyobrazić, i Hanrahan, i Felter musieli kiedyś maszerować po dziedzińcu West Point. W tych śmiesznych czapkach z piórami przypominającymi bazie.

Lowell zaprzyjaźnił się dość blisko z Nickiem. Nawet jeżeli podejrzewał on, że cała wojskowa wiedza Craiga pochodziła wyłącznie ze szkolenia rekruckiego, to nigdy nie dawał tego po sobie poznać. Wyczuwając, że w miarę upływu czasu zrobił na Nicku podobne wrażenie jak na greckim kapitanie w pierwszym dniu szkolenia, Lowell doszedł do wniosku, że to, o czym Nick nie wiedział, na pewno mu nie zaszkodzi.

Obydwaj mieszkali w kamiennej chatce na obszarze zajmowanym przez 12. Kompanię i na zmianę gotowali sobie jajka na śniadanie, resztę posiłku jedząc z greckimi oficerami, a nocami czytali przy syczącym płomieniu gazowego palnika. Nick znał grecki, przekładał więc Lowellowi teksty artykułów z docierających do nich gazet i czasopism.

W języku angielskim mogli czasami przeczytać tylko stare egzemplarze „Stars and Stripes" z Niemiec oraz instrukcje obsługi sprzętu. Z braku książek i gazet Lowell zabrał się do studiowania instrukcji. Większość z nich była mu pomocna mniej więcej tak jak gazeta „Saturday Evening Post", ale niektóre go zafascynowały; na przykład „Kompania piechoty w obronie" wyjaśniała, minutę po minucie, co dwustu trzydziestu ludzi powinno robić, poczynając od rozmieszczenia karabinów maszynowych, a kończąc na rozlokowaniu sanitariatów polowych, czyli latryn. Część tych informacji nie nadawała się do użycia w Grecji, ale zaskakująco wiele z nich było przydatnych.

Przeczytawszy instrukcję, Lowell sprawdził dyskretnie stanowiska karabinów maszynowych 12. Kompanii i przekonał się, że prawie się zgadzają z teoretycznym ideałem.

Nicka nie dziwiło wcale, że Lowell spędza wieczory na czytaniu instrukcji. Przypuszczał, prawdopodobnie, że oficerowie odruchowo poświęcają czas wolny na poszerzenie wiedzy zawodowej, i nie zdawał sobie sprawy z tego, że Craig dopiero odkrywa znaczenie takich terminów, jak: pole ognia, jednostki amunicji czy przedpole. Taka forma spędzania wolnego czasu szybko weszła im w nawyk. Każdego dnia, gdy tylko słońce wzeszło na tyle wysoko, aby względnie wygodnie można było jechać otwartym jeepem, Lowell i Nick ruszali do następnej kompanii, żeby poinstruować oficerów i sierżantów o działaniu karabinu *M1*. Po szkoleniu oficerowie odwiedzanej kompanii częstowali ich jeszcze zwykle lunchem, po czym Craig i Nick wracali do swojej kwatery.

Lowell obijał się przez resztę popołudnia, słuchając radia Zenith (dzięki Bogu – myślał – wpadłem na to, żeby je kupić. Zwariowałbym tutaj bez niego) albo grając w szachy z greckimi oficerami. Czasami udawało mu się złapać na falach krótkich stację American Forces Network, która zawsze przywoływała wspomnienia o Ilse. Bardzo za nią tęsknił i martwił się o nią, odpychając od siebie myśl, że może jest już z kimś innym.

Rozmyślania te wpędzały go na przemian w depresję i stan radosnego uniesienia. Czasami mówił sobie, że Ilse jest kobietą jego życia, i planował, że przeniesie się do Niemiec po upływie rocznej służby w Grecji. W jej ojczyźnie faktycznie będą mogli być razem. Naprawdę za nią tęsknię, myślał, przywołując z pamięci obraz Ilse stojącej na brzegu Lahnu.

To było zaledwie trzy tygodnie temu. Niestety przez cały ten czas nie zdążył nadejść jeszcze żaden list. Ciekawe, co ona teraz robi. Może informuje jakiegoś nowego faceta, że kosztuje stówę na miesiąc plus czynsz za mieszkanie i towar na kartki, który mogłaby sprzedać na bazarze. A jeśli śpi teraz z kimś innym? Nie, to niemożliwe, przekonywał sam siebie.

Przypomniał sobie, że przeczytał kiedyś fragment biografii generała Pattona, z której zapamiętał cytat: „Nigdy nie radź się własnych obaw". To pewnie ma sens, pomyślał. Wmawiał sobie, że jeżeli koniecznie musi być w wojsku, to dobrze, że trafił właśnie tu. Służba w roli doradcy okazała się bardzo kształcąca, gdyż nigdzie indziej Lowell nie zdobyłby takiego doświadczenia.

W bunkrze rozległ się charakterystyczny dźwięk polowego telefonu. Ktoś wetknął głowę w drzwi i wymamrotał coś po grecku, wskazując ręką w prawo. Kapitan podbiegł do worków z piaskiem, rzucił się na ziemię i przyłożył lornetkę do oczu. Rozejrzawszy się dokładnie, odwrócił się gwałtownie i wydał kilka rozkazów.

– Co się, do cholery, dzieje?

– Dostali meldunek o transporcie broni – odparł Nick.

No, najwyższy czas, aby poznać wroga, pomyślał Lowell.

– Czasami popełniają błąd i dają się zauważyć – powiedział Nick, podchodząc szybkim krokiem do stanowiska strzeleckiego.

Ustawił *Browninga* na workach z piaskiem i zaczął wpatrywać się w otaczające ich zewsząd nagie skały. Lowell dostrzegł, że w odległości prawie pięciuset jardów coś się poruszyło. Usłyszał parę greckich słów wypowiedzianych przez kapitana. Wydało mu się, że jedno z nich oznacza „tam". Faktycznie, kapitan kazał żołnierzom przygotować 3,5-calowy moździerz, ustawić go w innej pozycji i wymierzyć w zauważony ruchomy punkt wielkości cala. Dowódca uśmiechnął się do Lowella i wskazał ręką na nieobsadzone stanowisko strzeleckie. W dolinie poniżej bunkra zaczął się ruch. Gołym okiem widać było przemykające między głazami cienie. Z początku trudno było je dostrzec, ale po chwili, gdy oko zaczęło wyłapywać szare postacie, stało się oczywiste, że w dolinie znajdują się ludzie, którzy schodzą bardzo powoli w stronę jej wylotu. Poruszali się ostrożnie i niewątpliwie starali się być niewidoczni. To nasz przeciwnik, pomyślał Lowell.

Rozległ się huk wystrzału *M1* kapitana, a w chwilę później ostry dźwięk serii z BAR-a Nicka.

Przykuło to Lowella do celowników karabinu. Ale ze mnie idiota, pomyślał. Nawet jeżeli kogoś zobaczę, nie mam szans trafić. Lowell wyciągnął lewą rękę i zaczął regulować celownik *M1*, podnosząc go znacznie wyżej. W głębi duszy czuł, że jest w tym coś przerażającego; przeciwnik mógł przecież również odpowiedzieć ogniem. Do uszu Lowella doszedł huk wystrzału moździerza i zadzwoniło mu w uszach. Gdy spojrzał na celownik, okazało się, że drży mu ręka, a karabin wprost huśta się na podpórce. Ponownie odezwał się *Browning* Nicka, a w chwilę później znów do akcji włączył się moździerz. Między głazami pojawiła się smużka dymu, z której Lowell wywnioskował, że salwa była chybiona. Kapitan krzyknął coś ze złością i przyłożył policzek do kolby *Garanda*. Lowella nagle okropnie rozbolał pęcherz. Muszę się odlać, uświadomił sobie. Nad głową zaczęły mu jednak gwizdać kule, co przypomniało mu szkolenie w Fort Dix. Wtedy było to zabawne, ponieważ bardzo starannie pilnowano, żeby te gwiżdżące nad głową pociski przyprawiły wszystkich o dreszcze, ale nikomu nie zrobiły krzywdy. Tutaj nikogo to nie obchodziło. Pociski odbijały się rykoszetem od skał, świszcząc jak na filmie, a ponieważ były prawdziwe, groziły śmiercią. Niespodziewanie Lowell wyłowił dźwięk przypominający świst noża, którym gruby Murzyn rozcinał na pół dojrzały arbuz na werandzie jadalni w Camp Kemper. Pamiętał nawet, że ten murzyński kucharz nazywał się Ellwood.

Odwrócił głowę i zobaczył Nicka rozłożonego na nagrzanych słońcem kamieniach. Jego twarz wyglądała jak rozszarpany arbuz. Na ten widok podporucznik Lowell zaczął wymiotować, a gdy doszedł do siebie, zdał sobie sprawę, że ma mokre i obsrane spodnie. Osłonił głowę rękami i pomyślał, że będzie następny. Te przeklęte gnojki rozwalą mu teraz łeb. Podsunął się pół cala bliżej krawędzi osłaniających go głazów, a potem powoli zaczął wysuwać głowę, żeby zobaczyć, kto się zamierza na jego życie. Kątem oka dostrzegł błysk żółtego płomienia i automatycznie wtulił się w skały. Wiedział już jednak, że jest ich dwóch i że mają ręczny karabin maszynowy z dwójnogiem. Schowani za skałami, ostrzeliwali bunkier krótkimi seriami, starając się nie przegrzać lufy. Gdzie, do diabła, jest mój karabin, zapytał sam siebie. Zszedł tyłem na czworakach do miejsca, w którym zostawił *M1*, chwycił go za lufę i zaczął wracać na wysuniętą pozycję. Dwie kule trafiły w skałę parę jardów nad jego głową. Szczęśliwie odbiły się rykoszetem między głazami i tylko kilka skalnych odprysków dosięgło twarzy Lowella.

Wydawało się, że wie, skąd zostały wystrzelone. Podczołgał się do krawędzi skał i ułożył rękę na płaskim miejscu między kamieniami, czując, że kał zsuwa mu się po udzie. Zaklął po cichu. Przycisnął policzek do kolby karabinu, nie widział jednak celownika, bo oczy zaszły mu łzami. Lowell zdjął palce ze spustu, przetarł oczy dłonią i zamrugał. Odzyskał zdolność widzenia. Partyzant strzelający z karabinu maszynowego wstrzymał na chwilę ogień i zaczął obracać lufę w stronę pozycji Craiga.

Kolba *M1* uderzyła Lowella w twarz, a zamek wyrzucił na zewnątrz pustą łuskę. Strzelec spojrzał w jego stronę, podniósł się na kolana i chwycił karabin w obie ręce.

Craig trafił go w momencie, kiedy się wyprostował, ponownie gdy się zachwiał i jeszcze raz, gdy klęknął. Wówczas dosięgnął go ostatni pocisk, starannie wymierzony w głowę.

Powinno wystarczyć temu śmierdzielowi, pomyślał mściwie Lowell.

Z otwartego zamka *M1* wydobywał się dymek o gorzkawym zapachu prochu i spalonego oleju. Biorąc przykład z Greków, Lowell wcisnął przed strzelaniną skórzany pasek karabinu pomiędzy dwa rzędy łódek z nabojami. Teraz wyciągnął jedną, rozsypując naboje między kamieniami. W chwilę później drżącą ręką wyjął drugi. Naboje nie rozsypały się, ale były przestawione.

– Szlag by to trafił – zaklął porucznik, odłożył broń i podbiegł do zwłok Nicka. Jego oczy były szeroko otwarte, krwawił z nosa, uszu i twarzy. Tył czaszki był rozszarpany.

Lowell pochylił się ze ściśniętym gardłem. Wyjął magazynki do *Browninga* z ładownicy Nicka i podbiegł z nimi do swojego stanowiska, po czym wrócił szybko po BAR-a. Ciągnął go za lufę, a kolba wlokła się po kamieniach. Rzucił się na ziemię, ciężko oddychając, i wyjął magazynek z *Browninga*. Były w nim jeszcze naboje, ale Lowell wyrzucił go instynktownie i założył nowy. Oparł lufę w miejscu, z którego strzelał z *M1*. Przy karabinie maszynowym kręciło się teraz dwóch partyzantów. Jeden zabrał pojemniki z amunicją, a drugi sam karabin. *Browning* podskoczył w rękach Craiga. Dwie krótkie serie skosiły obu i przy kaemie były cztery trupy, a raczej trzy, bo jeden z nich nadal dawał oznaki życia. Craig puścił więc kolejną serię. Do karabinu maszynowego podczołgał się jeszcze jeden przemytnik. Jeszcze ci mało, świnio, pomyślał porucznik i pociągnął za spust. *Browning* zamilkł niespodziewanie po kilku wystrzałach. Lowell błyskawicznie się domyślił, że wystrzelał cały magazynek, i ukrył się za głazem wraz z karabinem. Po zmianie magazynka wrócił na pozycję. Między skałami panował spokój i nie było widać żółtych płomieni wystrzałów. Nad doliną wisiała tylko chmura niebieskiego dymu i słychać było dźwięk detonacji kolejnego moździerzowego granatu. W ferworze walki uwaga Lowella skupiona była wyłącznie na celności strzałów; teraz, w miarę jak napięcie ustępowało, porucznik poczuł, że ma na nodze zaschnięty kał. Jego smród sprawił, że ponownie zebrało mu się na wymioty, ale ponieważ żołądek był pusty, Craig osunął się tylko na pobliskie głazy. Wokół niego leżały rozrzucone łuski kalibru .30-06.

W powietrzu unosił się zapach oliwy, którą wysmarowana była kolba *Browninga*. Gdy zapadła cisza, porucznik włożył do łódki osiem naboi i załadował swój *M1*. Pozostawszy *Browninga* na stanowisku, podszedł do Nicka, zdjął kurtkę i zasłonił nią jego rozszarpaną twarz. W tym momencie podszedł też grecki kapitan, zrobił znak krzyża nad Nickiem, ze łzami w oczach przycisnął głowę Lowella do swojej piersi i pocałował ją.

Craig zszedł do kamiennej chaty, którą dzielił z Nickiem, umył się i włożył czystą bieliznę. Trwało to dosyć długo i znowu poczuł wzbierające mdłości. Kiedy skończył, jeden z Greków przyniósł mu mocno znoszone, ale czyste, wełniane spodnie od angielskiego munduru oraz brytyjską bluzę z dystynkcjami podporucznika i insygniami czołgisty na ramieniu.

– Dziękuję – powiedział Lowell.

Grek skinął głową i wskazał palcem na lewy naramiennik. Tkwił w nim szary metalowy znaczek z godłem 113. Pułku 27. Królewskiej Dywizji Górskiej.

Starszy, nieogolony żołnierz z twarzą poznaczoną śladami po ospie wyciągnął swoją spracowaną dłoń i pogładził nią Lowella po twarzy, mamrocząc coś po grecku. Lowell nie miał pojęcia, o co mu chodziło, na wszelki wypadek uśmiechnął się jednak i skinął głową. Grek pochylił się, podniósł brudne spodnie, szorty oraz koszulę Craiga i odniósł je do prania.

7

Podporucznik Craig Lowell, ubrany w prawie kompletny grecki mundur, opierał się o wzmocnione workami z piaskiem kamienne mury chaty i zaciągał się swoim przedostatnim cygarem, gdy podpułkownik Paul Hanrahan i porucznik Sanford Felter wjechali na teren 12. Kompanii. Pułkownik osobiście kierował półgąsienicowym transporterem. Zatrzymali się i Hanrahan wyskoczył z szoferki. Spojrzał na Lowella, który nie ruszał się spod ściany, a po chwili przeniósł wzrok na owinięte zwojem płótna ciało, na którym umieszczono krucyfiks. Przyjrzawszy się zwłokom, skierował się w stronę porucznika. Kiedy zbliżył się na odległość dziesięciu stóp, Lowell odepchnął się od worków z piaskiem i zasalutował. Pułkownik niedbale odpowiedział na honory i zapytał:

— Nic się panu nie stało, poruczniku?

— Żyję, panie pułkowniku...

— Co z waszą twarzą?

Lowell bezwiednie potarł policzek.

— Chyba odpryski kamienia — odpowiedział.

Pułkownik wyciągnął dłoń i wskazał na odznakę pułku na naramienniku Craiga.

— Dali to panu? — zapytał.

Po sposobie, w jaki Hanrahan zadał to pytanie, Lowell wywnioskował, że nie powinien tego nosić. Przyglądający się tej scenie grecki kapitan podszedł do pułkownika, wziął go za rękę i zaprowadził za bunkier. Po jednej stronie, pod tanimi bawełnianymi flagami spoczywały ciała żołnierzy 12. Kompanii, po drugiej leżały niczym nieokryte zwłoki przeciwników.

Pomiędzy nimi zgromadzono zdobytą broń i zapasy. Kapitan poprowadził Hanrahana na sam koniec, gdzie stał karabin maszynowy, skrzynki amunicji i kilka karabinów. Obok ułożono zwłoki pięciu partyzantów.

Lowell widział tych zabitych już wcześniej, ale dopiero gdy zobaczył, jak kapitan pokazuje ich pułkownikowi, dotarło do niego, dlaczego ułożono ich osobno przy zdobycznym karabinie maszynowym.

To byli ludzie, których osobiście zastrzelił. Uświadomił sobie, że wcale go to nie wzrusza. Ani trochę. Powinno mnie to niepokoić, ponieważ odebrałem tym ludziom życie, ale nic mnie to nie obchodzi, myślał.

— Kapitan uważa was za prawdziwego asa — powiedział Hanrahan, podchodząc do porucznika.

— Będziemy potrzebować tłumacza, panie pułkowniku — powiedział Lowell.

— Przyjedzie ciężarówką, która zabierze ciała — odpowiedział Hanrahan. — Po Nicka chciałem przyjechać osobiście.

Pułkownik przywiózł ze sobą amerykańską flagę oraz tanią sosnową trumnę miejscowego wyrobu, która zaczynała się już rozsychać. Hanrahan podniósł ją wraz z Felterem i postawił obok owiniętego w płótno ciała. Lowell i Hanrahan umieścili zwłoki Nicka w trumnie, do której pułkownik przybił następnie amerykańską flagę. Z pomocą Lowella załadowali trumnę na transporter.

– Osobiście napiszę do rodziny – powiedział Hanrahan.

Lowellowi w ogóle nie przyszło do głowy, że ktoś powinien to zrobić.

– Dziękuję, sir – odpowiedział.

– Przyślę panu jakieś mundury następną ciężarówką.

– Czy poczta również dowożona jest ciężarówkami? – zapytał Lowell.

Pułkownik wskazał na zażenowanego Feltera, który wręczył Craigowi pocztę. Składał się na nią tylko jeden list z Klubu Oficerów Żandarmerii. Stwierdzono w nim, że Lowell zalega z kwotą dwudziestu pięciu dolarów wpisowego i trzema dziesięciodolarowymi składkami miesięcznymi. List kończył się groźbą zawiadomienia o tym fakcie dowódcy, jeżeli porucznik nie zapłaci tej sumy w ciągu trzech dni.

– Z pocztą bardzo marnie – odezwał się Felter.

– Masz rację – zgodził się Craig.

8

Nowi oficerowie wyszli obronną ręką z pierwszego starcia zbrojnego i Hanrahana wcale nie dziwiło, że obaj zaczęli się natychmiast upodabniać do Greków. Choć Hanrahan nigdy nie przyznałby się do tego, to uważał, że Felter i Lowell z dnia na dzień stają się prawdziwymi towarzyszami broni.

Niepostrzeżenie dla samego siebie Lowell wszedł w rolę oficera. Ponieważ tak się złożyło, że miał do czynienia wyłącznie z Grekami, chciał się do nich jak najbardziej upodobnić. Ubierał się jak greccy oficerowie, myślał tak jak oni i starał się podobnie do nich zachowywać.

Ku oburzeniu wielu amerykańskich oficerów w Joaninie wystarczył miesiąc, aby Lowell zaadaptował się znacznie lepiej od nich.

Dobrał się mianowicie do składów angielskich mundurów w Joaninie i polecił jakiejś Greczynce wyprać je, aby pozbyć się zapachu brytyjskiego środka przeciw molom. Dzięki temu stał się tak podobny do greckich oficerów, że odróżnić go można było tylko po tym, iż na kołnierzu nosił obok greckich amerykańskie dystynkcje porucznika. Pod bluzę wkładał rozpiętą koszulę khaki, wojskowy sweter i jedwabną chustę. Nosił też czarny skórzany pas i taką samą kaburę *Lugera* podarowane mu przez żołnierzy jednej z kompanii, które szkolił w obsłudze *M1*. Grecy zdobyli je na Niemcach. Na klamrze pasa znajdował się wytłoczony napis „Gott mit uns". Imitując noszone przez Feltera skrzydełka spadochroniarza, Craig przesunął odznakę 113. Pułku z naramiennika na kieszeń bluzy. Hanrahan spostrzegł, że Felter identyfikował się z Grekami w znacznie mniejszym stopniu. Wkładał tylko brytyjskie buty i nie wiązał krawata, a odznakę spadochroniarza nosił tylko dlatego, że sam Hanrahan miał ją w kurtce mundurowej.

Felter spędzał większość czasu w sztabie dywizji pułku, a jego znajomość rosyjskiego bardzo się Hanrahanowi przydawała. Pułkownik był głęboko przekonany o fałszywości radzieckiego stanowiska na temat rewolucji w Grecji, według którego była ona wewnętrzną sprawą tego kraju i jako taka powinna zostać rozwiązana bez udziału obcych doradców. Już dawno postanowił, że gdyby udało mu się złapać jednego ze swoich sowieckich odpowiedników (słyszał ich na falach radiowych), to osobiście odstawiłby takiego gnojka do Aten. Lowell wracał do Joaniny raz albo dwa w tygodniu, żeby załatwić papierkowe sprawy doradców swojgo pułku, zjeść amerykański posiłek, przespać się w czystej pościeli i, o czym dobrze wiedział Hanrahan, sprawdzić, czy nadszedł list, którego nie mógł się doczekać.

Pułkownikowi często przychodziło do głowy, że gdyby dorwał tę niemiecką dziwkę, która dała kosza Lowellowi, to z przyjemnością udusiłby ją własnymi rękoma. Tymczasem Craig otrzymał tylko dwa listy od matki adresowane jeszcze do szeregowca Lowella. Pisała, że pamięta Ateny z podróży poślubnej, i podawała adresy restauracji, które koniecznie powinien odwiedzić. Doradzała mu również skorzystanie z niebywałej okazji wzięcia udziału w tygodniowym rejsie po archipelagach wysp otaczających Grecję. Craig nie mógł się zmusić, by jej odpisać.

List, na który tak bardzo czekał, szedł do niego aż siedem tygodni. Poczta cywilna pomiędzy Niemcami i Grecją faktycznie nie funkcjonowała, a wojskowa najwyraźniej nie była o wiele lepsza.

Kochany!
Czekam od miesiąca i wiem już, dlaczego do mnie nie napisałeś. W pełni to rozumiem. Pragnę Ci tylko podziękować za to, że byłeś dla mnie tak miły. Chciałabym również, żebyś wiedział, że zawsze będę Cię miło wspominać.

Twoja mała niemiecka przyjaciółka
Ilse

Craig Lowell nie mógł oczywiście wiedzieć, że dwa tygodnie po tym, jak opuścił Niemcy, generał Walls wezwał do gabinetu Charleya i z wielką radością oświadczył mu, że zwalnia go ze wszystkich obowiązków. Kiedy listy Lowella do Ilse, adresowane do Charleya, dotarły do Niemiec, poczta wojskowa, zgodnie z regulaminem, przesyłała je do Sztabu Komendy Uzupełnień i Rekrutacji w Pittsburghu, gdzie Charley miał się zameldować w sześć tygodni od powrotu do Stanów Zjednoczonych.

W nocy po przyjściu listu Sanford Felter wysłuchał długiej opowieści Lowella o jego znajomości z Ilse. Felter był zaskoczony, kiedy się dowiedział, że jego towarzysz ma zaledwie dziewiętnaście lat i znalazł się w armii tylko dlatego, że po trzech miesiącach studiów na Harvardzie zawieszono go bezterminowo w prawach studenta.

Następnego dnia, jak tylko Lowell wytrzeźwiał na tyle, że mógł pojechać z powrotem ciężarówką dowożącą amunicję, Felter opisał to wszystko Sharon. Przyznał się, że bardzo współczuje Craigowi z powodu tej dziewczyny, Lowell był niewątpliwie bardzo przystojny, pochodził z bogatej rodziny i stawał się sławny ze względu na swą odwagę na polu walki, ale był również młodym chłopakiem wystawionym do wiatru przez jakąś Niemkę.

Liczył się dla niej tylko wtedy, gdy mógł jej coś przynieść z garnizonowego sklepu. Sanford napisał, że modli się za Lowella, ponieważ w tym stanie ducha prawdopodobnie zrobi coś głupiego. Dodał też, że uświadomiło mu to, jak dobry jest Bóg, który dał mu tak dobrą żonę. Felter zwierzył się również ze swego szacunku i podziwu, jakim zaczął darzyć pułkownika Hanrahana. Nie wdawał się jednak w szczegóły, sądząc, że żona tego nie zrozumie.

Poprzedniej nocy Hanrahan odszukał kompanię Feltera. Chciał zaaranżować, jak to określił, spotkanie Stowarzyszenia Absolwentów West Point służących w Joaninie. Tak naprawdę pragnął po prostu porozmawiać i słusznie odgadł, że najlepiej nadaje się do tego Felter. Przy filiżance herbaty w pokoju Sandy'ego dyskutowali na wszystkie możliwe tematy. Mówili o swojej pracy, o żonach, dzielili się opiniami na temat Greków oraz przyszłości armii.

Hanrahan zapytał Feltera, dlaczego zgłosił się na ochotnika. Porucznik szczerze wyjaśnił swoje motywy, a potem ośmielił się zapytać o to samo pułkownika Hanrahana, który wypił wystarczająco dużo ouzo, aby zdobyć się na odpowiedź.

— A pan, panie pułkowniku? — zapytał Felter. — Jak pan się tu znalazł?

— Zadaniem każdego oficera w czasie pokoju jest przygotowywanie się do następnej wojny. Dla mnie jest to oczywiste, ale większość ludzi, których znam, zupełnie tego nie rozumie.

– Nie znaczy to chyba, że następna wojna będzie się toczyła tutaj ani że będzie to wojna partyzancka? – odparł Felter.

– Nie – odrzekł Hanrahan – ale uważam, że właśnie tu można zdobyć doświadczenie w dowodzeniu wojskiem.

– Jako najemnik? Przez nich przecież upadło Cesarstwo Rzymskie.

– Nie mówiłem o najemnikach. Chodziło mi o pomoc ludziom, którzy toczą własne wojny. Mówiąc krótko, czy nam się to podoba czy nie, nie możemy pozwolić, żeby Sowieci zagarnęli cały świat. Ponieważ nie możemy wystawić tylu żołnierzy co oni, musimy korzystać z wojsk innych narodów. Jesteśmy najbardziej wykształconym społeczeństwem na świecie i mamy dość oficerów, żeby wysłać garstkę do szkolenia innych.

– I oni nie są najemnikami?

– Słuchaj uważnie, powiedziałem: „toczą własne wojny". Grecy nie chcą tu ani komunizmu, ani Rosjan, a ich żołnierze spisują się lepiej niż 82. Dywizja Spadochronowa. My dajemy im tylko sprzęt i szkolimy w jego użyciu.

– Jak pan sobie wyobraża przyszłość?

– Jak każdy, kto ukończył szkołę nad Hudsonem, zamierzam zostać generałem. Nie jestem arystokratą i gdybym myślał, że najłatwiej dojdę do tego, siedząc w Fort Bragg i udając spadochroniarza, to nigdy bym się stamtąd nie ruszył. Gdy przyjdzie nam jednak dowodzić obcymi wojskami w wojnach, w których nasz kraj nie będzie uczestniczył jako strona, chcę się na tym znać jak nikt inny w całej armii.

Pomimo zaufania, jakim darzył Feltera, pułkownik uznał, że i tak powiedział za dużo, i poszedł spać.

Pisząc do Sharon, Sandy nie wspomniał nawet jednym słowem, że sporządził raport dla pułkownika Hanrahana, będący właśnie wywiadowczą analizą sytuacji w Grecji. Nie był pewny, czy pułkownik znajdzie czas, aby go przeczytać i ewentualnie ocenić. Zdawał sobie ponadto sprawę z tego, że Hanrahan może go po prostu wyśmiać. W raporcie tym Felter przeanalizował fakty i przewidział najbardziej prawdopodobny scenariusz działań przeciwnika.

Z upływem czasu linia posterunków obsadzona przez 27. Królewską Dywizję Górską wzdłuż granicy z Albanią stawała się coraz bardziej skuteczna. Udało się między innymi zniszczyć dynamitem wiele ścieżek wiodących przez granicę do Albanii, a drogi przejezdne dla samochodów znalazły się pod ogniem moździerzy i karabinów maszynowych, a w niektórych wypadkach nawet 37-milimetrowych armat górskich. Przeciwnik nie mógł już niepostrzeżenie przenikać przez granicę, a straty, jakie przy tym poniósł, czyniły ten proceder nieopłacalnym. Te same ścieżki i drogi nie były jednak w żaden sposób zabezpieczone poza linią posterunków. Gdybym był na ich miejscu, rozumował Felter, nie siliłbym się na przemycanie sprzętu przez linię posterunków, ale po prostu przerwałbym ją w dowolnym miejscu. Gwałtownym atakiem zdobyłbym kilka blokujących drogi fortów, a po ich wyeliminowaniu przewiózłbym sprzęt ciężarówkami i umieścił go w jednej z jaskiń, których w okolicach było tak wiele, że nikt nie był w stanie ich skontrolować. Ciężarówki trzeba by było spisać na straty, ale nie byłoby to istotne, gdyby udało im się dotrzeć do miejscowości położonych kilka mil za przerwaną linią umocnień.

Partyzanci, a szczególnie obecni w ich oddziałach doradcy z Armii Czerwonej, na pewno oparliby się na podstawowej doktrynie wojsk sowieckich polegającej na zmasowanym ataku. W wypadku naszych umocnień, rozważał dalej Felter, w grę wchodziłoby wsparcie moździerzy. Mimo dzielności żołnierzy wielogodzinny ostrzał pozycji, które ucierpiały dotąd zaledwie od kilku przypadkowych trafień z broni maszynowej, mógłby załamać ducha bojowego, skonkludował porucznik. Ku satysfakcji Sandy'ego pułkownik wysłał ten raport do Aten z odręczną uwagą, że uważa go za bardzo interesujący i że w granicach swoich możliwości czyni odpowiednie kroki, aby umożliwić rozmieszczonym w górach oddziałom odparcie takiego ewentualnego ataku.

Główny doradca 27. Królewskiej Dywizji Górskiej, podpułkownik Hanrahan, nie dysponował zbyt wieloma środkami, ale starał się maksymalnie je wykorzystać. Z trzech samochodów pancernych M8, sześciu półgąsienicowych transporterów, dwóch ciężarówek do przewozu amunicji oraz pięciu transporterów kołowych zorganizował lekką kolumnę pancerną mającą pełnić funkcję siły szybkiego reagowania.

Załogi tych pojazdów zostały powiadomione o przydziale do specjalnej kolumny i przygotowano dla nich specjalne rozkazy na wypadek rozpoczęcia przewidywanego przez Feltera natarcia. W takim wypadku mieli oni natychmiast zgłosić się w wyznaczonym punkcie, gdzie oczekiwały pojazdy załadowane bronią oraz zapasami niezbędnymi dla załóg odpierających atak bunkrów. Podpułkownik nie był w stanie zająć się tymi przygotowaniami osobiście, zlecił je więc Sandy'emu i był z niego bardzo zadowolony. Zaczął go nawet podziwiać i traktował go prawie jak własnego syna. Porucznik był wzorem absolwenta West Point, który brał sobie do serca obowiązki, ale w odróżnieniu od większości młodych oficerów nie popełniał w zasadzie błędów. Nie trzeba go było sprowadzać z obłoków na ziemię ani przypominać o dopilnowaniu szczegółów. Pewnego dnia Hanrahanowi przyszło do głowy, że jedyną niedoskonałością Feltera jest wygląd przypominający małą mysz.

Pułkownik wściekał się na siebie, ponieważ nie mógł zapamiętać jego imienia. W myślach nazywał go zawsze Myszowatym i wcale się nie zdziwił, gdy Felter zwierzył mu się, że w Akademii tak go właśnie przezywano.

Od chwili, kiedy Felter otrzymał od pułkownika wolną rękę przy formowaniu kolumny, uważał, że jeśli wejdzie ona do akcji, to automatycznie stanie się jej dowódcą. Z początku Hanrahanowi wydawało się to śmieszne, ale nie poruszał tego tematu, nie chcąc urazić porucznika. W miarę upływu czasu analiza zamiarów przeciwnika sporządzona przez Feltera zaczynała coraz bardziej przystawać do faktów i pomysł postawienia Myszowatego na czele kolumny zaczął się wydawać zupełnie realny. Felter przeprowadził całą serię ćwiczeń polegających na szybkim sformowaniu kolumny, załadunku sprzętu i próbnym wyjeździe w góry. Spędził mnóstwo czasu na dopracowywaniu szczegółów, alternatywnych wyjść z sytuacji krytycznych oraz na dodawaniu poprawek do pierwotnego planu, np. dołączaniu do kolumny trzech ambulansów. W ten sposób udało mu się zrealizować śmiały zamiar pułkownika. Gdy wszystko było gotowe, Feltera dosięgnął niespodziewany cios.

Raz w tygodniu, a czasami nawet raz na dziesięć dni przylatywał do Joaniny samolot *Stinson L-5* i zabierał Hanrahana do Aten. Czasami był tam wzywany, najczęściej jednak jeździł do sztabu z prośbami o sprzęt i ludzi. Jeżeli udawało mu się wrócić samolotem tego samego dnia, przywoził worki z pocztą i parę butelek whisky.

Wszystko zaczęło się od tego, że w sztabie doradców pojawił się potężnie zbudowany, wąsaty kapitan. Pułkownik zauważył go, jeszcze zanim zostali sobie przedstawieni.

Nieznajomy kapitan stał obok recepcji hotelu Grande Bretagne, a na podłodze leżały jego walizy. Był na pewno nowy, ponieważ miał na sobie kompletny mundur z nogawkami spodni wciśniętymi do wojskowych butów nowego typu. Na piersi miał kilka rzędów baretek oraz coś, czego Hanrahan nigdy jeszcze nie widział: Bojową Odznakę Piechoty bez srebrnego wieńca. W klapie munduru kapitana widniał tylko błękitny środek z karabinem skałkowym.

Obaj spojrzeli na siebie z niekłamaną ciekawością. Hanrahan wyglądał jak Grek. Jedynym amerykańskim elementem jego stroju była koszula khaki z wpiętymi w kołnierz srebrnymi listkami

oznaczającymi jego stopień i złotymi literkami US. Reszta, od podkutych butów po hełm, była angielska, a przez ramię przewieszony
był niemiecki *Schmeisser*. Pułkownik nie podejrzewał oczywiście,
że będzie potrzebował broni w Atenach, ale nie rozstawał się z nią
na wypadek, gdyby samolot, którym podróżował, musiał przy-
musowo lądować po drodze. Niektóre obszary pomiędzy Joaniną
a Atenami znajdowały się bowiem w rękach wroga. Kapitan uzbrojony był, zgodnie z regulaminem, w *Colta .45* i oparty o walizę
karabin kalibru .30.

Hanrahan wyczuł, że kapitan patrzy z dezaprobatą na jego
mundur, i przypomniał sobie, co przytrafiło się Felterowi w Niemczech. Raport o wykroczeniu Sandy'ego krążył pomiędzy poste-
runkiem żandarmerii na lotnisku i Kwaterą Główną Sił Amerykańskich w Europie, a w końcu dotarł do Waszyngtonu, jako że
Grupa Amerykańskich Doradców w Grecji podlegała bezpośrednio
zastępcy szefa sztabu do spraw organizacyjnych w Waszyngtonie.

Pułkownik uśmiechnął się z sarkazmem. Nieregulaminowo
ubranego porucznika przyłapano w połowie podróży i jakiś zapięty
pod szyję gówniarz z żandarmerii, w imieniu świętej biurokracji
i generała Claya, wydał rozkaz, żeby „bezpośredni przełożony
zatrzymanego powziął odpowiednie kroki dyscyplinarne i zameldował o tym żandarmerii".

Hanrahan nie przypuszczał, że raport ten dotarł właśnie drogą
lotniczą do Grecji.

Van Fleetowi wydał się on śmieszny. Do przesłanych dokumentów dołączył odręcznie napisany list wpięty w teczkę oznaczoną
„Do rąk własnych pułkownika".

Red (**tak nazywano Hanrahana z powodu rudych włosów), jeżeli
starczy Ci drzewa na szubienicę, to go powieś; jeśli nie, będzie
musiało wystarczyć rozstrzelanie z muszkietów.**

J. van Fleet
generał porucznik

Hanrahana wcale to nie bawiło, nie wyrzucił jednak owego
raportu do kosza, jak tego oczekiwał generał van Fleet. Postanowił
go zatrzymać, a w dzień po dotarciu listu podyktował następujący
meldunek.

Sztab Oddziału Doradców
Armii Stanów Zjednoczonych
przy 27. Królewskiej Dywizji Górskiej

Do: Kwatery Głównej Grupy Dowódców Amerykańskich w Grecji
przy Ambasadzie Stanów Zjednoczonych Ameryki Północnej w Atenach

1. Sztab rozpatrzył wymienione w korespondencji poważne wykroczenie porucznika Sanforda Feltera przeciwko porządkom
i dyscyplinie wojskowej.
2. Po rozważeniu sprawy i zasięgnięciu opinii sztabu postanowiłem dać w/w oficerowi po łapach (lekko).

Paul T. Hanrahan
podpułkownik korpusu łączności

W nadziei, że rozbawi to generała na tyle, iż ukręci łeb całej
sprawie, Hanrahan wysłał tak brzmiący meldunek najbliższą
pocztą do Aten. Tydzień później otrzymał kopię pisma, jakie ten
meldunek spowodował.

Kwatera Główna
Amerykańskich Dowódców Wojskowych w Grecji
przy Ambasadzie Stanów Zjednoczonych Ameryki Północnej
w Atenach

Do: Kwatery Głównej Amerykańskich Sił w Europie APO 7570
Do rąk własnych generała Luciusa D. Claya

Dowódca Grupy Amerykańskich Doradców Wojskowych w Grecji
całkowicie akceptuje kroki dyscyplinarne podjęte w stosunku
do porucznika S. T. Feltera w związku z wykroczeniem wyżej wy-
mienionego.

Z rozkazu generała porucznika
Jamesa van Fleeta
Ward. F. Doudt, pułkownik

Gdy to do niego dojdzie, Clay będzie musiał coś z tym zrobić
i raczej nie będzie mu w głowie prawienie staremu Jamesowi van
Fleetowi o konieczności pilnowania oficerów, żeby chodzili popraw-
nie ubrani i gładko wygoleni. Najpewniej generał po prostu odeśle

meldunek wraz z całą dokumentacją oznaczoną „Do rąk własnych" gówniarzowi z żandarmerii, który całą sprawę rozpętał. Może choć przez jedną noc spędzi mu to sen z powiek.

Zaraz po dotarciu do Aten pułkownik udał się do kwatermistrza grupy doradców, aby wyjaśnić, dlaczego cała Armia Stanów Zjednoczonych nie mogła załatwić choćby okazjonalnych dostaw dla doradców pracujących w 27. Królewskiej Dywizji Górskiej, tym bardziej że ich potrzeby naprawdę nie były wygórowane. Chodziło tylko o żyletki, krem do golenia i parę tabliczek czekolady od czasu do czasu.

Kwatermistrz spodziewał się tej rutynowej skargi, wysłuchał jej więc cierpliwie, poczekał na odpowiedni moment, raz jeszcze obiecał zrobić wszystko, co będzie w jego mocy, po czym powiedział:

– Słuchaj, Paul, właśnie coś mi się przypomniało. Mam dla ciebie nowego oficera. Jeszcze gdzieś się tu chyba kręci.

W chwilę później wysłany na poszukiwania sierżant wprowadził kapitana Daniela C. Watsona. Był to ten sam oficer, którego Hanrahan widział już na dole w recepcji.

Pułkownik postanowił skorzystać z okazji i zakosztować przewrotnej przyjemności bycia przedstawionym swemu podwładnemu jako nowy dowódca kapitana Watsona. W tym momencie kapitan zmienił swoje zdanie o pułkowniku o sto osiemdziesiąt stopni.

– Co to jest, kapitanie? – spytał Hanrahan, wskazując na mundur.

Watson poinformował go, że w odróżnieniu od Bojowej Odznaki Piechoty jest to znaczek Wzorowego Żołnierza Piechoty. Dla pułkownika liczyło się jednak tylko to pierwsze wyróżnienie; inne medale były w jego mniemaniu tłoczonymi blaszkami. Odznaka na piersi kapitana świadczyła jedynie o tym, że opanował on pewne umiejętności, a nie że okazał odwagę w starciu z wrogiem. Najprawdopodobniej znał się na broni używanej w piechocie, skakaniu przez zasieki, rzucaniu granatem do celu, a być może nawet na rozpalaniu ognia w czasie deszczu, ale nic nie wskazywało, że wykazał się tym w warunkach bojowych. Gdy kapitan się odmeldował (przygotowywał się do jazdy ciężarówką do Joaniny), Hanrahan kazał sprawdzić jego teczkę osobową, którą z niechęcią udostępnił mu komendant uzupełnień. Okazało się, że Watson lądował w Afryce z 1. Dywizją jako dowódca plutonu, a później znalazł się w szpitalu (nie było żadnych wzmianek o medalu za odniesione rany ani o Bojowej Odznace Piechoty przyznawanej za 90 dni na froncie w warunkach bojowych).

Pułkownik przejrzał dokumenty Watsona i spojrzał na komendanta.

– Zmęczenie walką – wyjaśnił komendant.

– Nie chcę go – stwierdził Hanrahan – odeślę go, a ty poszukaj mu czegoś do roboty.

– Na Boga, Paul – obruszył się komendant. – Wiesz, jak jest... Komendant miał i Bojową Odznakę Piechoty, i sygnet.

Hanrahan poczuł, że właśnie rozpoczęło się zebranie Klubu Absolwentów West Point w Joaninie.

– Drogo za to zapłacił – ciągnął dalej komendant. – Całą wojnę prowadził szkolenie rekrutów i w ogóle nie awansował. Ludzie z jego rocznika już dawno są przynajmniej majorami. Na miłość boską, należy mu się jakaś szansa!

– Niby dlaczego? – burknął Hanrahan.

– Mogę ci pokazać resztę jego teczki – odparł komendant. – Od kiedy poszedł do szpitala, co miesiąc prosił o przydział do jednostki liniowej. Dokładnie co miesiąc, Paul. Nie możemy rujnować mu kariery z powodu jednego incydentu.

Hanrahanowi wydało się, że przejęzyczenie komendanta miało swoje przyczyny. Nie bez powodu użył słowa incydent.

Pułkownik doszedł do wniosku, że kapitan albo stchórzył w obliczu wroga, albo zdezerterował. W każdym razie zajęło się nim Stowarzyszenie Absolwentów West Point i doszło do wniosku, że był to przypadek zmęczenia walką. W innych sytuacjach ci ludzie nie używają słowa incydent.

Do cholery, pomyślał, sam przecież kilka razy o mało nie stchórzyłem.

– Dobrze – zgodził się. – Dam mu jeszcze jedną szansę.

– Chodźmy na lunch – powiedział komendant. – Podobno dla odmiany przygotowali dziś mielone z sosem.

Kiedy kapitan Watson zameldował się w Joaninie następnego dnia, nie miał już odznaki Wzorowego Żołnierza Piechoty. Hanrahan wyznaczył go na swego zastępcę do spraw planowania i szkolenia, wysyłając jednocześnie kapitana, który dotychczas piastował to stanowisko, do jednego z punktów.

Pułkownik musiał przyznać, że Watson pracował jak opętany. Przykładał się do swoich obowiązków nawet bardziej niż Felter. Hanrahan uważał jednak, że Myszowatemu nie będzie to przeszkadzało i obaj entuzjaści będą się wzajemnie dopingować.

W ciągu następnych dwóch miesięcy podporucznikowi Lowellowi przytrafiła się tylko wpadka wymagająca interwencji pułkownika. Śmiertelnie oburzony kapitan Watson zameldował Hanrahanowi, że kiedy upomniał niezbyt trzeźwego Lowella, aby nie robił z siebie przedstawienia w klubie oficerskim, ten skwitował jego uwagę stwierdzeniem, żeby się odpierdolił! Kapitan dodał również, że nigdy w życiu nie widział brudniejszego i bardziej pożałowania godnego munduru.

Hanrahan dobrał się im obu do skóry. Zapowiedział Księciu, jak zaczął w myślach nazywać przystojnego porucznika, że jeżeli jeszcze raz obrazi wyższego rangą oficera, to mu osobiście dokopie; Watsonowi zaś wyjaśnił z dosadnym sarkazmem w głosie, że jako starszy stopniem powinien być świadomy tolerancji, jaka należy się dziewiętnastoletniemu oficerowi, który codziennie naraża swe życie w starciach z przeciwnikiem, a swoją odwagą zaskarbił sobie szacunek i podziw całej 27. Królewskiej Dywizji Górskiej.

– Podporucznik, o którym mowa, kapitanie, przyjeżdża do nas mniej więcej raz na tydzień. Jego czyn godny jest oczywiście potępienia, tak zresztą jak postępek każdego oficera przynoszący ujmę honorowi korpusu oficerskiego Armii Stanów Zjednoczonych. Muszę jednak przyznać, że gdybym się nie kąpał i nie jadł nic porządnego przez cały tydzień, też miałbym ochotę na kieliszek czegoś mocniejszego po powrocie do cywilizacji.

Uwaga ta podziałała na kapitana jak uderzenie w policzek. Hanrahan miał jednak nadzieję, że w końcu, po dwóch, trzech dniach, dotrze do Watsona, który miał za sobą osiem lat w mundurze, czym, do cholery, jest armia.

Tydzień później kapitan zjawił się u niego z prośbą o powierzenie mu dowództwa nad formowaną przez Feltera kolumną. Pułkownik był zaskoczony, ale argumenty Watsona brzmiały przekonywająco. Poza tym gdyby komuniści przerwali linię posterunków, Hanrahan wolałby mieć Myszowatego w sztabie, gdzie mógłby prowadzić nasłuch radiowy rozmów w języku rosyjskim i dostarczać bezcennych informacji.

Felter przyjął wiadomość o nominacji Watsona bez słowa, ale pułkownik dostrzegł w jego oczach tak głębokie rozczarowanie, że poczuł się zażenowany. Następnym razem, kiedy Hanrahan wypił trochę za dużo, opowiedział Myszowatemu o Watsonie i o szansie, jaką postanowił mu dać.

Na drugi dzień rano, gdy pułkownik przypomniał sobie, co wygadywał, wściekł się na siebie jak nigdy w życiu. Od tego czasu Hanrahan zaczął się bacznie przypatrywać obydwóm oficerom, nie zauważył jednak żadnej zmiany w stosunku Myszowatego do Watsona. Co więcej, porucznik pomagał Watsonowi tak skutecznie, że kapitan zaproponował go na swego zastępcę.

– Gdyby ofensywa naprawdę ruszyła, byłoby chyba lepiej, abym miał obok siebie jakiegoś amerykańskiego oficera – oznajmił.

Tak też się stało.

VIII

Granica grecko-albańska
6 września 1946

Natarcie, które Hanrahan od dawna przeczuwał, ruszyło trzy tygodnie później. Wywiad grecki meldował o przemieszczaniu się niezwykłej liczby wozów zaprzężonych w osły z głębi Grecji w kierunku granicy grecko-albańskiej. Jednocześnie z Albanii nadchodziły wieści o wzmożonym ruchu ciężarówek w strefie przygranicznej. Zmniejszyła się też liczba prób przemytu. Myszowaty miał rację. Hanrahan zaczął się nawet zastanawiać, czy on sam byłby w stanie przewidzieć to wszystko. Z linii posterunków dochodziły meldunki o pojawieniu się obcych snajperów i ostrzale z moździerzy. Trwało to pięć dni, po czym nagle ostrzał przerwano.

Grekom się wydawało, że dali czerwonym dobrą nauczkę ostrzałem z moździerzy, Hanrahan wiedział jednak, że z moździerza kal. 76 mm mogli oni co najwyżej trafić w latrynę oddaloną o tysiąc jardów, a spokój na linii frontu ma zupełnie inne przyczyny.

Do gabinetu pułkownika wszedł nagle kapitan Watson i zameldował:

— Zgłosił się przez radio porucznik Lowell, sir, i chce koniecznie z panem rozmawiać.

Jeżeli kapitan Watson czuł się dotknięty tym, że Lowell nie chciał rozmawiać bezpośrednio z nim, nie dał tego po sobie poznać. Jaki jest, do diabła, jego kryptonim, usiłował sobie przypomnieć Hanrahan.

— *Książę*, tu *Perykles 6* – odezwał się.

— Mówię z posterunku *Pegaz*, sir. Jesteśmy pod ciężkim ogniem moździerzy.

Choć Lowell przydzielony był formalnie do sztabu pułku, po śmierci Nicka przejął po nim kompanię i spędzał noc na wystawionych przez nią posterunkach.

Do pułkownika doszły nawet słuchy, że dzięki usilnym staraniom Lowella 12. Kompania była zdecydowanie najlepiej zaopatrzoną jednostką w całym pułku, najczęściej kosztem Amerykanów pracujących w sztabie dywizji. Hanrahan nie reagował, uważał bowiem, że sukces tego rodzaju operacji zależał w głównej mierze od zatarcia różnic pomiędzy Amerykanami i Grekami. Nie służą przecież w brytyjskiej armii w Indiach, a Grecy nie są Hindusami. Muszą uwierzyć, że, w granicach rozsądku, ich amerykańscy doradcy żyją tak jak oni. Być może zachowanie Lowella było zbyt awangardowe dla niektórych Amerykanów, ale za to można go było uznać za żywy przykład teorii pułkownika. Tylko on spośród doradców wydawał rozkazy bezpośrednio żołnierzom, a oni te rozkazy wykonywali.

Jeżeli Grekom nie podobał się któryś amerykański oficer, nie wyrażali tego niesubordynacją; po prostu nigdy nie mogli zrozumieć, co ten Amerykanin do nich mówi, dopóki nie zostało to przełożone na grecki. Dziwnym trafem ze zrozumieniem Lowella nie było żadnych problemów, choć znał on tylko kilkadziesiąt słów i mówił bardzo nieporadnie.

Hanrahan podszedł do mapy, przypominając sobie, że 12. Kompania obsadza dwa bunkry przy drodze przejezdnej dla ciężarówek.

– Kiedy to się zaczęło? – zapytał.

– Mniej więcej dwadzieścia minut temu – zatrzeszczał w głośniku głos Lowella. – Trafili już w wysunięty bunkier obserwacyjny.

– Jakiej pan używa radiostacji? – dopytywał się Hanrahan i skierował wzrok na drugą stronę pokoju, gdzie z rękami skrzyżowanymi na piersiach stał Felter i przysłuchiwał się rozmowie.

– *Greyhounda*.

Książę nic nie wie o zabezpieczeniu radiostacji, pomyślał Hanrahan, ale po chwili zdał sobie sprawę, że to nie ma znaczenia. Rosjanie z pewnością wiedzieli już, że pod kryptonimem *Perykles 6* ukrywa się sztab amerykańskich doradców.

– Jaka jest sytuacja? – spytał.

– Trzymam się – odparł Lowell – ale zużywamy mnóstwo amunicji.

Przeklęci Grecy, pomyślał Hanrahan, na każdy strzał z moździerza muszą odpowiedzieć całą serią.

– Trzymam się? – zdenerwował się Hanrahan. Lowell jest tylko doradcą, co więc robi dowódca? Zapytał o to Craiga.

– Kapitan Demosthatis zginął – odparł Lowell. – Przejąłem dowodzenie.

– Jakie macie straty?

– Zginęli wszyscy oficerowie – odpowiedział Craig. – Trafili nas bardzo dokładnie.

– Proszę zaczynać operację, kapitanie Watson – powiedział Hanrahan, przyciskając guzik mikrofonu.

– *Książę* – odezwał się jeszcze do Lowella. – Odpłaćcie im za wszystko. Natychmiast podrzucę wam trochę amunicji.

Pułkownik starał się zachować spokój i mówić swobodnie, czuł jednak ucisk w gardle.

– Nie możemy się stąd ruszyć, pułkowniku – odpowiedział Lowell i w jego zniekształconym przez radio głosie Hanrahan wyczuł strach, a nawet przerażenie. – Trafili w parking. Kiedy wyszedłem do *M8*, żeby użyć radiostacji, był już bez kół.

– Bez paniki, *Książę* – odrzekł Hanrahan. – Komuniści nie mogą się przedrzeć przez nasze moździerze, a my doślemy wam zaraz amunicję. Wydałem już rozkaz.

– Proszę przysłać również jakichś oficerów – dodał Lowell. – Dostałem małym odłamkiem, kiedy wychodziłem z bunkra do radiostacji.

Hanrahana ścisnęło w dołku.

– Trzymaj się, chłopie, ruszamy z odsieczą. Oni będą chcieli przepchnąć drogą parę ciężarówek, ale myśmy to przewidzieli i jesteśmy przygotowani.

– *Annie Oakley* do *Peryklesa 6*, bez odbioru – po raz pierwszy Lowell użył, zgodnie z regulaminem, kryptonimu swojego posterunku.

– Kawaleria jest już w drodze – pocieszał go Hanrahan. – *Perykles 6*, bez odbioru.

Pułkownik nie był pewien, czy Craig to usłyszał, ponieważ kontakt radiowy urwał się w pół zdania. Rozejrzał się po pokoju i zobaczył, że Felter ładuje magazynek do *Thompsona*.

– Sydney – odezwał się Hanrahan.

– Sir?

– Nic – odparł Hanrahan. – Ruszaj.

– Pułkowniku – łagodnym głosem powiedział Felter, po raz kolejny zawstydzając Hanrahana. – Mam na imię Sanford. – Włożył hełm i wyszedł z gabinetu.

Idąc przez parking do obłożonego workami z piaskiem bunkra z amunicją, za którym zaczęły się już gromadzić samochody, Felter wyglądał jak myśliwy udający się na polowanie.

Grecy pospiesznie ładowali przeznaczone do transportu zapasy. Sandy usłyszał za plecami charakterystyczny dźwięk silnika półgąsienicowego transportera. Kiedy się obejrzał, zobaczył twarz kierowcy wbrew rozkazom nieosłoniętą pancerną płytą. Felter upomniał go i ustawił pojazd w kolumnie. W chwilę później pojawił się jeep dowódcy, którego, nie licząc się ze zdaniem porucznika, kapitan Watson ustawił na czele kolumny. W samochodzie tym znajdowała się radiostacja oraz zamontowany na wysięgniku karabin maszynowy kalibru .50.

Watson traktował swojego jeepa jak rumaka, na którym chciał prowadzić kolumnę. Brakowało tylko trębacza, który zagrałby na trąbce sygnał do szarży.

Wcześniej, kiedy kolumną kierował Felter, pojazdem dowódcy był trzeci transporter. Chroniło to zarówno jego samego, jak i radiostację. Oczywiste bowiem było dla niego, że w razie zasadzki najbardziej narażonym samochodem byłby wóz jadący w kolumnie jako pierwszy.

Przy ustawieniu nakazanym przez Watsona kolumna mogła stracić od pierwszej serii z karabinu lub granatnika radiostację i dowódcę. Felter starał się umieścić w kolumnie jeszcze jedną radiostację, ale Watson przyłapał go na tym i bez ogródek przypomniał, kto tu rządzi. Sandy dowiedział się przy okazji, że zwykła grzeczność, nie mówiąc już o regulaminach, nakazywały porucznikowi skonsultowanie z dowódcą wszystkich samodzielnych posunięć i każdy oficer powinien o tym wiedzieć.

Na parking zajechała sześciokołowa ciężarówka *GM*. Wyskoczyła z niej grupa żołnierzy, którzy włączyli się w szereg Greków podających sobie z rąk do rąk skrzynki z amunicją. Dwuipółtonowe ciężarówki *GM* pojawiły się w Grecji po raz pierwszy, co oznaczało, że zaczęły działać amerykańskie linie komunikacyjne. Samochody te były przerabiane w niemieckich zakładach zbrojeniowych po zakończeniu drugiej wojny światowej z przeznaczeniem na misje takie jak ta, na której czele stał Hanrahan.

Felter z dezaprobatą spoglądał na rozgorączkowanego Watsona, który zdawał się być bliski histerii. Przypominało mu to, że wiedział o kapitanie coś, co nigdy nie powinno było dotrzeć do jego uszu, i zaczynał żałować, że dał się wtedy namówić Hanrahanowi na rozmowę.

Cała kolumna była załadowana i gotowa do drogi w dziesięć minut. Watson stanął na przednim siedzeniu swego jeepa i dał ręką znak do odjazdu.

Niech ci ktoś zagra do ataku, pomyślał z sarkazmem Felter.

Kierowcy grzali silniki już od dwóch minut i nie potrzebowali żadnych sygnałów. I tak ruszyliby za jego wozem. Maszyna Feltera szarpnęła do przodu. Sandy poczuł się jak ostatni idiota, stanął bowiem wyprostowany jak kapitan i o mało co nie zwaliło go to z nóg. Na długo przed dotarciem do posterunków 12. Kompanii z huku silników porucznik zdołał wyłowić dźwięk artyleryjskiej kanonady. W miarę zbliżania się do miejsca walki zlewające się ze sobą odgłosy stały się coraz wyraźniejsze, przypominając mu znany z poligonu świst pocisków w powietrzu i dudniący dźwięk eksplozji. W tle kanonady można było wyłowić trzask wystrzałów broni automatycznej i Felterowi skojarzyło się to ze zdaniem któregoś ze sławnych generałów, że „maszerowali na dźwięk strzałów". Kolumna zbliżyła się do bunkrów na tyle, że rozróżniali odgłosy wystrzałów z *Enfieldów*, *Mauserów* i *Garandów* oraz karabinów maszynowych kalibru .30 i .50.

Dostrzegali również ognie towarzyszące wystrzałom z moździerzy i błyski wybuchów, a za następnym zakrętem okazało się, że droga ginie w kłębach nisko wiszącej, żółtej chmury pyłu. Felter pochylił się do przodu i podniósł pancerną płytę osłaniającą kierowcę, który od tej chwili prowadził samochód, wpatrując się w drogę przez wąską szczelinę w pancerzu. Porucznik zabrał się do pozostałych osłon. Nagle rzuciło go na szybę gwałtownie hamującego pojazdu. Kiedy odzyskał równowagę, wstał i dostrzegł wstęgę żółto-czarnego dymu unoszącą się pięćdziesiąt jardów przed samochodem kapitana. Nie trafili, pomyślał, ale to czysty przypadek.

Zamiast szybko ruszyć, wóz kapitana, z nieznanych Felterowi powodów, stał w miejscu.

Watson wyskoczył z samochodu, podbiegł do skraju drogi, wdrapał się na wielki głaz, poszukał wzrokiem Feltera i przywołał go ruchem ręki. Porucznik zsunął się po burcie pojazdu, stanął na zderzaku i sięgnął po *Thompsona*. Gdy biegł, trzydzieści jardów od miejsca, w którym ukrył się Watson, uderzył pocisk z moździerza.

Kolejny chybiony granat, pomyślał Felter, zastanawiając się, czy przypadkiem nie zginie tylko dlatego, że któryś z robotników w fabryce amunicji popełnił błąd.

– Oczywiście, nie możemy posunąć się dalej niż linia ognia – stwierdził Watson. – Uważam, że szczyt tego wzgórza powinien stać się naszą rubieżą obronną – dodał, wskazując do tyłu.

– Oni przecież czekają na tę amunicję, panie kapitanie – odparł Felter.

– Bunkry już padły – oświadczył Watson. – Chyba nie ma pan co do tego wątpliwości?

– Nie byłbym taki pewien – dyplomatycznie odpowiedział Felter – słyszę ich moździerze i karabiny.

– Cóż, poruczniku – nieprzyjaznym tonem odrzekł Watson. – Jeżeli pan tak sądzi, to dlaczego pan tego nie sprawdzi?

– Tak jest, sir – powiedział Felter, biorąc stwierdzenie kapitana za rozkaz.

Pobiegł w stronę jeepa i na migi pokazał kierowcy, aby go zabrał. Tuż za nim ruszył pierwszy transporter. Porucznik zatrzymał go jednak gestem.

– Felter! – ryknął kapitan Watson. – Natychmiast do mnie! Porucznik udał, że nie słyszy.

Jeep podwiózł go trzysta jardów za zakręt drogi. Widać stamtąd było spowite gęstym dymem, mocno ostrzeliwane posterunki 12. Kompanii. Obydwa się trzymały i choć były spowite gęstym dymem, nietrudno było dostrzec błyski moździerzy, a czasami nawet pociski w locie.

12. Kompania odpowiadała więc ogniem i wciąż broniła się przed wrogiem. Używając lornetki, Felter przyjrzał się dokładnie obu bunkrom oraz prowadzącej do nich drodze, której fragment był dosłownie rozstrzelany. Teraz zmieściłby się na nim z ledwością jeden transporter, ale i to można było wykorzystać, tym bardziej że usytuowanie drogi bardzo temu sprzyjało. Gdyby pocisk trafił w skały powyżej drogi, odłamki polecą w górę, a potem, spadając, ominą ją, jeżeli zaś trafi poniżej, bardzo niewiele odłamków będzie w stanie dosięgnąć samochód.

Felter doszedł do wniosku, że tylko bezpośrednie trafienie mogłoby unieruchomić któryś z pojazdów. W takim wypadku, zawyrokował, łatwo zepchniemy go z drogi i kolumna ruszy dalej. Porucznik wrócił biegiem do jeepa. Kierowca zdążył tymczasem nawrócić.

Kapitan stał tam, gdzie przedtem, i z sobie tylko znanych powodów trzymał w ręku *Colta* .45.

Felter wyskoczył z samochodu i podbiegł do niego.

– Są pod silnym ostrzałem, sir, ale nadal się bronią. Tylko niewielki ogień przeciwnika razi bezpośrednio drogę prowadzącą do bunkrów.

– Jeżeli nadal się bronią – oświadczył kapitan napiętym głosem, tak jakby zmuszał się do mówienia – to jest to już tylko kwestia minut, a nasza kolumna nie przetrwa ognia, pod jaki dostanie się na drodze.

– Przetrwa, panie kapitanie – spokojnie powiedział Felter. – Nic nam nie grozi.

Watson spojrzał na niego tak, jak gdyby widział go po raz pierwszy w życiu.

– Oni na nas czekają, panie kapitanie – dodał porucznik, mówiąc wolno i z namysłem. – Pułkownik obiecał, że tam dotrzemy. Oni nie przetrwają bez dostawy amunicji.

– Nie zamierzam ponosić odpowiedzialności za zagładę kolumny z powodu waszych dziecinnych zapędów do bohaterstwa – odparł stanowczo Watson. Zabrzmiało to jak dobrze wyuczona kwestia.

W tej chwili podbiegł do nich grecki kapitan z pierwszego transportera, który był tłumaczem kolumny.

– Czy mam przekazać coś ludziom? – zapytał. – Stało się coś?

– Nie, panie kapitanie – odpowiedział Felter. – Zaraz ruszamy.

– Nigdzie nie ruszamy – głośno i zdecydowanie odezwał się Watson. – Wycofujemy się.

Grek spojrzał kolejno na obu Amerykanów.

– Na tym wzgórzu, panie kapitanie, jest również porucznik Lowell – oświadczył Felter.

– Mam już dość tych opowieści o Lowellu – wybuchnął Watson. – Porucznik Lowell to, Książę Lowell tamto. Rzygać mi się chce, kiedy to słyszę!

Felter poczuł, że nieświadomie zaczął się uśmiechać. Watson przypominał mu Sharon w chwili zdenerwowania.

– Nie uśmiechaj się do mnie, Żydku – warknął Watson. – Nigdy się do mnie nie uśmiechaj.

– Sir, posłusznie proszę o zezwolenie ruszenia do przodu dwoma transporterami, podczas gdy pan będzie tworzył rubież obronną – łagodnie upierał się przy swoim Felter.

– Odmawiam – podniósł głos kapitan, wymachując pistoletem. – Znacie rozkaz i macie go natychmiast wykonać. Każ kierowcom zawrócić – powiedział do tłumacza.

Grek spojrzał na Feltera, a w jego oczach malowała się pogarda dla Watsona.

– Pojadę w pierwszym transporterze – poinformował tłumacza Felter. – Ciężarówki zostawimy na razie tutaj.

– Dałem wam rozkaz, Felter! – ryknął kapitan.

– Sir – zaczął Felter – pułkownik Hanrahan polecił mi wzmocnić 12. Kompanię. Mam zamiar wykonać jego rozkaz.

– Masz wykonywać moje rozkazy – krzyczał Watson.

– Nic nam nie grozi, kapitanie – odrzekł spokojnie Felter. Podniósł rękę i dał znak, by włączono silniki.

– To bunt – wściekł się Watson.

Porucznik zignorował kapitana i wrócił na drogę. Za jego plecami rozległ się huk wystrzału z *Colta*.

Felter nie zatrzymał się. W chwilę później usłyszał odgłos ponownego wystrzału. Tym razem kula minęła jego głowę o kilka cali. Porucznik stanął, znieruchomiał na parę sekund i odwrócił się.

– Jeszcze jeden krok i będzie po tobie – ostrym tonem powiedział kapitan, trzymając w ręku pistolet wycelowany w Feltera.

Przez jakiś czas obydwaj patrzyli na siebie w milczeniu. Watson zdołał się w końcu opanować i trzęsącą się ręką schował broń do kabury.

– Niech pan każe zawrócić te przeklęte samochody – polecił tłumaczowi.

Felter podniósł lekko lufę swojego *Thompsona* i nacisnął spust.

Watsona odrzuciło na plecy, gdy sześć kul kalibru .45 dosięgło go z prędkością 830 stóp na sekundę. Nim Felter opuścił broń, ciało kapitana zaczęło staczać się po stoku. Tłumacz spojrzał na Feltera.

– Proszę przekazać kierowcom, że uszkodzone pojazdy będziemy spychać z drogi – nakazał Felter.

– Tak jest, sir – odpowiedział Grek.

2

Podpułkownik Paul Hanrahan wyjął kartkę z maszyny do pisania i zaczął po cichu czytać. Siedzący naprzeciw niego porucznik Sanford Felter nerwowo zaciskał dłonie na kolanach i gapił się w nicość. Pułkownik współczuł mu bardzo, a uczucie żalu mieszało się z podziwem. Żadną miarą nie spodziewał się tego po Myszowatym. Hanrahan położył kartkę na biurku, z górnej kieszeni munduru wyjął pióro i podpisał się.

– Sydney – zaczął – przepraszam, Sanford.

Porucznik Felter wstał.

– Tak, sir?

– Przeczytaj to, Sanford – powiedział pułkownik i dodał: – Głośno.

Felter wziął maszynopis i zaczął czytać.

– Głośno, Felter – powtórzył Hanrahan. – Powiedziałem, przeczytaj na głos.

– Szanowna pani Watson – zaczął Felter napiętym głosem. – Departament Wojny powiadomił już Panią zapewne o śmierci Pani męża. Proszę wybaczyć mi niewprawne pisanie na maszynie, ale chcę, aby ten list dotarł do Pani jak najszybciej. Przywiezie go do Ameryki młody oficer ranny w tym samym starciu z wrogiem, w którym oddał życie kapitan Watson. Pan kapitan dowodził kolumną zdążającą na odsiecz jednostce armii greckiej, która znalazła się pod ciężkim ostrzałem nieprzyjaciela. Nie zważając na niebezpieczeństwo, na jakie narażał własną osobę, kapitan wyruszył na czele kolumny. Na trasie konwój ciężarówek wpadł w zasadzkę partyzantów i kapitan trafiony został serią z broni automatycznej. Zginął na miejscu i mogę panią zapewnić, że bezboleśnie. Mam nadzieję, że niejaką pociechą będzie dla Pani fakt, że natchniony przykładem odwagi kapitana jego podwładny przegrupował siły kolumny i doprowadził ją do celu przeznaczenia. Odwaga kapitana stanowiła wzór i źródło siły dla jego żołnierzy. Najpiękniejszym epitafium dla oficera jest niewątpliwie stwierdzenie, że zginął, prowadząc swoich ludzi do boju. Tak właśnie oddał swe życie, ku chwale ojczyzny, kapitan Watson.

Oficerowie i żołnierze 27. Królewskiej Dywizji Górskiej oraz Grupy Amerykańskich Doradców Wojskowych w Grecji łączą się z Panią w poczuciu smutku po stracie męża i towarzysza broni. Dowódca 27. Królewskiej Dywizji Górskiej powiadomił mnie, że kapitan Watson został przedstawiony do pośmiertnego odznaczenia. Serdecznie Pani oddany Paul Hanrahan, podpułkownik korpusu łączności.

Felter podniósł wzrok na pułkownika.

– Nie jestem pewny, czy będę mógł z tym żyć, sir.

– Przeżyjecie, poruczniku, przeżyjecie z tym resztę życia, tak jak ja będę żył ze świadomością, że gdybym zrobił to, co powinienem, i nie przyjął go tutaj, byłby cały i zdrowy. Uważam sprawę za zamkniętą i nie mam zamiaru rozdzielać dalej włosa na czworo.

Z oddali dotarł do nich dźwięk kilkusilnikowego samolotu.

– To chyba *Sunderland* – zauważył Hanrahan. – Musimy się pospieszyć, jeśli chcemy pomachać Księciu na pożegnanie.

– Ludzie wiedzą, jak się to stało – odezwał się Felter. – Był przy tym kapitan Chrismanos, a gdy przynieśliśmy ciało do bunkra, opowiedziałem wszystko Lowellowi.

– Temat uważam za zamknięty – powtórzył Hanrahan. – Koniec, kropka.

Pułkownik wziął Feltera za ramię i wyprowadził z gabinetu. Poszli do izby chorych mieszczącej się w kamiennym budynku otoczonym workami z piaskiem. Nad drzwiami wisiał napis „Klinika Mayo – oddział ogólny".

– Jak on się czuje? – zapytał Hanrahan młodego amerykańskiego lekarza, tak jakby nie wiedział, że Lowell leży na noszach całkowicie przytomny.

– Musimy dać mu jeszcze trochę krwi – odparł chirurg. – Stracił jej cholernie dużo. Potrzebujemy kogoś, kto ma grupę zero Rh plus. Chciałem już zacząć przeglądać...

– Ja mam zero Rh plus – przerwał mu Felter.

– Marnie wyglądasz, Myszowaty – stwierdził lekarz, przyjrzawszy mu się. – Podejrzewam, że jesteś na krawędzi szoku.

– Chcę oddać trochę krwi – upierał się porucznik. – Nic mi nie dolega.

– Na pewno masz jeszcze z czego oddać? – zapytał Lowell.

– Niech pan coś postanowi – rozkazał lekarzowi Hanrahan. – Samolot nie będzie czekać w nieskończoność.

Felter podwinął rękaw i położył się na leżance. Sandy spojrzał na Lowella ułożonego na stojących na podłodze noszach.

– Na pewno odwiedzisz Sharon, jeżeli wyślą cię do kraju? – zapytał Felter.

– Ty bohaterski kretynie – odezwał się Lowell. – Wyobrażam sobie, jak rozwaliłeś tego tchórzliwego chama. Nigdy nie podejrzewałem, że porwiesz się na coś takiego.

– Boję się, że tak naprawdę zastrzeliłem go dlatego, że nazwał mnie Żydkiem – powiedział Felter. – Powinienem go oszczędzić.

– O Boże, cieszę się, że to zrobiłeś – odpowiedział Lowell. – Tam, w bunkrze, trząsłem się z przerażenia. Lepiej, że zginął on niż ja. Przestań się, do diabła, rozklejać.

– Zobaczysz się z Sharon? – jeszcze raz upewnił się Felter, zmieniając temat.

– Przecież nie wysyłają mnie do domu, tylko do Frankfurtu – wyjaśnił Lowell. – Wrócę tu za miesiąc.

– Ale jeżeli cię wyślą, odwiedzisz?

– Oczywiście.

– Masz adres?

– Już mi się wyrył w pamięci – westchnął Lowell. – Restauracja Budapeszteńska. Jak mógłbym zapomnieć.

– Piekarnia Warszawska – poprawił go Sandy, dobrze wiedząc, że Lowell stroi sobie żarty. – Boli cię, Craig? – zapytał.

– Nie, nie boli. Jestem tylko senny. Lekarz powiedział, że zacznie boleć dopiero po jakimś czasie. Na razie dał mi tylko tabletki.

– Wszystko będzie dobrze – pocieszył go Felter. – Naprawdę miałeś szczęście, Craig.

Do sali weszli pułkownik z lekarzem i sprawdzili, jak przebiega transfuzja. Po kilku minutach została przerwana.

Dwu greckich żołnierzy wyniosło Lowella na noszach i ułożyło w łodzi. Lekarz sam zaczął wiosłować, podpłynął do łodzi latającej i poinstruował kapitana, jak należy obchodzić się z chorym. Odłamki rozcięły ramię i bark porucznika, i w dodatku utracił wiele krwi, ale jego życiu nie zagrażało żadne niebezpieczeństwo. Zdaniem lekarza kuracja penicyliną i zdrowa dieta powinny go szybko postawić na nogi.

Wróciwszy na brzeg, lekarz znalazł na noszach omdlałego Feltera.

Istnienie Grupy Amerykańskich Doradców Wojskowych w Grecji stawiało przed dowódcami amerykańskimi problemy administracyjne bardzo delikatnej natury, które szczególnie dawały o sobie znać, kiedy ktoś z doradców ginął w walce bądź też ulegał „wypadkowi". Formalnie w Grecji nie toczyła się żadna wojna i mogli oni być co najwyżej „kontuzjowani", ale nie ranni. Nie można im było również nadawać odznaczeń bojowych, a cały personel zajmujący się powiadamianiem rodzin doradców zakwalifikowano w sztabie jako tajny.

Do najbliższych krewnych ofiar wysyłano specjalnych przedstawicieli, wśród których zawsze był kapelan wojskowy oraz jakiś oficer; jeżeli było to możliwe, był on zwykle o stopień wyższy rangą od poszkodowanego. Trudna była także decyzja, ile szczegółów można podać rodzinie. Wytyczne zobowiązywały wysłanników do trzymania się za wszelką cenę niezbędnego minimum, czyli zaistnienia samego faktu „kontuzjowania", podania stanu zdrowia ofiary, diagnozy lekarzy oraz nazwy szpitala (zwykle 97. Ogólnowojskowego Szpitala we Frankfurcie), w którym przebywa.

Major z komendy uzupełnień oraz kapelan w stopniu podpułkownika zjechali nowiutkim, szarooliwkowym plymouthem z promu, który przewiózł ich do miasta z Governor's Island, przejechali obok Battery, kierując się w stronę West Side Highway, przecięli Manhattan, mijając Carnegie Hall, i skręcili w Park Avenue.

Samochód przejechał jeszcze 60. Ulicę oraz 5. Aleję i zatrzymał się przed dużym budynkiem z widokiem na Central Park. Po chwili wahania podszedł do nich portier i otworzył drzwiczki samochodu.

— Kogo panowie zamierzają odwiedzić? — zapytał.

— Panią Frederick C. Lowell — odparł major.

— Ma pan na myśli panią Pretier — poprawił go portier.

— Nie, chodzi mi o panią Frederick C. Lowell — upierał się major.

— Pani Lowell nazywa się teraz Pretier — wytłumaczył portier. — Czy są panowie umówieni z panią Pretier?

— Nie, nie jesteśmy — odparł major. — To sprawa służbowa.

Pani Pretier nie mogła podejść do telefonu, ponieważ się ubierała, ale jej mąż zezwolił portierowi na wpuszczenie przybyłych.

Pan Pretier, który pomimo brzmienia swojego nazwiska od sześciu pokoleń był obywatelem amerykańskim, podszedł do drzwi tuż za otwierającą je pokojówką.

– Nazywam się Pretier, panowie – przedstawił się. – W jakiej sprawie chcecie się spotkać z moją żoną?

– Wolelibyśmy, sir, porozmawiać z panią Pretier osobiście – odpowiedział major.

– Jeżeli pan nalega, majorze, moja żona zaraz tu przyjdzie. Nie mamy jednak wiele czasu, ponieważ wychodzimy. Może się panowie czegoś napiją?

– Dziękujemy, ale nie, sir – odpowiedzieli chórem.

Głos kapelana był nieco bardziej stanowczy, gdyż należał on do Kościoła Baptystów Konwencji Południowej i w związku z tym był abstynentem.

Pani Janice Craig Lowell Pretier weszła do pokoju z widokiem na Central Park kilka minut później. Zakołysała biodrami, prezentując mężowi nową sukienkę, i zatrzymała się przy barku, gdzie czekała na nią szklanka martini.

– Jesteś kochany – powiedziała. – Właśnie tego potrzebuję przed spotkaniem z tymi okropnymi ludźmi.

Podniosła wzrok i dostrzegła w drzwiach obu oficerów z czapkami w dłoniach, którzy stali onieśmieleni rozmiarami salonu oraz rzucającym się w oczy przepychem, z jakim został urządzony.

– O co chodzi? – z szablonowym uśmiechem zapytała Janice Pretier. – Ach, pewnie w sprawie jeepa. Wiedziałam, że ktoś się tym w końcu zainteresuje.

– Słucham panią? – zapytał major.

– Trzy tygodnie temu zadzwonił do nas ktoś z armii i powiedział, że na Brooklynie stoi jeep, po którego mam się zgłosić – wyjaśniła pani Pretier. – Zapewne jest to samochód mojego syna. Służy w wojsku, wie pan? Ale...

– Proszę pani – delikatnie przerwał jej major. – Przyszliśmy właśnie w sprawie pani syna. Pani jest matką porucznika Craiga Lowella, tak?

– I o to też chciałam panów zapytać. Dopiero co był szeregowcem i grał w Niemczech w golfa, aż nagle się dowiaduję, że jest porucznikiem w Grecji. Porucznik to chyba jakiś oficer, mam rację?

– Ma pani – potwierdził major.

– Co się z nim w takim razie dzieje, przecież to jeszcze dzieciak. Nie powinniście byli w ogóle brać go do wojska.

– Pani Pretier, pani syn został przedstawiony do odznaczenia jednym z najwyższych medali, jakie nadaje król Grecji.

– Craig? Chyba się panu coś poplątało. Medal? Za co?

– Nie, proszę pani. Jeżeli jest pani matką Craiga Lowella, to nie zaszła żadna pomyłka. Mamy jednak dla pani również nieco bardziej niepokojącą wiadomość – dodał.

– Bardziej niepokojącą? Więc wydaje się panu, że to, co usłyszałam dotychczas, nie było wystarczająco niepokojące? Co pan w ogóle wygaduje?

– Niestety, proszę pani – odezwał się kapelan – pani syn został kontuzjowany. Nie grozi mu żadne...

– Kontuzjowany? Co pan chce przez to powiedzieć?

– Rany cięte barku i ramienia – odpowiedział kapelan. – Nie grozi mu żadne niebezpieczeństwo.

– To z pewnością jakaś upiorna pomyłka – włączył się do rozmowy pan Pretier.

– Jak to się stało? – lodowatym tonem zapytała pani Pretier.

Przestała się uśmiechać i najwyraźniej uważała, że major i kapelan osobiście odpowiadają za nieszczęście, jakie przytrafiło się jej dziecku.

– Z tego, co mi wiadomo – zaczął kapelan – Craig został ranny w walce.

– W walce? Co pan bredzi? Wojna już się przecież skończyła? – Pani Pretier była naprawdę zdenerwowana.

– W Grecji trwa rewolucja – odezwał się major.

– A cóż to ma wspólnego z moim Craigiem?

– Pani syn został włączony do Grupy Amerykańskich Doradców Wojskowych w Grecji – objaśnił major.

– Nic z tego nie rozumiem – odrzekła pani Pretier. – André, kochanie, bądź tak miły i połącz mnie z ojcem.

Pan Pretier podszedł do telefonu i wykręcił numer.

– Porucznika Lowella przewieziono samolotem do 97. Ogólnowojskowego Szpitala we Frankfurcie nad Menem – mówił dalej major. – To jeden z najlepszych szpitali na świecie i może pochwalić się bardzo dobrymi wynikami.

– Nadal uważam, że to jakaś niedorzeczna pomyłka, istny koszmar. Chcecie mi panowie wmówić, że mój syn jest r a n n y i leży w szpitalu?

André Pretier przyniósł żonie telefon. Wyrwała mu z ręki srebrną słuchawkę.

– Tatuś? Tatusiu, przyszło tu dwóch wojskowych z jakąś głupią opowiastką o tym, że Craig został ranny i leży w szpitalu w Grecji czy w Niemczech, w każdym razie gdzieś w Europie. Porozmawiaj z nimi, tatusiu.

Najbliżej stał kapelan i pani Pretier wsunęła mu do ręki słuchawkę.

– Mówi kapelan Foley z Pierwszej Armii, sir. Jeśli dobrze zro-

zumiałem, jest pan dziadkiem porucznika Craiga Lowella, mam
rację, sir?

– Też chciałem wstąpić do armii – zwierzył się André Pretier
stojącemu obok majorowi – ale wykryli u mnie jakieś szmery
w sercu.

4
Frankfurt nad Menem
9 września 1946

Nie zatrzymując się przy wartowni, przez bramę 97. Ogólnowojskowego Szpitala Armii Amerykańskiej, położonego na wschodnich
krańcach Frankfurtu, przetoczyła się cywilna karetka marki Packard. Szpital mieścił się w rozległym czteropiętrowym budynku
zbudowanym tuż przed wybuchem drugiej wojny światowej. Karetka podjechała bezpośrednio do izby przyjęć, zawróciła i stanęła
przy wejściu. Pielęgniarka i dwóch sanitariuszy odebrali pacjenta
przybyłego z bazy Rhine-Main. Wytoczyli ze szpitala wózek z nie-
rdzewnej stali, ułożyli na nim rannego i szybko wwieźli go do
wnętrza przez automatycznie otwierające się drzwi. Na korytarzu
spotkał ich oficer korpusu medycznego i ze zdziwieniem stwierdził,
że pacjent trzyma w kaburze niemieckiego *Lugera* i przyciska go
zdrową ręką do piersi.

– Ma pan pozwolenie na broń? – zapytał kapitan z korpusu
medycznego. – Zgłosił go pan?

– Pozwolenie? – zdziwił się porucznik Lowell i zaczął się śmiać,
ale szybko urwał, ponieważ poczuł przeszywający ból. Zaklął więc
tylko i pokręcił głową.

– W takim razie będę musiał pana prosić o oddanie mi tego
pistoletu, panie poruczniku – oświadczył kapitan.

– Odwal się – odparł Lowell.

– Uważaj, co mówisz, chłopczyku – wtrąciła się pielęgniarka,
osoba w średnim wieku, ubrana w strój operacyjny, która podeszła właśnie do łóżka. Na jej szyi wisiała zielona maska, zielony
czepek przykrywał popielate włosy, a stopy tkwiły w szpitalnych
pantoflach.

Lowell spojrzał na pielęgniarkę.

– Przeklinasz w obecności kobiety.

– Przepraszam, siostro.

Dotknęła palcami jego nadgarstka, zmierzyła puls, po czym
pstryknęła palcami i jakaś młodsza pielęgniarka przysunęła
stojak z aparatem do transfuzji krwi. Po kolejnym pstryknięciu

podszedł do niej sanitariusz i podał jej wacik nasączony alkoholem. Pielęgniarka szybko podłączyła aparat do transfuzji. Gdy krew zaczęła płynąć, kazała sanitariuszom zawieźć porucznika na salę operacyjną.

– A co z pistoletem? – zapytał kapitan.

Nie doczekał się jednak odpowiedzi. Siostra ruszyła szybko wyłożonym linoleum korytarzem, minęła pokój lekarzy i dała sanitariuszom znak, żeby podjechali do niej wózkiem. Dotarli do windy, która prawie natychmiast się zatrzymała. Znajdowały się w niej już trzy osoby: jeden lekarz i dwóch żołnierzy.

– Wysiadać – ostrym głosem zakomenderowała pielęgniarka.

Sanitariusze wepchnęli wózek wraz z dołączonym do niego stojakiem do transfuzji i weszli do windy wraz z siostrą. Dla kapitana zabrakło już miejsca.

Kiedy drzwi zaczęły się zamykać, przytrzymał je ręką i powiedział do siostry, która była majorem korpusu pielęgniarek:

– W szpitalu nie można trzymać broni.

– Nie teraz, do diabła – powiedziała – widzisz, w jakim jest stanie. Zajmę się tym później. Puszczaj drzwi.

Winda ruszyła w górę. Siostra spojrzała na leżącego na wózku porucznika Lowella.

– Odpręż się – szepnęła. – Powiedziałam tak tylko, żeby go spławić. Jak się czujesz?

– Jak gówno w rynsztoku.

– I tak trzeba cię będzie wykąpać, przy okazji umyjemy ci twoją niewyparzoną gębę.

– Przepraszam – odrzekł porucznik. – Co teraz? – zapytał Lowell, gdy winda się zatrzymała i sanitariusze wyjechali z nim na korytarz.

– Po pierwsze, ściągniemy z ciebie te łachy, które zostały z munduru – odparła pielęgniarka. – Potem kąpiel, a następnie dostaniesz jeszcze trochę krwi.

– Jestem głodny – powiedział Lowell.

– Nie martw się, zajmiemy się tym później – uspokoiła go siostra.

– Ale nie dostanę narkozy? – upewnił się porucznik.

– Niby dlaczego nie, chłopczyku? Zrobię z tobą, co mi się tylko będzie podobało.

– Nie dam sobie wstrzyknąć narkozy i odebrać pistoletu – upierał się Lowell.

– A coś ty taki przywiązany do tego pistoletu? – zdziwiła się pielęgniarka.

246

– Uratował mi życie i chcę go mieć przy sobie – powiedział Lowell.

Pielęgniarka spojrzała na porucznika z podziwem w oczach, ale nie odezwała się ani słowem.

Wózek wjechał do izolatki i sanitariusze podnieśli Lowella, aby przełożyć go na łóżko. Siostra spostrzegła, że podczas tej czynności jego twarz zbielała z bólu.

– Rozetnę ci bluzę – zaproponowała. – Będzie mniej bolało.

– Bluzę też chcę zatrzymać – odezwał się Lowell. – Chcę zachować bluzę i pistolet, resztę możecie zabrać.

Siostra wiedziała, że powinna dać mu coś na uspokojenie, zdjąć z niego mundur, a potem porządnie wykąpać. I tak jechał prosto na salę operacyjną.

– Masz mocną głowę – powiedziała, pochylając się nad porucznikiem i wbijając mu igłę w nadgarstek. Sięgnęła po pistolet. – Schowam ci go pod materacem – wyjaśniła.

Młoda pielęgniarka, która przyniosła właśnie nową butelkę z krwią, osłupiała, gdy siostra zrobiła to, co zapowiedziała.

– Pomóż mi zdjąć mu bluzę – powiedziała siostra z sali operacyjnej – i przyślij mi tu jedną Niemkę. Niech go rozbierze i wykąpie. Zupełnie tego nie rozumiem, ale młodzi mężczyźni okropnie się wstydzą, kiedy ich rozbiera jakaś młoda i zdrowa kobieta. – Siostra uśmiechnęła się z zadowoleniem, kiedy chłopak w przesiąkniętym krwią mundurze parsknął śmiechem. Zastanawiała się, co też mogło mu się przytrafić.

– Pani major – odezwała się z przerażeniem młoda pielęgniarka w nieskazitelnie białym fartuchu i wykrochmalonym czepku, na którym znajdowały się dystynkcje porucznika.

– O Boże – jęknęła pielęgniarka. – Masz wszy! Gdzie ty, do diabła, byłeś? Trzeba go będzie odwszawić, zanim się do czegokolwiek zabierzemy – dodała, zwracając się do młodszej pielęgniarki.

Dziewczyna wyszła na korytarz i po chwili do sali weszły dwie Niemki, zwane w szpitalu *Schwestern*, czyli siostrami. Sprawnie i beznamiętnie rozebrały Lowella, oczyściły go z insektów i zdezynfekowały całe ciało. Pielęgniarka zdjęła mu bandaże, przyjrzała się ranie i ponownie ją zabandażowała, po czym znów podłączyła aparat do transfuzji.

– Trzeba będzie ci też obciąć włosy i ogolić – odezwała się – ale z tym możemy poczekać.

– Jestem głodny – powtórzył porucznik.

– Jeżeli pójdziesz pod nóż – wyjaśniła siostra – to zwymiotujesz wszystko.

– Pozszywali mnie już w Joaninie.

Pani major wzięła do ręki telefon, wykręciła numer, poprosiła pułkownika, by przyszedł, i odłożyła słuchawkę.

W chwilę później do sali wszedł lekarz w nieskazitelnie białym fartuchu.

– Myślałem, że szybko go przygotujesz i przywieziesz prosto na górę.

– Wydaje mi się, że ten lekarz w Grecji znał się na swoim fachu – odparła pielęgniarka. – Zadzwoniłam, żebyś przyszedł to obejrzeć i sam zadecydował.

– Jak się czujesz, synu? – zapytał lekarz, delikatnie podnosząc bandaże, aby przyjrzeć się szwom.

– Zjadłbym coś – odrzekł Lowell.

– To dobry znak – uśmiechnął się lekarz.

– Miał wszy – wtrąciła pani major.

– Nie ma potrzeby brać go teraz na stół – stwierdził lekarz – przynajmniej dopóki nie zrobimy prześwietlenia. Uważam natomiast, że należy dać mu jeszcze trochę krwi. Boli cię?

– Czuję się, jakby przejechała po mnie lokomotywa – odparł Craig.

– Jak to się stało?

– Nie zdążyłem się ukryć przed odłamkami.

– Dostaniesz więcej krwi – powtórzył lekarz – i coś do jedzenia. Zbadamy go dokładnie jutro. Pytałem, czy cię boli. Chcesz jakąś tabletkę?

– Jak cholera.

Lekarz nabazgrał coś na recepcie i uśmiechnął się do porucznika.

– Nic ci nie będzie – pocieszył go. – Trochę poboli, ale do wesela się zagoi.

Do sali wszedł kapitan, a po nim siostra przełożona, której lekarz wręczył receptę. Przejmowała bezpośrednią opiekę nad pacjentem. Pielęgniarka z sali operacyjnej wyszła na korytarz i skierowała się w stronę windy. W połowie drogi rozmyśliła się jednak i skręciła do kuchni.

– Cześć, Florence – przywitała ją dietetyczka. – Co cię do nas sprowadza?

– Masz w lodówce jakiś stek? – zapytała pielęgniarka.

Dietetyczka w randze kapitana uniosła w górę brwi ze zdziwienia.

– Zaraz dostaniesz receptę na wysokobiałkową dietę dla 505 – powiedziała siostra z sali operacyjnej. – 505 ma jakieś dziewiętnaście lat, przywieźli go z wszami, chudego jak patyk, prawie bez krwi i pozszywanego jak piłka do baseballu. Musimy dać mu coś lepszego niż jajko na grzance.

– Dobra, Florence, zajmę się tym.

– Dziękuję – odpowiedziała siostra i podniosła słuchawkę. Gdy odezwała się centrala, zakomunikowała: – Tu major Horter. Jeżeli ktoś by mnie szukał, będę z przypadkiem rany szarpanej w 505.

Siostra Florence wyszła na korytarz, wyjęła zza biustonosza jednodolarowy bon i kupiła dwie cole.

– Jedzenie już jedzie – powiedziała, podając Lowellowi butelkę coca-coli po powrocie do 505.

– Dziękuję.

– Mamy tu połączenie ze Stanami. Jeśli dasz mi numer, to mogę zadzwonić do matki albo do krewnych i zawiadomić, że nic ci nie grozi.

– Jestem pani wdzięczny, ale nie – odmówił Craig z uśmiechem.

– Na pewno dostali już telegram albo ktoś ich powiadomił osobiście – próbowała perswadować major Horter. – Teraz z pewnością się zamartwiają.

– Nie sądzę. Kiedy matka się dowiedziała, że jestem w Grecji, przysłała mi listę restauracji, które powinienem odwiedzić. Im mniej będzie wiedziała, tym lepiej.

W sali pojawiła się siostra przełożona z tacą, na której niosła mały papierowy kubek.

– Co to jest? – zapytała major Horter.

Siostra powiedziała jej coś na ucho.

– Dam mu, jak się naje.

– Powinien dostać to teraz – upierała się pielęgniarka.

– On jest pacjentem oddziału chirurgicznego i podlega bezpośrednio mnie – bez ogródek wyjaśniła sprawę pani major.

– Tak jest – odparła siostra przełożona. Położyła tacę na stoliku i wyszła.

– Nie dasz sobie w kaszę dmuchać – stwierdził Lowell.

– Swój swego zawsze pozna – odcięła się siostra. – Chcesz zapalić?

– Palę tylko cygara – powiedział Lowell.

– Jesteś chyba za młody na cygara.

Lowell wzruszył ramionami.

Wkrótce salowa przyniosła stek. Major Horter pocięła go na drobne kawałki i nakarmiła porucznika.

Po posiłku zaproponowała, że poda mu basen, ale porucznik uparł się, że sam dojdzie do łazienki. Uświadomiło to siostrze Florence, że jeżeli nie postawi kogoś przy łóżku Lowella, to będzie próbował wstawać, jak tylko zostanie sam na sali. Na razie sama pomogła Craigowi dojść do toalety. Czekając, aż skończy, wypaliła papierosa, a potem wróciła z nim na salę.

– Chcesz, abym wyczyściła twojego *Lugera*? – zapytała zaskoczonego tą propozycją Lowella. – Robiłam to już kiedyś, chłopcze. W swoim pokoju mam podobnego. Dostałam go od kapitana z 2. Pancernej i wiem, jak się czyści ten rodzaj broni.

– Proszę bardzo – odparł Craig.

– Do kogo strzelałeś? – obojętnym tonem spytała siostra.

– Podobno to był Grek, ale był blondynem i wyglądał na Rosjanina – odparł porucznik. – Podkradł się za nasz bunkier i zaczął rzucać granatami.

– Wtedy zostałeś ranny? Od granatu?

– Nie. Oberwałem dwie godziny wcześniej.

Major Horter podała mu lekarstwo, wyjęła broń spod materaca i zawinęła w brudną, zakrwawioną bluzę brytyjskiego munduru. Po chwili tabletka zaczęła działać.

Florence Horter wstała i zaczekała przy drzwiach, dopóki Lowellowi nie rozbiegły się oczy i nie opadły powieki. Sprawdziła, że zasnął, przykryła go i wyszła z sali.

W szatni sali operacyjnej nr 5 wrzuciła bluzę do sterylizatora, nastawiając go na 5 minut i 200°C, aby pozbyć się wszy i wszystkich innych insektów, które mogły się w niej znaleźć. Po sterylizacji wzięła bluzę wraz z pistoletem i poszła do swojego pokoju. Nalała wody do wanny, dodała proszku i zaczęła szorować mundur.

Po pierwszym praniu bluza nadal była brudna, postanowiła więc zostawić ją w wannie na noc. I tak kąpała się przecież w sali operacyjnej. Skończywszy z bluzą, Florence zabrała się do pistoletu. Wyjęła magazynek, w którym tkwił jeszcze jeden nabój, i pociągnęła za zamek, z którego wyskoczył następny. Po sprawdzeniu broni rozłożyła ją, wyczyściła, naoliwiła i złożyła, po czym ponownie zawinęła w ręcznik i schowała w szufladzie komody. Następnego ranka, idąc do sali 505, zatrzymała się przy bufecie i poprosiła nad wyraz zdziwionego sprzedawcę o zamianę kartki żywnościowej na pudełko najlepszych cygar.

5

Kochana Sharon – pisał Felter z Joaniny – *pamiętasz chyba, co Scott Fitzgerald napisał o różnicy pomiędzy nami a bogaczami. Chcę, żebyś o tym pamiętała, jeżeli odwiedzi cię Craig Lowell. Nie wiem, dlaczego piszę „jeżeli", obiecał przecież, że to zrobi, i mam* nadzieję, że nie żartował. Gdyby nie przyszedł, byłbym zdziwiony i urażony, ponieważ zacząłem uważać go za przyjaciela. W Grecji stał się najbliższą mi osobą i nie chciałbym, żeby obiecał coś, czego nie zamierzał dotrzymać. Przytrafiła mu się historia jak z filmu z Johnem Wayne'em w roli głównej. Pisałem Ci już, że zadomowił się w jednej z greckich kompanii na granicy. Nie mam pojęcia, czy pułkownik Hanrahan wiedział o jego postępowaniu, ale jeżeli tak, to przymykał oczy, gdy Lowell zabierał wszystko, co nie było przybite gwoździami, jak to się mówi w armii, i zawoził do „swojej" kompanii. Brał wszystko: jedzenie, alkohol, ubrania, paliwo, a nawet grzejnik olejowy z hotelu oficerskiego. Craig był właśnie w tej kompanii, kiedy nastąpił atak partyzantów. Komuniści starali się zdobyć bunkry, ostrzeliwując je z moździerzy. Zginęło wielu ludzi, w tym wszyscy greccy oficerowie, a Craig został ciężko ranny. Mimo to przejął dowództwo (co jest rzeczą dosyć niezwykłą, bo Grecy zazwyczaj nie słuchają rozkazów wydawanych przez obcych) i utrzymał bunkry, dopóki nie przyszliśmy z odsieczą. Gdy dotarliśmy na miejsce, z 206 ludzi zostało tylko 28. W dodatku nie mieli już prawie amunicji. W Joaninie, dokąd zawieźliśmy Craiga, okazało się, że stracił tyle krwi, że doktor dał mu jej przeszło litr i wysłał samolotem do szpitala wojskowego w Niemczech. Lekarz powiedział mi, że nic mu nie będzie, ale kiedy zobaczyłem Craiga, przeraziłem się; był blady jak ściana. Wydaje mu się, że szybko tu wróci, ale pułkownik Hanrahan, który zwykle ma rację, jest zdania, że wyślą go do Stanów. Oznacza to, że prawdopodobnie już niedługo spotkasz się z człowiekiem, o którym Ci tak wiele pisałem. Nie przejmuj się pierwszym wrażeniem, jakie wywrze na Tobie, i przygotuj rodziców na to, że Craig na pewno powie coś, co ich może urazić lub zdenerwować. Język, którego używa, jest czasami dosyć dosadny, jeżeli wiesz, co mam na myśli, Najdroższa, ale podejrzewam, że w ten sposób ukrywa on swoje prawdziwe uczucia. Na wszelki wypadek przygotuj się jednak na szok. Musisz przy tym pamiętać, że Craig naprawdę nie ma na myśli tego, co mówi.

Jeżeli możesz, przekaż to koniecznie rodzicom.

Chciałbym, abyście byli dla niego bardzo mili; nie wydaje mi się bowiem, aby miał on wielu przyjaciół albo żył blisko z rodziną. Trudno mi się połapać w jego stosunkach z matką, ale myślę, że jemu nie bardzo na niej zależy, a ona odwzajemnia się tym samym. Kończąc, Najdroższa, chciałbym tylko jeszcze dodać, że pułkownikowi Hanrahanowi bardzo przypadł do gustu sporządzony przeze mnie raport i obiecał wystawić mi dobrą opinię w sprawozdaniu ze służby. Powiedziałem mu, że chciałbym zostać oficerem wywia-

du. Obiecał mi w tym pomóc. Przekaż rodzicom, że pułkownik przyrzekł mi, że będę mógł polecieć do Aten na święta, i ani przez chwilę nie zapominaj, że bardzo Cię kocham.

Sandy
(znany również jako Myszowaty,
do czego się już przyzwyczaiłem)

6
Departament Wojny
Gabinet Naczelnego Lekarza Wojskowego
Pentagon, Waszyngton
13 września 1946

– Odezwę się w ciągu godziny – powiedział do słuchawki lekarz naczelny. – Czuję się zaszczycony, że mogę panu pomóc, senatorze.

Kiedy odłożył słuchawkę, wezwał do siebie sekretarkę.

– Poproś tu pułkownika Furmana, Helen. Powiedz mu, że to pilne.

Półtorej minuty później pułkownik korpusu medycznego William B. Furman, szef gabinetu lekarza naczelnego, wszedł do gabinetu.

– Chwytaj za telefon, Bill – odezwał się jego szef. – Zadzwoń do 97. Ogólnowojskowego Szpitala we Frankfurcie i zbierz szczegółowe informacje o stanie zdrowia niejakiego Craiga W. Lowella.

– Zna pan jego stopień i numer służbowy, sir?

– Nie znam numeru, ale jeżeli ci to w czymś pomoże, to jest albo szeregowcem, albo porucznikiem.

Po chwili namysłu dodał:

– Jak zdobędziesz jego stopień i numer służbowy, Bill, wyślij teleks. Jeżeli tylko stan zdrowia na to pozwoli i będzie miejsce w samolocie, każ go wysłać pierwszym lotem do kraju.

– To chyba ktoś ważny, sir?

– Właśnie dzwonił do mnie wysoko postawiony senator z Nowego Jorku. Według jego słów szeregowy czy też porucznik Lowell jest właścicielem mili kwadratowej w centrum Manhattanu – wyjaśnił lekarz naczelny.

– Już się biorę do roboty, sir.

7

Komendantem 97. Szpitala Ogólnowojskowego był stary przyjaciel major Florence Horter. Trzykrotnie służyli razem w jednym szpitalu i stało się tradycją, że kiedy komendant szpitala decydował się na operację, major Horter zawsze wyznaczana była na jego anestezjologa. Jeżeli zaś któryś z kwalifikowanych anestezjologów czuł się urażony, dostawał po łapach.

Major Horter weszła do komendanta ubrana w wyjściowy mundur, czyli zieloną bluzkę, na której naszyte miała wszystkie baretki, i prostą spódnicę.

– Co się, do cholery, dzieje, Flo? – zapytał komendant.

– Jak to co?

– Co cię łączy z tym dzieciakiem z Grecji? I proszę, nie wciskaj mi kitu.

– Nie bądź taki domyślny – wybuchnęła major Horter. – To po prostu miły chłopak!

– I tylko z tego powodu zabierasz go na przepustkę ze szpitala dwa dni po tym, jak powiedziałaś mi, że przynajmniej przez tydzień nie można go ruszać z łóżka, a ja to powiedziałem naczelnemu!

– Z kim na ten temat rozmawiałeś? – zaciekawiła się Florence Horter.

– Nieważne – podniósł głos. – Chcę, żebyś mi wyjaśniła, co się tu, do diabła, dzieje!

– Dobra. On ma, a raczej miał tu dziewczynę, i chcemy ją odnaleźć.

– Niemkę czy Amerykankę?

– Niemkę.

– Według oficjalnych zaleceń korpusu medycznego należy unikać związków emocjonalnych pomiędzy pacjentami a tutejszymi kobietami. Szczególnie dotyczy to oficerów.

– Tom – powiedziała Florence Horter – ten chłopak będzie jej szukał niezależnie od tego, czy to się armii podoba czy nie. Chcesz być wplątany w oskarżenie o wymuszenie ucieczki ze szpitala?

– Mogę go wezwać i trochę postraszyć – oświadczył komendant.

– To nic nie da – odparła pani major. – On nie tylko jest zakochany, ale ma charakter i nie pozwoli mieszać sobie szyków.

– Gdzie będziecie szukać tej Niemki?

– W Bad Nauheim – odpowiedziała siostra.

– Dobrze, Flo – zgodził się komendant – ale na miłość boską, pamiętaj, że on ma wysoko postawionych przyjaciół.

– Poza mną i tą Niemką on nie ma nikogo na świecie – odparła major Horter. – Wybaczam ci to „wciskanie kitu", Tom.

– A co, u licha, miałem sobie pomyśleć? Z dnia na dzień zaczynasz zachowywać się jak...

– Być może zatroskana matka, Tom – dokończyła za niego Florence. – Dajmy już temu spokój.

Major Florence Horter jeździła nowiutkim, dwudrzwiowym packardem clipperem. Kiedy zatrzymała się przed głównym wejściem do szpitala, czekał już tam na nią porucznik Lowell. Jego ręka nadal była unieruchomiona na temblaku i dlatego kurtkę miał przerzuconą przez ramię.

Widząc go, Florence pomyślała, że wygląda bardzo młodo, bo dziewiętnastoletni chłopak to przecież jeszcze nie mężczyzna.

Major Horter bardzo się obawiała tego, co zastaną w Bad Nauheim. Nie chodziło jej o to, że młode Niemki wskakiwały do łóżek chłopcom, których wysyłano na wojnę. W tych warunkach nie było to nic dziwnego. Seks był jedynym źródłem ich utrzymania. Nie zdarzało się to zresztą ani po raz pierwszy, ani po raz ostatni w historii. Sęk w tym, że ten młody idiota uwierzył, że znalazł wyjątek potwierdzający regułę. Wmówił sobie, że jego Niemka była dziewicą. Zdobył się nawet na to, żeby jej o tym powiedzieć, i uwierzył, gdy potwierdziła. Był przekonany, że Ilse nie jest taka jak inne. Florence była jednak pewna, że jeżeli ją odnajdą, to okaże się, że Craiga po prostu zastąpił jakiś młody rekrut. W dodatku, jeśli nawet jego dziewczyna była taka, jak opowiadał, z pewnością przekonała i tego nowego, że z nikim się jeszcze nie kochała. Pani major nie winiła zresztą dziewczyny; uważała, że jeżeli straciła na wojnie wszystko, tak jak wiele innych Niemek, i nie mogła znaleźć pracy, to nic dziwnego, że rzuciła się w ramiona młodego oficera z amerykańskim paszportem.

Florence wzdrygnęła się na myśl, jak konfrontacja z tymi faktami wpłynie na Craiga. Nie obchodziło jej, czy Lowell był osobistym przyjacielem samego prezydenta Trumana czy też nie. Dla niej był on najbardziej samotnym dzieciakiem na świecie, który stawiał wszystko na jedną kartę, żeby tylko znaleźć pokrewną duszę. Major Horter obawiała się, że szanse Lowella są mniejsze niż zero.

Kiedy dotarli do Bad Nauheim, porucznik pokierował ją na skraj miasta i kazał skręcić w polną drogę prowadzącą do leśniczówki. Pani major podeszła z nim do drzwi. Nie mówiła wprawdzie po niemiecku, ale znała go na tyle, żeby zrozumieć, co Lowellowi powiedzieli właściciele. Okazało się, że dziewczyna wyjechała już dawno temu, zaraz po przeniesieniu porucznika, i nie mieli pojęcia dokąd.

Wrócili packardem do Bad Nauheim i skierowali się do biura profosa. Człowiek, którego Lowell szukał, został tymczasem przeniesiony, a żaden z pracujących tam ludzi nie słyszał o Ilse Berg. Postanowili udać się do hotelu oficerskiego i poczekać w recepcji do otwarcia baru, żeby wypytać barmana. Niestety on również niedawno zaczął tam pracować i nie pamiętał ani Niemki o tym imieniu, ani nikogo, kto odpowiadałby podanemu przez Lowella opisowi.

– Możemy spróbować jeszcze jednego – powiedział Craig, kiedy ponownie znaleźli się w packardzie. – Ona pochodzi z Marburga i namawiała mnie, żeby tam pojechać i obejrzeć dom, w którym mieszkała przed wojną. Mówiła, że wyglądał jak zamek.

– Jeszcze ci mało? – zapytała Florence Horter. – To nie ma żadnego sensu.

– Chciałbym spróbować – odparł porucznik. – Jeśli nie masz ochoty tam jechać, podrzuć mnie na stację.

Razem pojechali do Marburga i zameldowali się w hotelu oficerskim, który znajdował się w samym centrum średniowiecznego miasteczka. Domyślny sierżant w recepcji zapytał ich nawet, czy życzą sobie mieszkać w przyległych pokojach.

Następnego dnia rano sympatyczny sierżant z administracji wojskowej zadzwonił do niemieckiej policji, która po sprawdzeniu całej sprawy z pruską dokładnością poinformowała go, że w mieście, gminie i powiecie Marburg nie było rodziny Berg z córką o imieniu Ilse. Lowell poszedł więc do archiwum administracji wojskowej i odnalazł rejestr ludności z 1940 roku. Figurowało tam siedemnastu Bergów, ale żaden z nich nie miał córki imieniem Ilse. W pobliżu nie było też zamku o nazwie Berg, choć ich zdecydowana większość miała w nazwie to słowo.

– Budynek zarządu powiatu, na przykład – objaśnił mu sierżant z administracji – nazywał się Schloss Greiffenberg.

– Dziękuję – powiedział Lowell – w pełni doceniam pańską uprzejmość.

– W jaki sposób został pan ranny, panie poruczniku? – zapytał sierżant.

– Wiecie, jak to mówią, sierżancie – odparł z goryczą Lowell. – Żołnierz strzela, Pan Bóg kule nosi.

Nic nie znalazłszy, Craig i Florence wracali do Frankfurtu. Porucznik nie odezwał się ani słowem, dopóki nie wyjechali na autostradę, a gdy Florence zerknęła na niego parę razy, wydawało się jej, że głęboko myśli o całej sprawie. Okazało się, że miała rację. Craig opowiedział jej o małym poruczniku z Grecji, który nie tylko uratował mu życie w górach, ale oddał mu także sporo krwi.

– On był taki jak pani, pani major – mówił Lowell. – Wiedział, co myśleć o mojej Niemce. Wahał się tylko, czy mi to powiedzieć. Craig zapalił cygaro, oparł się wygodnie w fotelu i zaczął wypuszczać kółka z dymu. Przez chwilę wyglądał tak, jak gdyby miał się rozpłakać.

– To nie była pierwsza dziewczyna w twoim życiu i nie ostatnia – stwierdziła major Horter.

– Właściwie była pierwsza, ale nie ostatnia.

Powiedziawszy to, wyzywająco wcisnął cygaro w kąciki ust.

– Nie uganiaj się tylko teraz za każdą spódnicą, żeby udowodnić, że jesteś prawdziwym mężczyzną – przestrzegła go pani major.

Lowell spojrzał na nią z wściekłością i Florence przez chwilkę wydawało się, że porucznik wyrzuci ją z samochodu. Musi być na kogoś bardzo zły, domyślała się. Przyszło jej do głowy, że może chodzić o nią.

Porucznik zaskoczył ją jednak całkowicie.

– C. Lowell, jednoręki kobieciarz – roześmiał się, podnosząc ręce do góry. Urwał nagle i zaklął z bólu.

– Uważaj na szwy – przypomniała mu Florence.

– Dobrze – odrzekł Lowell – to znaczy, tak jest majorze, sir.

Około siedemnastej trzydzieści wrócili do Frankfurtu. Już z oddali dostrzegli wystający spośród gruzów biały budynek koncernu LG Farben. Pani major zdjęła rękę z kierownicy i wskazała na Kwaterę Główną Amerykańskich Sił Zbrojnych w Europie.

– Może zaprosisz mnie na stek w klubie oficerskim – zaproponowała.

– Byłbym zaszczycony – odparł Lowell.

– Jeśli jeszcze zaczniesz mnie obdarzać sentymentalnymi spojrzeniami i potrzymasz za rękę, ludzie będą mieli o czym gadać.

Kiedy weszli do przestronnej, oszklonej jadalni, wszyscy obecni obrócili się w ich stronę. Analizując szybko powody zainteresowania, jakie wzbudzili, Florence doszła do wniosku, że Lowell wygląda dosyć niezwykle z ręką na temblaku i bluzą przerzuconą przez ramię na wzór węgierskiego szwoleżera. Pomyślała przy tym, że nawet bez tego ten wysoki, przystojny i muskularny młodzieniec przyciągałby uwagę. Szczególnie że wszedł do jadalni w towarzystwie pielęgniarki o rubensowskich kształtach, wyglądającej na jego matkę. Jak zauważyła, Lowell zupełnie nie był świadomy sensacji, jaką wzbudził. Nie spodobało jej się, gdy szybko wychylił jedną szkocką, popił ją wodą, a potem zamówił jeszcze dwie, zanim zaproponował, by zajrzeli do menu. W końcu jednak doszła do wniosku, że miał prawo się upić, i przypuszczała, że w tym stanie nie będzie potrzebował do tego zbyt dużo alkoholu.

Nieoczekiwanie dla major Horter alkohol nie zaszkodził porucznikowi; żeby się upić, potrzebowałby znacznie więcej. Nie zaczął też użalać się nad sobą ani wściekać się na swoją Niemkę. Gadał trochę od rzeczy, ale nie powiedział ani słowa o dziewczynie.

Oboje zostali w klubie oficerskim aż do jego zamknięcia o północy, a następnie wrócili samochodem do szpitala.

Dopiero kiedy wysadziła go przy głównym wejściu, Florence przypomniała sobie, że przepustka Lowella skończyła mu się o północy. Drzwi wejściowe z pewnością są o tej porze zamknięte i lekarz na dyżurze spisze jego personalia. Przez chwilę gotowa była porozmawiać z lekarzem, aby tego nie robił, ale w końcu doszła do wniosku, że do diabła z tym. Zanim meldunek dojdzie drogą służbową, gdzie trzeba, Lowell już będzie od dawna w Stanach. Florence zaparkowała samochód i poszła do swojego pokoju. Dyżurujący lekarz skorzystał z okazji i poszedł spać tuż po północy, widok młodego podporucznika stojącego za drzwiami nie ucieszył go więc zbytnio. Zbluzgał go i zanotował w księdze przyjęć, że należy przedstawić go do raportu. Kiedy wręczał Lowellowi kopię meldunku o wykroczeniu, porucznik bardzo grzecznie zapytał, czy lekarz od urodzenia był takim gnojkiem, czy też nauczył się tego w armii. Dyżurny wyrwał mu meldunek z ręki i krzyknął:

– Proszę się uważać za aresztowanego!

– Odwal się – odpowiedział Lowell, uśmiechając się drwiąco.

Oburzony lekarz zadzwonił po sierżanta z wartowni i kazał mu eskortować porucznika na salę oraz poinformował dyżurującą tam pielęgniarkę, że jest on aresztowany.

– Pozwoli pan ze mną, poruczniku – elegancko poprosił Lowella sierżant.

– Chętnie – odparł Craig. – Z przyjemnością.

Kiedy zeszli z oczu lekarza dyżurnego, sierżant zapytał Lowella, co się stało.

– To nie było zbyt rozważne, panie poruczniku, ale cieszę się, że ktoś w końcu przygadał temu chamowi – skomentował relację Craiga.

Po kręconych schodach weszli na korytarz prowadzący do windy. Niemieckie sprzątaczki, nazywane w szpitalu „gnomami", szorowały na kolanach marmurową posadzkę korytarza. Widząc je, Lowell poczuł się nieswojo, ponieważ uważał, że jest w tym coś poniżającego. Szybko ruszył w stronę windy, starając się nie patrzeć na szorujące podłogę kobiety.

– Craig? – usłyszał niepewny, miękki głos.

Lowell zwolnił, ale się nie zatrzymał.

– Craig – powtórzył głos. – O Boże, jesteś ranny.

Porucznik zatrzymał się i odwrócił.

– Tak, jestem ranny – powiedział.

– Craig – odezwał się ten sam głos, tym razem żałośnie.

Ilse klęczała na podłodze, schowana za wiadrem. W ręku trzymała szczotkę ryżową. Ubrana była w czarny fartuch, a na głowie miała zawiązaną wyblakłą, niebieską chustę.

– Niech mnie szlag trafi – powiedział Lowell, nieświadomy tego, co mówi.

Ilse podniosła się niepewnie, odłożyła szczotkę do wiadra i wytarła ręce w fartuch.

– Tak się cieszę, że cię znowu widzę. Nie miałam pojęcia, że tu jesteś. Gdybym wiedziała, to...

– O Boże – z głębi duszy wyrwało się porucznikowi. – Co ty tu robisz?

Z oczami pełnymi łez chciał pobiec do Ilse, poślizgnął się jednak na mokrej posadzce i upadł z hukiem na podłogę. Puściły szwy na ramieniu i poczuł na skórze świeżą krew.

Przynajmniej nie wsadzą mnie do tego przeklętego samolotu, pomyślał.

Ilse krzyknęła i ze służbówki wybiegła jakaś pielęgniarka. Pochyliła się nad Lowellem i powiedziała:

– Rozerwałeś sobie szwy, chłopcze.

Na korytarzu pojawili się wkrótce inni: salowy, lekarz i jeszcze jedna pielęgniarka. Kiedy udało im się ułożyć Lowella na wózku, wziął Ilse za rękę i przytrzymał ją w swej dłoni. Wyglądała na tak przerażoną, iż Craigowi się wydawało, że zemdleje.

– Co tu się dzieje? – zapytał lekarz.

– To jest moja dziewczyna – odparł porucznik.

– Nie może być teraz z tobą – oświadczył lekarz – krwawisz jak byk na corridzie.

– Albo ona pójdzie ze mną, albo postawię na nogi cały szpital – upierał się Lowell.

– Dobra, Romeo – zgodził się lekarz. – Jeżeli tak ci na tym zależy...

Salowy pchnął wózek z porucznikiem w stronę windy.

– Dlaczego założyli ci szwy? – zapytał doktor.

– Zostałem ranny w Grecji – wyjaśnił Lowell.

– Ach, to ty jesteś tym przypadkiem rany szarpanej – zorientował się lekarz. – Słyszałem już o tobie.

Wózek wtoczył się do gabinetu zabiegowego. Craig spojrzał na Ilse, która jednocześnie uśmiechała się i płakała. W chwilę później poczuł ukłucie igły i następnym obrazem, jaki pojawił mu się przed oczami, była postać Florence Horter.

Pani major w dalszym ciągu była w wyjściowym mundurze.

– Masz skłonność do wpadania w tarapaty – odezwała się surowym tonem. – Wiesz o tym? Jesteś chodzącym nieszczęśliwym wypadkiem.

– Znalazłem dziewczynę – odrzekł porucznik. – Była tu przez cały czas, szorowała te przeklęte marmury.

Pani major skinęła głową, czując, że głos odmawia jej posłuszeństwa.

8

Szpital Wojskowy im. W. Reada
Waszyngton

Kwatera Główna
Naczelny Lekarz Wojskowy

Rozkaz specjalny   27. 09. 1946
Nr 265

Wyciąg

41. Ppor. Lowell Craig W. (Woj. Panc.), 0-495302
pacjent 97. Ogólnowojskowego Szpitala Armii Amerykańskiej we Frankfurcie zostaje przeniesiony na trzydziestodniowy urlop zdrowotny bez prawa pobierania diety i podróżowania samochodem służbowym. W/w ma obowiązek meldowania się zgodnie ze wskazówkami lekarza w szpitalu wojskowym na Governor's Island w celu kontroli stanu zdrowia.

Za komendanta szpitala
James C. Brailey
pułkownik

Ze szpitala im. W. Reada Lowell pojechał taksówką na stację. Prawą rękę miał jeszcze na temblaku, udało mu się jednak zgiąć ją i wcisnąć do rękawa koszuli. Rana na piersi przestała się jątrzyć i choć spod szwów na ramieniu sączyło się trochę ropy, wystarczało tylko regularne zmienianie bandaży, utrzymywanie rany w czystości i codzienne ćwiczenia. W kieszeni na piersi munduru porucznik miał pięć nowiutkich dwudziestodolarowych banknotów. Nikt nie wiedział, gdzie znajdują się jego akta, wypłacono mu więc tylko żołd i obiecano, że resztę dostanie od płatnika na Governor's Island za okazaniem rozkazu i książeczki wojskowej. Lowell miał przy sobie płócienny worek, z którym przyleciał z Frankfurtu, kupiony za część żołdu wypłaconą mu jeszcze w szpitalu. Mieściły się w nim dwie zmiany bielizny, dwie koszule khaki, brzytwa, krem do golenia i ołówek chemiczny. Pomiędzy bielizną a koszulą leżał *Luger* oraz klamra z napisem „Gott mit uns", która pozostała po pasku przegniłym w Grecji. Bluza, którą major Horter wyprała mu w szpitalu, została w Niemczech, ponieważ Florence przekonała go, że nie ma sensu taszczyć jej do Ameryki. Porucznik kupił bilet, wsiadł do pociągu i udał się do wagonu restauracyjnego. Rozczarowało go, że barman nie podaje drinków podczas postoju. Do stolika, przy którym siedział, przysiadł się wkrótce jakiś akwizytor, wyjął rachunki z aktówki i zamienił stolik w biurko. Lowell odetchnął z ulgą. Na szczęście nie będzie musiał z nikim rozmawiać.

Gdy pociąg ruszył, Craig zamówił u kelnera jasne piwo i wypił je prawie w całości, nie odrywając ust od szyjki butelki. W Baltimore dosiadło się kilku żołnierzy, nikt jednak nie wszedł do wagonu restauracyjnego. Za to w Trenton pociąg zapełnił się poborowymi i około dziesięciu z nich pojawiło się w wagonie restauracyjnym. Porucznikowi przypomniało się, że mija właśnie rok, odkąd szeregowy Lowell wsiadł w Trenton do pociągu, udając się z obozu szkoleniowego piechoty w Fort Dix do Bazy Tranzytowej Sił Ekspedycyjnych w Camp Kilmer z prawem do siedmiodniowego urlopu po drodze. Ci żołnierze byli chyba w takiej samej sytuacji. Czterej rekruci, najwyraźniej prosto po pierwszym przeszkoleniu, zawołali kelnera i zamówili coś do picia. Jeden z nich zdjął krawat, rozpiął bluzę i rozsiadł się wygodnie na krześle. Niewątpliwie piwsko, pomyślał Lowell. Zachowanie tego szeregowca zaczęło denerwować go coraz bardziej i w końcu nie wytrzymał, wstał i podszedł do stolika.

– Zawiąż krawat, zapnij bluzę i zacznij się zachowywać tak, jak na żołnierza przystało – usłyszał ze zdziwieniem swój głos.

Cała czwórka spojrzała na niego pogardliwym wzrokiem i żaden z nich nawet nie drgnął.

– Ile razy mam ci powtarzać! – warknął Lowell.

Jeden z żołnierzy uśmiechnął się z przekąsem, ale ten, który wyprowadził porucznika z równowagi, włożył krawat i zapiął mundur.

– Dziękuję – powiedział Lowell i wrócił do swego stolika. Był z siebie bardzo zadowolony, choć nie miał zielonego pojęcia, dlaczego to zrobił.

Gdy pociąg wjechał na Pennsylvania Station, salonki i wagony restauracyjne znalazły się na samym końcu peronu. Zanim Lowell zdołał wysiąść, udało mu się z daleka dostrzec dziadka; wysokiego, potężnie zbudowanego mężczyznę w kurtce i kapeluszu, stojącego tuż obok bramy z kutego żelaza. Obok niego czekał szofer w czarnej liberii. Kiedy Craig opuścił w końcu wagon, starszy pan również wypatrzył go w tłumie, zdjął kapelusz i uśmiechnął się szeroko.

– Witamy cię w domu – powiedział dziadek. – Wyruszyłeś jako szeregowy, wracasz jako oficer – ciągnął dalej, wyciągając rękę do Craiga.

Lowell objął i uścisnął dziadka, i pomyślał, że to jedyny członek rodziny, który jest coś wart.

– Nie masz żadnego bagażu? – zapytał dziadek, wkładając kapelusz.

– Ja się tym zajmę, sir – włączył się szofer, sięgając po worek.

– Dziękuję, sam sobie poradzę – odezwał się Lowell.

Na parkingu obok stacji czekał na nich packard z karoserią projektu Derhama. Kiedy podeszli do niego, stojący obok policjant dotknął ręką czapki. Lowell wsiadł pierwszy. Ogarnął go zapach skóry i tytoniu. Dziadek, pochyliwszy się do przodu, sięgnął po cygaro spoczywające w schowku pod szybą oddzielającą kierowcę od pasażerów.

– Mogę się poczęstować? – zapytał Craig.

– Oczywiście – odparł dziadek, przez chwilę zawahał się, po czym podał wnukowi cygaro z pudełka i dodał: – Są już obcięte, zapalić ci?

– Wystarczy, jak podasz mi ogień – odparł Craig.

Dziadek zapalił zwykłą kuchenną zapałkę o podeszwę buta i podał ją porucznikowi.

– Od kiedy palisz cygara? – zapytał.

– Zacząłem, jak miałem dziesięć lat – odparł Craig. – Ojciec złapał mnie na paleniu papierosów i zmusił do skosztowania cygara, żeby mi to obrzydzić. Nic z tego nie wyszło, bo mi zasmakowało. Zamiast odzwyczaić mnie od palenia papierosów, nauczył mnie palić cygara.

– Ciekawe – odparł dziadek.

– Dokąd jedziemy? – zapytał Craig.

– Pomyślałem, że dobrze będzie zjeść najpierw lunch – wyjaśnił dziadek. – Porter chciał, żebyśmy przyjechali do centrum, ale ty wolisz pewnie jechać do Bradlawns...

– Porter?

– Pomyślałem, że Porter powinien powitać cię w domu. Z Long Island jest tak daleko do centrum, że chyba nie chciałbyś, żeby twoja matka musiała jechać taki kawał drogi.

Lowella zastanowiło, czy oznacza to, że jego matka znowu jest pijana, czy też świruje po tabletkach.

– Miałem nadzieję pogadać z tobą na osobności – powiedział Lowell.

– Wydawało mi się, że lubisz Portera.

– Porter to idiota – odparł Lowell.

– Uważaj na słowa, Craig, nie jesteś między żołnierzami.

– Kazałeś mu przyjechać? – rzucił porucznik oskarżycielskim tonem.

– Zadzwoniłem do niego i zawiadomiłem go, że wracasz do kraju, na co on zaczął się upierać, że za wszelką cenę powinienem przywieźć cię na lunch, jak tylko dotrzesz do Nowego Jorku.

– Co on robi w centrum? – zapytał Lowell.

– Pracuje u Morgana – wyjaśnił dziadek. – Przydaje mu się tam jego doświadczenie.

Craig Lowell i Porter Craig byli jedynymi wnukami Geoffreya Craiga. Nieżyjący już ojciec Portera i matka Craiga byli rodzeństwem. Limuzyna zatrzymała się przy krawężniku 5. Alei i 43. Ulicy. Szofer otworzył im drzwi. Pierwszy wysiadł Geoffrey Craig, a po nim Craig Lowell. Weszli po niskich schodkach na półpiętro. Dziadek otworzył drzwi i przepuścił wnuka przed sobą.

– Dzień dobry, panie Craig – przywitał ich portier.

Starszy pan podszedł do dużej tablicy, na której wymienione były nazwiska członków klubu, i przyjrzał się kropkom oznaczającym tych, którzy byli obecni. Lowell również spojrzał na tablicę i przeczytał „Craig, Porter", a potem „Craig, Geoffrey".

– Porter też należy do klubu? – zapytał.

Dziadek skinął głową.

– Myślałem, że trzeba mieć przynajmniej sześćdziesiątkę – odezwał się Craig.

Starszy pan spiorunował go wzrokiem. W tej samej chwili obok recepcji klubu przeszedł Porter Craig, nieco przyciężkawy mężczyzna w nieokreślonym wieku.

Craig oceniał go mniej więcej na trzydzieści lat, ale równie dobrze można go było wziąć za osobę dwudziestopięcio- bądź czterdziestoletnią.

– Witaj, Craig – odezwał się z wymuszoną uprzejmością. – Jak ci leci, chłopie? – zapytał i chwycił Lowella za ramię.

– Uważaj na mój bark, do diabła – syknął porucznik.

– Przepraszam. – Porter gwałtownie cofnął dłoń.

Recepcjonista podał mu numerek.

– Pozwoli pan, że wezmę worek, sir – zwrócił się do porucznika.

– Dziękuję – odparł Lowell – zatrzymam go przy sobie.

– Wpisać Craiga do księgi gości? – zapytał Porter.

– Chyba tak – odrzekł dziadek.

– Wpisz mnie – powiedział Lowell do Portera.

Wszyscy trzej przeszli po szerokich schodach na piętro; rozsiedli się przy stoliku i zamówili coś do picia.

– Zwykle nie piję – odezwał się Porter – ale to jest szczególna okazja.

Kiedy kelner podał drinki: szkocką z cytryną dla dziadka, szkocką z wodą mineralną dla Portera i butelkę jasnego piwa dla Lowella, Porter wzniósł toast.

– Za twój powrót, Craig.

– Dziękuję – odparł porucznik, zastanawiając się, co w tej chwili może robić Ilse. W Nowym Jorku było wpół do drugiej, w Niemczech musiało być już wpół do siódmej i zapadł zmrok.

– Dziadek opowiadał, że wybierasz się do Broadlawns, żeby się tam wykurować – zagaił Porter.

– Jeszcze się nie zdecydowałem – odrzekł Lowell.

– Z powodu Pretiera? – zapytał starszy pan. – On jest całkiem przyzwoity, Craig.

– Jeżeli wytrzymuje z matką, to jest albo świętym, albo masochistą – odparł Lowell.

– To uwaga w wyjątkowo złym guście – ostro zareagował dziadek.

Lowell ponownie wzruszył ramionami, tym razem na znak zgody.

– Odwiedzę ją – powiedział.

Wypił piwo i poszukał wzrokiem kelnera.

– Nie zaszkodzi ci? – zapytał dziadek.

Craig spojrzał na niego ze zdziwieniem w oczach.

– Jestem już dużym chłopcem – odrzekł.

– Z dziurą w boku – wtrącił się Porter.

– Craig wiele przeżył ostatnio, Porter – zaczął starszy pan i urwał, gdy kolejny gość potknął się o płócienny worek Lowella.

Nie przewrócił się, ale kiedy odzyskał równowagę, spojrzał na całą trójkę z odrazą.

– Co masz w tym worku? – zapytał Porter. – Dlaczego nie zostawisz go w szatni?

– Ciuchy, brzytwę i pistolet – odparł Craig.

– Po co ci ubranie i pistolet? – zapytał zaskoczony dziadek.

– Zamkną cię – dodał Porter. – Nie słyszałeś o ustawie Sullivana? Posiadanie broni jest teraz nielegalne.

– To nie dotyczy oficerów – wyjaśnił porucznik.

– A to ciekawe. Jesteś teraz oficerem? Jak to się stało? Masz przecież dopiero dziewiętnaście lat i nie skończyłeś studiów. Słyszałem natomiast, że cię wylali z uczelni, a potem wzięli do wojska. Teraz wracasz w mundurze oficera?

– Co ty sobie wyobrażasz, Porter, że jesteś z FBI?

– Nie złość się na ciekawość twojego kuzyna – wtrącił dziadek. – Ja również chciałbym się tego dowiedzieć.

– Masz do tego prawo – odrzekł Lowell. – Z tego, co wiem, jesteś jeszcze moim prawnym opiekunem.

– A ja nie mam prawa? – nie wytrzymał Porter.

– Odwal się, Porter – podniósł głos Lowell.

Goście z sąsiednich stolików zaczęli spoglądać w ich stronę.

– Mów ciszej – upomniał go dziadek. – Wydaje mi się, że najlepiej by było, gdybyśmy porozmawiali z Craigiem w cztery oczy – dodał, zwracając się do Portera.

Ten zerwał się na równe nogi i wzburzony wybiegł bez słowa. Dziadek i Lowell nie zwrócili na to uwagi.

– Teraz rozumiem, że to był błąd, żeby go tu sprowadzać.

– Nigdy nie lubiłem tego gnojka – odparł Craig. – Przyszło mi właśnie do głowy, że nie mam już dłużej obowiązku znosić tego kretyna.

– Udowodniłeś, że jesteś prawdziwym mężczyzną. Nie musisz więc używać takich słów. Pamiętaj, że do tego klubu należał również twój ojciec.

– Wybacz, proszę – odrzekł autentycznie skruszony Craig.

– Dajmy już temu spokój – powiedział dziadek, wyciągnął zapałkę, zapalił i podał Craigowi, któremu zgasło cygaro.

– Smakuje ci? – zapytał.

– Naprawdę dobre – odparł Craig.

– Specjalnie zamówiłem u Dunhilla – wyjaśnił starszy pan. – Robią je w Nikaragui i gdzieś tam jeszcze. Posłałem ich trochę do Broadlawns, ale jeśli chcesz, możesz w drodze na Long Island zatrzymać się u mnie w domu i wziąć tyle, ile będziesz chciał, zostawię ci packarda. Ja wrócę taksówką.

– Dziękuję – odparł Lowell.

– Mam nadzieję, że teraz będziemy mogli prowadzić naszą rozmowę w bardziej cywilizowany sposób – stwierdził dziadek. – Mógłbyś mi wyjaśnić, co się z tobą działo?

– W porządku – odparł Lowell i opowiedział dziadkowi wszystko po kolei, nie wspominając tylko o Ilse.

– Gdybym się nie bał, że wywołam tym atak przekleństw – skomentował opowieść starszy pan – to powiedziałbym, że jestem z ciebie dumny. Myślę, że wreszcie dorosłeś, Craig.

Lowell uśmiechnął się szeroko.

– Co cię tak cieszy? – zapytał dziadek.

– Nie wyjdziesz na tym dobrze, dziadku – powiedział Lowell.

– Co chcesz przez to powiedzieć?

– Chcę mieć pełnoletność – odrzekł Craig.

– Nie rozumiem.

– Mam zamiar założyć sprawę w sądzie, skasować wyrok, według którego jesteś moim opiekunem, i odzyskać należącą mi się pełnoletność.

– Mógłbyś mi wyjaśnić dlaczego?

– Uważam, że to trochę żenujące, żeby oficer zatwierdzony przez Kongres był według prawa niepełnoletni.

– Porozmawiamy o tym później – odrzekł dziadek.

– Nie, porozmawiamy o tym teraz – uparł się Lowell.

– Może byśmy jednak coś najpierw zjedli.

– Świetnie – odrzekł Craig. – Możemy pogadać przy jedzeniu.

Wyszli z biblioteki, udali się do jadalni i zamówili lunch.

– Nawet gdybym zgodził się na twoje żądanie – zaczął dziadek – skąd wiesz, że sąd wyda taki wyrok?

– Po pierwsze, zazwyczaj udaje ci się załatwić w sądzie to, czego chcesz. Po drugie, według prawa stanu Nowy Jork, jednym z przypadków, w których możliwe jest sądowne uznanie pełnoletności, jest promocja nieletniego dziecka na oficera Amerykańskich Sił Zbrojnych.

– Rozumiem z tego, że byłeś już u prawnika – powiedział sucho dziadek, wpatrując się w danie, które kelner postawił przed nim na stole.

– Sprawdziłem to i owo – odparł Craig.

– Ciekawi mnie, co tobą kieruje. Obawiam się, że jest to błędne rozeznanie co do swoich możliwości zarządzania finansami. Uważam więc, że nie możesz teraz przejąć funduszu powierniczego twego ojca.

– Wcale tego nie pragnę – rzekł Lowell. – Nie mam pojęcia o finansach i nie zamierzam wtrącać się do zarządzania funduszem. Chcę po prostu trochę pieniędzy, powiedzmy jeszcze tysiąc dolarów miesięcznie, i to wszystko.

– Dostajesz teraz tysiąc dolarów miesięcznie? – zapytał starszy pan.

Craig skinął głową.

– Potrzebujesz więcej?

– Mówiłem ci już dziadku, że jestem już dużym chłopcem i nie życzę sobie, żeby ktokolwiek mi wyliczał, ile mogę wydać.

– A co zrobisz, jeżeli dojdę do wniosku, że nie ma sensu godzić się na twoją propozycję? – ostrym tonem zapytał dziadek.

– Wtedy będę zmuszony znaleźć jakiegoś spragnionego gotówki adwokata.

Przez dłuższą chwilę mierzyli się wzrokiem. Starszy pan odezwał się pierwszy.

– Wierzę, że zrobiłbyś to. Pozwól, że będę głośno myślał. Chcesz mieć pełnoletność i mówisz o dochodzie z funduszu w wysokości dwóch tysięcy dolarów miesięcznie. Powiedziałeś też, że pozwolisz mi zarządzać funduszem, a właściwie funduszami, bo jest ich kilka.

– Byłbym ci wdzięczny, gdybyś nadal opiekował się nimi – przytaknął Lowell.

– Zrobiłbyś oczywiście taki zapis.

– Jestem gotów ufać ci jak dżentelmen dżentelmenowi – oświadczył z uśmiechem. – Jeżeli jednak upierasz się przy zapisie...

– Mój Boże, ty naprawdę wydoroślałeś – przerwał mu dziadek. – Wolałbym mieć to czarno na białym, jeśli ci to nie przeszkadza.

– Komu mam ufać, jeśli nie własnemu dziadkowi. – Lowell udał młodzieńczą naiwność.

Starszy pan się roześmiał.

– Załatwianie z tobą interesów to przyjemność – oświadczył, a po chwili dodał: – To potrwa kilka tygodni, ale zajmę się tą sprawą.

– Wystarczy, że pokażemy się u sędziego. Chciałbym załatwić to w ciągu tygodnia – powiedział Lowell.

Po raz kolejny spojrzeli sobie prosto w oczy. W końcu dziadek wzruszył ramionami.

– Jeżeli to dla ciebie takie ważne, to zajmę się tym, jak tylko wrócę do biura.

Lowell zauważył, jak bardzo ta rozmowa z dziadkiem różni się od poprzednich. Wówczas, kiedy zawiodły argumenty, aby osiągnąć swój cel, dziadek uciekł się do krzyku, wymachiwania rękami i gróźb pozostawienia go bez grosza, o których Lowell wiedział, że są bezpodstawne, ponieważ czytał testament ojca. Craig dobrze pamiętał, jak dziadek wrzeszczał, że nie będzie on jedynym młodzieńcem, który straciwszy należne mu z urodzenia przywileje, umrze w rynsztoku. Tym razem niewątpliwie dziadek też chciał coś osiągnąć. Przeczucie nie myliło Craiga i przy serze brie i krakersach, którymi zdecydowali się zakończyć posiłek, dowiedział się, że André Pretier był bardzo dobry dla jego matki, która przestała pić i brać tabletki.

Zdarzyło się wprawdzie kilka „incydentów", ale dziadek nie chciał tego rozgrzebywać. Sposób, w jaki starszy pan przekazywał te informacje, kazał się Lowellowi domyślić, jak bardzo nieelegancko postąpił, sprawiając, że do domu przy 5. Alei wysłany został zespół powiadamiający, który zdenerwował matkę wiadomością o jego ranach.

Gdy wyszli na 43. Ulicę, przy krawężniku czekała już na nich limuzyna. Lowella zawsze zastanawiało, jak szoferzy to robią, jeżeli na ulicy panuje tak duży ruch, a wokół kręci się mnóstwo limuzyn, których pasażerowie przebywają w tym samym budynku.

– Mogę podjechać na Long Island taksówką – zaproponował Craig.

– Nie wydziwiaj – odparł dziadek. – Zatrzymasz się przecież u mnie po cygara.

– Nie chciałbym, żebyś się spóźnił na rozmowę z prawnikiem – odparł porucznik.

Dziadek uśmiechnął się i zagwizdał na palcach, dostrzegając przejeżdżającą w pobliżu taksówkę. Gwizd okazał się głośniejszy od warkotu samochodów w centrum Manhattanu. Taksówka zatrzymała się przy krawężniku i dziadek odjechał nią do biura.

W chwilę później Lowell siedział w limuzynie.

– Najpierw do domu pańskiego dziadka, a potem do Broadlawns, sir? – zapytał szofer.

Miesiąc temu, pomyślał Lowell, byłem w Grecji i mieszkałem w małej chatce obłożonej workami z piaskiem, a trzy tygodnie temu o mało co nie przeniosłem się na tamten świat.

– Tak, proszę – odpowiedział szoferowi i sięgnął po kolejne cygaro.

9

Kiedy packard wjeżdżał przed bramę do rezydencji Broadlawns, ogrodnicy zajęci byli owijaniem krzewów, jako że spodziewano się pierwszych mrozów. Lowell nie dostrzegł nikogo w budce przy bramie, ale był przekonany, że ktoś powiadomił matkę o jego przyjeździe. Wyszła na werandę przed dużym ceglanym domem, wyraźnie go oczekując. Obok niej stał wysoki, elegancki mężczyzna. To pewnie André Pretier, mąż matki, pomyślał. Jeżeli musiała kupić męża, to przynajmniej wybrała przystojnego dżentelmena.

Gdy szofer spełniał swój obowiązek, otwierając porucznikowi drzwi samochodu, jego matka dotknęła dłonią ust.

Miała krótko przycięte siwe włosy. Na ramiona zarzuciła rozciągnięty sweter z kaszmiru.

– Kochanie – westchnęła, kiedy Craig podszedł do niej. – Czy wszystko w porządku? – dodała, podsuwając mu policzek do pocałowania.

Lowell rozpoznał zapach jej ulubionych perfum.

– Nie stać cię na nic więcej? – zapytała.

Craig uścisnął matkę po przyjacielsku, wyczuwając przy tym, że piła dżin. To, że nie była jeszcze pijana, oznaczało wielką poprawę. W dodatku zdrowiej wyglądała.

– To jest André – przedstawiła męża.

Pretier podał mu rękę.

– Witaj w domu, Craig – powiedział. – Mam nadzieję, że zostaniemy przyjaciółmi. Bardzo bym tego pragnął.

– Dziękuję – odparł Lowell.

– Wejdźmy do środka, zanim się poprzeziębiamy – zaproponowała pani Pretier.

Rosły kamerdyner otworzył im drzwi.

– Witamy w domu, sir. Czy mogę wziąć pański bagaż?

– Dziękuję – odrzekł porucznik.

– Myślę, że Craig chciałby się czegoś napić – wtrącił się Pretier. – Nie krępuj się – dodał, wskazując w stronę salonu. – Po raz pierwszy w tym roku kazaliśmy napalić w kominku. Uwielbiam siedzieć przy ogniu, a ty?

Tak, kominki są bardzo przydatne, pomyślał Lowell, na przykład do podgrzewania wody do golenia.

Kamerdyner wtoczył do pokoju wózek z drinkami.

– Czego się napijesz? – zapytał Pretier.

– Proszę piwo – odpowiedział Craig.

– Obawiam się, że nie mamy piwa, sir – zatroskał się kamerdyner.

– W takim razie będziemy musieli zamówić pewną ilość – odezwał się Pretier.

– Szkocką z wodą, proszę – zdecydował Lowell.

– Jest tu twój jeep – przypomniała sobie matka. – André pojechał do Brooklynu i odebrał go razem z twoimi kuframi.

– Bardzo to uprzejmie z twojej strony – powiedział Craig do Pretiera. – Dziękuję.

– Nie ma za co – zrewanżował się ojczym. – Chciałbym, abyś czuł się tutaj jak u siebie w domu.

– Dziękuję – powtórzył Lowell, biorąc drinka od kamerdynera.

Craig nie mógł sobie przypomnieć żadnego ze służących. Kiedy matka piła albo była na prochach, zwalniała ich jednego po drugim. W tej chwili zatrudniała Murzynów z Antyli, mówiących z brytyjskim akcentem. Lowella zastanawiało, czy André Pretier, zachęcając, żeby czuł się „jak u siebie w domu", wiedział, że proponuje to prawowitemu właścicielowi tej rezydencji. Craig pamiętał, że testament ojca przyznawał matce użytkowanie Broadlawns do śmierci lub zawarcia następnego małżeństwa.

W obu wypadkach przechodziło ono wraz z całym wyposażeniem pod zarząd funduszu powierniczego im. Craiga Lowella. Ponieważ matka poślubiła Pretiera, wszystko należało więc do niego.

– Jak mawiają Hiszpanie: „Mój dom jest twoim domem" – ciągnął André.

Porucznik spojrzał na niego, starając się dociec, czy naprawdę miał na myśli to, co mówi, a jeżeli tak, to dlaczego wspomniał o tym już na samym początku.

– Daj nam znać, gdy będziesz miał na coś ochotę. Postaramy się spełnić każde twoje życzenie – kontynuował Pretier. – Jeżeli będziesz chciał po prostu odpocząć lub spotkać się ze znajomymi i wydać przyjęcie, obojętnie co ci przyjdzie do głowy, wystarczy, że powiesz.

– Chcemy, żebyś był tu szczęśliwy – włączyła się do rozmowy matka. – Tak się cieszymy, że jesteś cały i zdrowy po tym wypadku.

Lowell patrzył na Pretiera i dostrzegł, że kiedy matka mówiła te słowa, zmrużył jedno oko. Craig zrozumiał go bez problemu. Niech sobie myśli, że to był wypadek.

– Dziękuję – odrzekł Craig.

– Dziadek zabrał cię na lunch? – spytała matka.

– Tak – potwierdził Craig.

– Chciałbyś jeszcze coś zjeść? Może kanapkę i szklankę mleka? – nalegała.

– Nie, dziękuję.

– Zapalisz papierosa, Craig?

– Wolę cygara. Dziadek podarował mi trochę cygar od Dunhilla.

– Naprawdę wydoroślałeś, synu – w głosie matki pojawiła się nuta szacunku. – Palisz cygara...

– Zostawiliśmy na wodzie motorówkę – pochwalił się Pretier. – Pomyślałem, że może będziesz miał ochotę na przejażdżkę. W tym roku będzie jeszcze kilka ciepłych dni.

– Jaką motorówkę?

– Moją – odrzekł André Pretier. – Sprowadziłem ją tu z Bar Harbor.

– To miło z waszej strony – podziękował Lowell.

– Właściwie zostałam już żeglarzem – wtrąciła się matka. – Prawda, kochanie?

– Oczywiście, moja droga.

Craig poprosił kamerdynera o przysługę.

– W samochodzie jest pudełko cygar Dunhilla, mógłbyś mi je przynieść?

– Już po nie posłałem, sir – odparł kamerdyner.

– Mam nadzieję, że nie palisz zbyt dużo? – odezwała się matka.

– Podobno cygara szkodzą mniej niż papierosy – stwierdził Pretier.

– Nie wygłupiaj się, kochanie – odparła jego żona. – To niemożliwe.

Pretier nie upierał się przy swoim zdaniu. Zwrócił się natomiast do Lowella:

– Nie chciałbym zakłócać miłej atmosfery, Craig, ale jakie są zalecenia lekarzy?

– Jutro jadę do Nowego Jorku – odpowiedział Craig – do kliniki na Governor's Island.

– Musisz? – zapytała matka. – Możemy ci załatwić bardzo dobrych lekarzy tu, na miejscu.

– Craig jest żołnierzem, kochanie – wyjaśnił Pretier – i musi podporządkować się rozkazom. Powiem szoferowi, żeby był gotowy na rano.

– Nawet kiedy widzę go w mundurze – uśmiechnęła się Janice Pretier – to i tak nie mogę uwierzyć, że jest żołnierzem. Czy musisz w tym chodzić cały czas? – spytała Craiga.

– Nie – odrzekł Lowell – właściwie mam ochotę natychmiast się przebrać.

– To oczywiste – zgodziła się. – Może skończysz jednak najpierw drinka?

Kamerdyner podał Craigowi otwarte pudełko cygar. Lowell wybrał jedno i położył je na stoliku.

André Pretier pochylił się i podał mu ogień.

– To wulgarne, kochanie – stwierdziła matka, gdy porucznik odgryzł koniec cygara. – Dziadek używa specjalnego nożyka. Jeżeli lubisz cygara, to musimy ci taki kupić.

– To się chyba nazywa obcinak? – wtrącił się Pretier.

– Trzeba było kupić go u Dunhilla – oświadczyła matka. – Nie pomyślałeś o tym?

Craig dopił drinka.

– Przepraszam, ale pójdę się przebrać – powiedział.

– Kazaliśmy zanieść bagaże do twojego starego pokoju, kochanie. Pamiętasz jeszcze, gdzie to jest?

– Oczywiście.

Craig wszedł szybko na piętro po wyłożonych grubym dywanem schodach i skierował się szerokim korytarzem w stronę swego dawnego, dwupokojowego apartamentu. Pokojówka czyszcząca dywan uśmiechnęła się nieśmiało do mijającego ją porucznika. Przypomniało mu to spotkanie z Ilse. Craig wszedł do części sypialnej apartamentu i bardzo ostrożnie zdjął temblak. Rozwiązał krawat, rozpiął bluzę i zdjął ją. Gorzej poszło mu z podkoszulkiem, który przykleił się do bandaża, przesiąkniętego wydzieliną sączącą się z rany. Lowell zadzwonił, w drzwiach prawie natychmiast pojawił się kamerdyner. Craig zażyczył sobie bandaż, gazę i nadmanganian potasu. Gdy kamerdyner wrócił, towarzyszył mu André Pretier.

– Matka pomyślała, że może będę mógł ci w czymś pomóc – oświadczył. Ujrzawszy bandaże, dodał: – Dobrze, że matka tego nie widzi.

– Ja też tak sądzę – przytaknął Lowell. Oderwał plaster i wyprostował rękę, aby kamerdyner mógł ją ponownie zabandażować.

– Powiedzieli mi, że jeżeli pojawi się jakaś wydzielina, to zatrzymają mnie na parę dni w szpitalu na Governor's Island – rzekł Craig. – Zastanawiam się, jak jej to wytłumaczyć.

– Mógłbyś powiedzieć, że jedziesz na kilka dni do znajomych – poradził mu ojczym. – Jest szansa, że nie będzie się wtedy zamartwiać.

– A gdybyś jej powiedział, że zawiadomiłem cię o tym telefonicznie? – zasugerował Lowell.

– Tak chyba będzie najlepiej – zgodził się Pretier. – Zejdę teraz na dół i powiem jej, że Kenneth wystarczająco dobrze sobie radzi i ja nie muszę ci towarzyszyć.

Gdy Pretier wyszedł, Craig poprosił kamerdynera, by zapakował do worka mundur oraz cywilne ubrania na tydzień albo dziesięć dni i schował je w samochodzie, którym pojadą.

Następnego dnia rano Lowell zjadł śniadanie samotnie. „Państwo", jak mu objaśnił Kenneth, „rzadko wstają przed dziesiątą, a śniadanie jedzą w łóżku".

Po posiłku Craig wyszedł przed dom. Szofer, który tam na niego czekał, otworzył mu drzwi bardzo wytwornego samochodu. Lowell nie pamiętał tego auta.

– Co to za maszyna? – zapytał.

– To delahaye z karoserią fortina – wyjaśnił szofer. – To samochód pana Pretiera.

– Bardzo elegancki – odparł Lowell. – Długo jeździsz u pana Pretiera?

– Tak, sir.

Odpowiedź ta potwierdzała hipotezę Craiga, że Pretier ma

własne pieniądze i nie ożenił się z jego matką dla fortuny. Lowell zaczął się nawet zastanawiać, co w takim razie skłoniło go do tego kroku.

– Jedziemy do Guaranty Trust Morgana na 53. Ulicy – powiedział porucznik – a potem do Budynku Federalnego.

– A później na Governor's Island, sir?

– Nie. Potem pojedziemy do Newark – odparł Craig.

10

Gdy minęli Piekarnię Warszawską na rogu Chancellor Avenue i Aldine Street, Lowell polecił szoferowi, aby wysadził go na rogu i nie czekał. Porucznik nie chciał zdradzić, dokąd się udaje. Przed piekarnią uformowała się kolejka kupujących chleb i bułki. Wewnątrz, na ścianie wisiały dwa zdjęcia Feltera, jedno w stroju kadeta, drugie w mundurze galowym. Tuż nad nimi krzyżowały się dumnie dwie małe amerykańskie flagi.

Lowell położył worek na wyłożonej kafelkami podłodze i siedząc na nim, czekał, aż kolejka zniknie. Wówczas wyszła do niego zza lady ładna, wyglądająca na nieśmiałą kobieta z zebranymi w kok czarnymi włosami, w zbyt obszernym fartuchu. Podchodząc do Craiga, przyglądała mu się bacznie, jakby starała się go rozpoznać, choć nie widziała go nigdy wcześniej.

– Craig? – zapytała.

– Sharon?

Sharon Lavinsky Felter wspięła się na palce i pocałowała Craiga w policzek.

– Sandy napisał mi, że przyjedziesz – powiedziała. – Bardzo się cieszę, że nas tu znalazłeś.

Przez następne noce Lowell spał w łóżku Feltera w pokoju nad piekarnią. Trzy dni później pojechał taksówką do Nowego Jorku, choć pan Felter zaklinał się, że go zawiezie nawet na koniec świata. Lowell spotkał się z dziadkiem w sądzie na Manhattanie. Sędzia w pięć minut ogłosił go pełnoletnim w świetle prawa, po czym obaj pojechali do Budynku Federalnego i odebrali paszport Craiga. Następnym punktem było lotnisko LaGuardia, gdzie Lowell wsiadł do samolotu linii lotniczych Trans-World i lotem 307, z międzylądowaniem w Gander na Nowej Fundlandii, odleciał do Paryża. W ambasadzie amerykańskiej w Paryżu powiedział kapitanowi, który zajmował się wydawaniem przepustek do Amerykańskiej Strefy Okupacyjnej w Niemczech, że jest studentem, który chce odwiedzić ciotkę, panią major Florence Horter, pracującą w 97. Szpitalu Ogólnowojskowym we Frankfurcie.

Kapitan sprawdził telefonicznie te informacje i pani major wyszła po Craiga na Dworzec Główny we Frankfurcie. Była sama.

– Nie byłam pewna, czy ci się uda, i nie chciałam, żeby Ilse niepotrzebnie się denerwowała.

– Powiedziałem, że wrócę za miesiąc – odrzekł Craig – i oto jestem po dwudziestu sześciu dniach. Ilse na pewno się stęskniła.

– Ilse jest w czwartym miesiącu ciąży – oświadczyła pani major. – Chciałam, abyś miał czas oswoić się z tą myślą, chłopcze.

11

Craig Lowell poślubił Ilse von Greiffenberg w luterańskim kościele św. Łukasza we Frankfurcie nad Menem. Jedynym świadkiem tej uroczystości była Florence Horter.

Udzielający im ślubu pastor miał mieszane uczucia. Wigor pana młodego, przynajmniej częściowo, wynikał z wypitego alkoholu, panna młoda zaś najwyraźniej oczekiwała dziecka. Miał on więc poważne wątpliwości, czy narzeczeni uświadamiali sobie w pełni materialne i duchowe konsekwencje, jakie niesie ze sobą małżeństwo. Z drugiej strony wyglądali na zakochanych, a ten amerykański oficer starał się przynajmniej robić to, co należało. Dosłownie tysiące dziewcząt rodziło dzieci amerykańskich żołnierzy, którym przez myśl nie przeszło, aby się z nimi żenić.

Po ceremonii nowożeńcy udali się do Oberursel, gdzie po długich poszukiwaniach Ilse wraz z Florence znalazły mały, ale czysty pokoik, w którym Ilse mogła mieszkać do czasu załatwienia wizy imigracyjnej.

Pan młody rozebrał się, a major Horter zmieniła mu opatrunek. Po zabiegu Florence pożegnała nowożeńców i odjechała, pozostawiając im w prezencie ślubnym trzy butelki szampana Moët i książkę *A więc będziesz miała dziecko*.

Przed wyjazdem Lowell i Florence Horter udali się do Frankfurtu na zakupy i zaopatrzyli Ilse we wszystko, co mogło być jej potrzebne podczas oczekiwania na wizę. Sama Ilse, pomimo że była żoną amerykańskiego oficera, nie mogła wchodzić do amerykańskich sklepów wojskowych ze względu na swoje niemieckie obywatelstwo. Czekała więc w samochodzie, nerwowo obracając na palcu pierścionek z czterokaratowym brylantem.

Nie wierzyła, aby był to prawdziwy kamień, skąd Craig wziąłby bowiem tyle pieniędzy. Uważała jednak, że sztuczny czy prawdziwy, jej pierścionek jest po prostu piękny.

IX

1
Kompania Szkolna
Akademia Wojsk Pancernych
Fort Knox, Kentucky
30 października 1946

Kompania Szkolna rozlokowana była w jednopiętrowych drewnianych koszarach rozciągających się na grzbiecie niskiego wzgórza. Budynki pomalowane były na jasnożółto, nakryte zielonkawym dachem i skupione wokół piętrowego centrum administracyjnego oraz parterowej stołówki, z której widać było znajdujące się u podnóża wzniesienia pomieszczenia dydaktyczne.

Kantyna powstała z połączenia dwu standardowych stołówek normalnie mieszczących siedmiuset pięćdziesięciu żołnierzy, które zmodyfikowano dla potrzeb słuchaczy, zastępując dwunastoosobowe stoły niewielkimi czteroosobowymi stolikami.

Wszystkie akademiki wyglądały identycznie; były nieco dłuższe od typowych budynków koszarowych i po obu stronach przecinających je korytarzy mieściły sześć dwuosobowych apartamentów. Każdy z nich składał się z sypialni, wyposażonej w żelazne łóżko, biurko, komodę, krzesło i fotel, oraz łazienki z prysznicem w blaszanej kabinie, z ubikacją i podwójną umywalką. Oprócz tego we wszystkich budynkach wygospodarowano dodatkowe pomieszczenie na „pokój rekreacyjny", ukrywając pod tą nobliwą nazwą całonocny bar.

Podporucznik Craig Lowell podjechał czterodrzwiowym chevroletem pod budynek T-465, w którym przydzielono mu pokój 16-A, ściągnął z tylnego siedzenia prawie nową, skórzaną walizę z inicjałami ojca oraz drugą, o wiele tańszą, płócienną i wniósł je na piętro. Przez chwilę zmagał się z zamkiem, ale w końcu dostał się do środka, rozejrzał po pokoju, rzucił bagaże na łóżko i zabrał się do rozpakowywania. Gdy skończył, puste walizy leżały na dnie szafy, nad nimi wisiały ubrania cywilne i mundury, a koszule i bielizna mieściły się w stojącej obok komodzie.

Urządziwszy się w sypialni, porucznik sprawdził, jak wygląda łazienka, załatwił przy okazji potrzeby fizjologiczne i po krótkim wahaniu postanowił zapukać do sąsiedniego pokoju.

– Wejść – zza drzwi dobiegł czyjś niski głos.

Lowell wszedł do wnętrza z uśmiechem na ustach i ku swemu zdumieniu ujrzał wyciągniętego na łóżku Murzyna w samych szortach.

– Ale niespodzianka! – odezwał się z sarkazmem lokator bliźniaczej sypialni. – Nie pomyliłeś się, synu młynarza. Ja tu naprawdę mieszkam!

– Nazywam się Craig Lowell – wykrztusił w końcu porucznik.

– Wiem, co ci teraz chodzi po głowie, Lowell – odpowiedział Murzyn.

– Tak? – zdziwił się Craig.

– Ale numer mi wykręcili! – domyślał się nieznajomy. – Dali mi pokój z asfaltem!

– Pomyślałem tylko, że w życiu nie widziałem jeszcze takiego wielkiego czarnucha – odrzekł Lowell – ...to znaczy Murzyna – poprawił się szybko i zamknął drzwi.

Porucznik zszedł na parter, wsiadł do auta i podjechał do sklepu garnizonowego, żeby kupić takie samo radio, jakie granat rozerwał mu w Grecji. Przy okazji zaopatrzył się we wszystko, co mogło się przydać w koszarach, od kremu do golenia po stos kryminałów do poduszki, i skierował się do sklepu monopolowego, gdzie nabył gin, szkocką i wermut. Wracając do koszar, przypomniał sobie jeszcze o szklankach, wrócił więc do sklepu, w którym kupił radio, i zapłacił za duże pudło z napisem „Kompletny zestaw szkła domowego", po czym zapakował je do samochodu i skierował się w stronę budynku T-465.

Porucznik rozpakował zakupy, rozciął pudło, w którym mieścił się zestaw szklanek, opłukał jedną z nich pod kranem i nalał sobie whisky. Gdzieś tu pewnie jest lód, pomyślał, ale nie ruszył się z miejsca, żeby go poszukać. W Grecji zdążył się już przyzwyczaić do szkockiej bez lodu, rozcieńczył ją więc tylko odrobiną wody z kranu i zabrał się do kartonu z radiem. Gdy skończył, wystawił puste opakowania za drzwi i przysunął biurko do łóżka, żeby łatwiej mu było sięgnąć do ustawionego na nim odbiornika.

Lowell włączył go do sieci i zaczął przeszukiwać po kolei wszystkie pasma. Trudno było coś znaleźć, ale choć radio mocno trzeszczało, złapał w końcu jakąś muzykę klasyczną w paśmie dwudziestu metrów, wyciągnął się na łóżku i sięgnął po jeden z kryminałów.

Niespodziewanie ktoś zapukał do drzwi.

– Wejść – odezwał się porucznik.

W pokoju pojawił się Murzyn nadal ubrany tylko w szorty.

– Widziałem już większych białych, ale wcale nie jesteś kurduplem – zagadnął. Lowell nie odezwał się ani słowem. – Phil Parker – przedstawił się Murzyn.

– Hej – odrzekł porucznik.

– Myślałem, że poszedłeś z podaniem o przeniesienie do innego pokoju – ciągnął dalej Parker.

– Pojechałem po bąbelki – odparł Craig. – Wolisz szkócką czy gin? Częstuj się.

– Dzięki – odrzekł Murzyn, nalewając sobie whisky. – Pijesz bez lodu?

– Jak nie ma pod ręką... – odpowiedział Lowell.

Parker wziął dzban z kompletu szkła domowego i wyszedł. Gdy wrócił do pokoju, dzbanek był po brzegi wypełniony kostkami lodu.

– Masz głowę na karku, Phil – stwierdził porucznik, wznosząc w górę szklankę szkockiej. – Gdzie dostałeś tyle lodu?

– Na końcu korytarza jest pokój rekreacyjny, czyli bar – objaśnił Murzyn, wrzucając kostki do szklanki Lowella i patrząc mu prosto w oczy. – Przeniósłbym się do jedynki, ale zwykła przyzwoitość wymagała, żeby poczekać tu, aż ktoś się wprowadzi, i sprawdzić, czy rzeczywiście przeszkadza mu czarnuch za ścianą.

– Chcesz się złożyć na lodówkę? – zaproponował Craig. – Nie mam zamiaru latać do baru po lód jak chłopiec na posyłki, a lubię zimne piwo.

Parker przyjrzał się dokładnie porucznikowi. Najprościej byłoby założyć, że on nie ma żadnych uprzedzeń, pomyślał. Dobrze jednak wiedział, że pod presją nietolerancyjnego otoczenia wiara w równość ras bywała niezwykle krucha. Niejednokrotnie doświadczył tego na własnej skórze.

Mimo to postanowił zaryzykować. W nowym sąsiedzie dostrzegł bowiem coś wyjątkowego.

– Muszę ci się z czegoś zwierzyć, zanim się bliżej poznamy – oznajmił Phil.

– Cóż to takiego?

– Skończę ten kurs z wyróżnieniem – oświadczył Parker.

– Po co ci to? – nie zrozumiał Lowell.

– Mówię serio – powtórzył Murzyn. – Tak trzeba, jeśli się nie jest białym. Muszę być lepszy, żeby mnie traktowano przynajmniej na równi. Takie jest wojsko.

– Po co ci wojsko? Nie wyglądasz na półgłówka!

– Właściwie można powiedzieć, że jestem geniuszem, ale od czasu do czasu będę musiał posiedzieć nocą nad książkami i nie odpowiadam za swoje czyny, jak mi ktoś w tym przeszkodzi. Pomyślałem, że warto o tym uprzedzić.

– Nie orientujesz się, gdzie tu można kupić lodówkę? – Lowell zmienił temat. – Mają coś takiego w garnizonowym?

– Nie. To się załatwia inaczej – odparł Parker.

– Jak?

– Daj mi sekundę na przyodzianie mojego hebanowego ciała, to ci pokażę, jak to robi stary żołnierz.

Po powrocie do pokoju Phil miał na sobie dobrze dopasowany i odprasowany, choć wcale nie nowy mundur z połyskującymi w słońcu dystynkcjami oraz wyglansowane na wysoki połysk buty. Lowell odniósł wrażenie, że sąsiad jest o każdej porze dnia i nocy przygotowany do inspekcji, ale po chwili zmienił zdanie. On wygląda po prostu na osobę obytą z mundurem, pomyślał. Pewnie był rekrutem albo zawodowym podoficerem. To tłumaczyłoby zarówno wygląd, jak i chęć ukończenia kursu z wyróżnieniem.

Trafność sądu o Parkerze potwierdzał fakt, że Phil jeździł błyszczącym cadillakiem z nalepką przeglądu technicznego na przedniej szybie oraz to, co nastąpiło w chwilę później. Phil podjechał do sklepu monopolowego, kupił szkocką, gin, wermut i dwie butelki dobrego bourbona, każąc zapłacić za jedną z nich Lowellowi, a następnie skierował się do magazynu kwatermistrzostwa szkoły i odszukał służbówkę, w której urzędował jakiś sierżant.

– Czym mogę służyć, panie poruczniku? – zapytał kierownik magazynu.

– Drobiazg, sierżancie – odrzekł Parker, zamykając drzwi kantoru i stawiając na stole obie butelki bourbona.

– Co pan tam ma dobrego, panie poruczniku – zaciekawił się kwatermistrz i sprawdził, jaki to alkohol.

– Mój sąsiad ma dość niezwykły problem ze zdrowiem – zaczął wyłuszczać sprawę Phil. – Cały dzień cierpi na melancholię, jeżeli rano nie napije się zimnego piwa.

– Słyszałem już o podobnych przypadkach – odparł sierżant.

– Pomyślałem więc, że mając na względzie zdrowie młodszych oficerów, znajdzie się jakiś sposób na chłodzenie tego piwa...

– Coś się chyba da zrobić, panie poruczniku – stwierdził magazynier, chowając trunek do szuflady. – Ma pan wóz?

Obaj porucznicy wrócili do akademika z lodówką sterczącą z niedomkniętego bagażnika i wnieśli ją do pokoju Parkera.

– Nie będę miał chyba za dużo gości – powiedział Phil – i nie będzie nikogo kłuło w oczy. W ten sposób unikniemy dociekań w stylu: „Dlaczego porucznik ma lodówkę, a ja nie".

Lowell się roześmiał.

– Co robiłeś przed promocją? – zapytał.

Parker spojrzał na Craiga, zupełnie zaskoczony tym pytaniem.

– Byłem starszym kadetem, jeżeli koniecznie musisz wiedzieć – odrzekł Murzyn.

– West Point? – zdumiał się Lowell.

– Wypluj te słowa – uciął Parker. – Norwich!

– Norwich?

– Nawet o nim nie słyszałeś – skomentował Phil z sarkazmem. – Nic nie szkodzi. Żeby poszerzyć twoje ciasne horyzonty, mogę cię poinformować, że od stu lat Norwich daje krajowi trzon oficerów kawalerii, a ostatnio również wojsk pancernych.

– Naprawdę nigdy o nim nie słyszałem – zwierzył się Craig.

– To nie to, o czym myślisz – wyjaśnił Parker.

– A o czym myślę?

– To nie jest jakiś tam uniwersytet ludowy dla Murzynów z kursem dla oficerów rezerwy – ciągnął dalej Phil. – Oprócz mnie szkołę kończyli sami biali.

– Gdzie się to mieści?

– W Vermoncie – odrzekł Parker. – A gdzie ty studiowałeś? Yale?

– Harvard – odparł Lowell.

– Dlaczego nie jesteś w artylerii? Myślałem, że po Harvardzie biorą do szkoły oficerów artylerii – nie dowierzał Phil.

– Nie jestem po szkole oficerów rezerwy – oświadczył Craig.

– Przecież takie chuchro jak ty nie wytrzymałoby normalnej szkoły oficerskiej – zdumiał się Parker.

– Promowano mnie bezpośrednio, bez szkoły – przyznał się Lowell.

– Na czym się tak dobrze znasz? – zaciekawił się Phil.

– Na grze w polo – odrzekł Craig.

– Dlaczego więc nie grasz? – zapytał Murzyn, zupełnie niezdziwiony odpowiedzią Lowella.

– Generał, z którym grałem, już nie żyje – wyjaśnił Craig.

– Waterford – upewnił się Parker. – Słyszałem o tym. Mój ojciec dobrze go znał.

– Twój ojciec był w wojsku? – zdziwił się Lowell.

– Ojciec, dziadek i pradziadek – odparł Phil, naśladując murzyński akcent. – Przyplątałeś się, biały chłopczyku, do starej wojskowej arystokracji w linii murzyńskiej.

– Co ty, do cholery, bredzisz? – zdenerwował się Craig.

– Jak mam ci to wyjaśnić, jeżeli nie rozumiesz – roześmiał się bezradny Parker.

– No to spróbuj! – zachęcił go Lowell.

– Moi przodkowie zżyli się z armią tuż po wojnie secesyjnej, goniąc Indian po prerii – zaczął Phil. – Nazywali ich wtedy Buffalo Soldiers. Mój ojciec i dziadek doszli do pułkownika, a pradziadek był sierżantem.

– Zatkało mnie – bąknął Craig.

– Zamiatali tobą różne kąty, kombinując, co z tym fantem zrobić, i w końcu wysłali cię na podstawowy kurs oficerski? – Parker zmienił temat.

– Aha.

– Pod moim okiem starego wygi jakoś się prześlizgniesz – Phil pocieszył sąsiada.

Od pierwszego dnia nie działo się nic, co mogłoby świadczyć o jawnej dyskryminacji. Stu szesnastu białych podporuczników, którzy zakwalifikowali się na Podstawowy Kurs Oficera Wojsk Pancernych 46-3, po prostu ignorowało pięciu Murzynów, dwu Portorykańczyków, sześciu Filipińczyków i dwu oficerów z Argentyny, a wraz z nimi Lowella, który jako jedyny mieszkał z Murzynem.

Parker praktycznie nie rozmawiał z pozostałymi Murzynami, Portorykańczykami oraz trzema Filipińczykami, którzy ukończyli West Point, tolerując tylko absolwentów innych uczelni. Argentyńczycy trzymali się zaś wyłącznie we własnym gronie, a w końcu wyprowadzili się z koszar i przenieśli do mieszkania wynajętego w pobliskim Elizabethtown.

Dopiero po upływie tygodnia Parker zobaczył Lowella bez podkoszulka i dostrzegł na klatce piersiowej i ramieniu długie blizny przypominające czerwone zamki błyskawiczne.

– Co ci się, do diabła, stało?

– Nadepnąłem na wentylator – odpowiedział Craig.

– A mi tu kaktus wyrośnie – wskazał na swą dłoń Parker.

2

W dzień po odkryciu zagadkowych blizn Phil z przerażeniem wykrył, że Lowell ożenił się z Niemką. Jeszcze bardziej zaszokował go fakt, że duży chevrolet należał do wypożyczalni firmy Hertz na lotnisku w Louisville, skąd Craig go wynajął i nie oddał.

Była sobota rano i Parker wpadł do sypialni Lowella, żeby go zbudzić na śniadanie, ale łóżko było już puste. Phil ruszył więc spokojnie do jadalni, po drodze dostrzegł jednak znajomą sylwetkę samochodu za budynkiem poczty, z której korzystali zwykle rekruci, którzy odbywali szkolenie wstępne, i podszedł tam, aby sprawdzić, czy to na pewno wóz sąsiada. Na tylnym siedzeniu leżały podręczniki Craiga i jego hełm, a obok niego pokwitowanie wynajęcia chevroleta na firmowym blankiecie.

Przekonawszy się, że to samochód Lowella, Phil wszedł do budynku poczty i zastał tam Craiga, który najwyraźniej na coś czekał.

— Dzwonię do żony — wyjaśnił Lowell, gdy Parker usiadł ciężko obok niego.

— Dlaczego nie skorzystasz z telefonu w akademiku?

— Bo ona jest w Niemczech. — Czekając na połączenie, Craig opowiedział mu o Ilse.

— Gdybyś czegoś potrzebował — zakończył Parker — trochę forsy na samolot czy coś w tym rodzaju, to się nie krępuj. Zawsze możesz liczyć na mały kredyt w banku za ścianą.

— Nie chodzi o pieniądze — odrzekł Lowell. — Wszystko spaprał urząd imigracyjny. Biurokraci czekają, aż sprawdzi ją kontrwywiad, bo chcą być pewni, że nie była faszystką. Przecież ona, do cholery, miała dopiero szesnaście lat, kiedy kończyła się wojna! — Craig urwał gwałtownie i spojrzał na sąsiada. — Dzięki, Phil.

W głosie Lowella było tyle wdzięczności, że Parker poczuł się zażenowany i zmienił temat.

3

Craig Lowell siedział na łóżku w samych szortach. Oparty plecami o ścianę czytał *Kompanię piechoty w obronie*. W dłoni ściskał szklankę whisky, a w jego ustach tkwiło duże czarne cygaro. Lowell nie żywił już takiego szacunku dla podręcznika jak dawniej i właśnie doszedł do wniosku, że jeżeli jakiś potulny neofita ustawi chłodzoną powietrzem trzydziestkę tam, gdzie „w celu optymalnego rażenia siły żywej nieprzyjaciela" zaleca to książka, to szybko zapuka do św. Piotra, gdy niespodziewanie ktoś rzeczywiście zastukał do drzwi.

— Wejść! — krzyknął porucznik.

— Można? — odezwał się niepewnie kobiecy głos.

— Można, ale uprzedzam, że jestem goły — odrzekł Lowell, śmiejąc się głośno. — Proszę chwileczkę zaczekać.

Craig wyskoczył z łóżka i owinął się szlafrokiem, który, tak samo jak walizy, należał niegdyś do ojca. Kiedy porucznik się ubierał, usłyszał, że jego słowa rozbawiły kobietę, i sprawiło mu to przyjemność. Zaraz przekonam się, jak mój sąsiad King Kong radzi sobie z życiem seksualnym, pomyślał.

Za drzwiami stała atrakcyjna kobieta około trzydziestki, która, ku jego zdumieniu, była biała.

– Słucham panią.

– Nazywam się Barbara Bellmon – odparła nieznajoma. – Szukam Phila Parkera.

Lowell dostrzegł, że kobieta ma na palcu obrączkę. Ciekawe, po co taka porządna i zdrowo wyglądająca biała mężatka puka do King Konga, zastanowił się porucznik, choć zdecydowany był nie wtrącać się w osobiste sprawy współlokatora.

– Przykro mi, ale Phil jest w czytelni. Powinien wrócić za godzinę – odpowiedział.

– Szkoda – stwierdziła kobieta. – Znamy się od dawna. Mógłbyś mu coś przekazać?

– Nie ma sprawy.

– Wiadomość jest prosta i ściśle tajna – kontynuowała Barbara. – Powiedz mu, że Bobowi przywracają od soboty podpułkownika. Przyjęcie w domu o 18.30. Obecność obowiązkowa.

– Dobrze – zgodził się Lowell. – Przekażę mu, jak tylko wróci.

– W tłumaczeniu to znaczy, że mąż dostał awans, a ja dowiedziałam się o tym szybciej od niego.

– Jak w takim razie można pogratulować?

– Po prostu przyjdź na przyjęcie razem z Philem – odparła Barbara.

– Mówi pani, że zna go od dawna?

– Bawiłam go w kołysce, kiedy jeszcze siusiał w pieluchy – wyjaśniła kobieta. – Jego ojciec dobrze się zna z moim mężem.

– To chyba pułkownik Parker – bąknął Craig, starając się jakoś to sobie poukładać.

– Pułkownik Parker i od soboty podpułkownik Bellmon – potwierdziła Barbara. – Wszyscy bardzo dobrze się znamy.

– To musi być bardzo fajne – skomentował Lowell.

– Nie dosłyszałam twojego nazwiska – odrzekła kobieta.

– Lowell – przedstawił się porucznik – Craig Lowell.

– Cóż, Craig. Po prostu przyjdź w sobotę razem z Philem. Będzie można zjeść, a co ważniejsze, wypić, ile tylko dusza zapragnie.

– Bardzo dziękuję, ale będę poza miastem.

– No to może innym razem – zakończyła kobieta i wyszła.

O wyznaczonej godzinie podporucznik Philip Sheridan Parker IV zameldował się w kwaterze Boba i Barbary Bellmonów, która mieściła się w małym domku z drewnianych segmentów. Nad drzwiami wisiał transparent „Przyjęcie u Bellmona. Do dwóch razy sztuka".

Barbara dostrzegła go pierwsza i ucałowała w policzek.

– Ale wyrosłeś – przywitała się.

– A ty jesteś teraz żoną podpułkownika i nie przystoi ci obcałowywać jakichś podporuczników na oczach Pana Boga i ludzi.

– Gdzie jest John Barrymore? – zapytała zdziwiona.

– Kto?

– Twój sąsiad. Ten facet w jedwabnym szlafroku z harwardzkim akcentem i cygarem w ustach.

– Lowell. – Parker uśmiechnął się na samą myśl o spotkaniu Craiga i Barbary. – No tak, przecież się widzieliście – przypomniał sobie.

– Zaprosiłam go na przyjęcie – wyjaśniła pani Bellmon.

– Nic mi nie mówił – odrzekł Phil.

– Dziwny facet – stwierdziła Barbara. – Przecież prawie każdy podporucznik biega jak z pieprzem na samą myśl o piciu za darmo.

– On jest trochę inny, ale to porządny facet, Barbaro – uspokoił ją Parker. – Ma chyba forsy jak lodu.

– I chce odsłużyć swoje dwa lata? – nie dowierzała Barbara.

– Jeżeli będzie to tak długo trwało...

W tym momencie dostrzegł ich Bob Bellmon.

– O Boże! Kogo ja widzę – krzyknął. – Poprzednim razem miał tylko niewiele ponad sześć stóp!

– Moje gratulacje, panie pułkowniku – odezwał się Parker.

– Czekałem na ciebie – odparł Bellmon. – Zadzwonimy do ojca. – Gdyby nie on, już by mnie nie było na tym świecie.

Bellmon wziął Phila za rękę, wyprowadził go z zatłoczonego salonu i poszedł zamówić rozmowę z pułkownikiem w stanie spoczynku, Philipem Sheridanem Parkerem III. Nikt już nie wrócił do rozmowy o Craigu Lowellu.

4

W następną sobotę rano porucznik Phil Parker został przez telefon przedstawiony Ilse Lowell. Nieco później, podczas śniadania w głównej stołówce, Craig zapytał Parkera, czy ma jakieś plany na popołudnie i czy ewentualnie pojechałby z nim do Louisville.

– Dlaczego akurat do Louisville? – zapytał Murzyn.

– Przemyślałem to, co mi mówiłeś o kupnie samochodu.

– Widocznie nie masz tak pstro w głowie, jak na to wygląda – odrzekł Parker. – Chcesz obejrzeć, co mają do sprzedania?

– Nie. Chcę kupić – Lowell odpowiedział tak, jakby zadano mu bardzo dziwne pytanie.

– Co?

– Packarda.

– Packarda? Przecież tym jeżdżą tylko gwiazdy filmowe i nowobogackie czarnuchy – zdziwił się Phil.

– Ktoś miał packarda w Bad Nauheim i Ilse powiedziała, że w życiu nie widziała takiego ładnego kabrioletu – odparł Craig.

– Najwyraźniej ma dobry gust – zgodził się Parker. – Masz tyle forsy?

– Mam, Phil. Tak się składa, że wystarczy.

Parkera uprzedzono, że hotel Brown obsługuje kolorowych oficerów tylko na służbie, obaj pojechali więc do Louisville w mundurach, odstawili wypożyczonego chevroleta na lotnisko, zjedli lunch w hotelu, wypili parę drinków i poszli do salonu Packarda na Fourth Street.

Sprzedawca doskonale wiedział, że podstawowa pensja porucznika z ledwością przekracza 310 dolarów na miesiąc, i nawet nie zadał sobie trudu, żeby do nich podejść. Z pewnością przyszli, żeby pogapić się na stojący na wystawie kabriolet, pomyślał. Nie stać ich na ten wóz, ale nawet jeżeli jeden z nich jest czarnuchem, to obaj są oficerami i raczej nie zapaskudzą siedzeń ani nie uszkodzą samochodu.

Równo trzy miesiące temu jakaś przysłowiowa „starsza pani za kierownicą", która trzymała go w garażu przez całą wojnę i przejechała dopiero dziewięć tysięcy mil, zamieniła to cacko na nowego packarda clippera. Nie był to najlepszy interes, ale kierownik zgodził się wziąć samochód, by przyciągnąć klientów. Nikt nie produkował już takich kabrioletów, a Packard nie miał ich nawet w ofercie na najbliższy rok. Wystawiono go więc na sprzedaż za sześć i pół tysiąca dolarów, o tysiąc więcej od ceny nowego, i, jak mawiał kierownik, czekano na głupiego, który będzie miał więcej zielonych niż rozumu. Jeżeli auto nie pójdzie przez trzy lub cztery miesiące, to cena niewątpliwie spadnie, ale na razie służyło jako reklama, przyciągając potencjalnych klientów jak magnes.

Jasnożółty wóz był olbrzymi; miał oddzielne światła długie i krótkie, zapasowe koła na przednich błotnikach i stylizowanego łabędzia z chromu na masywnej kratownicy wlotu powietrza. Dwaj oficerowie przyglądali się dokładnie kabrioletowi przez dziesięć minut, po czym jeden z nich ruszył w stronę siedzącego na fotelu sprzedawcy.

– Czym mogę służyć? – zapytał.

– Chcę go kupić – odparł biały podporucznik.

– Ale ten wóz kosztuje sześć i pół tysiąca – ostrzegł sprzedawca.

– Dam sześć – zaczął się targować Lowell.

– Ma pan pojęcie, jakie będą miesięczne raty? Jedną trzecią ceny musi pan zapłacić od ręki, a to już wychodzi ponad dw...

– Dam panu czek na sześć tysięcy – przerwał mu Craig.

Porucznik wcale nie żartował, sprzedawca zdecydował się więc zadzwonić do kierownika, który nie przychodził do salonu w soboty.

Czek wystawiony był na Morgan Guaranty Trust of New York i suma w pełni zadowalała właściciela salonu, pozostawało tylko pytanie, czy młody oficer może mieć na koncie tyle pieniędzy. Kierownik obawiał się, że to po prostu kolejny młokos z Fort Knox, któremu zamarzył się piękny kabriolet. Ostatecznie postanowiono więc przystać na ofertę porucznika, ale nie spieszyć się z wydaniem samochodu i w ten sposób zyskać czas na sprawdzenie w banku, czy dowód wpłaty nie jest przypadkiem tylko świstkiem papieru bez pokrycia.

Po rozmowie z szefem sprzedawca oświadczył Lowellowi, że packarda trzeba „przygotować do jazdy", a ponieważ jest sobota i nie ma się tym kto zająć, firma gotowa jest zrobić to w poniedziałek i, jeżeli mu to odpowiada, dostarczyć auto pod wskazany adres na własny koszt.

Samochód przyjechał w poniedziałek po południu i czekał już na Phila i Craiga, gdy wracali do akademika, aby sprawdzić podane na tablicy ogłoszeń wyniki kursantów po dwóch tygodniach. Parker Philip IV prowadził ze średnią 98,7, a Craig W. Lowell był trzeci – jego średnia wynosiła 97,9.

Phil wpadł w zachwyt, Lowella to jednak tylko rozbawiło. Dobrze wiedział, skąd brały się takie wysokie stopnie. Materiał był przecież prosty, dostosowany do wiedzy oficerów, którzy stykali się z wojskiem po raz pierwszy, a on przeszedł już podstawowe szkolenie rekruckie i praktycznie dowodził kompanią w Grecji. Parker ukończył zaś szkołę wojskową i choć obaj nie przykładali się zbyt solidnie do nauki, starczało to na zdobywanie maksimum punktów.

Razem uczcili tę okazję paroma drinkami i postanowili zafundować sobie stek w głównym klubie oficerskim, wypróbowując po drodze dostarczony niedawno kabriolet. Złożyli więc dach, zamknęli bagażnik i ruszyli. Dla kawału Parker uparł się jechać na tylnym siedzeniu.

Obaj nie mogli się nadziwić, jak często oddawano im honory i z jaką werwą salutowano, a robili to nie tylko szeregowcy i wszyscy ci, których zmuszał do tego regulamin, ale nawet równi im stopniem podporucznicy i jeden pułkownik.

Przy steku i kolejnych drinkach doszli do wniosku, że to niewątpliwie zasługa samochodu. W pewnym sensie mieli rację, ale niestety nie do końca.

Dwa tygodnie po zakupie packarda Lowell spotkał przypadkowo w sklepie monopolowym kapitana MacMillana. Właśnie wychodził ciężko obładowany piwem i alkoholem i nie miał jak zasalutować.

– Dzień dobry, panie kapitanie – odezwał się.

– Diabli cię nadali – odpowiedział Mac. – Co ty tu, do cholery, robisz?

Kapitan zawrócił i podążył za Lowellem na parking. Packard stał obok jakiegoś forda i MacMillan otworzył go, żeby pomóc Craigowi umieścić zakupy na tylnym siedzeniu. Lowell złożył jednak piwo i whisky w packardzie, nie potrzebując go nawet otwierać, gdy jeździł ze złożonym dachem i spuszczonymi szybami.

– Nie mam pojęcia dlaczego – burknął kapitan, gdy zauważył swój błąd – ale jestem zaskoczony. Tego przecież należało się po tobie spodziewać, milionerku.

– Miło pana znowu widzieć, panie kapitanie – odrzekł kurtuazyjnie Craig.

– Dlaczego nie jesteś w Grecji?

– Tak naprawdę to powinien pan zapytać, co ja jeszcze w ogóle robię w armii. Pamięta pan, sir, jak mi pan obiecywał, że mnie z tego bagna wyciągnie?

– Dobrze wiesz, co się stało – odparł MacMillan. – Pytałem, jakim cudem wywinąłeś się z Grecji.

– Nie podobał mi się ten kraj. Ciągle do mnie strzelali.

– Skorzystałeś więc z mocnych pleców i dałeś nogę?

– Można to i tak nazwać – odpowiedział Craig.

– Jesteś na kursie?

– Zgadza się, sir.

– Może cię tu czegoś nauczą – zadumał się MacMillan.

– Już mi pan kiedyś wyłożył, panie kapitanie, że wiem o wojsku mniej od zawszonego kaprala, dodając natychmiast, że mnie z tego wyciągnie.

– Mam nadzieję, że nieźle dają ci tu w kość – odciął się Mac.

– Właściwie, sir, jestem trzeci na kursie.

MacMillan zarumienił się ze wstydu. Wyglądało na to, że chciał coś dopowiedzieć, ale po prostu odwrócił się i skierował do sklepu.

– Panie kapitanie! – zawołał Lowell, a gdy ten go zignorował, powtórzył okrzyk tak głośno, że świadomy obecności ludzi na parkingu Mac nie mógł udać, że nie słyszy.

Craig dziarsko zasalutował i zakończył:

– Miło było znów pana spotkać, panie kapitanie. Proszę przekazać ukłony małżonce.

MacMillan odpowiedział na oddane mu honory, odwrócił się na pięcie i wszedł do sklepu.

Tydzień po spotkaniu z kapitanem Lowell nareszcie zrozumiał, dlaczego wszyscy tak chętnie salutowali Parkerowi w czasie jazdy kabrioletem i dlaczego MacMillan pomylił samochody. Okazało się, że generał major dowodzący Fort Knox również miał packarda, ale model 120, nieumywający się do przepychu „sto osiemdziesiątki" porucznika.

Oddawano im honory, wierząc, że mija ich samochód komendanta. Zaczęto też podejrzewać, że nie tylko złamali niepisane zasady etyki wojskowej, według których porucznicy powinni jeździć tańszymi wozami niż ich przełożeni, ale także celowo kpią sobie z generała, jako że mimo środka zimy mieli złożony dach, a jadący z tyłu Parker ostentacyjnie odpowiadał salutującym żołnierzom.

Obaj przestali więc składać dach, zaczęli jeździć do klubu starym cadillakiem Phila, nie było to jednak w stanie wyciszyć plotek. Uznano ich za cwaniaków i nie wyglądało na to, że coś może wpłynąć na zmianę tej opinii.

Gdy pogłoska o dwóch prześmiewcach, z których jeden był czarnuchem z Norwich, dotarła do uszu pułkownika Bellmona, ten natychmiast zadzwonił do syna starego przyjaciela.

– Phil – odezwał się pułkownik – jeżeli masz odrobinę oleju w głowie, to jedna rada ci wystarczy. Załatw sobie nowego sąsiada. Jak chcesz, pogadam z komendantem kursu.

– Mimo całego szacunku dla pana pułkownika, sir, o ile to możliwe, chciałbym tego uniknąć – odparł Parker.

– Przestań, Phil. Wiem, że nie małpowałeś generała, ale on o tym nie ma pojęcia.

– Lowell też nikogo nie małpował.

– Bzdura!

– Sir, Lowell jest moim przyjacielem.

– Ale twój przyjaciel jest cwaniakiem i zaszkodzi ci w karierze.

– Muszę w takim razie zaryzykować, sir.

– Twoja lojalność, Phil, godna jest najwyższej pochwały. Tylko później nie narzekaj, że cię nie ostrzegałem.

5

Nawet fakt, że obaj porucznicy nieustannie plasowali się w czołówce kursu, nie był w stanie wpłynąć na opinię o nich wśród reszty grupy oraz instruktorów. Naznaczono ich piętnem cwaniactwa i unikano jak zarazy. Ich sytuacji towarzyskiej nie polepszyło też to, że oficerowie dowiedzieli się o lodówce i do plotki o małpowaniu generała doszła druga, według której byli oni zbyt dumni, żeby pić z resztą w barze.

Kroplą, która przelała kielich goryczy, była jednak organizowana co miesiąc defilada pożegnalna, towarzysząca odczytaniu rozkazu o przejściu kogoś w stan spoczynku lub odznaczeniu medalem. Głównym punktem tej ceremonii był przemarsz kompanii w pełnym szyku od trybuny honorowej aż do kantyny, która dla kursantów znajdowała się piekielnie daleko, tym bardziej że nikogo z nich nie dekorowano ani nie odsyłano do cywila.

Na zbiórce okazało się, że brakuje porucznika Lowella. Oficer taktyczny zdobył się nawet na zapytanie Parkera, czy nie wie, co się dzieje z jego sąsiadem, ale Phil odpowiedział krótko: „Nie, sir" i kompania ruszyła bez Craiga. Zanim doszła do kantyny, gdzie dowódca krzyczał zwykle: „Kompania stój!", wszyscy wiedzieli już, że ten przeklęty obrońca czarnuchów wkopał się w końcu po uszy. Ostatni idiota potrafiłby przewidzieć, że nieobecność na defiladzie wyjdzie na jaw przy odliczaniu, ale nie Lowell. Z samowolnego opuszczenia zajęć przewidzianych regulaminem już się na pewno nie wykręci sianem.

Gdy oddział stanął w dwuszeregu, a komendant kursu wyszedł przed front żołnierzy i ryknął: „Osoby przeznaczone do dekoracji, wystąp", na czele sznureczka oficerów, którzy ustawili się przed dowódcą, stał jednak ten przeklęty cwaniak. Gwóźdź programu nastąpił w chwilę później, kiedy adiutant zarządził „baczność" i zaczął przez mikrofon odczytywać rozkaz. Tego nikt z obecnych nie mógł przewidzieć.

„Jego Najjaśniejsza Wysokość Filip, z łaski Boga król Hellenów, ma zaszczyt nagrodzić porucznika Craiga W. Lowella Królewskim Orderem Domowym św. Jerzego i św. Konstantyna z wszelkimi towarzyszącymi mu prawami i przywilejami, w związku z najwyższym uznaniem, z jakim spotkała się w oczach Jego Wysokości wyjątkowa odwaga i dzielność porucznika Lowella w czasie jego działania w Grecji u boku 27. Królewskiej Dywizji Górskiej".

Brzmiało to równie niezwykle, jak niesamowicie wyglądał sam medal. Miał on wielkość dużego spodka i szycha z Waszyngtonu nie przypinała go do wypiętej piersi porucznika, ale przewiesiła mu przez ramię na purpurowej wstędze szerokości pięciu cali.

– Hej – zawołał nagle delikatnym głosikiem któryś z kursantów. – A kto to są ci Hellenowie?

– To Grecy, wieśniaku – pouczył go Parker. – Uważaj, bo ci słoma z butów wyłazi.

Przemądrzały czarnuch, pomyślał kursant.

Przez kilka dni wyciąg z rozkazu nadającego Craigowi medale (dostał on również mniej istotne odznaczenie amerykańskie, Army Commendation Medal, potocznie zwane Zielonym Szerszeniem) wisiał jeszcze na tablicy ogłoszeń kursu, aż w końcu ktoś go zerwał.

6

Gdy Craig się dowiedział, że Ilse dostała w końcu wizę, natychmiast udał się do dowódcy kompanii i poprosił o parę dni wolnego. Oświadczył, że chce poszukać mieszkania i wyjechać po żonę do Nowego Jorku. Nie omieszkał też dodać, że na pewno poradzi sobie z nadrobieniem zaległości w nauce, jako że jego średnia wynosi 98,4.

– Jest pan w wojsku, Lowell – odpowiedział dowodzący kompanią major – nawet jeżeli w pełni nie zdaje pan sobie z tego sprawy. Niech pan uważa, żeby ten przeklęty medal nie uderzył panu do głowy. Nie może pan tak po prostu wyjechać, kiedy ma pan na to ochotę, i zajmować się własnymi sprawami. W ogóle nie rozumiem, dlaczego pełnoletnia kobieta nie jest w stanie samodzielnie przesiąść się z jednego samolotu do drugiego. Jak już tu doleci, to dostanie pan przysługujące wam dwie godziny na zajęcie się mieszkaniem służbowym.

– Sir, nie zamierzam korzystać z przysługującego mi lokalu.

– Mamy wolne kwatery, poruczniku. Tam zamieszkacie. Ma pan jeszcze jakieś problemy?

Kiedy Craig zrelacjonował Parkerowi, jak chamsko obszedł się z nim major, Phil odparł, że powinien był się tego spodziewać, skoro przyjaźni się z czarnuchem. Sąsiad okazał się jednak niezawodny. Załatwił sprawę mieszkania, nikomu nie wspominając o tym ani słowem (prawdopodobnie za pomocą bourbona, ale Lowell nigdy nie dowiedział się o szczegółach). Na dzień przed przylotem Ilse Phil zabrał Craiga do rejonu, w którym zakwaterowano rodziny oficerów po przekształceniu dawnych koszar na mieszkania, i na drzwiach jednego z nich pokazał mu wypisany drobnymi literkami napis: „Por. Lowell". Po wejściu do środka okazało się, że mieszkanie dosłownie zapchane jest nowiutkimi meblami prosto z magazynów kwatermistrzostwa. Trzeba było tylko porozsuwać je po kątach wedle własnego gustu i uznania.

Craig pojechał na lotnisko po Ilse sam. Nie chciał, żeby Phil widział, jak przerażona i blada jak ściana pani Lowell w zaawansowanej ciąży schodzi chwiejnym krokiem na płytę lotniska ani jak oboje padają sobie w ramiona ze łzami w oczach. Ilse powiedziała mężowi, że Sharon wraz z teściami wyszła po nią na lotnisko, a następnie podwiozła do „jakiegoś Newark" i wsadziła do samolotu lecącego do Louisville.

Lowella rozczarowała nieco reakcja żony na żółtego packarda. Przyznała co prawda, że owszem, wóz jest piękny, ale szybko dodała, że chyba oszalał, wydając tyle pieniędzy, kiedy ona jest w ciąży, a jego matka ciężko chora.

– *Liebchen* – odrzekł Lowell – mam mnóstwo pieniędzy. Mamy mnóstwo pieniędzy. Mało kto ma tyle co my.

– Wiem – uspokoiła się Ilse, mówiąc to tonem, z którego Craig łatwo wywnioskował, że w ogóle nie zrozumie, o co mu chodzi.

Ilse była tak szalenie zadowolona z mieszkania wraz ze służbowym wyposażeniem, że Lowella zaczęło intrygować, jaka mogłaby być jej reakcja, gdyby zrealizował on swój pierwotny zamiar i zadzwonił do André Pretiera, oświadczając mu, że jest żonaty, i prosząc go, żeby albo osobiście udał się po Ilse na lotnisko bądź też wysłał tam szofera, który pomógłby jej się przesiąść na właściwy samolot.

Musiałby niewątpliwie uciec się do tego planu, gdyby Sharon nie zgodziła się wyjść po nią na lotnisko, nawet jeżeli matka miałaby się przy okazji dowiedzieć, że Ilse zaszła w ciążę przed ślubem. Wcześniej czy później i tak to do niej dotrze, a wkrótce będzie już babcią. Sharon chciała jednak pomóc Ilse i problem powiadomienia matki i ojczyma, że wkrótce zostaną dziadkami, można było spokojnie odłożyć na dalszą przyszłość.

Ilse uśmiechnęła się, ale zupełnie nie zrozumiała, po co Parker przysłał jej do mieszkania duży bukiet kwiatów w kształcie podkowy, z napisem „Wyrazy głębokiego współczucia" wymalowanym złotymi literami na purpurowej wstędze. Nie miała pojęcia, dlaczego rozśmieszyło to Craiga, i zaczęła nawet podejrzewać, czy to nie jest czasami wieniec, jaki przysyła się w Ameryce na pogrzeb.

Spontaniczna reakcja Ilse na małe, zagracone mieszkanko

z meblami oklejonymi tanią imitacją drewna i sztucznymi chodnikami (dywan w pokoju stołowym kojarzył się Lowellowi wyłącznie z ręcznikiem) zmusiła porucznika do pogodzenia się ze smutną prawdą o pochodzeniu społecznym żony. Starała się sprawiać wrażenie, że wywodzi się z rodziny z tradycjami, i zawsze podkreślała von przed nazwiskiem, nigdy nie chciała jednak rozmawiać na ten temat, gdy Craig wdawał się w szczegóły. Tylko raz spróbowała wyjaśnić mężowi, że jej ojciec był hrabią i pułkownikiem i rezydował na zamku w Marburgu (budowla ta wyglądała bardziej na willę niż na zamek, czyżby więc Ilse nie zdawała sobie sprawy z różnicy?).

Jeżeli faktycznie mówiła prawdę, to dlaczego była bez grosza? Dlaczego przyjechała do Bad Nauheim trudnić się najstarszym zawodem świata?

Ostatecznie Lowell doszedł do przekonania, że żona albo kłamie w żywe oczy, albo jej ojciec był faszystą, co zupełnie zmienia postać rzeczy. Po prostu wstydzi się, że żyła z nierządu (a przynajmniej do tego zmierzała, zanim poznała Craiga), i teraz zmyśla jakieś historie. Stwierdził jednak, że nie ma w tym nic złego, tym bardziej że traktowała jego wzmianki o bogactwie dokładnie tak samo jak on jej pretensje do arystokratycznych korzeni.

W istocie rzeczy pochodzenie żony nie miało dla Lowella najmniejszego znaczenia. Zupełnie mu na tym nie zależało. Sam też nie był przecież do końca z nią szczery, wmawiając jej, że matka jest ciężko chora i nie będzie mogła powitać synowej na lotnisku, podczas gdy nie miała ona nawet pojęcia, że Craig się ożenił. Miał już wtedy dość problemów na głowie i nie chciał ich dodatkowo mnożyć drażnieniem niezrównoważonej matki.

Porucznik nie wypełnił jeszcze limitu służby za granicą i obawiał się, że po kursie pancernym wyślą go gdzieś daleko w celu uzupełnienia tej luki. Przy odrobinie szczęścia umieszczą go może na Alasce albo w Japonii i będzie mógł zabrać ze sobą Ilse. Bardziej prawdopodobne było jednak to, że wyląduje w Korei, gdzie nie wolno sprowadzać rodzin, albo z powrotem w Niemczech, w których obowiązywał zakaz pobytu z małżonkami i krewnymi urodzonymi w strefie okupacyjnej.

Mogło więc dojść do tego, że Ilse będzie bardziej samotna w Stanach niż w swoim rodzinnym kraju, ale Craig nie poruszał takich tematów, starając się nie denerwować żony spekulacjami w przededniu rozwiązania.

7

Craig Lowell ukończył kurs na trzeciej pozycji. Dwa dni wcześniej Ilse von Greiffenberg-Lowell urodziła w szpitalu wojskowym w Fort Knox syna. Chłopczyk ważył siedem funtów. Była tak szczęśliwa, że, jak sama wyznawała mężowi, bała się, że to wszystko jest zbyt piękne, aby mogło być prawdziwe. Płakała z radości, gdy do szpitala doręczono jej srebrny kubeczek dla dziecka z życzeniami od „babci Pretier", i w ogóle nie podejrzewała, że przesłał go jej mąż.

Ku jej najwyższemu zadowoleniu dziecko chowało się zdrowo, a Craiga nie wysyłano za granicę, tak jak Phila Parkera. Lowella przydzielono bowiem do Akademii Wojsk Pancernych jako instruktora artylerii czołgowej, podczas gdy jego sąsiad z akademika dostał rozkaz wyjazdu do Japonii.

Dziecko ochrzczono w kaplicy garnizonowej numer trzy według obrządku Kościoła episkopalnego, który wymagał obecności dwóch ojców chrzestnych i matki. Dla Ilse było to bardzo ważne i, nie znając nikogo innego, kto mógłby jej pomóc, zadzwoniła do Roxy MacMillan i wyłuszczyła jej cały problem. Żona kapitana odpowiedziała, że ona i jej mąż z miłą chęcią przyjdą Ilse z pomocą, w kościele pojawiła się jednak tylko Roxy, tłumacząc, że Maca wezwano w pilnej sprawie do sztabu. Obaj ojcowie chrzestni Petera-Paula Lowella nazywali się więc dokładnie tak samo – Philip Sheridan Parker III i Philip Sheridan Parker IV, jako że ojciec Phila przyjechał z Kansas na wręczenie dyplomów i przy okazji pomógł w ceremonii. Jak sam często powtarzał, miał jeszcze w pamięci obraz Fort Knox, w którym stało tylko sześć budynków i cztery wychodki, chciał więc sprawdzić, co się zmieniło.

Pułkownik Parker zatrzymał się u Bellmonów. Bob opowiedział mu o swoich troskach dotyczących Lowella. Stwierdził jednak filozoficznie, że po pierwsze, Craig raczej przypadł mu do gustu, a po drugie, co się stało, już się nie odstanie.

8
Fort Knox, Kentucky
18 października 1947

Porucznik Sanford T. Felter wrócił z Grecji z dwoma Zielonymi Szerszeniami za wybitną operatywność w działaniach administracyjnych (nie było w tym nic dziwnego, zważywszy na to, że prawie przez cały czas pracował w sztabie dywizji) oraz z Legion of Merit, co zdarzało się rzadziej. Oprócz tego Grecy nadali mu jeszcze Wielki Order Rycerski św. Grzegorza Pierwszej Klasy.

W raporcie dołączonym do jego teczki osobowej wystawiono mu opinię, w której napisano, że jest „żołnierzem o słabej posturze, wykazującym zrozumienie materii wojskowej w stopniu znacznie przekraczającym to, czego należałoby oczekiwać od żołnierza z takim stażem i rangą". W dalszej części niedwuznacznie rekomendowano go do awansu na stopień kapitana i przydziału na stanowisko dowódcze w jednostce liniowej, wspominając jednocześnie, że wyraził on chęć pracy w wywiadzie i zdaniem autora opinii doskonale się do tego nadaje. Całość raportu „entuzjastycznie" potwierdził własnoręcznym podpisem dowódca Amerykańskiej Grupy Doradców Wojskowych w Grecji, generał porucznik James van Fleet.

Po pięciu dniach pobytu w mieszkaniu nad piekarnią na rogu Aldine Street i Chancellor Avenue w Newark Felterowi dostarczono za pokwitowaniem odbioru grubą szarą kopertę. W środku znajdowały się kopie trzydziestego trzeciego punktu rozkazu dziennego nr 101 Departamentu Wojsk Lądowych.

***

33. Por. piech. Felter Sanford T., 0-357861, Grupa Przerzutowa w Camp Kilmer, Nowy Jork, przeniesiony tymczasowo do Szkoły Języków Obcych w Presidio, San Francisco, na kurs nr 49-002 (Greka). W/w zgłosi się na miejscu 05.01.1948. Po ukończeniu kursu w/w zamelduje się w Fort Benning, Georgia, w celu odbycia przeszkolenia nr 49-442 (Zaawansowany Kurs Oficerski). Po ukończeniu w/w zostanie przeniesiony do Centrum Szkolenia Kontrwywiadu, Camp Holabird, 1019 Dundalk Avenue, Baltimore 19 na kurs 49-101 (tajne). Na miejscu w/w przejdzie pod jurysdykcję zastępcy szefa sztabu wojsk lądowych d/s wywiadu.

W/w należy się dieta dzienna w Szkole Języków Obcych oraz status oficera oddelegowanego na przeszkolenie do Fort Benning i Holabird. Zezwala się na korzystanie z transportu własnego do Presidio i Fort Benning oraz zabranie tam na koszt własny rodziny. Transport rodziny i dobytku z Newark do Holabird na koszt rządu Stanów Zjednoczonych.

Za szefa sztabu
Edward Witsell
generał major, komendant uzupełnień

Zapoznawszy się z rozkazem, Felter spędził jeszcze dwa tygodnie w domu, po czym wraz z Sharon spakowali, co się dało, do buicka super i ruszyli do Presidio, planując zatrzymać się po drodze w Fort Knox, gdzie nadal przebywał Lowell.

Mieszkał on wraz z Ilse i Peterem-Paulem, zwanym w skrócie P. P., w zamienionym na mieszkanie budynku koszarowym i poruszał się po okolicy olbrzymim kabrioletem.

Chociaż Craig kupił tak luksusową limuzynę, Felter w dalszym ciągu nie dowierzał jego opowieściom o rodzinnym bogactwie. Packard miał już przecież prawie sześć lat, mieszkanie umeblowane było wyłącznie sprzętami z magazynów kwatermistrzostwa, a Ilse nie nosiła kosztownych strojów.

Już pierwszego wieczoru Sandy zmienił jednak zdanie. W czasie gry w karty zepsuł się ołówek automatyczny, a on postanowił pójść do sklepu po nowy. Wychodząc, zerknął do szuflady biurka i dostrzegł w niej pięć niezrealizowanych czeków z pensją oraz wyciąg z konta, na którym znajdowało się 11 502 dolary 85 centów. Od tego momentu Felter gotów był uwierzyć Lowellowi we wszystko.

W tej samej szufladzie wypatrzył też rozkład zajęć Wydziału Szkolenia Taktycznego (Craig pracował tam jako instruktor artylerii czołgowej), na którym widniał podpis:

Robert Bellmon
pplk wojsk panc.
z-ca dowódcy wydziału

Sandy poprosił Lowella, by opisał mu, jak wygląda ten zastępca.

– Dlaczego pytasz? – zaciekawił się Craig.

– Znam go – odparł Felter. – Byłem... – urwał w pół zdania – to właśnie jego błagałem o przydział do Grecji.

– To podobne do tego twardogłowego idioty – skomentował Lowell z goryczą w głosie. – Ta szuja każdego wpuściłaby w maliny, gdyby tylko mogła.

Sharon i Ilse zarumieniły się, słysząc ten wybuch złości, i Sandy zmienił temat.

Następnego wieczoru, kiedy Craig miał w planie ćwiczenia w nocnym strzelaniu (Felter chętnie by im się przyjrzał, ale Lowell twierdził, że nic się nie da zrobić, bo w pobliżu będzie się kręcić ten cham Bellmon), a Ilse została w domu z P. P., ponieważ nie chciała oddawać go do garnizonowego żłobka, Sandy poszedł z żoną do kina. Po filmie postanowił skorzystać z nadarzającej się okazji i odwiedzić pułkownika Bellmona, którego zakwaterowano nieopodal kina, w piętrowym budynku z cegły, który jako żywo przypominał scenografię do filmu Hardy'ego.

Oboje byli bardzo stremowani. Sharon głównie dlatego, że nigdy nie miała bliższej styczności z wojskiem, jeśli nie liczyć dwóch potańcówek w West Point, a Sandy dawno już zapomniał, czego go uczono na wykładach z zasad żołnierskiego zachowania. Pamiętał tylko, że zalecano składać wizyty swym byłym przełożonym przed zameldowaniem się w nowej jednostce oraz to, że w recepcji wystawiano zwykle tacę na wizytówki. Wydawało mu się również, że tego typu odwiedziny nie są obowiązkowe, jakkolwiek mile widziane w wypadku, gdy przełożeni znają osobiście podwładnego, który służbowo czy też prywatnie przebywa na terenie ich obecnej jednostki.

Zbliżając się do drzwi betonowym chodnikiem przecinającym gładko wystrzyżony trawnik, Sandy nagle przypomniał sobie pozostałe zasady. Żony odwiedzających powinny mieć nakrycia głowy oraz rękawiczki. Sharon miała co prawda kapelusz, ale o drugiej z wymienionych części garderoby nie było mowy. Mimo to Felter zdecydował, że jest już za późno, żeby się wycofać.

Stanął przed gankiem i wyjął wizytówkę. W świetle lampy dostrzegł, że jest zabrudzona. Zamówił ich kiedyś ze sto sztuk, ale zużył jak na razie tylko jedną, kiedy chciał dokładnie oznaczyć skrzynkę na listy, żeby nie było problemów z jego pocztą. Nie mogąc nic poradzić na wygląd jedynej karty wizytowej, jaką miał przy sobie, zagiął jej róg, jak go nauczono robić w West Point, i zadzwonił.

W drzwiach ukazała się wysoka, atrakcyjna kobieta w luźnych spodniach i golfie.

– Witam – zagadnęła radosnym głosem.

– Dobry wieczór – wykrztusił Felter, wręczając jej wizytówkę.

Kobieta w dalszym ciągu uśmiechała się przyjaźnie, ale porucznik czuł, że w duchu śmieje się z niego do rozpuku.

– Ma się pan zameldować, panie poruczniku – odczytała nazwisko z wizytówki – Felter?

– Nie, proszę pani – sprostował Sandy. – Pragnę tylko złożyć wyrazy szacunku panu pułkownikowi.

– Bob – krzyknęła kobieta w głąb mieszkania, po czym dodała: – Proszę wejść. Jestem żoną pułkownika.

Stanęli niepewnie w przedpokoju. Po chwili wszedł Bellmon ze szklanką w ręku. Miał na sobie koszulę khaki i sweter. Przez ułamek sekundy Felterowi się wydawało, że pułkownik go nie rozpoznaje bądź też nie ma na to ochoty, ale sam Bellmon rozwiał błyskawicznie te wątpliwości i jowialnie powitał porucznika.

– Felter? Niech mnie kule biją!

– Tak jest, sir! To ja.

– Wchodź dalej – zapraszał pułkownik. – Cieszę się, że wpadłeś. Masz przydział do Knox?

– Nie, sir – odparł Sandy. – Czy mogę przedstawić żonę?

– Cała przyjemność po mojej stronie, pani Felter – odpowiedział pułkownik. – Rozumiem z tego, że znacie się już z Barbarą? – dodał. – Porucznik Felter był w kolumnie Parkera – wyjaśnił żonie.

Obie panie podały sobie dłonie, a Barbara z zaciekawieniem spojrzała na Feltera.

– A więc przydzielili cię do nas? – powtórzył pułkownik, wprowadzając Felterów do salonu, w którym nad kominkiem wisiał oprawiony w srebrne ramy portret generała majora Waterforda siedzącego sztywno na koniu.

– Nie, sir. Jestem tu tylko przejazdem – odrzekł porucznik. – Wybieram się do Szkoły Języków Obcych w Presidio.

– Cieszę się, że o mnie nie zapomniałeś – odparł szczerze Bellmon. – Już nieraz się zastanawiałem, co też mogło ci się przytrafić w tej Grecji.

– To był bardzo ciekawy przydział, sir. Zatrzymaliśmy się, żeby panu podziękować.

– Miło to słyszeć – zrewanżował się zamyślony pułkownik. – Nie mówię tego tylko dla czczej formalności, Felter. Naprawdę mnie to gnębiło, bo na godzinę przed tamtą rozmową dowiedziałem się o śmierci ojca – tu Bellmon wskazał palcem na wiszący na ścianie portret – i obawiałem się, że nie do końca nad sobą panowałem.

– Wydaje mi się, sir, że to był bardzo dobry przydział – zapewnił porucznik.

– Najpierw Presidio, a potem Dundalk? – zapytał Bellmon.

Przez moment Felter nie mógł nadążyć za pułkownikiem, zaraz jednak przypomniał sobie, że szkoła kontrwywiadu mieściła się w Baltimore przy Dundalk Avenue 1019.

– Tak jest, sir – odezwał się po dłuższym milczeniu. – Po drodze mam jeszcze Zaawansowany Kurs Oficerów Piechoty – dodał Felter.

– Świetnie.

Żona pułkownika zdumiewająco szybko pojawiła się w salonie z dzbankiem herbaty. Na jej widok Sandy odetchnął z głęboką ulgą: nie byłoby tego poczęstunku, gdyby wizyta nie była mile widziana.

– Co was sprowadza do Knox? – zaciekawił się pułkownik. – Przecież nie jechaliście taki kawał tylko po to, żeby nas odwiedzić?

– Mam tu przyjaciela, sir – wyjaśnił Felter.

– Kto to taki?

– Porucznik Lowell, sir – odpowiedział Sandy. – Odniosłem wrażenie, że pracuje w wydziale pana pułkownika.

– Zawiodłem się na tobie, Felter – uciął Bellmon. – Dopóki nie wymieniłeś tego nazwiska, widziałem w tobie jednego z bardziej odpowiedzialnych oficerów młodego pokolenia. Spotkałeś go oczywiście w Grecji?

– Tak jest, sir!

– Książę niestety nie należy do ulubionych poruczników Boba – wtrąciła pani Bellmon, śmiejąc się na głos.

– Udało mu się zrazić do siebie prawie całą szkołę, a mnie w szczególności – bronił się pułkownik.

– Spodziewałem się lepszych wieści – skomentował Sandy, uświadamiając sobie, że w zasadzie nie powinno go to przecież dziwić. Zaczął nawet żałować, że wspomniał o Craigu. – Można zapytać, co nabroił?

– Bob nie cierpi, jak go ktoś przechytrza – odparła za męża Barbara. – Kompletnie rujnuje mu to wizerunek samego siebie.

– Nie znoszę małpowania – oświadczył pułkownik. – Jestem żołnierzem i nie cierpię oficerów, którzy szydzą z armii. – Po chwili Bellmon złagodniał nieco i dodał: – Ten gnojek faktycznie mnie przechytrzył.

– Opowiedz, co zrobił – zachęcała Barbara. – Na razie zabrzmiało to tak, jakby ten Lowell dał nogę z kasą całego garnizonu.

– Słyszałeś o medalu – zaczął pułkownik. – O tym, który nadali mu Grecy?

– Tak jest, sir. Osobiście widziałem, jak na niego zasłużył.

– Byłeś tam? Za co go dostał?

– Przejął dowództwo greckiej kompanii po śmierci wszystkich oficerów i choć sam był dość ciężko ranny, nie pozwolił komunistom przedrzeć się przez nasze linie.

– To prawda? – ostrym tonem zapytał Bellmon.

– Tak jest, sir. Szedłem mu z odsieczą na czele kolumny zmotoryzowanej.

– Szlag by go trafił! – mruknął pułkownik. – Znowu mi dokopał. Jak go zapytałem, za co dostał ten medal, to odpowiedział, że za istotny wkład w rozwój stosunków grecko-amerykańskich.

Żona Boba parsknęła śmiechem.

– Do diabła, to wcale nie jest śmieszne – oburzył się Bellmon.

– Dla mnie jest rozbrajające – odparła Barbara.

– Nie powinno się żartować z odznaczeń za odwagę na polu chwały – upierał się pułkownik. – Nie ma w tym nic śmiesznego.

– Przesadzasz, Bob – uspokajała go żona. – Opowiedz im całą historię.

– Dobra. Powiem ci, jak widzę twojego koleżkę. Popraw mnie, jeżeli będę się mylił. Zanim jeszcze przydzielono go do mnie, zdążył już sobie wyrobić reputację cwaniaka na kursie. Generał jest bardzo dumny ze swego żółtego kabrioletu packarda, a tu ten cały Książę wyskakuje z większym, też żółtym i o wiele droższym autem tej samej firmy. Można sobie wyobrazić, co pomyślał o tym komendant!

– Dla mnie to było po prostu śmieszne – wtrąciła się Barbara.

– Ale nie dla generała – ciągnął dalej pułkownik – i nie dla mnie. Nie trzeba długo nad tym deliberować, żeby stwierdzić, że to dość kosztowny żarcik. Strach pomyśleć, jakie on musi płacić raty za to cacko.

– Sir? – przerwał mu niepewnie Felter, podnosząc wzrok na Bellmona. – Sir, Lowell jest zamożny. Naprawdę bogaty i stać go nie tylko na packarda, ale praktycznie na każdy wóz.

– No tak – westchnął Bob. – To wiele wyjaśnia.

– Powiedz mu o medalu – nalegała Barbara.

– Generał dawał nam do zrozumienia, że chce się pozbyć twojego koleżki natychmiast po ukończeniu kursu i wyekspediować go do Korei, ale ostatecznie wylądował on u mnie. Byłem święcie przekonany, że ma do wszystkiego dwie lewe ręce, i zrobiłem go instruktorem artylerii czołgowej. Łudziłem się, że w ten sposób da się go jakoś usadzić.

– A wyszło na to, poruczniku – żona weszła pułkownikowi w słowo – że on magicznie panuje nad pociskami w locie. Po prostu zmusza je siłą woli, żeby trafiały, i błyskawicznie stał się bożyszczem rekrutów i całej bandy sierżantów, którzy zawsze twierdzą, że podporucznicy nie są warci funta kłaków. Jego kursanci są zawsze o niebo lepsi od podwładnych reszty instruktorów, ale to jeszcze nie jest historia o medalu.

– Tylko o sierżantach – Bellmon ponownie przejął pałeczkę. – Nie powiem, żebym nienawidził wszystkich Niemców. Niewątpliwie są też porządni, sam to zawsze pierwszy podkreślam. Prawda jest jednak taka, że Niemki wychodzące za Amerykanów chcą się po prostu wżenić w majątek, a z tego, co mi wiadomo, żona Lowella jest Niemką. Mimo to muszę przyznać, że jest pod każdym względem prawdziwą damą.

– Cieszę się, że to powiedziałeś – Barbara podziękowała mężowi lodowatym tonem.

– Bardzo lubię Ilse – wtrąciła się niespodziewanie Sharon. – Lubię ją i bardzo mi jej żal. Najpierw straciła ojca na wojnie, a teraz jest zupełnie sama z dzieckiem.

– Mnie też przypadła do gustu – poparła Sharon żona pułkownika. – Niestety, rzadko ją widuję. Czasami wstyd mi za ciebie, Bob.

Felter zapamiętał sobie te słowa, bo zdawały się sugerować, że pani pułkownikowa akceptuje Lowella. W przeciwnym razie nie odzywałaby się przecież ani słowem lub też zbeształa męża na osobności.

– Mnie to nie interesuje – ciągnął dalej Bellmon, czując się wyraźnie nieswojo – ale jestem zdania, że żona oficera nie powinna szukać przyjaciółek wśród małżonek podoficerów, a porucznikom nie przystoi zadawać się na stopie towarzyskiej z sierżantami.

– Postaw się w jej sytuacji, Bob – upierała się Barbara. – Miałbyś ochotę iść na przyjęcie tylko po to, żeby wszyscy obecni dali ci jasno do zrozumienia, że jesteś prostytutką, która załapała się na smaczny kąsek?

– To straszne – przeraziła się Sharon.

– No to się zajmij tymi plotkami, kochana żono – nie wytrzymał pułkownik.

– Zrobiłam, co mogłam, kiedy była ku temu okazja – ucięła Barbara.

– Rzecz w tym, że ona nigdy nie dała ci szansy, bo nie chodzi na spotkania, a Lowell nie pojawia się ani w kantynie, ani na przyjęciach.

– Za to żyje na dobrej stopie z sierżantami i rekrutami – dokończył za Bellmona Felter, którego to wcale nie zdziwiło. W Grecji uchodziło mu to na sucho, bo takie były warunki. W koszarach, gdzie rygorystycznie przestrzegano etykiety i rozdziału oficerów od reszty żołnierzy, był to już jednak nietakt.

– Wezwałem go kiedyś – kontynuował pułkownik – i trochę z nim pogadałem. Nie spodobał mi się jego stosunek do wojska, ale nie mogłem mu zarzucić nic konkretnego. Ojciec opowiadał mi, że przed nowelizacją przepisów w roku 1928 istniało wykroczenie zwane „milczącą obrazą". Gdyby te paragrafy jeszcze obowiązywały, mógłbym go od ręki postawić przed sądem. Teraz musiałem to jednak puścić płazem. Napisałem mu tylko US.

– Co takiego? – wtrąciła Sharon.

– US, czyli Uwagę Służbową – wyjaśnił Bellmon. – Krok więcej niż zwykła uwaga, a krok mniej od listu z naganą.

– Przepraszam, to pewnie zabrzmiało bardzo głupio – tłumaczyła się żona Feltera.

– Nie przejmuj się – pocieszyła ją Barbara.

– Wypisałem mu więc tę ueskę – opowiadał dalej pułkownik – i zaznaczyłem, że oficerowie powinni brać udział w spotkaniach towarzyskich na swoim poziomie. Podkreśliłem też, że oczekuję od niego, by pojawiał się w regulaminowym umundurowaniu przy każdej okazji!

– A on się nie zjawił? – wtrącił Felter.

– Sęk w tym, że właśnie się zjawił – wyrwała się Barbara. – Wydano przyjęcie na cześć generała Dowbell-Howe'a z brytyjskiego Królewskiego Korpusu Pancernego, zaznaczając na zaproszeniach, żeby przypiąć wszystkie odznaczenia. Generał, szef sztabu i paru starszych pułkowników wystąpiło więc w wieczorowych mundurach oficerskich, a reszta w zwykłych wyjściowych. Bob nie zdążył sobie nawet jeszcze sprawić wieczorowego munduru, a tu do sali wkracza w nim Lowell. Bóg jeden raczy wiedzieć, skąd go wytrzasnął, ale poprzypinał do niego wszystkie odznaczenia, jakie miał, łącznie z tym wielkim jak talerz orderem od Greków, na purpurowej szarfie. Wyglądał, jakby wyszedł prosto z operetki.

– Nie bardzo rozumiem, czym się różni mundur wieczorowy od galowego – nieśmiało zauważyła Sharon.

– To taka kurtka na stójce z kamizelką i białym krawatem – objaśniła Barbara. – Coś w stylu barmana. Na spodniach są kolorowe lampasy dostosowane do rodzajów broni, w tym wypadku złote, a na plecach peleryna ze złotym podbiciem. Książę wyglądał jak młody bóg.

– Natychmiast odesłałem go do domu i przykazałem złożyć do siódmej rano pisemne wyjaśnienie powodów swego zachowania – dokończył Bellmon z cieniem uśmiechu na twarzy. – Zażyczyłem sobie wyłuszczenia przyczyn, dla których nie miał na sobie regulaminowego munduru.

– A twój kolega przysłał mężowi odbitkę fragmentu regulaminu, zalecającego noszenie stroju wieczorowego przy wszystkich okazjach dopuszczających użycie munduru galowego.

– Sir, bardzo możliwe, że on chciał się tylko jak najsumienniej wywiązać z rozkazu – stwierdził Felter. – Osobiście długo namyślałbym się przed kupnem takiego munduru, ale nie Lowell. On mógł go po prostu zamówić.

– Raczej nie, Felter – upierał się przy swoim Bellmon. – To było zrobione celowo.

– Opowiedz mu o strzelnicy, Bob – Barbara podpowiedziała mężowi. – To była najprawdziwsza ostatnia kropla goryczy.

– Jak dobrze wiesz, regulamin przewiduje, że oficerowie powinni co roku przejść przez kwalifikacyjne strzelanie z czterdziestki piątki i zmieścić się w normie – odezwał się Bellmon. – Dzięki szacunkowi, jakim Lowell cieszy się u przełożonych, wyznaczono go do przeprowadzenia tego strzelania na Wydziale Taktyki.

– I Książę zrobił to ściśle według regulaminu – wybuchnęła śmiechem żona pułkownika.

– Naprawdę cię to bawi? – zdenerwował się Bellmon.

– Kochanie, on po prostu przypomina mi ojca – odparła spokojnie Barbara. – Pomyśl tylko, szykowny mundur i te nie kończące się numery...

– Twój koleś, Felter, najzwyczajniej w świecie zameldował, gdzie trzeba, że trzydziestu ośmiu z pięćdziesięciu oficerów katedry taktyki nie zmieściło się w normie!

– Chwileczkę, Bob – przerwała mu żona. – W tym go poparłeś. Powiedziałeś, że na jego miejscu zrobiłbyś to samo, gdybyś tylko miał tyle odwagi w wieku porucznika.

– Nigdy nie miałem opinii cwaniaka tak jak Lowell – odrzekł pułkownik. – Szef wściekł się, kiedy to do niego dotarło. Strzelanie odciągnęło od pracy wszystkich oficerów na cały dzień, a trzydziestu ośmiu straci kolejny z powodu poprawki. Szef był święcie przekonany, że Lowell zrobił to umyślnie.

– Wysłał ich jednak na strzelnicę po raz drugi i trzydziestu jeden znów nie załapało się w normie – po raz kolejny nie wytrzymała pani Bellomon.

– Proszę pani, czy generał Waterford był pani ojcem? – bąknął Felter.

– Tak, owszem.

– Jeżeli się nie mylę, to właśnie on promował Craiga na stopień oficerski z szeregowca – oznajmił porucznik.

– Co?! – krzyknął Bellmon.

– Powiedziałem, że to generał Waterford promował Lowella na oficera – powtórzył Sandy.

– Ten cwaniak wykombinował jakiś kruczek i sam sobie załatwił promocję na oficera finansowego. Sprawdziłem to w papierach. Mnie też zaciekawiło, skąd on się wziął.

– Po co mój ojciec porywałby się na coś w tym rodzaju? – nie rozumiała Barbara.

– Z tego, co wiem, generał chciał, żeby Lowell mógł grać z nim w drużynie polo, a szeregowców do tego nie dopuszczają – wyjaśnił porucznik.

– Cały ojciec! – krzyknęła pani pułkownikowa i wybuchnęła gromkim śmiechem. – Proszę mówić mi po imieniu, poruczniku.

Bellmon zerwał się na równe nogi, podszedł do telefonu, który stał przy drzwiach, i wykręcił jakiś numer.

– Roxy – odezwał się. – Tu Bob. Jest Mac? – Nastąpiła dłuższa pauza. – Nie chciałbym cię niepokoić, Mac, ale właśnie usłyszałem zupełnie niedorzeczną historię i chciałbym ją sprawdzić. Co wiesz na temat promocji Lowella z inicjatywy generała Waterforda? – Znowu pauza, tym razem dłuższa. – Szkoda, że dopiero teraz się o tym dowiaduję, MacMillan – Bellmon chłodno skwitował wypowiedź kapitana. – W ogóle nie rozumiem, jak mogło ci przyjść do głowy, że mnie to nie zainteresuje?

Pułkownik odłożył słuchawkę.

Bob skinął głową na Barbarę, która znów zaniosła się śmiechem, i powiedział do Feltera:

– Jeden zero dla pana, panie detektywie. Ten diabeł MacMillan wiedział o tym cały czas i nigdy nie zająknął się ani słowem.

– MacMillan dobrze wiedział, co myślisz o Lowellu, i chciał się trzymać jak najdalej od niego – odezwała się Barbara. – Innymi słowy, kochanie, bał się, że może odpaść od koryta, jak wszystko się wyda. Dobrze wiesz, jak po mistrzowsku potrafi trzymać się stołka.

Bellmon spojrzał na żonę ze złością.

– Skoro już wiemy, że Lowell przyjaźnił się z ojcem – ciągnęła dalej Barbara – to będziemy chyba musieli zaprosić go wraz z żoną na obiad. Ciekawe, jak to strawi pułkownik.

Bellmon zmarszczył na chwilę brwi, po czym uśmiechnął się i oświadczył:

– Szef wierzy, że twój ojciec był nieomylny jak papież, nie powinno więc z tym być problemów. – Poklepał Feltera po udzie i dodał: – Ciągle mnie zadziwiasz. Jesteś istną kopalnią wiadomości.

9

Barbara Bellmon z najwyższą uwagą sporządziła listę osób zaproszonych na „mały obiadek", jakim postanowiła ugościć poruczników i ich żony. Co by powiedzieć, była przecież córką i wnuczką generała, która niecierpliwie oczekiwała na przyznanie szlifów generalskich swemu mężowi.

Przede wszystkim chciała zrobić coś miłego dla Lowella, tym bardziej że tak źle traktowano jego żonę. Oprócz tego zauważyła, że Bob lubi Felterów, i chciała przedstawić ich oficerom z Fort Knox. Ostatecznie zdecydowała się więc na zaproszenie jednych i drugich. Lowell i Felter będą jedynymi świeżo promowanymi oficerami pośród gości, dla wszystkich będzie zatem oczywiste, że Bellmonowie darzą ich sympatią.

Na liście zabrakło MacMillanów. Pani pułkownikowej szczególnie szkoda było Roxy, bo wiedziała, że ona z pewnością boleśnie to odczuje. Jej obecność nikogo by przecież nie uraziła. Nie żałowała za to Maca. Jak zwykle mocno trzymał się stołka i nie chciał się nieopatrznie narażać, skoro na liście figurował już Lowell.

Barbara z trudem znosiła kapitana. Teoretycznie był on oficerem i dżentelmenem, ale w praktyce udawało mu się realizować tylko to pierwsze. Wiedziała, że z czasem Mac ponownie wkręci się w łaski Boba; po pierwsze, był wyjątkowo gruboskórny i niewiele uczuć do niego docierało, a po drugie, Barbara rozumiała, że jej mąż zawsze będzie z nim jakoś związany. Byli razem w tym przeklętym obozie i Bob miał w stosunku do kapitana jakieś absurdalne poczucie winy. Wyglądało na to, że dopóki będą służyć w wojsku, Bellmon będzie go za sobą holował i wyciągał z tarapatów.

Barbara zaplanowała również elementy humorystyczne. Nie mogła się już wprost doczekać, jak zareaguje szef wydziału, gdy się dowie, że ten szczeniak, jak nazywał Lowella, był o wiele bliższy jej ojcu niż on sam w swych najlepszych latach.

Niektórym z podpułkowników też opadną szczęki, kiedy zobaczą, że Bellmonowie goszczą Lowella z żoną, a na honorowym miejscu siedzi lekko łysiejący Żyd, który po obiedzie wygłosi prelekcję o funkcjonowaniu Amerykańskiej Grupy Doradców Wojskowych w Grecji.

Pani pułkownikowa zdecydowała się także zadzwonić do mieszkania Lowellów i poprosić Ilse oraz Sharon, aby pomogły jej w przygotowaniach do obiadu. Żadna pomoc nie była jej naturalnie potrzebna, ale jeżeli obie panie zjawią się wcześniej, to nadarzy się stosowna okazja, żeby poinstruować je, kto jest kto i jak się zachować. Nie miały one przecież obycia w kontaktach z wyższymi oficerami i ich małżonkami, a to niewątpliwie ważna strona życia w wojsku.

Barbara nie mogła oczywiście wiedzieć, że Lowell potraktuje tę prośbę jako bezczelne wykorzystywanie zaproszonych gości do szykowania sobie przyjęcia. Na jej szczęście Felter odgadł jednak, co się kryło za tym telefonem, i podwiózł obie żony do kwatery Bellmonów o piątej, starając się jednocześnie powstrzymać Craiga od picia przynajmniej do czasu wyjścia z domu.

Gdy żona pułkownika poinstruowała już Ilse i Sharon, jak sobie radzić w towarzystwie wyższych szarż, Bob zaczął wprost wychodzić z siebie, żeby oczarować młode panie. Chwalił ich urodę i częstował reńskim winem (po części dlatego, że Ilse była Niemką, a po części z obawy, że mocniejszy trunek może im zaszkodzić).

– Z której części Niemiec pani pochodzi, pani Lowell? – zapytał, nalewając wina do lampek.

– Z Hesji – odparła Ilse.

– Znam ten land – ucieszył się pułkownik. – A konkretnie?

– Z małego miasteczka – powiedziała Ilse. – Z Marburga.

Oczywiście, pomyślał Bellmon. Marburg leży nieopodal Bad Neuheim, gdzie rzekomo spotkała Lowella. W chwilę później coś jeszcze skojarzyło mu się z Hesją i ogarnęło go wzruszenie.

– Ciekawa sprawa, pani Lowell – odezwał się. – Zarówno ja, jak i mój teść mieliśmy w Marburgu bardzo bliskiego przyjaciela.

– Naprawdę? – zdumiała się Ilse.

– Niemieckiego oficera, który studiował we Francuskiej Szkole Kawalerii w Saumur z generałem Waterfordem, a podczas ostatniej wojny był komendantem obozu jenieckiego, w którym przesiedziałem prawie dwa lata. To z gruntu szlachetny człowiek. Nazywał się Greiffenberg.

– Proszę? – ledwo słyszalnym głosem zapytała pobladła nagle Ilse.

– Powiedziałem, że mój przyjaciel nazywał się Peter-Paul von Greiffenberg – powtórzył Bellmon.

– *Herr Oberst* – bąknęła żona Craiga – *Oberst Graf Peter-Paul von Greiffenberg war mein Vater.*

– O Boże! – wykrzyknął pułkownik.

Sharon odniosła wrażenie, że trzeba to przetłumaczyć, i natychmiast zakomunikowała:

– Ona powiedziała, że wspomniany przez pana oficer jest jej ojcem.

– Znam niemiecki – uciął Bob znacznie ostrzejszym tonem, niż zamierzał, po czym również głośniej, niż mu się wydawało, zawołał żonę.

Barbara szybko nadbiegła z salonu.

– Co się stało? – zapytała, widząc głębokie wzruszenie na twarzach męża oraz Ilse, która z trudem powstrzymywała łzy.

– Pani Lowell – pułkownik przerwał w końcu milczenie – niech pani powtórzy, kto jest pani ojcem.

– Moim ojcem – Ilse zaczęła wolno i dokładnie po angielsku – jest oficer, którego znał pan pułkownik i jego teść.

Barbara spojrzała na męża.

– Von Greiffenberg – potwierdził Bob, wskazując ręką na Ilse. – To jego córka.

– Mój Boże! – westchnęła pani pułkownikowa.

– Szlag by go trafił! Znowu mnie wykiwał – warknął Bellmon.

Przez kilka sekund Barbara była zupełnie zdezorientowana, nie mogąc pojąć, o co mężowi chodzi.

– Nie przesadzaj – odezwała się w końcu. – Skąd miał wiedzieć, że to twój znajomy?

Widząc zdezorientowany wyraz twarzy Ilse, Barbara objaśniła jej całą sytuację.

– Nic się nie stało, kochanie, Bob rzeczywiście podziwiał twojego ojca, nie może wprost uwierzyć, że jesteś tu już tak długo i doskwiera ci samotność, a on o tym nic nie wie.

Lowell i Felter podjechali pod kwaterę Bellmonów w tym samym momencie co szef Wydziału Taktyki. Widok Craiga nieco zaskoczył dowódcę, ale w niczym nie równało się ono zdziwieniu, jakie ogarnęło go na dźwięk pierwszych słów powitania wypowiedzianych przez gospodarza.

– Żona wmawia mi, Lowell, że nie mogłeś wiedzieć, że znałem pańskiego teścia, i jakoś się z tym pogodziłem, choć w ogóle nie pasuje to do mojego toku rozumowania.

– Przepraszam, ale zupełnie nie rozumiem, o czym pan pułkownik mówi – odparł Craig.

– Mówię o hrabim von Greiffenbergu, poruczniku – wyjaśnił Bellmon – pańskim teściu i jednym z najszlachetniejszych oficerów, jakich dane mi było w życiu spotkać.

Lowell przyjrzał się pułkownikowi i zrozumiał, że mówi poważnie. A więc Ilse nie zmyślała. Jej ojciec rzeczywiście był pułkownikiem. Niech to piekło pochłonie.

Usłyszawszy podniesione głosy, Barbara wbiegła do przedpokoju i uśmiechnęła się szeroko.

– To niesamowite! – oświadczyła uroczystym tonem. – Właśnie odkryliśmy, że ojcem pani Lowell jest pułkownik, który dobrze znał się z moim ojcem i Bobem oraz zarządzał obozem jenieckim, w którym przebywał mąż.

– Ojciec pani Lowell?

– Tak. Pułkownik Peter-Paul von Greiffenberg – powtórzyła pani Bellmon.

– Nie do wiary. Kto by pomyślał?!

Na początek zaserwowano koktajle, następnie podano do stołu, a po obiedzie Bellmon bez żenady zrelacjonował wszystkim obecnym, co zaszło.

– Jak niektórzy z was już zapewne słyszeli – zakończył pułkownik – z sowieckiej niewoli oswobodziła mnie kolumna Parkera pod wodzą pułkownika Philipa Sheridana Parkera III. Zlokalizował nas jednak porucznik Sanford T. Felter, którego mamy zaszczyt gościć w naszym domu. Właśnie powrócił z Grecji i poprosiłem go, by nam w skrócie wyjaśnił, co się tam dzieje.

Porucznik Felter opowiedział z zadziwiającą jasnością o działalności doradców wojskowych, a także zręcznie prześledził tok działań od samego początku, aż do momentu swego wyjazdu. Barbara przekonała się, że tym razem mąż się nie mylił. Sandy miał mózg jak komputer i był o wiele lepszym oficerem, niż można to było wywnioskować z jego postury.

Martwił ją tylko Lowell. Od początku pił za dużo; poczynając od koktajli, a na podanej z deserem brandy kończąc, i nawet teraz, gdy rozparty na krześle słuchał ze sporym zainteresowaniem, nie rozstawał się z butelką.

Ostatnimi słowami swej przemowy Felter całkowicie nieświadomie otworzył puszkę Pandory: „W Grecji wykonywałem wyłącznie prace sztabowe. Na linii frontu przebywał za to porucznik Lowell i z pewnością będzie mógł coś dodać do moich objaśnień".

– Wszystko powiedziałeś, Myszowaty – odezwał się dobrze podchmielony Craig, machając niepewnie ręką. – Nie przychodzi mi do głowy nic, co mógłbym dodać, ale serdecznie ci dziękuję.

– Czepiałeś się wszystkiego na zajęciach z taktyki, Lowell. Aż dziw bierze, że nie podpadło ci nic w stylu dowodzenia van Fleeta! – wybuchnął nagle zachwycony własnym żartem kompletnie pijany podpułkownik.

– Biorąc poprawkę na odpadki z armii, jakie mu przysłano, van Fleet radził sobie doskonale – spokojnie odparł Lowell.

– Chyba g e n e r a ł van Fleet, poruczniku – odgryzł się uciszany przez żonę podpułkownik.

– Wielki Jim – pojednawczym tonem skwitował to Craig, dolewając sobie brandy – czyli van Fleet. Nadzwyczajny oficer.

– Ciekawi mnie pańska ogólna ocena sytuacji, poruczniku – zapytał szef sztabu, dochodząc do przekonania, że chyba za szybko spisał go na straty, jeżeli przypadł on do gustu Waterfordowi. Jakkolwiek na to patrzeć, dali mu w końcu ten błyszczący medal, a jego żona jest przecież córką oficera, który dobrze znał generała.

– Wątpię – skomentował uprzejmie Lowell, ale przestał się huśtać na krześle. Dopił brandy i wstał.

Barbara spojrzała błagalnym wzrokiem na Boba, ale pozostała im już tylko modlitwa.

– Moim zdaniem popełniliśmy w Grecji dwa kardynalne błędy – zaczął porucznik śmiertelnie poważnym tonem. – Po pierwsze dążyliśmy do narzucenia im siłą naszych pomysłów i organizacji, zakładając, że wiemy o niej absolutnie wszystko, a cała reszta świata to nieuki. Bzdura, panowie! Po drugie oficerów dobierano na drodze selekcji negatywnej, co jeszcze pogarszało skutki błędu numer jeden. Byłem do tej misji kompletnie nieprzygotowany, a niczym nie różniłem się od przeciętnego wysłanego tam oficera. Cała grupa była zbieraniną podrzutków, których wojsko pozbyło się jak na komendę. Ignoranci, tchórze, niezdary. Innych nie było.

– Nie przesadza pan, Lowell? – zaprotestował jeden z gości.

– Zanim wyjechałem, a nie przebywałem tam długo, zdążyliśmy się już pozbyć większości niekompetentnych niedorajdów – ciągnął dalej niewzruszony porucznik. – Odesłano ich do domu (najczęściej w trumnach), przekwalifikowano do odmierzania racji żywnościowych bądź też rozstrzeliwano za tchórzostwo. Pozostali, tak jak to było w moim wypadku, nauczyli się fachu z marszu.

– Mądrości z ust niemowlaka – burknął jeden z pułkowników.

– Co on powiedział o rozstrzeliwaniu za tchórzostwo? – głośnym szeptem dopytywała się jedna z żon.

– Jak się panowie będziecie zabierać do następnej operacji w tym stylu – kontynuował Lowell – to ośmielam się radzić, żeby wysyłać najlepszych, a nie najgorszych; takich, których wiedza wykracza poza podręczniki sztuki wojennej.

Wszyscy obecni wpatrywali się w Lowella jak w cud natury. Przecież był on tylko podporucznikiem, i to raczej nie do niego należało publiczne podważanie sposobu prowadzenia działań wojennych.

Naśladując jednego z wykładowców Akademii Wojsk Pancernych, Craig oświadczył:

– Aż do końca tej lekcji będę się zajmował wyłącznie pytaniami.

Na trzydzieści sekund zapadła kompletna cisza. Przerwał ją dopiero pułkownik, który lodowatym tonem oznajmił:

– Nie pozwolę, aby takie uwagi o tchórzostwie mogły ujść płazem. Na czym opiera pan te oskarżenia? Chyba nie zna pan tego z autopsji?

– Znam, sir.

– Wyczuł pan w kimś tchórzostwo? To pan chciał nam zasugerować?

– Podejrzewałem – odparł Craig. – Konkretna ocena spadła na barki innego oficera.

– W jakim sensie? – dopytywał się pułkownik.

– Aby wypełnić powierzone mu zadanie, ów oficer zmuszony był usunąć swego tchórzliwego dowódcę, tak samo jak on, absolwenta West Point.

– Co pan ma na myśli, mówiąc „usunąć"?

– Ściąć serią z *Thompsona*, sir – bez owijania w bawełnę odpowiedział Lowell.

– Wydaje mi się, panowie – po dłuższym milczeniu odezwał się Bellmon, czując, że porucznik mówi prawdę, a sytuacja wymyka się z rąk – że czas już przejść na werandę i przymierzyć się do strzemiennego.

Nieco później, kładąc się spać na łóżku rozłożonym w pokoju stołowym mieszkania Lowellów, Sharon zapytała miękkim głosem, czy Craig mówił prawdę, wspominając o rozstrzelaniu, czyli zamordowaniu z zimną krwią jakiegoś oficera.

– Tak. To była prawda – odparł Sandy. – Mimo to raczej sobie nie pomógł przytoczeniem tej historii. To się zdarza, kochanie, ale o tym się po prostu nie mówi.

Nagle Felterowi się przypomniało, jak *Thompson* drżał mu w rękach, a przed oczami stanął mu obraz staczającego się po zboczu wzgórza kapitana Watsona. Sandy odwrócił się na bok, chwycił żonę za ręce, przyciągnął ją do siebie i pomimo protestów Sharon, że mogą obudzić dziecko oraz że nie ma na to ochoty ani tu, ani teraz, spełnił swój małżeński obowiązek.

Było mu wstyd, bo jeszcze nigdy nie zrobił tego tak gwałtownie, choć Sharon wydawało się to nawet trochę zabawne i żartowała sobie, że jej mąż ma taką słabą głowę.

10

Parę dni po obiedzie u Bellmonów podporucznika Lowella przeniesiono ze stanowiska instruktora artylerii czołgowej w Akademii Wojsk Pancernych do Zakładu Wdrożeń, który zlokalizowany był również w Fort Knox, ale nie podlegał komendantowi bazy i funkcjonował jako niezależny ośrodek testujący nowe czołgi oraz inne pojazdy opancerzone.

W oczach oficerów obraz Lowella zmienił się nie do poznania. Nie brano go już za cwaniaka, który jakimś szwindlem wkręcił się do korpusu oficerskiego i grał na nosie całej armii, ale mimo jego niewybrednych uwag na przyjęciu zaczęto w nim dostrzegać młodzieńca ze znaczącej rodziny, którego możliwości przeczuł już sam wielki Porky Waterford. Dopomógł mu w tym jeszcze fakt, że ożenił się z córką niemieckiego arystokraty, który przez lata przyjaźnił się z generałem.

Wszyscy doszli do przekonania, że świętej pamięci dowódca miał rację i w chłopaku drzemią ogromne możliwości. Przecież Grecy nadali mu w końcu drugie co do ważności odznaczenie w państwie. Zrozumiano więc, że młody człowiek, który dowodził już kompanią na pierwszej linii, mógł się znudzić kursem oficerskim i wygadywać rzeczy, o których się milczy. W takiej sytuacji jeszcze silniej zaczęła przemawiać do wyobraźni jego trzecia lokata na przeszkoleniu oraz średnia 98,4.

Bellmon odbył krótką rozmowę w sprawie porucznika z pułkownikiem Kennethem J. McLeanem, który kierował wdrożeniówką. Nie było go na przyjęciu, ale służył za to w Afryce pod dowództwem Waterforda i oświadczył bez namysłu, że chętnie wykorzysta u siebie takiego zdolnego i rozbrykanego młodzieńca z fantazją. Następnego dnia głównodowodzący generał zatwierdził przeniesienie.

Lowella przydzielono do zespołu przeprowadzającego próby techniczne dziewięćdziesięciomilimetrowej armaty o zwiększonej prędkości początkowej pocisku, zaprojektowanej do czołgu *M26 Pershing*. Pierwotnie planowano wyposażyć tego następcę przestarzałego już *Shermana* w armatę kal. 75 mm, ale w czasie wojny niemieckie armaty czołgowe kal. 88 mm dały pancerniakom solidną nauczkę, w związku z czym wykonano prototypy nowego działa, którymi zajmował się obecnie Zakład Wdrożeń. Jeżeli próby wypadną pomyślnie, *M26* stanie się najpotężniejszym czołgiem świata.

Same testy nie były zbyt skomplikowane. Po prostu strzelano z nowej armaty we wszystkich wyobrażalnych warunkach, dopóki coś nie pękło, a wtedy do akcji wkraczali inżynierowie i technicy, którzy doprowadzali ją do stanu używalności.

W próbach brały udział trzy załogi, składające się z sierżantów oraz dowodzących wozami podporuczników. Pieczę nad całością sprawował podpułkownik, który zajmował się stroną administracyjną i techniczną. Craiga wyznaczono właśnie do trójki bezpośrednio dowodzącej czołgami na poligonie.

Pozostali dwaj porucznicy dowiedzieli się skądś, że szef wdrożeniówki zażądał przeniesienia Lowella z akademii, i od razu wyrobiło mu to u nich dobrą opinię. W oczach sierżantów młody dowódca, który zaczynał od szeregowca i miał już Odznakę Bojową Piechoty na piersi, nie był typowym przemądrzałym młokosem po szkole, co potwierdzało się na poligonie. Craig zachowywał się jak stary wyga (nie pieprzył) i dobry fachowiec (ten gnojek faktycznie wie, jak się strzela).

Żony oficerów z wdrożeniówki również zwiedziały się, że pułkownik zażyczył sobie przeniesienia Lowella, a kiedy zobaczyły Ilse w towarzystwie pani Bellmon (w sklepie i na lunchu), doszły do wniosku, że najwyraźniej jest ona wyjątkiem potwierdzającym obiegową opinię o Niemkach, i zaczęły robić, co tylko leżało w ich mocy, aby wciągnąć ją w życie towarzyskie.

Sam porucznik był zachwycony nowymi obowiązkami. Czołgi, na których prowadził instruktaż w akademii, musiały być użytkowane z najwyższą rozwagą, aby uniknąć niepotrzebnych awarii. Każda załoga oddawała w czasie trwania kursu dokładnie trzydzieści dwa strzały, ani jednego więcej. Kosztowało to tak wiele i tak nadwerężało lufę, że trzeba było uważać na każdy wystrzał. W Zakładzie Wdrożeń obowiązywała zasada dokładnie odwrotna. Lowell odbierał rano czołg z zakładu remontowego, gnał nim na poligon, ile mocy fabryka dała w silniku, przejeżdżał przez tor przeszkód na maksymalnych obrotach i strzelał do upadłego, zużywając czasami w jeden dzień dwa razy tyle amunicji co w ciągu czterotygodniowego szkolenia.

Jedynym problemem był brak starych kadłubów czołgów i skasowanych ciężarówek, do których strzelali. Te, które dostarczano na poligon, dosłownie rozszarpywali na strzępy.

Około południa wszyscy pakowali się do jeepa oraz ciężarówek i udawali się przez las na lunch do Fort Knox. Podjeżdżali pod Rod and Gun Club, zamawiali piwo i hamburgery, relaksowali się i wypełniali przy okazji karty prób dla działu analiz.

Przed trzecią Craig oddawał zwykle wozy mechanikom, o wpół do czwartej wracał do domu. Brał prysznic, bawił się z synem, czasem popieścił Ilse, a wieczorami wychodzili razem na zakupy lub do garnizonowego kina. P. P. był grzecznym dzieckiem i nawet na filmach nie marudził.

Lowell zaczynał w głębi duszy żałować, że zbliża się nieunikniony kres służby i zwolnienie do cywila. Z jednej strony za żadne skarby nie chciałby zostać w wojsku, ale z drugiej trochę było mu szkoda. Nie miał za to wątpliwości, że nie zagrzałby miejsca w Zakładzie Wdrożeń. Z pewnością wysłano by go gdzieś za granicę i postawiono na czele stołówki albo jakiejś innej kluczowej rubieży obronnej, jak to żartobliwie nazywał, a to Craiga zupełnie nie interesowało. Nie był nawet przekonany, czy pozostanie w wojsku w ogóle wchodziło w rachubę. Armia redukowała liczbę powołanych do służby czynnej rezerwistów i ewentualne przedłużenie służby pociągałoby za sobą konieczność stania się oficerem zawodowym, a do tego niezbędny był dyplom ukończenia studiów. Wiedział jednak, że nawet jeśli zbliżał się koniec życia w wojsku, to ostatnie pół roku i tak udało mu się spędzić bardzo przyjemnie, i cenił to sobie.

W pewien czwartek, gdy Craigowi pozostały już tylko dwa miesiące do cywila, przy drzwiach przepaścistego garażu, do którego wprowadzał lufą do tyłu czołg po całym dniu w terenie, czekał na niego pułkownik McLean.

Lowell kazał kierowcy zatrzymać wóz, kiedy pułkownik podniósł w górę prawą rękę, zeskoczył z wieży i dał mechanikowi znak, żeby zaparkował sam.

– Dzień dobry, sir – przywitał dowódcę, który położył mu rękę na ramieniu.

– Mam dla ciebie smutną wiadomość, Craig – odezwał się McLean – zmarł twój dziadek. Dzwonił twój kuzyn Porter Craig z Nowego Jorku.

Zakład Wdrożeń to nie szkoła, z której byle oficer nie puścił go do Nowego Jorku po Ilse. Zanim zdążył wrócić z poligonu, wdrożeniówka zajęła się już prawie wszystkim. Pułkownik przygotował rozkaz wyjazdu w trybie pilnym i załatwił rezerwację na samolot, a jego żona pomogła Ilse spakować rzeczy. Kiedy więc porucznik dotarł do domu, wziął tylko prysznic, przebrał się i mogli ruszać na lotnisko. McLean zaoferował się podwieźć ich swoim samochodem, dzięki czemu nie będą musieli się martwić, co zrobić z kabrioletem, który zostałby na parkingu.

– Proszę nas zawiadomić o dacie powrotu – dodał na odchodnym dowódca. – Wyślemy kogoś na lotnisko.

Pani McLean uparła się, żeby odprowadzić Lowellów aż do samolotu, i pomogła nieść plastikową torbę z pieluchami i innymi drobiazgami dla P. P.

– Mam rezerwację – powiedział Craig do kasjerki. – Proszę dwa powrotne do Nowego Jorku na nazwisko Lowell.

– Kochanie! Zapomniałam pieniędzy – zdenerwowała się Ilse, a żona pułkownika sięgnęła do torebki.

Lowell podał kasjerce kartę kredytową.

– Pierwsza klasa – dopowiedział.

Ilse chciała coś powiedzieć, ale zrezygnowała ze względu na panią McLean.

– Starczy ci gotówki, Craig? – zapytała pani pułkownikowa.

– Na taksówkę wystarczy – odparł porucznik. – Więcej nam nie trzeba. – Do cholery z tym wszystkim, pomyślał Lowell. Dość tego udawania.

Wziął bilety, sprawdził czas przylotu i zadzwonił do Broadlawns na koszt abonenta.

Po dłuższym oczekiwaniu słuchawkę podniósł Porter Craig. Porucznika od razu zastanowiło, co on tam robi. Czyżby matka upiła się przy zmarłym dziadku?

– Wylatuję z Louisville za dziesięć minut, Porter – zaczął

Lowell. – Będziemy w Nowym Jorku dwadzieścia po dziewiątej. Wyślesz kogoś na lotnisko?

– Nie możesz wziąć taksówki? – zdziwił się kuzyn. – Mam tu cały dom ludzi na głowie.

– Przestań się wygłupiać i przyślij limuzynę z szoferem. Dziewiąta dwadzieścia, linie Eastern, lot 522.

Craig odłożył słuchawkę i dostrzegł zdziwione spojrzenie żony szefa i niepewność na twarzy Ilse.

P. P. marudził przez cały lot, jakby przeczuwając, że coś się stało. Domagał się, aby go nieustannie trzymać na rękach, i zaczynał płakać za każdym razem, kiedy Ilse usiłowała Craiga o coś zapytać. Lowella cieszyło to jak nigdy w życiu. Nie miał teraz ochoty na żadne wyjaśnienia. Zajmie się tym później.

Na lotnisku LaGuardia w Nowym Jorku czekał kierowca w szarej liberii.

– Muszę go przewinąć – odezwała się Ilse, gdy podszedł do nich szofer.

– Porucznik Lowell? – zapytał, dotykając ręką czapki.

– Jest tu jakieś miejsce, gdzie żona mogłaby przewinąć syna? Zmieszana Ilse z niedowierzaniem przyglądała się kierowcy.

– Tak, sir – odpowiedział szofer. – Proszę za mną.

Na piętrze budynku lotniska otworzył nieoznakowane drzwi, za którymi znajdował się elegancki salon dla bogatych pasażerów. Gdy weszli do środka, zza biurka wstała pracująca tam stewardesa.

– Mogę w czymś pomóc, panie poruczniku? – spytała, zastępując mu drogę.

– To pan Craig Lowell – przedstawił go szofer. – Wnuk pana Geoffreya Craiga – dodał, zauważywszy, że kobieta taksuje jego pasażera wzrokiem.

– Proszę wejść – oświadczyła. – A to pani Lowell?

– Moja żona musi przewinąć naszego syna – mruknął Craig.

– Proszę tędy, pani Lowell – stewardesa wskazała drogę i poprowadziła Ilse do osobnego pomieszczenia.

Ona jest tym wszystkim kompletnie przerażona, pomyślał porucznik, podając szoferowi kwity na bagaż.

– Samochód stoi przy wejściu numer trzy – poinformował go kierowca. – Podejdą państwo do limuzyny czy mam tu wrócić?

– Spotkamy się przy samochodzie – odparł Craig, po czym podszedł do znajdującego się obok baru i zamówił dwie szkockie, które wypił duszkiem.

Okazało się, że czekał na nich chrysler z wydłużonym nadwoziem. Ciekawe, czyj to wóz, zastanowił się porucznik. W drodze do

Broadlawns Ilse nie zadawała żadnych pytań. Stwierdziła tylko, że P. P. zwymiotował i ma gorączkę. Kiedy samochód zatrzymał się pod rezydencją, zapytała jednak, gdzie się znajdują.

– Nazywają to Broadlawns – odpowiedział mąż. – Mieszka tu moja matka.

Na podjeździe przed domem stało kilka aut, przeważnie dużych limuzyn z szoferami, którzy gawędzili na poboczu. Do chryslera natychmiast podszedł kamerdyner i otworzył drzwi.

– Dobry wieczór, panie Lowell – przywitał się. – Rodzina czeka w salonie, proszę pani – dodał z brytyjskim akcentem.

Cała rodzina oraz kilku znajomych, których Craig nie bardzo mógł sobie przypomnieć, istotnie siedziała w salonie. W centrum uwagi znajdowała się jednak matka, która leżała na kanapie i miała wzrok wbity w drzwi prowadzące do holu.

Gdy spojrzała na syna, porucznik od razu dostrzegł, że jest kompletnie pijana.

– Craig! – zawołała, wstając niepewnie. – Tata nie żyje! – Nagle dostrzegła Ilse z P. P. na ręku i na jej twarzy odmalował się wyraz zdziwienia i zaskoczenia. – Nie wierzę... – zaczęła.

– Mamo, to jest Ilse – bąknął porucznik – a to Peter-Paul, twój wnuk.

– Nic nie rozumiem – odparła matka z melancholią w głosie.

– O Boże! – wybuchnął Porter Craig.

– To moja żona, mamo, a to nasz syn – powtórzył Lowell.

– Nigdy mi o tym nie wspomniałeś – odrzekła matka i podeszła do Ilse.

– Tak mi przykro z powodu śmierci pani ojca, pani... pani... – Ilse nie mogła sobie przypomnieć nazwiska, jakie teraz nosiła teściowa.

– Nie jest pani Amerykanką – z wyrzutem w głosie stwierdził André Pretier.

– Ilse jest Niemką, mamo – wyjaśnił Lowell.

– Widzę przecież – ucięła matka, odwracając się do syna. – Jak śmiałeś? Jak mogłeś mi to zrobić?!

– Na miłość boską! – zdenerwował się porucznik.

P. P. skrzywił się i zwymiotował na sam środek dywanu.

– Jezus Maria – jęknął Porter Craig.

– André!! – jęknęła matka, desperacko szukając wzrokiem męża. – Zrób coś z tym!!!

– Czego sobie życzysz, kochanie?

– Wyrzuć z mojego domu tę dziwkę z tym zarzyganym bachorem! – wrzasnęła piskliwie i pobiegła schodami na piętro.

– Mogłeś to lepiej rozegrać, Craig – stwierdził Porter.

– Jak będę potrzebował twoich wszawych rad, to się po nie zgłoszę – nie wytrzymał Lowell.

– Craig, chcę stąd wyjść – nie wytrzymała Ilse.

– Tak byłoby chyba najlepiej – stwierdził Pretier. – Przynajmniej, dopóki matka się nie uspokoi i jakoś z tym nie pogodzi.

– Craig! – powtórzyła Ilse ze łzami w oczach. – Chodź już!

– Jakoś nikt nie pamięta, że to mój dom – ryknął porucznik. – Opuszczę go, jak będę miał na to ochotę!

– A czego ty się spodziewałeś, wchodząc tu sobie ot tak z tą kobietą? – zdenerwował się Porter. – Pomyśl, Craig!

– Ta kobieta jest moją żoną, ty gruba świnio! – warknął Lowell.

– Nie pozwolę się obrażać – odciął się Porter.

– O Boże, Craig! Zabierz mnie stąd! – nalegała Ilse.

– Jedźcie do mojego mieszkania – poradził André Pretier. – Zadzwonię tam i uprzedzę, że będziecie u mnie nocować. – Porucznik spojrzał na niego tępym wzrokiem. – Znam twoją matkę, Craig. Jak tu zostaniecie, będzie jeszcze gorzej.

– Gdzie jest pogrzeb? – sucho zapytał Lowell.

– U Świętego Bartłomieja – odrzekł Porter. – Dziadek był w radzie.

Na schodach pojawiła się rozhisteryzowana matka.

– Won! Won! Won! – wrzeszczała z twarzą zalaną łzami.

– Widzisz, co narobiłeś?! – syknął Porter.

Obok niej stał zachowujący olimpijski spokój kamerdyner.

– Każ szoferowi zapakować rzeczy do samochodu – oznajmił mu porucznik – a potem zarezerwuj nam pokój w hotelu Waldorff i przyślij lekarza.

11

Ilse szlochała całą drogę do hotelu, nie chciała pójść z mężem ani na pożegnanie zmarłego w domu pogrzebowym, ani na nabożeństwo żałobne u św. Bartłomieja. Craig usiłował tłumaczyć, że matka nie ma nic przeciwko niej i jest tak nieobliczalna, że równie dobrze mogła przywitać synową z otwartymi ramionami, ale nie na wiele się to zdało.

Ilse nie czuła się bowiem wcale urażona tym, co zrobił czy powiedział jej małżonek. W istocie rzeczy nie była nawet zdenerwowana. Chciała po prostu natychmiast wyjechać z miasta i nie mieć już więcej nic wspólnego z rodziną Craiga.

Lowell siedział obok matki na nabożeństwie oraz w samochodzie wiozącym ich na cmentarz, ale nie odezwała się do niego ani słowem. Pomyślał, że nafaszerowała się jakimiś tabletkami.

Po pogrzebie do hotelu przyszli Pretier i Porter, ale Ilse zamknęła się w sypialni i nie miała ochoty ich widzieć. Gdy pytali o dziecko, Craig poinformował ich, że lekarz nie stwierdził nic groźnego. P. P. ząbkuje i źle zniósł lot samolotem.

Pretier wyjaśnił także, że gdyby zdawał sobie sprawę, kto jest faktycznym właścicielem Broadlawns, skontaktowałby się z porucznikiem, aby porozumieć się co do wynajęcia rezydencji bądź też wyceny i kupna, ale był święcie przekonany, że to posiadłość żony.

Lowell skłonny był mu uwierzyć.

– Zapomnijmy o całej scenie w Broadlawns – powiedział. – Byłem zdenerwowany i nie panowałem nad słowami.

– Dziadek z pewnością coś nam zapisał – odezwał się Porter.

– Jeżeli nie skłamał, to podzielił wszystko na pół – odrzekł Craig.

– Dobrze byłoby się spotkać, żeby to omówić – zaproponował Porter.

– Szabruj, co się da, drogi kuzynie – uciął Lowell. – Masz na to dwa lata.

– Co chcesz przez to powiedzieć?

– Dziadek bardzo chciał, żebym skończył Wharton. I chyba tak zrobię. Postudiuję dwa lata i wrócę – odparł Craig.

– W Wharton? – cierpliwie spytał Porter. – Przecież to są studia podyplomowe, a ty niczego nie skończyłeś...

– W wojsku nauczyłem się dwóch rzeczy, Porter – stwierdził sucho porucznik z jeszcze większym sarkazmem. – Po pierwsze dla chcącego nic trudnego, a po drugie od każdej reguły są wyjątki. Przyszło ci to kiedyś do głowy? Kto wie, może będę następnym prezesem rady nadzorczej i dyrektorem naczelnym...

X

1
Centrum Szkolenia Kontrwywiadu
Camp Holabird
1019 Dundalk Avenue,
Baltimore 19, Maryland
15 sierpnia 1948

Porucznik Sanford T. Felter spędził osiemnaście miesięcy, które upłynęły od wizyty u Craiga Lowella w Fort Knox, na intensywnej nauce. Przez pierwsze pół roku uczęszczał do Wojskowej Szkoły Języków Obcych w Presidio, kolejne pół spędził na Zaawansowanym Kursie Oficerów Piechoty w Fort Benning i w końcu dotarł do Centrum Szkolenia Kontrwywiadu w Baltimore.

Wojskowa Szkoła Języków Obcych była wówczas najlepszą placówką tego typu na świecie. Wszyscy nauczyciele płynnie posługiwali się wykładanym językiem (dla wielu z nich była to mowa ojczysta) i od pierwszych dni kładziono szczególny nacisk na wyłączne używanie tego języka.

– Dzień dobry, panie poruczniku – przywitał Feltera jego nauczyciel. – Powiedziałem do pana coś po grecku, jeżeli się pan jeszcze nie zorientował – wyjaśnił. – Od tej pory będziemy się posługiwać tylko greką. „Proszę powtórzyć za mną" brzmi w tym języku tak – podał odpowiednie wyrażenie. – Proszę powtórzyć.

– Dzień dobry, panie majorze.

– Dzień dobry, panie majorze – powtórzył Felter po grecku.

– Bardzo dobrze – stwierdził nauczyciel w tym samym języku. – To znaczy „bardzo dobrze" – wyjaśnił po angielsku.

– Tak jest, sir – zrewanżował się Sandy po grecku. – Znam to. Nauczyłem się w czasie służby w Grecji.

– Czyta pan?

– Tak jest, sir. Trochę lepiej niż mówię. Podobno mam straszny akcent.

Po przeprowadzeniu egzaminu pisemnego i ustnego do teczki osobowej Feltera dodano zaświadczenie o „bardzo dobrej znajomości języka greckiego w mowie i piśmie". Na jego podstawie komendant uzupełnień, za zgodą zastępcy szefa sztabu do spraw wywiadu, skierował porucznika na naukę języka koreańskiego.

Felterowie mieszkali w Kalifornii w małym bliźniaku z cegły. Dzielili go z rodziną porucznika z Hawajów, który urodził się w Chinach i prowadził zajęcia z języka kantońskiego. W mowie różnił się on ogromnie od koreańskiego, ale w piśmie, ku zdumieniu Feltera, oba języki były niezwykle podobne. Sandy ukończył kurs koreańskiego z wyróżnieniem, a gdy zdał odpowiedni egzamin, uznano go również za biegłego w kantońskim w piśmie i zaawansowanego w mowie.

Po sześciu miesiącach spędzonych na przedmieściach San Francisco Felterowie przejechali ponownie przez cały kraj w drodze do Georgii, tym razem szło to jednak znacznie wolniej, gdyż Sharon była w ciąży i często zatrzymywali się w przydrożnych motelach. To chyba najdłuższa ciąża na świecie.

Kwatery udostępnione uczestnikom Zaawansowanego Kursu Oficerów Piechoty w niczym nie przypominały bliźniaków z San Francisco, a filozofia szkolenia zdawała się polegać na prostej zasadzie doprowadzenia kursantów do absolutnego wycieńczenia nieustannymi ćwiczeniami w terenie.

Sandy'emu udało się więc jakoś przekonać żonę, że będzie o wiele lepiej dla niej i dla dziecka, jeżeli on przeniesie się do koszar, a ona wróci do Newark.

Z pobytu w Fort Benning Felter miło wspominał tylko dzień, w którym wezwano go do dowódcy kompanii. Wyraźnie wytrącony z równowagi major (święcie przekonany, że ma do czynienia z typowym Żydem uciekającym przed czarną robotą do kontrwywiadu) oznajmił mu wtedy, że właśnie otrzymał rozkaz z Departamentu Wojsk Lądowych nadający mu Bojową Odznakę Piechoty (Ekspert) oraz Brązową Gwiazdę, na której widniała oznaczająca dzielność na placu boju duża litera V.

Kilka lat później Sandy odkrył, że Wielki Jim von Fleet pojechał po prostu do Waszyngtonu i dzień w dzień przez pół roku tłumaczył, że oficerom przydzielonym do greckich pułków i dywizji należy się coś więcej niż zwykły Army Commendation Medal, i jakoś wbił to w końcu biurokratom do głowy.

Camp Holabird okazał się o wiele przytulniejszy od Fort Benning. W koszarach, podobnie jak w Georgii, nie było co prawda kwater rodzinnych dla słuchaczy, ale stanowiły one za to integralną część Baltimore i Felterowie mogli bez trudu wynająć mieszkanie.

Szkolenie trwało tak jak praca w zwykłym biurze od ósmej do piątej, porucznik nie narzekał więc na brak wolnego czasu, a dzięki temu, że było bardzo blisko do Newark, rodzicom łatwo było podjechać samochodem na weekend z dziećmi i wnukiem bądź też wybrać się pociągiem, jak to czasami czyniła matka Sharon.

Nie bez znaczenia był też fakt, że nieopodal leżała Filadelfia, gdzie Craig Lowell zapisał się do Wharton School of Business, i starzy przyjaciele mogli się często spotykać. Podczas jednego z takich wspólnych weekendów Felter nie wytrzymał z ciekawości i zapytał Craiga, jakim cudem dostał się na tę uczelnię, skoro nie ukończył żadnych studiów. Odpowiedź Lowella jak zwykle zupełnie go zaskoczyła. Stwierdził mianowicie ze spokojem, że zarząd szkoły ma zwyczaj robienia wyjątków dla właścicieli banków.

Większość zajęć, które Sandy odbywał w Centrum Szkolenia Kontrwywiadu, ogromnie go fascynowała, na niektórych ogarniał go jednak pusty śmiech. Dla własnego komfortu psychicznego ochrzcił je mianem Państwowej Szkoły Włamań i Kradzieży. Baltimore bardzo przypadło Felterom do gustu, tym bardziej że mieszkała tam spora grupa Żydów. Dzięki temu, że podczas wojny wielu emigrantów z Niemiec wstąpiło do kontrwywiadu i nadal napływały kadry niemieckojęzycznych poborowych pochodzenia żydowskiego, udało się zebrać wystarczającą liczbę praktykujących wyznawców judaizmu, aby odprawiać w szabat nabożeństwa pod przewodnictwem wojskowego rabina, a Sharon i Sandy mogli udzielać się we wspólnocie wiernych.

Oficerowie pochodzenia żydowskiego nie byli zbyt liczni, ale ze względu na to, że wśród zatrudnionych w służbach wywiadowczych przeważali cywile, restrykcje ograniczające kontakty towarzyskie z podwładnymi, których zdecydowaną większość stanowili Żydzi, były tu o wiele łagodniejsze niż w innych rodzajach wojsk, i od tej strony Felterom również żyło się łatwiej.

Z początku Sandy się obawiał, że zostanie zaszufladkowany jako Żyd i skończy gdzieś w Niemczech, uganiając się za zbrodniarzami wojennymi albo Niemkami polującymi na bogatych Amerykanów. Po czterech tygodniach szkolenia, gdy reszta kursantów nadal poznawała tajniki archiwów NSDAP, zabrano go jednak razem z pewnym majorem, z którym nigdy w życiu nie rozmawiał, do osobnego pomieszczenia na pierwsze zajęcia ze struktury sowieckich tajnych służb.

Tymczasem obiło mu się o uszy, że personel żydowski przeznaczony do prowadzenia denazyfikacji Niemiec nazywano „grupą d/s gazyfikacji", i bardzo się tym przejął. Postrzegał to określenie jako antysemicki żart, ale po dłuższym namyśle postanowił dać sobie spokój. Doszedł do wniosku, że wbrew pozorom oddaje ono sedno całej sprawy. Szkolono ich przecież do ścigania ludzi, którzy nadali „gazownictwu" akurat taki podtekst, i nikt inny, ale właśnie absolwenci kursu, w którym uczestniczył, mieli ostatecznie rozprawić się z tą niechlubną przeszłością. Oprócz tego Felter szybko spostrzegł, że nie ma to nic wspólnego z polem, na którym przyjdzie mu działać. Faszyzm żadną miarą nie stanowił już bowiem zagrożenia dla jego kraju; to jego miejsce zajął komunizm.

Po ukończeniu kursu wypłacono mu 350 dolarów specjalnego dodatku na zakup cywilnych ubrań i wręczono małe etui, w którym mieściła się odznaka, zdjęcie i legitymacja z nadrukiem „Okaziciel jest agentem kontrwywiadu US Army" oraz wyposażono w pięciostrzałowy rewolwer *Smith and Wesson .38 Special* z dwucalową lufą.

Na początek skierowano porucznika do 119. Oddziału Kontrwywiadu Pierwszej Armii, który rozlokowany był w biurowcu na 57. Zachodniej Ulicy, w samym sercu Manhattanu. W związku z tym Sandy chciał wynająć na miejscu mieszkanie, ale żona przekonała go, że to wyrzucanie pieniędzy w błoto, i ostatecznie wrócili do Newark. Przynajmniej nie będą ranić niczyich uczuć, trzymając się osobno w tak bliskiej odległości, argumentowała Sharon.

Codziennie rano porucznik Felter ruszał więc autobusem na Pennsylvania Station w Newark, jechał kolejką do Nowego Jorku i docierał metrem na 57. Zachodnią Ulicę.

119. Oddział Kontrwywiadu zajmował się głównie badaniem przeszłości ludzi, którzy ubiegali się o dostęp do materiałów zaklasyfikowanych jako „tajne" lub „ściśle tajne", a praca polegała na rozsyłaniu w teren agentów, którzy wypytywali znajomych i sąsiadów, co petenci robią, gdzie mieszkają, jak się uczyli etc.

Sandy zajmował się tym przez kilka miesięcy, po których awansował na zastępcę szefa oddziału, co oznaczało, że przejął na swoje barki całą robotę biurową. Oprócz niego tymi samymi zadaniami zajmowało się jeszcze trzydziestu sześciu agentów, w większości sierżantów, paru chorążych i jeden oficer, choć w rzeczywistości trudno się było w tym rozeznać, jako że nikt nie przychodził do pracy w mundurze.

Felter wyobrażał sobie pracę w wywiadzie zupełnie inaczej i zaczął się nawet zastanawiać, czy nie popełnił życiowego błędu i nie dał się ponieść fantazji, gdy spodziewał się, że będzie zajmował się czymś ważnym dla kraju. Niestety, jak dotychczas, marzenia zupełnie nie przystawały do szarej rzeczywistości.

Pewnego dnia absolutnie niespodziewanie wezwano go jednak do sztabu Pierwszej Armii na Governor's Island, na spotkanie ze szpakowatym mężczyzną, który mówił z takim samym akcentem jak Lowell. Zaprosił on Feltera na lunch i rozmawiał z nim na przemian po polsku, rosyjsku i niemiecku. Sandy łatwo się domyślił, że sprawdza jego znajomość języków, ale nie miał pojęcia, w jakim celu.

Testujący go mężczyzna urwał w pół zdania i odezwał się po angielsku.

– Słyszałem, Felter, że w pewnych okolicznościach zachowuje się pan jak diabeł wcielony...

– Nie mam pojęcia, kto mógł panu coś takiego powiedzieć – szczerze odparł porucznik.

– Paul Hanrahan – wyjaśnił mężczyzna. – Nasz wspólny znajomy.

– Pułkownik Hanrahan? Tak się o mnie wyraził?

– Przesyła panu najserdeczniejsze pozdrowienia – dodał nieznajomy.

– Gdzie on teraz jest?

Pytanie pozostało bez odpowiedzi.

– Co by pan powiedział na perspektywę spędzenia kilku lat w Berlinie?

– Nie narzekałbym – odrzekł porucznik.

2

Felterowie polecieli do Niemiec samolotem Pan American, zabierając ze sobą Sandy'ego juniora. Jako cywilnemu pracownikowi Departamentu Wojsk Lądowych, zatrudnionemu w komórce analizy produkcji na stanowisku księgowego (równoważnym stopniowi kapitana), porucznikowi oraz jego rodzinie przysługiwało prawo zajmowania kwatery oficerskiej oraz korzystania ze wszystkich udogodnień przewidzianych dla wyższych szarż, w tym oddzielnego szpitala i sklepów.

Przez pierwsze trzy miesiące zajmował się przesłuchiwaniem uciekinierów ze wschodnich Niemiec, zwracając szczególną uwagę na rozmieszczenie sowieckich jednostek wojskowych, a po zapoznaniu się z zawiłościami sytuacji w Polsce i wschodnich Niemczech zaczął się specjalizować w rozpoznaniu działań Volkspolizei, czyli paramilitarnej wschodnioniemieckiej milicji.

Po zdobyciu doświadczenia w tej dziedzinie Felter awansował na pierwszego zastępcę misji w Berlinie i uzyskał prawo rekrutowania Niemców, którzy ze względu na nienawiść do Rosjan bądź też żądzę pieniędzy gotowi byli przejść linię demarkacyjną i dostarczyć Amerykanom odpowiedzi na konkretne pytania postawione przez szefa misji lub centralę w Waszyngtonie, a dotyczące gospodarczej i militarnej sytuacji landów zajętych przez wojska sowieckie.

Sharon łatwo polubiła dawną stolicę Trzeciej Rzeszy. Razem z mężem i synem zamieszkała w Zehlendorfie, który nie ucierpiał podczas wojny tak bardzo jak reszta miasta, i nie mogła się nacieszyć wspaniałą kwaterą, którą im przydzielono. Nigdy wcześniej, nawet w San Francisco, nie żyło im się tak wygodnie.

Sharon zupełnie nie zrozumiała jednak, o co chodziło mężowi, kiedy ostrzegł ją, że niestety będzie musiała ograniczyć do minimum kontakty towarzyskie z żonami oficerów, którzy pamiętali go z West Point. Z pewnością zaciekawiłoby ich, co Sandy tu robi, a na to niezręczne pytanie nie można było nikomu udzielić odpowiedzi. Żona porucznika nie miała też pojęcia, dlaczego koniecznie musi wszędzie jeździć z kierowcą i z jakich przyczyn kategorycznie zakazano jej opuszczania kompleksu kwater bez „kierowcy" lub samego porucznika. „Karl jest bardzo miłym mężczyzną", powtarzała Sharon, „i na pewno nie był faszystą, ale on mnie przeraża. Po co wszędzie chodzi z bronią, Sandy? Dlaczego ty chodzisz z bronią?"

Niestety Felter nie mógł wytłumaczyć żonie, że kierowcę przydzielono jej do ochrony osobistej, a broń była niezbędna, ponieważ te chamy z drugiej strony granicy często dawały upust swemu niezadowoleniu z obecności przeciwnika przez inscenizowanie „wypadków drogowych" lub też oblewanie kwasem dzieci swych amerykańskich odpowiedników i zawsze niezawodnie znikały jak kamfora.

Na szczęście Sharon nieźle znała niemiecki i łatwo było jej zaprzyjaźnić się z Niemkami współpracującymi z mężem, a nawet z kobietami przypadkowo spotkanymi w sklepie, i jakoś do tego przywykła.

Kiedy nie było już żadnych wątpliwości, że wschodnie Niemcy dążą do przekształcenia oddziałów Straży Granicznej i wojskowych elementów Volkspolizei w regularną armię (tak samo jak Zachód transformował Grenzpolizei – Straż Graniczną i celników w jednym – w nowy Wehrmacht, ostatecznie nazwany Bundeswehrą), Sandy z własnej inicjatywy zaczął gromadzić dane potencjalnych oficerów. Jego placówka dostanie je również z pewnością z Organizacji Gehlena, ale porucznika pociągała możliwość ewentualnego porównania obu zestawów.

Jasne było, że do wojska przejdzie zapewne wielu oficerów Volkspolizei, ale nie wystarczy to raczej do sformowania sprawnej armii, co dawało Sowietom dwa wyjścia. Mogli albo awansować kadry Volkspolizei na stanowiska wyższe, niż pozwalały na to ich staż i umiejętności, opierając się wyłącznie na kryterium wierności Kremlowi i komunizmowi, lub też skorzystać z puli oficerów, których, wbrew oficjalnym zapewnieniom i dementi, wciąż przetrzymywano w obozach rozrzuconych po całym ZSRR. Felter regularnie upominał się o nich u władz radzieckich, obawiając się, że nie zawahają się one powtórzyć Katynia na bezkresnych pustkowiach Syberii. Od czasu do czasu docierały do niego plotki o masowych egzekucjach i choć nie był w stanie potwierdzić żadnej z takich informacji, to umacniały one w nim przekonanie, że Sowieci mają w zanadrzu jakiś plan.

Zdecydowana większość oficerów, których przez lata przymuszano do ciężkich robót, mogła im się bardzo przydać, gdyby zdecydowali się ponownie przywdziać oficerski mundur, tym bardziej, jeżeli nie musieliby składać przysięgi państwu komunistycznemu, ale, powiedzmy, rządowi Niemiec.

Ludziom tego pokroju nie powierzono by, oczywiście, stanowisk dowódczych, ponieważ do tego potrzebni byli oficerowie o prostych kręgosłupach ideologicznych, ale każda armia potrzebuje sztabowców, którymi mogą być tylko wykwalifikowani zawodowcy. Gdyby te etaty zajęli jeńcy z Syberii, to ci nieliczni o jedynych słusznych poglądach mogliby zostać dowódcami.

Decydując się na taki krok, Sowieci ryzykowali, rzecz jasna, że wśród tych apolitycznych trafią się jednostki, które przez lata uwięzienia nasiąkły nienawiścią do sowieckiego imperium i jego wschodnioniemieckich wasali i stały się podatne na wpływy Zachodu, czy to ze względów ideologicznych, czy też materialnych. Rosjanie z pewnością pilnowaliby tych oficerów bardzo starannie, ale dwu, pięciu, dziesięciu czy stu może umknąć ich uwagi i Sandy postanowił, że wyłowi ich tylu, ilu się tylko da.

Od strony technicznej całe przedsięwzięcie należało do Organizacji Gehlena i wszelkie działania na tym polu prowadzone z inicjatywy Feltera powinny być z nią konsultowane. Według regulaminu kontakty z tą organizacją musiały się odbywać za pośrednictwem szefa placówki i tylko on mógł kontaktować się z jej łącznikiem. Sandy czuł jednak w kościach, że coś tu nie gra, i nie ufał mu, choć jego bezpośredni przełożony nie żywił żadnych podejrzeń.

W pełni zdając sobie sprawę z tego, że robi coś, co jest podwójnie zakazane (nawiązywanie kontaktów poza regulaminem i zakładanie prywatnych archiwów), Felter zaczął gromadzić nazwiska jeńców, o których wiedział, że przebywają na Syberii. Kiedy uzbierał dane pięćdziesięciu trzech oficerów w stopniu od majora do podpułkownika, wybrał się do siedziby Organizacji Gehlena, znajdującej się w Amerykańskiej Strefie Okupacyjnej, nieopodal Monachium.

Ryzykując karierę, wręczył on listę grubemu analitykowi, który wyglądał jak radosny rzeźnik, i poinformował go, że to dane zebrane na własną rękę, wymagające sprawdzenia. Udając amatora, Felter poprosił jednocześnie o rozszerzenie kartoteki. Gruby Niemiec odpowiedział, że oczywiście nie może przyjąć materiałów, które nie nadeszły drogą służbową, ale szybko dodał, że jeżeli Sandy zaczeka kwadrans, to zwróci mu dane.

Po odebraniu listy porucznik stwierdził, że zostały do niej dopięte fotokopie trzech stron z podobnej kartoteki, a przy nazwiskach, które się powtarzały, dodane były krótkie biografie i numery katalogowe.

Przez następne miesiące porucznik dostarczył wesołemu rzeźnikowi prawie dwieście dalszych nazwisk, a w zamian otrzymał od niego ponad sto, których jeszcze nie miał. Jedno z nich szczególnie przykuło jego uwagę.

Greiffenberg, Paul (?), Oberstleutnant (?) NKWD 88-234-017, teczka Sicherheitsdienst, Berlin, 343-1904, Obóz nr 263 Kyrtymia (?) 18. 04. 1946 (numer katalogowy 405-001-732)

Felter wziął do ręki książkę telefoniczną i sprawdził, że w Berlinie mieszkają dwadzieścia dwie osoby o nazwisku Greiffenberg (biorąc pod uwagę wszystkie warianty pisowni). Ojciec Ilse miał jednak na imię Peter-Paul (dlatego syn Lowellów nazywany był w skrócie P. P.), był oberstem, a nie oberstleutnantem, i miał przed nazwiskiem von, czego brakowało wszystkim Greiffenbergom, jakich znalazł w berlińskiej książce telefonicznej. Oprócz tego Sandy doskonale pamiętał, że Bellmon opowiadał o rozstrzelaniu pod Zwenkau, było więc raczej niemożliwe, aby leżące przed nim dane wykraczały poza zwykły zbieg okoliczności.

Mimo to porucznik poprosił na wszelki wypadek Organizację Gehlena o udostępnienie mu akt o numerze katalogowym 405-001-732 i przesłał odpowiednie podanie drogą służbową przez szefa placówki.

Ten nie zwrócił na to uwagi, gdy odbierał prośbę Feltera, ale wściekł się, kiedy akta nadeszły w przewidzianym regulaminem terminie, i zrobił awanturę. Kazał Sandy'emu pilnować swoich spraw, zajmować się Volkspolizei i nie wściubiać nosa w akta długoletnich jeńców. „Na miłość boską, Felter – zakończył. – Ostatnia wiadomość o tym facecie datowana jest na marzec 1946. Do dziś mogli go już dawno rozstrzelać. Przecież wiesz, że dla nich to nie pierwszyzna!"

Porucznikowi nie dane było rzucić okiem na zamówione akta, a gdy zawitał następnym razem do Monachium, gruby Niemiec już tam nie pracował.

Nie zważając na tę wpadkę, Felter nadal rozbudowywał kartotekę i za każdym razem, kiedy tylko nadarzała się okazja przesłuchania jeńca wracającego ze Wschodu, zawsze wypytywał o pułkownika Petera-Paula von Greiffenberga. Niestety, nikt o nim nie słyszał.

3

Filadelfia, Pensylwania
21 kwietnia 1949

Craig Lowell, ubrany w tweedową kurtkę, białą koszulę bez krawata, luźne spodnie z flaneli i mokasyny, przeciął dziedziniec University of Pennsylvania i skierował się w stronę stojącego na parkingu samochodu Ilse. Nie był to już olbrzymi, stary packard, pozbyli się go zaraz po przeprowadzce do Filadelfii. Po pierwsze Ilse nie lubiła nim jeździć, a po drugie nie cierpiała, jak ludzie przystawali i gapili się na auto za każdym razem, kiedy wybierała się do miasta.

Craig kupił więc jaguara. Wóz bardzo przypadł mu do gustu, dużo mniej ciekawa była za to oferta kupna kabrioletu, jaką złożył mu właściciel autosalonu. Nie mogąc go wymienić na nowy, Lowell pozbył się starego auta tak, jak mu to podyktował temperament. Kazał dostarczyć go do Broadlawns z kokardą zawiązaną wokół ornamentu na masce i liścikiem przyklejonym razem z umową kupna–sprzedaży do koła.

Kochany André!
Dziękuję za wszystko. Staraj się trzymać tym powozem czarnej nawierzchni między drzewami.

Serdeczności
Craig

André uwielbiał markowe samochody, w związku z czym Lowell miał nadzieję, że jego gest spodoba się również matce. Ilse natychmiast pochwaliła męża za ten pomysł, dodając, że to będzie bardzo miła niespodzianka, nie zmieniło to jednak faktu, że bała się jaguara tak samo jak kabrioletu. Przeszło jej dopiero, kiedy pewnego dnia pojechała z Craigiem coś poprawić w nowym wozie, i czekając na załatwienie sprawy, weszła do sąsiedniego salonu.

— Ten jest słodki — stwierdziła spontanicznie, wskazując na samochód stojący na wystawie. — To drogie auto? — zapytała.

Nie namyślając się wiele, mąż kupił MG-TC na drucianych kołach.

W czasie jazdy sprawiał on wrażenie, jakby ktoś ciągnął blachę po asfalcie, ale Ilse dobrze się w nim czuła i nic nie było w stanie

Lowella bardziej ucieszyć. Wynaleźli sobie jeszcze tylko skromne mieszkanie na Parkway pod numerem 2601 i umeblowali je w stylu Danish Modern. Craigowi było to zupełnie obojętne, ale zgodził się chętnie, widząc, że modny wystrój wnętrza sprawia Ilse przyjemność.

Mieszkanie składało się z trzech sypialni, kuchni i olbrzymiego salonu na dwóch poziomach. Do wspomnianych już mebli Craig dodał jeszcze ogromne biurko, kilka biblioteczek, obrotową lampę na ruchomym wysięgniku oraz wypożyczoną maszynę do pisania, i kwatera gotowa była do zasiedlenia.

Czynsz za mieszkanie oraz opłaty za wynajęcie maszyny pokrywał fundusz powierniczy jego imienia, tak samo jak działo się ze wszystkimi wydatkami. Jako żonaty oficer z dwiema osobami na utrzymaniu Lowell dostawał miesięcznie od rządu 134 dolary i 80 centów, które oddawał Ilse na kieszonkowe.

Na własne wydatki miał zaś comiesięczny czek z fundacji i znacznie większy, otrzymywany raz na kwartał, którym płacił podatki i grał na giełdzie, gdzie inwestował także wszelkie inne niewykorzystane sumy.

Craig odrzucił kilkakrotnie propozycje współpracy wysuwane przez Portera. Za każdym razem powtarzał mu dokładnie to samo: „Poczekam, aż skończę studia i wrócę do Nowego Jorku, skąd łatwiej będzie ocenić koniunkturę".

Porter bardzo się starał od czasu pogrzebu. Niewątpliwie podlizywał się dla jakichś tam swoich celów, ale czasami okazywało się to całkiem przydatne. Przysłał na przykład Lowellowi zaproszenie na doroczną imprezę jeździecką Rose Tree Hunt w Main Line i choć Craig nie miał zamiaru polować, to z przyjemnością pograł trochę w polo i najeździł się do woli.

Ilse również jeździła konno i szło jej to bardzo dobrze. Sprawiało jej to tyle przyjemności, że zaczęła nawet wspominać lekcje hippiki, których udzielał jej ojciec, gdy była jeszcze małą dziewczynką, a podczas Rose Tree Hunt od razu znalazła się w towarzystwie co piękniejszych amazonek, których nie było przecież za wiele.

Dużo bardziej dokuczała Lowellowi uczelnia. Zdecydowana większość studentów Wharton była chorobliwie ambitna i Craigowi zupełnie to nie leżało. Dorównywał im co prawda wynikami w nauce, ale doszedł do aroganckiego przekonania, że jeżeli ci kretyni mają być jego konkurencją w Nowym Jorku, to nauka kompletnie nie ma sensu.

Obdarowanie André packardem okazało się niezwykle udaną inwestycją. Bez wątpienia to właśnie on doprowadził do rozejmu, jaki zapanował w stosunkach z matką, która dwukrotnie odwiedziła ich z mężem – pierwszy raz tuż po przeprowadzce do Filadelfii, a później w drodze do letniej rezydencji na Florydzie. Z niemiecką konsekwencją Ilse nie miała zamiaru przebaczyć teściowej sceny, którą urządziła w Broadlawns, dała się jednak przekonać, że dziecko potrzebuje babci, a może nawet odwrotnie, i biernie przyglądała się wizycie, pozwalając teściowej przez chwilę pobawić się z P. P.

Idąc na uczelnię, Lowell minął stojącą na parkingu makietę ciężarówki i nieoczekiwanie znalazł się sześć stóp od wylotu lufy z dziewięćdziesięciomilimetrowego działa M26, jako że ktoś właśnie obracał wieżę. Bez wątpienia był to najczystszy *Pershing*, jaki porucznik widział w swojej karierze. Tuż za nim stała platforma, na której przywieziono go pod uniwersytet, a dalej lekki czołg *M24 Chaffe*, samochody pancerne *M8 Greyhound*, parę ciężarówek i kilka jeepów. Wszystko to sprowadziła na dziedziniec Wharton rekrutująca ochotników Gwardia Narodowa Stanu Pensylwania.

– Chce pan zajrzeć do środka? – zagadnął kapitan w polowym mundurze.

– Nie – uśmiechnął się Lowell i pokręcił głową.

Po chwili rozmyślił się jednak, oparł teczkę o błotnik i wspiął się na wieżę po kole nośnym. Odczekawszy, aż jakiś uśmiechnięty od ucha do ucha potencjalny gwardzista wygramoli się z włazu dowódcy, Craig sprawnie wślizgnął się do wnętrza i opuścił na podłogę, gdzie czekał już na niego pomagający w akcji sierżant. O Boże, pomyślał Lowell. Jak tu wyglansowane! Nawet farba niezadrapana. To musi być absolutnie nowa maszyna z przebiegiem fabrycznym.

Sierżant zaczął mu kolejno prezentować działanie zamka, uchwyty na amunicję oraz siedzenie kierowcy, ale porucznik nie słuchał. Rozpoznał znajomy zapach czołgu, uśmiechnął się z przekąsem i wydostał na zewnątrz.

– Chciałby pan jeździć takim wozem? – zapytał uśmiechnięty kapitan.

– Owszem. – Lowell skinął głową.

– Jeżeli zechce mi pan poświęcić dwie minuty – zareagował błyskawicznie kapitan – to objaśnię panu zasady rekrutacji.

Nie mając ochoty oddalać się od czołgu, Craig zgodził się, sygnalizując to ruchem głowy.

Gdyby wstąpił do Gwardii, mógł się znaleźć albo w kompanii pancernej, albo rozpoznawczej, gdzie również były wolne etaty. Przeszedłby wtedy kurs obsługi czołgu, który odbywał się we wtorki wieczorem od wpół do ósmej do wpół do dziesiątej, a latem zostałby skierowany na dwutygodniowy obóz na poligonie, otrzymując w tym okresie pensję oficera zawodowego. Po zaliczeniu szkolenia wieczorowego oraz obozu uzyskałbyś zaś prawo do zapisania się na Zaawansowany Kurs Oficerów Rezerwy, po którym stałby się podporucznikiem rezerwy.

– Już jestem oficerem rezerwy – odparł Lowell.

– Tak? W jakim stopniu? – zaciekawił się kapitan.

– Porucznik – odrzekł Craig. – W czołgach – dodał po chwili, wskazując kciukiem na *M26*. – Byłem dowódcą plutonu.

(Lowella awansowano o stopień na dzień przed przejściem do rezerwy.)

– Po jakiej szkole? – pytał dalej kapitan. – Był pan w Knox?

– Uczyłem strzelania z *M4A4* – odpowiedział porucznik.

– Z taką maszyną nie miał pan więc styczności?

– Pracowałem na wdrożeniówce nad działem do tego czołgu – wyjaśnił Lowell. – Wiem o tym gracie o wiele więcej, niż mi to do szczęścia potrzebne.

– Przydałaby się nam pańska wiedza – zauważył kapitan.

– Dziękuję, ale nie skorzystam – odparł Craig.

– Możemy załatwić awans na kapitana – kusił wojskowy – i płacimy dzienną stawkę za te dwie godziny szkolenia. Co panu zależy. – Kapitan podał mu wizytówkę i poradził głęboko się zastanowić. – Nie nalegam, ale proszę wpaść w któryś wtorek do budynku przy Broad Street i rzucić na to okiem.

Sierżant z czołgu był na co dzień policjantem w Fairmount Park i szybko wyszło na jaw, że żaden z dowódców plutonu nigdy nie służył w wojsku. Wszyscy mieli za sobą tylko kursy wieczorowe i letnie obozy na poligonie. Jedynie pułkownik Gambino, brat sierżanta, służył przez dwa lata w batalionie transportowym, najpierw w randze majora z bezpośredniej promocji, a następnie podpułkownika, specjalisty od spraw organizacji ciężkiego transportu samochodowego. W rzeczywistości Gambino i syn byli spółką dysponującą od lat licencją na wywóz śmieci z północnej części Filadelfii.

– Nie mam zamiaru owijać niczego w bawełnę – zaczął pułkownik. – W zeszłym roku cały obóz w Indiantown Gap był jedną przeklętą kompromitacją. Mieliśmy dziesięć czołgów i ani jeden z tych gratów nie był w stanie wyjechać na poligon. Wszystkie się rozkraczyły.

– Ten z parkingu przed uniwersytetem też? – zdziwił się Craig.

– Wynajęliśmy go razem z mechanikiem ze 112. Pułku Piechoty z Harrisburga.

– Ma pan części?

– Cały magazyn tego złomu, ale nikt się na tym nie zna. Radziłem sobie tylko z *Shermanami*.

– Może mógłbym te dwudziestki szóstki uzdrowić – zastanowił się Lowell.

– Jak pan rozrusza te machiny, to zrobię z pana kapitana.

– Kapitana i dowódcę kompanii czołgów – Craig zaczął się targować. – Inaczej nie ma mowy o remoncie.

– Mamy już dowódcę kompanii. On jest szwagrem kwatermistrza i nie mogę go zostawić na lodzie.

– Panie pułkowniku. Jeżeli pan chce, żebym coś z tymi czołgami zrobił – Lowell zakończył pewnym głosem – to będzie się musiał pan na to zdobyć.

Kwatera Główna
111. Pułku Piechoty GN
305 North Broad St
Filadelfia

Rozkaz specjalny   15. 05. 1949
Nr 27

Wyciąg

3. **Por. Craig Lowell, 0-495302, rezerwa woj. panc., zam. Parkway 2601/2301, Filadelfia, wstąpił do Gwardii Narodowej stanu Pensylwania i został przydzielony do kompanii czołgów 111. Pułku Piechoty GN.**

4. **Por. Craig Lowell. W, 0-495302, kompania czołgów GN niniejszym awansuje na stopień kapitana GN z dniem 15. 05. 1949 na podstawie zarządzenia komendanta naczelnego GN z 11. 02. 1949 „O awansie o jeden stopień dla oficerów wypełniających luki w stanie osobowym GN".**

Z rozkazu pułkownika Gambina
Max T. Solomon
major GN

Kwatera Główna
111. Pułku Piechoty GN
305 North Broad St
Filadelfia

Rozkaz ogólny   15. 05. 1949
Nr 3

Niżej podpisany przejmuje z dniem dzisiejszym dowództwo.
Craig W. Lowell
kapitan GN

Przygotowanie wszystkich dziewięciu wozów do strzelania na letnim poligonie okazało się niewykonalne, ale Lowellowi udało się osiągnąć tyle, że bez problemów dojechały na rampę kolejową w Filadelfii i ze stacji w Indiantown Gap na poligon.

Craig wyszukał w kompanii jednego rzeczywiście kompetentnego mechanika oraz dwu chętnych, którzy nie mieli o niczym pojęcia, i w czwórkę doprowadzili do stanu używalności mechanizmy obrotu wież, celowniki i działa w trzech czołgach. Świeżo upieczony kapitan umorusany był smarem od stóp do głów, ale czuł się szczęśliwy jak nigdy w życiu. Żałował tylko, że w tych warunkach i z takimi ludźmi nie było szans na zrobienie tego z pozostałymi wozami.

Znalazło się jednak proste, choć nieuczciwe wyjście. Craig strzelał mianowicie trzy razy z tych samych, sprawnych czołgów. Oficerowie lustrujący poligon byli tak zaskoczeni, że wozy 111. Pułku ruszają się z miejsca, iż zupełnie nie zwracali uwagi na fakt (bądź też nie chcieli tego robić), że farba, którą wymalowano numery identyfikacyjne, była całkiem świeża i miejscami niedoschnięta, tak jakby ktoś te cyfry ciągle przemalowywał. Wszyscy bez wyjątku, od dowódcy dywizji do kapitana Lowella, byli w siódmym niebie.

Po poligonie Lowellowie całą rodziną zapakowali się do samochodu i na resztę wakacji Craiga wyjechali do Camp May, gdzie wynajęli domek letniskowy nieopodal plaży nad Atlantykiem. W każdy wtorek kapitan Lowell siadał jednak za kierownicą jaguara i dojeżdżał do Filadelfii na ćwiczenia.

W czasie tego urlopu Craig postanowił, że po ukończeniu studiów w styczniu i powrocie do Nowego Jorku spróbuje wstąpić tam do miejscowej Gwardii Narodowej. Do diabła, pomyślał, ludzie grają dla relaksu w golfa czy tenisa. Dlaczego ja nie mam dla sportu pobawić się w wojsko?

Lowell przywołał do porządku policjanta z Felcmount Park, który był szefem kompanii, on z kolei zrobił to samo z resztą sierżantów, a kapitan osobiście zabrał się za dowódców plutonów. W rezultacie jego kompania była zdecydowanie najlepsza w 111. Pułku Piechoty Gwardii, a może nawet całej dywizji, i nic tak nie cieszyło Craiga od czasu, gdy uczył Greków strzelania z *Garanda*.

Może to trochę dziecinne, pomyślał, ale na pewno zdrowe. Jeżeli cała reszta życia ma upłynąć mu na kalkulowaniu zysku z zainwestowanego kapitału, to trochę ruchu na świeżym powietrzu i ubrudzone smarem ręce na pewno mu nie zaszkodzą.

4
Sektor Amerykański
Berlin, Niemcy
21 maja 1950

Pułkownik Robert F. Bellmon, zatrudniony obecnie w Pentagonie, przyjechał do Berlina i odszukał Sandy'ego Feltera.

Zadzwonił do niego i zaproponował, że zaprosi go z Sharon na obiad, ale ostatecznie stanęło na tym, że Felterowie ugoszczą pułkownika w swej kwaterze. Porucznik zaoferował się nawet, że wyśle po gościa samochód, ale Bob podziękował, mówiąc, że to zbędne.

Feltera od razu zaciekawiło, skąd Bellmon zdobył jego numer, skoro nie podaje go żadna książka telefoniczna Berlina, i jak się dowiedział, gdzie są rozlokowane kwatery oficerów, jeżeli to także jest utajnione.

Sharon łatwo zorientowała się, że mąż lubi pułkownika oraz że w jakiś sposób to właśnie od niego zależy ich przyszłość, i przygotowała wykwintny obiad. Poprosiła pokojówkę, aby zabrała syna zaraz po powitaniu gościa, aby mały Sandy junior nie przeszkadzał obu oficerom. Po obiedzie sama również starała się pozostawić mężczyzn, aby mogli porozmawiać w cztery oczy, na wypadek gdyby musieli pogadać o sprawach zawodowych, ale za każdym razem, kiedy zbliżała się do drzwi, Bellmon nie pozwalał jej wyjść. Dopiero przy trzeciej próbie pułkownik stwierdził, że chciałby pogadać trochę z mężem na osobności.

Żona Feltera natychmiast oznajmiła, że musi sprawdzić, co robi syn, opuściła pokój, a Sandy zaproponował Bellmonowi brandy i postawił przed nim butelkę.

– Skąd pan wziął mój numer, panie pułkowniku? – zapytał, dobrze wiedząc, że stawia gościa w kłopotliwej sytuacji. Najwyraźniej nie jestem już młodym i niewinnie wyglądającym porucznikiem, pomyślał.

Bellmon wyjaśnił, że numer dostał od Hanrahana, co równało się stwierdzeniu, że on także pracuje teraz w wywiadzie.

– Pułkownik przesyła ci pozdrowienia i dopytuje się o Księcia – kontynuował Bellmon. – Ja też nic o nim nie słyszałem, od kiedy przeszedł do rezerwy. A ty, Felter?

– Ilse często pisuje do Sharon – odparł porucznik – a Craig doszedł do kapitana w Gwardii Narodowej Pensylwanii.

– Rany boskie! – krzyknął pułkownik. – Niech Pan Bóg ma w opiece gwardię!

Omyłkowo sądząc, że Felter zna MacMillana, Bellmon przekazał mu, że Mac ukończył szkołę pilotażu helikopterów i dostał przydział do Tokio.

– Podejrzewam, że MacArthur lubi mieć przy sobie ludzi z orderami – dodał. – Można z nimi powspominać.

– Jest blisko MacArthura?

– Dostał przydział do sztabu MacArthura – odrzekł Bellmon – ale on jest za sprytny, żeby pchać się za wysoko. Stary, dobry Mac wie, że za blisko ognia można się sparzyć. – Zmieniając nagle temat, pułkownik zapytał: – Nie pracujesz w mundurze, Sandy?

Pytanie daleko wykraczało poza zwykłą ciekawość.

– Hanrahan chciał to sprawdzić?

Bellmon zignorował tę uwagę.

– Jak ci się układają stosunki z szefem placówki?

Felter nie odpowiedział.

– Poprosił o kogoś na twoje miejsce – wyjaśnił pułkownik.

Skłoniło to porucznika do zastanowienia się, w jakiej roli Bellmon przyjechał do Berlina. Może nie była to zwykła wizyta towarzyska.

Równie dobrze Hanrahan mógł się wywiedzieć, że pułkownik leci do Niemiec, i zlecić mu rozmowę bądź też przekazać mu część swych kompetencji w związku z nowym stanowiskiem Bellmona w Pentagonie. W takim wypadku byłaby to wizyta oficjalna.

Sandy gubił się w domysłach i żałował, że pułkownik w ogóle wspomniał o tej prośbie. Nie czuł się nią wcale dotknięty, obawiał się jednak, że może zaważyć na jego opinii o szefie.

– Gdybym mógł sobie zażyczyć, aby to jego zmieniono, nie wahałbym się ani minuty – bez ogródek odpowiedział w końcu porucznik. – Miałbym ku temu powody, których on na pewno nie ma.

– Twierdzi, że notorycznie wykraczasz poza swoje kompetencje – dodał Bellmon.

– Taka jest rola oficera wywiadu. Ciągle musi balansować

pomiędzy węszeniem wszędzie, gdzie się da, a niewtykaniem nosa w cudze sprawy – filozoficznie stwierdził Felter.

Mówiąc to, uświadomił sobie nagle, że w całej armii znał tylko dwu oficerów, którym mógł bez autocenzury powiedzieć, co ma na myśli. Byli nimi właśnie Bellmon i Hanrahan; ten drugi ze względu na służbę w Grecji, a aktualny gość w związku z Katyniem i kolumną Parkera.

– Nie wydaje ci się, że przesadziłeś? – zapytał pułkownik.

Felter pokręcił głową.

– Tylko raz się zapędziłem, prosząc o akta jeńca nazwiskiem Greiffenberg.

– Akta Greiffenberga? Naszego Greiffenberga?

– Nie wiem. Znalazłem porucznika, bez „von" – odparł Felter.

– Myślisz, że on jeszcze żyje?

– Dwie szanse na sto – odrzekł Sandy – ale wydawało mi się, że warto pójść tym śladem, i starałem się robić to ostrożnie. Poprosiłem o teczkę, do której dostęp miał prawie każdy; kontrwywiad, Pentagon, nawet wywiad marynarki.

– Czego się dowiedziałeś?

– Dotarły do mnie dość wiarygodne informacje, że jakiś Oberstleutnant Greiffenberg znajduje się w obozie pracy na Syberii, a w Berlinie mieszka dwudziestu dwóch ludzi o tym nazwisku.

– Skąd to wytrzasnąłeś?

– Gromadzę prywatną listę potencjalnych oficerów armii wschodnich Niemiec – objaśnił porucznik. – Zająłem się tym nazwiskiem z przyczyn osobistych, ale nie tylko. Miałem przeczucie. Czasami idę za przeczuciem, choć fakty temu przeczą. Pamiętałem przecież, że ojciec Ilse zginął.

– Rosjanie rozstrzelali go na dzień przed waszym pojawieniem się w Zwenkau.

– Widział pan ciało?

– Rozstrzelali wszystkich Niemców – odpowiedział Bellmon.

– Pytam, ponieważ wykryłem, że nie stawiali pod murem od Oberstleutnanta w górę. Nawet z SS, a przynajmniej nie od razu.

– Nie widziałem ciała – przyznał pułkownik. – Nie chciałem, ale reszta chyba widziała.

– Wszystko opiera się na słowie „chyba" – odrzekł Felter.

– Oczywiście nie masz fotografii?

– Nigdy nie ujrzałem tej teczki – wyjaśnił Sandy. – Szef odesłał ją do Gehlena.

– Dlaczego?

– Chciał mnie usadzić – zasugerował porucznik.

– Co byś zrobił, gdyby okazało się, że to on?

– Proszę przekazać to Craigowi. Niech on zadecyduje – odrzekł Felter.

– Gdyby Sowieci mieli pojęcie, że on zna prawdę o Katyniu, już dawno by nie żył.

– Z pewnością.

– Szef placówki wie, że słyszałeś o Katyniu?

– Nigdy z nim tego nie omawiałem.

– O co mu więc chodzi? – dociekał pułkownik.

– Może nie lubi Żydów – zadumał się Felter. – Najprawdopodobniej jednak rzecz w tym, że zawsze się przy mnie denerwuje. Nie jest zbyt bystry i bardzo polega na łączniku od Gehlena.

– A ty nie?

– Nie.

– Nie będziemy cię przenosić, jeżeli sam nie wyrazisz takiej woli – oświadczył Bellmon. Może lepiej pracowałoby ci się ze mną w Pentagonie?

– Niewątpliwie, ale nie teraz – podziękował Felter.

– Chciałbyś tu coś doprowadzić do końca?

– Tak.

– Rozumiem, że to coś ważnego?!

– Na to wygląda.

– Hanrahan twierdzi, że zdrowego rozsądku nie powinno ci zabraknąć – pochwalił go pułkownik.

– Oby...

– Daj mi znać, jak będziesz gotów do wyjazdu. Przydasz mi się w Pentagonie, a to ci na pewno nie zaszkodzi w dalszej karierze.

– Rozumiem z tego, że zajmuje się pan czymś ciekawym?

– Coś w twoim guście, Sandy – odparł Bellmon.

– Bardzo chętnie, ale nieco później – raz jeszcze podziękował porucznik.

– Pamiętaj tylko, że jak zaliczysz teraz jakąś wpadkę, to będziesz spalony – ostrzegł go pułkownik.

– Zawsze mogę wstąpić do Gwardii Narodowej Pensylwanii – zakończył Sandy.

Obydwaj roześmiali się na głos.

5

Przez następne dni Felter wiele myślał o rozmowie z Bellmonem. Szef placówki mógł zdobyć się na napisanie prośby o wymianę zastępcy tylko za czyjąś namową, konkludował, a to wskazywałoby jednoznacznie na łącznika Organizacji Gehlena. To już kolejne niesamowicie silne przeczucie w tej sprawie, zauważył porucznik. Stopień zaufania zero, zadecydował.

Zastanawiał go też odsetek strat własnych agentów. Teoretycznie nie miał się czym martwić. Jak dotąd tracił ich mniej, niż należało się spodziewać, podejrzana była jednak nie ilość, ale jakość. Nie tracił ludzi, którzy chcieli dorobić sobie parę marek, ale agentów z doświadczeniem wykluczającym wyłapywanie ich jak zające, a tak niewątpliwie się działo.

Tak jak ostatnio, gdy jeden z jego niemieckich współpracowników zwerbował dawnego mieszkańca Drezna, trudniącego się obecnie przemytem, który zgodził się za pewną sumę wrócić do swego rodzinnego miasta.

Kiedy Felter złożył w tej sprawie meldunek szefowi placówki wraz z prośbą o przydział funduszy, przedstawił drezdeńczyka jako byłego kapitana Sicherheitsdienst zamieszkałego obecnie w Monachium i nie zapomniał zaznaczyć daty planowanego przerzutu przez granicę.

Trzy dni później rezydujący w tej okolicy agent zawiadomił porucznika, że drezdeńczyka zwinięto we wschodniej części Berlina przy wsiadaniu do autobusu. Policja nie pytała nawet o dokumenty; po prostu czekała, aż się pojawi, dobrze wiedząc, jak wygląda i czym się zajmuje.

Szef placówki z uwagą wsłuchiwał się w referowaną przez Feltera analizę możliwych przyczyn wpadki, po czym oznajmił, że łącznik, za którego generał Gehlen poręczył osobiście, żadną miarą nie może być podwójnym agentem, a wspomniany drezdeńczyk najzwyczajniej w świecie miał pecha. Porucznik wiedział tylko, że policja czekała na agenta i nie powinno go to dziwić, skoro handlował on na czarnym rynku, co w Niemczech Wschodnich jest zakazane. „W przyszłości, Felter", zakończył jego przełożony, „trzymajcie się w meldunkach faktów. Od analiz jestem ja!"

Zdaniem Sandy'ego, fakty wyglądały następująco:

a) Natychmiast po podaniu mu nazwiska potencjalnego agenta wysłał on swojego niemieckiego współpracownika poza Berlin i mógł być pewien, że przebywał on poza granicami miasta, nie wiedząc, czy ostatecznie zatrudnił on drezdeńczyka czy nie.

b) Osobiście wystukał na maszynie meldunek do szefa i nie dawał go do przepisania sekretarce, robiąc to samo z podaniem o przydział funduszy. Nie sporządził też kopii zwykle umieszczanych w archiwum i osobiście zaniósł dokumenty do przełożonego.

c) Sam szef najprawdopodobniej nie był podwójnym agentem.

d) Drezdeńczyka zwinięto, z góry wiedząc, gdzie będzie przebywał.

W miesiąc po wizycie Bellmona pułkownik Luter Hollwitz, który pomimo niemieckich korzeni swej rodziny był obywatelem radzieckim i zastępcą szefa placówki NKWD w Berlinie, wjechał za kierownicą opla kapitana do Amerykańskiej Strefy Okupacyjnej przez Check Point Charlie, zatrzymując się przy stacji metra na skrzyżowaniu Beerenstrasse z Onkel Tom Allee w dzielnicy Zehlendorf i poszedł na piechotę do stojącego jedną przecznicę dalej Hotel zum Fister. W małej jadalni wypił spokojnie szklanicę piwa i wszedł po schodach do pokoju numer trzynaście. Dwie minuty później dołączył do niego oficer łącznikowy przydzielony do Urzędu Analizy Produkcji przez Organizację Gehlena.

Obaj mężczyźni podali sobie dłonie jak starzy znajomi i zasiedli naprzeciwko siebie w wiklinowych fotelach.

Po kilku sekundach z brzękiem tłuczonej szyby do pokoju, przez wychodzące na małe podwórko okno, wpadł jakiś podłużny przedmiot. Pułkownik i łącznik zdążyli tylko rozpoznać kształt. Był to niemiecki granat, z racji swego kształtu zwany potocznie tłuczkiem do kartofli.

Zanim rozległ się głuchy dźwięk eksplozji, Sandy Felter zdołał już zsunąć się po drabince przeciwpożarowej na ziemię, wskoczyć na rower i podjechać zatłoczoną uliczką przed fronton Hotelu zum Fister.

Tak jak reszta ludzi na chodniku zatrzymał się, gdy usłyszał odgłos wybuchu, tak samo jak pozostali gapie rozglądał się dokoła i widział w oczach przechodniów ciekawość i zaskoczenie, po czym obojętnie wzruszył ramionami i oddalił się w sobie tylko znanym kierunku.

Kiedy sprawą zajęła się Kriminalpolizei, udało się jej ustalić nazwiska szesnastu ludzi, którzy znajdowali się w bezpośredniej bliskości hotelu w momencie eksplozji. Nikt z tej grupy nie pamiętał młodego rowerzysty.

W ciągu trzydziestu sześciu godzin zidentyfikowano ciała i na najwyższym szczeblu podjęto decyzję, że materiały Urzędu Analizy Produkcji zostały całkowicie zdekonspirowane. Szefa placówki przewieziono w trybie pilnym do Stanów Zjednoczonych, a sam urząd zamknięto. Całe wyposażenie – biurka, akta, stoły, a nawet telefony – oraz personel wraz z rodzinami przewieziono na lotnisko Tempelhof, załadowano do trzech samolotów C-47 z Lotnictwa

Mostu Powietrznego i przetransportowano do Monachium, gdzie oczekiwał już konwój ciężarówek. Po załadowaniu na samochody supertajna karawana ruszyła do leżącego w pobliżu granicy z Austrią Garmisch-Partenkirchen. US Army wynajmowała tam dla swoich żołnierzy tereny rekreacyjne, a inne agendy Amerykańskich Sił Zbrojnych zajmowały w tej samej miejscowości w bliżej nieokreślonych celach ciągnące się kilometrami labirynty kopalni soli.

Ośrodkiem rekreacyjnym zarządzał ten sam mężczyzna, który rozmawiał z Felterem przy lunchu na Governor's Island, najwyraźniej oficer służb specjalnych w stopniu podpułkownika. Razem z nim bawił w Ga-Pa pułkownik Hanrahan.

— Rozczarowałeś mnie trochę, Felter — odezwał się pułkownik. — Na pewno było to konieczne?

— Tak uważałem — odparł Sandy. — Miałem do wyboru: albo życie dwóch ludzi, albo trzynastu. I tak musielibyśmy oddać im Hollwitza, a zanim dogadałbym się z szefem, byłoby już po herbacie.

— Dlaczego akurat granat? — z czystej ciekawości zapytał nieznajomy. — Przecież to była starzyzna. Mógł nie eksplodować.

— Przerobiłem zapalnik — odrzekł Felter — i zastąpiłem materiał wybuchowy plastikiem.

— Roztropnie — sucho skomentował mężczyzna z Governor's Island.

— A co teraz? — spytał porucznik.

— Zdziwiłbyś się, gdybyś wiedział, jak wysoko to zaszło, zanim zadecydowano, że w tych warunkach należało właśnie tak postąpić — oznajmił Hanrahan.

— To nie jest odpowiedź na moje pytanie, sir — ośmielił się zauważyć Felter.

— Umiesz jeździć na nartach? — zapytał nieznajomy.

— Nie, sir.

— Nadarza się właśnie okazja, żeby się nauczyć. Przytrzymamy cię tu na przynętę, poczekamy, czy NKWD się w tym połapie.

— A rodzina? — zmartwił się porucznik.

— Mam nadzieję, że rozważyłeś ten problem, zanim podjąłeś ten samowolny krok — kontynuował nieznajomy. — Konkretna odpowiedź brzmi tak: przewiezienie rodziny do kraju rozwiązuje im problem z identyfikacją sprawcy. Zgadza się?

— Ta decyzja przyszła z góry — wtrącił Hanrahan.

— Podejrzewam, że zwalą to na Organizację Gehlena — oświadczył Felter. — Dobrze wiedzą, że zwykle wynajmujemy kogoś do mokrej roboty. Jak wykryją, że to nie była robota na kontrakcie, to pomyślą, że winny jest Gehlen.

– Jeżeli nie mają u niego jakiejś wtyczki – przerwał mu nieznajomy.

– Jedyny człowiek w organizacji, który wie, że to nie oni, to sam Gehlen – wyjaśnił Hanrahan. – Bardzo go to zażenowało.

– Co będę tu robić? – Felter zmienił temat.

– Niezależnie od okoliczności – stwierdził pułkownik – nie możesz już udawać cywila. Damy ci sfinksa na klapę i skierujemy do pracy w mundurze. W odpowiednim czasie dostaniesz awans, zgodnie ze zwykłą procedurą w wypadku osób dekonspirujących się podczas czynności służbowych. Nastąpi to mniej więcej za miesiąc.

– Możesz także zrezygnować – dodał nieznajomy.

– Czy to sugestia, sir? – upewnił się porucznik.

– Nie – wyjaśnił mężczyzna kierujący ośrodkiem. – To jedna z możliwych opcji. Wspominałeś przecież o rodzinie.

– Jestem przekonany, że całą winę zwalą na Gehlena – powtórzył Sandy.

Felterom przydzielono w Garmisch-Partenkirchen mieszkanie na piętrze dwurodzinnej willi ze stromym dachem, a porucznika mianowano wykładowcą struktury organizacyjnej Armii Czerwonej w Centrum Kształcenia Wywiadowczego Dowództwa Sił Amerykańskich w Europie.

W dzień po otrzymaniu awansu na kapitana (Sharon obraziła się, nie mogąc zrozumieć, dlaczego Sandy ma sam ponosić koszty wydanego z tej okazji przyjęcia, które kosztowało 300 dolarów) Felter się dowiedział, że jego były zwierzchnik z placówki w Berlinie został śmiertelnie ranny w wypadku na Collins Avenue w Miami Beach, a nieznany sprawca zbiegł.

6

14 grudnia 1949 dowódca kompanii czołgów 111. Pułku Piechoty Gwardii Narodowej kapitan Craig Lowell złożył rezygnację. Miała ona wejść w życie 16 stycznia, czyli w dzień po planowanym ukończeniu studiów w Wharton School of Business i wyjeździe do Nowego Jorku. Pułkownik Gambino bardzo żałował odejścia Lowella i zaofiarował się nawet wyszukać mu jakąś pracę w Filadelfii, jeżeli tylko zmieni decyzję, ale Craig podziękował mu i powtórzył, iż nieodwołalnie nadszedł czas powrotu.

Wychodząc owego wieczoru do domu, kapitan wstąpił jeszcze do baru na Broad Street, aby napić się z sierżantem i nabrać odwagi do zakomunikowania Ilse swych rzeczywistych planów.

Oświadczył on żonie, że w ogóle nie ma ochoty wracać do Nowego Jorku i absolutnie nie pociąga go perspektywa strawienia reszty życia na zarabianiu pieniędzy, które zresztą nie są mu potrzebne. Wystarczy, że się tym zajmuje Porter. Ku zaskoczeniu Lowella żona podzieliła jego zdanie i sama przyznała, że wyjazd do Nowego Jorku nie za bardzo jej się uśmiecha.

Craig zebrał się więc w sobie i oznajmił, że najchętniej wróciłby z powrotem do wojska, pytając jednocześnie Ilse, co o tym sądzi. Nie namyślając się długo, żona odparła, że powinien robić to, co mu sprawia przyjemność, a ona się dostosuje i będzie szczęśliwa.

W takiej sytuacji Lowell spędził następne trzy dni na układaniu, przepisywaniu i cyzelowaniu listu do krajowego komendanta uzupełnień, w którym prosił o przywrócenie do czynnej służby wojskowej.

Do ostatecznej wersji pisma Craig załączył również list od dziekana Wharton School of Business stwierdzający, że chociaż przyjęto go na uczelnię w ramach wyjątku, to uzyskał on absolutorium i wypełnił wszystkie wymogi niezbędne do przyznania tytułu magistra administracji i zarządzania.

Dziekan poświadczał, że gdyby Craig miał wcześniej ukończone studia, to Wharton School of Business przy University of Pennsylvania rzeczywiście nadałaby mu ten tytuł z wyróżnieniem, i przedłużał ważność tego oświadczenia na pięć lat, w ciągu których Lowell mógł się starać o nadanie tytułu pod warunkiem ukończenia w tym czasie jakichkolwiek studiów niższych.

Oprócz pisma dziekana Craig dopiął do podania jeszcze list od pułkownika Gambina, który napisał, że Lowell jest bez wątpienia najsprawniej działającym młodszym oficerem, jakiego dane mu było spotkać, i w związku z powyższym rekomenduje jego osobę jako jednostkę obdarzoną zdolnościami przywódczymi i administracyjnymi oraz sprawdzoną w praktyce wiedzą techniczną. Pułkownik nie wierzył oczywiście w ten stek bzdur i słusznie podejrzewał, że Lowell uważał go za dupę wołową, ale był przekonany, że coś się Craigowi od niego należy. Ten zarozumiały szczawik przejął kompanię niedorajdów, zrobił w niej porządek, rozruszał prawie zezłomowane czołgi i dostał celującą ocenę na letnim poligonie. Czego jeszcze można było chcieć?

4. Niżej podpisany jest w pełni świadom faktu, iż stopniem znacznie wyprzedza swój wiek, i godzi się na redukcję do rangi porucznika, jeżeli niniejsza prośba o przywrócenie do czynnej służby wojskowej zostałaby rozpatrzona pozytywnie.

Odpowiedź nie nadchodziła, Lowellowie zdecydowali się więc na przeprowadzkę. Pomógł im w tym wydatnie Porter, który oprowadził Craiga i Ilse po kilkunastu mieszkaniach zbudowanych na posesjach należących do funduszu. Niestety, żadne z nich nie zadowoliło żony kapitana.

– Wiem! – odezwał się Porter. – Najlepsze będzie The Mews.

– Co to, do diabła, jest? – zdziwił się Lowell.

Porter zaprezentował im tę posiadłość i Ilse wpadła w zachwyt. The Mews znajdowało się o jedną przecznicę od Washington Square w dzielnicy Greenwich Village i stanowiło rząd kamienic wybudowanych wzdłuż brukowanej ulicy. Fundusz rozporządzał jednak całym kwartałem i w praktyce oznaczało to, że uliczka ta stawała się prywatna na podobieństwo Shubert Alley. Porządkowy zatrzymywał ruch przy wjeździe i można było spokojnie zostawić wóz na chodniku, jeśli nie miało się ochoty na wjeżdżanie do garażu.

Fakt, że Mews nie było jeszcze wykończone, Ilse uznała za dobry omen. Dzięki temu mogła sama dobrać kolory ścian i osobiście dopilnować wystroju wnętrz. Do czasu dopracowania tych szczegółów Lowellowie wprowadzili się do apartamentów leżących nieopodal The Fifth Avenue Hotel.

Craig zaczął się rozglądać za pracą na Manhattanie. Na początek Porter dyplomatycznie zasugerował kuzynowi, aby przez jakiś czas jedynie bacznie obserwował rynek i wczuwał się w atmosferę świata finansów, starając się wyszukać jakiś odcinek, który szczególnie przypadłby mu do gustu. Lowell nie potrzebował jednak zbyt wiele czasu, aby dostrzec, że choć na drzwiach gabinetu Geoffreya Craiga nadal widniała stara wizytówka, to Porter faktycznie przejął zarządzanie firmą i po prostu czekał, aż Craig zrozumie, że to właśnie kuzynowi należy się stanowisko prezesa rady nadzorczej, a być może nawet podwójny fotel prezesa i dyrektora naczelnego. Na razie Porter „tymczasowo" pełnił obowiązki prezesa i głęboko wierzył, że skoro o wiele lepiej orientuje się w działalności firmy niż Craig, to, logicznie rzecz biorąc, należy mu się stanowisko dziadka.

W takim układzie dla Lowella pozostawałoby jedynie jakieś wysokie stanowisko, które odzwierciedlałoby wielkość jego udziału, na przykład dyrektora generalnego, ale nie dawałoby mu możliwości wchodzenia w drogę prezesowi.

Porter najwyraźniej uznał, że powinien raczej ustąpić, niż dążyć do bratobójczej konfrontacji, i Craig zaczął go za to szanować, sam również dochodząc do wniosku, że kużyn ma niewątpliwie większe predyspozycje do kierowania firmą, a ewentualna konfrontacja byłaby niezwykle kosztowna i całkowicie mijała się z celem. Ostatecznie postanowił więc przystać na zamiary kuzyna, ale nie podawać mu tego na talerzu. Niech się trochę pomęczy, stwierdził sam do siebie.

Craig udał się do 169. Pułku Piechoty Gwardii Narodowej Stanu Nowy Jork, aby sprawdzić, czy nie dałoby się wstąpić do tej formacji tak jak w Filadelfii, ale poinformowano go, że niestety wszystkie etaty oficerskie obsadzone są w pełni kwalifikowanymi rezerwistami. Zaoferowano mu tylko wpis na listę kolejkową, bez ogródek wyjaśniając, że w najbliższej przyszłości nie rysują się żadne szanse na jakieś wolne miejsce dla kapitana z jego kwalifikacjami. Od porucznika wymagano tu od trzech do siedmiu lat czynnej służby na stanowisku oficerskim, a najmłodszy stażem kapitan miał ich osiem. Lowell zaś mógł się wylegitymować jedynie dwoma latami służby czynnej i rokiem w Gwardii.

Kiedy Craig zrelacjonował przy lunchu całą sprawę Porterowi, kuzyn uśmiechnął się dobrodusznie i oznajmił:

– Trzeba było przyjść z tym najpierw do mnie, jeżeli faktycznie marzy ci się wojowanie dwa razy na tydzień. Pogadałbym z gubernatorem.

– Potrzebuję twojej rekomendacji u gubernatora?

– Przypomniałbym mu tylko, kim jesteś...

– To znaczy, ile dziadek mi zostawił?

– Można to i tak nazwać.

– Jestem wykwalifikowanym oficerem wojsk pancernych – obruszył się Lowell.

– Z tego, co mi powiedziałeś, wynika raczej, że te kwalifikacje wcale nie ścięły pułkownika z nóg.

– No to co – zdenerwował się Craig. – Do diabła z nim.

– Daj mi znać, jeżeli zmienisz zdanie – burknął Porter. – Choć za nic na świecie nie mogę pojąć, dlaczego chcesz zmarnować całe życie na uganianiu się po poligonie.

– Powiedziałem, że nic ci do tego. Daj mi spokój – uciął Lowell.

– Jeśli tak koniecznie chcesz być oficerem, to może ugrzeczniłbyś co nieco swoje maniery – nie dawał za wygraną Porter.

Craig spojrzał na kuzyna ze złością, po czym uśmiechnął się i dodał:

– Niech cię drzwi ścisną, Porter.

– Trochę lepiej – stwierdził kuzyn i obaj wybuchnęli śmiechem.

Wojsko wreszcie odpowiedziało na list Lowella do krajowego komendanta uzupełnień.

Kwatera Główna
Departament Sił Lądowych
Pentagon, Waszyngton, DC.

15. 05. 1950
201-Lowell, Craig kpt.   W.P. Craig Lowell
O-495302   Parkway 26012301
                                Filadelfia

Szanowny Panie Lowell

Uprzejmie dziękujemy za list z 19. 12, w którym ochotniczo zgłasza się Pan do przedłużonej służby czynnej. W związku z powyższym przeprowadzono szczegółową analizę Pańskich akt osobowych oraz zapotrzebowań armii w najbliższym okresie.

Zgodnie z aktualnymi przepisami nie rozpatrujemy pozytywnie podań o przedłużenie służby czynnej w wypadku oficerów, którzy nie ukończyli co najmniej studiów niższych na uznawanym przez państwo uniwersytecie bądź też innej szkole wyższej.

Pański staż na stanowisku oficerskim i długość służby w stopniu porucznika nie spełniają również kryteriów wymaganych na posiadany obecnie przez Pana stopień kapitana.

W następnym roku podatkowym eksperci Pentagonu ponownie przeanalizują Pańskie akta osobowe i wydadzą opinię, na podstawie której zastępca szefa sztabu d/s osobowych zadecyduje, czy utrzymać Pana w stopniu kapitana rezerwy czy też nie, i ewentualnie zaproponuje Panu stanowisko odpowiadające Pańskiemu wiekowi, stażowi i innym czynnikom. Decyzji należy spodziewać się w ciągu najbliższych sześciu miesięcy bezpośrednio od komisji ekspertów.

Z w/w przyczyn Pańskie podanie o przedłużenie służby czynnej nie może niestety zostać rozpatrzone pozytywnie.

Dziękuję za wyrażenie chęci współpracy z Siłami Zbrojnymi Stanów Zjednoczonych.

                              Z poważaniem
                              John D. Glover
                        major, komendant uzupełnień
                     z-ca szefa działu oficerów rezerwy
                            woj. panc. ODSC-P

Lowella bardzo korciło, żeby napisać do majora Glovera i dosadnie poinformować go, co sobie ze swoim przydziałem może zrobić, ale ostatecznie dał sobie spokój. Gra niewarta była świeczki.

7

Garmisch-Partenkirchen, Niemcy
30 maja 1950

Garmisch było przytulne i naprawdę ładne, ale żyło się w nim ciężko. Niewielu Amerykanów mieszkało tu na stałe, sklepy wojskowe były słabo zaopatrzone, a cały personel medyczny składał się tylko z grupy sanitariuszy zajmującej się połamanymi narciarzami, którą w okolicy nazywano „gipsownią". Na miejscu nie było nawet dentysty.

Rezydujący w mieście Amerykanie jeździli więc po wszystko do oddalonego o sto kilometrów Monachium. Mieszczący się tam Amerykański Szpital Wojskowy zapewnił opiekę pediatryczną Sanfordowi juniorowi i ginekologiczną Sharon, która ponownie była w stanie błogosławionym, a monachijskie sklepy wojskowe były największe i najlepiej zaopatrzone w całych Niemczech.

Sandy ustawił sobie plan zajęć w szkole w taki sposób, aby w piątek kończyć wykłady o jedenastej i móc dotrzeć do szpitala w Monachium przed czternastą trzydzieści. Było to możliwe dzięki temu, że pokonywał on tę trasę olbrzymim buickiem roodmasterem, którego odkupił po okazyjnej cenie od instruktora narciarstwa powracającego do kraju po złamaniu nogi. Felter szybko polubił nowy wóz, tym bardziej że Niemcy byli marnymi kierowcami i w razie kolizji duży samochód dawał o wiele większe poczucie bezpieczeństwa.

Wypady do Monachium stały się tak częste, że wykształcił się stały porządek dnia. Najpierw Sandy podwoził żonę do szpitala i jechał do miasta z wcześniej przygotowaną listą zakupów, a następnie wracał po Sharon i syna, w trójkę robili jeszcze drobne sprawunki, spędzali noc w hotelu Cztery Pory Roku i wracali do Ga-Pa w sobotę przed południem. Oboje starali się unikać jazdy nocą, a prowadzony przez wojsko hotel był bardzo elegancki i za tanie pieniądze oferował rzeczywiście dobre jedzenie.

W któreś z takich piątkowych popołudni na początku czerwca, w pierwszy prawdziwie letni dzień, Sandy wysadził żonę obok szpitala (syn został w samochodzie, jako że nic mu tym razem nie dolegało) i podjechał do sklepu. Wysiadł z buicka, wziął dziecko na ręce, żeby niepotrzebnie nie kręciło się między wozami, i niezgrabnym ruchem ręki zatrzasnął drzwi.

W tym samym momencie nie wiadomo skąd podszedł do niego wesoły rzeźnik z Organizacji Gehlena i zawołał:

– Jaki ładny chłopczyk!

– Dziękuję – odparł Sandy. – To mój syn.

– Taki podobny do mojego wnuka – ciągnął dalej jowialny grubas, wyciągając portfel, w którym miał schowane zdjęcie, i pokazał je Felterowi.

Nie była to jednak fotografia dziecka. Widniał na niej rosły, wychudzony mężczyzna w znoszonym roboczym ubraniu.

– Zrobione dziesięć dni temu – oświadczył rzeźnik. – Wyrica koło Leningradu – dodał. – Jeżeli wszystko pójdzie dobrze, to formalności potrwają kolejne dziesięć dni. Będę z panem w kontakcie.

– Jest pan pewny, że to on?

– Proszę mi wierzyć, kochany panie – swobodnie odparł porucznik Gehlena – to jest pułkownik hrabia Peter-Paul von Greiffenberg.

– Niech się pan nie obraża, ale to sprawa osobista – oznajmił Felter.

– Rozumiem – potwierdził grubas, najwyraźniej zadowolony z zaskoczenia kapitana. – Nasz wspólny znajomy pomyślał, że pułkownik Bellmon będzie tym zainteresowany, i poprosił mnie o przekazanie przez pana wiadomości o powrocie tego dżentelmena. – Wesoły rzeźnik schował portfel i zaczął cmokać na Sandy'ego juniora. Po paru chwilach dodał jeszcze: – Nasz wspólny znajomy chciałby pana zapewnić, że choć zdarzają się nam błędy, to na co dzień działamy dosyć skutecznie. – Uchylił kapelusza i oddalił się.

8
Marburg
24 czerwca 1950

Hrabia był wysoki i chudy jak szkielet. Miał zapadnięte oczy, ziemistą cerę i wszystkie inne klasyczne objawy długotrwałego niedożywienia. Garnitur, który Generalmajor Günther von Hamm uparł się mu podarować w Bad Hersfeld, żeby można się było pozbyć rosyjskich łachów, w których hrabia przekroczył granicę, zwisał na nim luźno. Mięśni właściwie nie miał. Uwierały go nawet buty, choć nikt nie rozumiał dlaczego, skoro uszyto je z mięciutkiej skórki.

Günther uspokoił przerażonego tymi darami gościa i powiadomił go, iż rząd wznowił wypłatę emerytur, dzięki czemu faktycznie stać go na podarowanie przyjacielowi ubrań oraz pożyczenie gotówki do czasu uregulowania jego własnej emerytury i zaległej pensji.

Pomimo to, że zjadł lunch, pułkownik nadal jechał w wagonie restauracyjnym. Poczuł się słabo i nie miał ochoty wracać do swojego przedziału drugiej klasy. Zapytał tylko, czy może zostać, i nie ruszył się z miejsca. Kelner widywał już jeńców wracających z Rosji w takim stanie i za każdym razem czuł się wtedy nieswojo. Jeżeli tylko mieli na to chęć, zawsze bez słowa zezwalał im odpocząć, choć wagon nie do tego był przeznaczony.

Hrabia doskonale wiedział, że przekroczył przepisy. Zgodnie z zarządzeniem powinien udać się do centrum repatriacji jeńców w Kolonii, ale gdy pociąg zatrzymał się w Kassel, na pierwszej stacji za granicą, po prostu wysiadł. Miał dość centrów, ośrodków i formalności. Podjechał autostopem do Bad Hersfeld i znalazł w książce telefonicznej adres Günthera i Grety.

Generał von Hamm podwiózł go do domu volkswagenem i już z samego tylko jego spojrzenia hrabia wywnioskował, że rzeczywiście musi bardzo źle wyglądać. Na tym się jednak nie skończyło; generał nie miał dla gościa dobrych wieści.

Wieczorem oznajmił on pułkownikowi, że jego żona popełniła samobójstwo, a córka rzekomo wyjechała do krewnych we wschodnich Niemczech. Günther starał się pocieszyć przyjaciela, mówiąc, że w takich sytuacjach bardzo pomaga Czerwony Krzyż i ułatwia kontakty przez linię demarkacyjną, ale hrabia wiedział, że generał nie wierzy w ani jedno z wypowiadanych słów. Zrozumiał, że wrócił w pustkę.

Poczuł się za słabo, aby jechać dalej, i przez kolejne cztery dni korzystał z gościnności von Hammów, którzy karmili go i nieustannie usiłowali pocieszać. Po paru dniach pułkownik oświadczył, że wraca do sił i obstaje przy swoim pierwotnym zamiarze. Chce dotrzeć do Marburga. Było to jedyne miejsce, do którego mógł się udać, i odkładanie wyjazdu nie miało już dłużej sensu.

Kassel wyglądało tak, jakby ktoś rzeczywiście zrównał je z ziemią. Hrabia pamiętał jeszcze, że Amerykanie dotarli tu od południa. Gdzieś w otchłani pamięci kołatał mu się komunikat wojenny, stwierdzający, że siły amerykańskie zajęły Giessen i posuwają się na północ, w stronę Kassel. Jeżeli zamieniono je w morze ruin, to co mogło spotkać leżący na jedynej drodze łączącej oba miasta Marburg?

Kiedy pociąg nieoczekiwanie wjechał do Marburga, hrabia nie posiadał się z radości. Miasto wyglądało na nietknięte.

Pułkownik wstał, podniósł przewiązaną sznurkiem tekturową walizkę i przypomniał sobie o napiwku dla kelnera. Pieniądze były nowe – marki zachodnioniemieckie zastąpiły niedawno marki Rzeszy i hrabia nie miał pojęcia, ile mogą być warte. Günther

343

pożyczył mu pięćset do czasu uregulowania wszystkich spraw majątkowych, pułkownik przyjrzał się więc banknotom i doszedł do wniosku, że pięć marek wystarczy. Wręczając napiwek, hrabia z zaciekawieniem dostrzegł, że w pięciomarkówkę wpleciona jest srebrna nitka.

Wstał, ostrożnie wyszedł z wagonu i stanął w przedsionku. Kelner podbiegł natychmiast za nim i oddał mu pieniądze.

– Witam w kraju, mein Herr – dodał.

– Dziękuję bardzo – odrzekł pułkownik. To bardzo wzruszające, pomyślał. Aż tak źle wyglądam?

Hrabia stanął przy oknie. Miasto faktycznie nie było zniszczone. Ludzie grali w piłkę na starym stadionie, a spomiędzy drzew strzelały w górę bliźniacze wieże kościoła św. Elżbiety.

Chwilę później w otwartym oknie pojawiło się stare miasto. To niesamowite, pomyślał. Nie ma żadnych zniszczeń. Wszystko wyglądało dokładnie tak, jak w dniu jego wyjazdu, tak jak się wyryło w jego pamięci.

Pociąg zwolnił i wjechał na stację. Hrabia zaczekał, aż skład się zatrzyma, po czym przeszedł na platformę między wagonami, gdzie znajdowały się schodki, i niezgrabnie powłócząc nogami, ostrożnie zszedł na peron.

Pułkownik w dalszym ciągu ściskał w dłoni pięć marek, wsunął je więc do kieszeni marynarki, a raczej usiłował to zrobić, gdyż obie były jeszcze zaszyte. Na szczęście spodnie nie były już łagrowymi łachami i hrabia nie miał z nimi takich problemów. Samo posiadanie pieniędzy przyprawiało go już jednak o zawrót głowy. Tak samo działali na niego ludzie. Byli tacy grubi i rumiani.

Dwóch mężczyzn obserwowało z peronu podróżnych wchodzących schodami do tunelu stacji. Policjanci, pomyślał hrabia. Nauczył się rozpoznawać ich na pierwszy rzut oka. Obaj spoglądali na coś ukrytego w dłoni jednego z nich. Pewnie zdjęcie, domyślił się pułkownik. Nie mogą czekać na mnie, skonstatował hrabia. Nikt o mnie nie wie. Nikogo nie uprzedzałem o przyjeździe. Mojego nazwiska nie było nawet na oficjalnej liście uwolnionych jeńców.

Pomimo to policjanci przyjrzeli mu się bardzo uważnie, gdy mijał ich obok schodów. Chyba dlatego, że byłem w niewoli, zadecydował pułkownik. Policjanci nie cierpią jeńców tak samo jak kryminalistów.

Wiedzą, pomyślał ze strachem. Wiedzą, że nie pojechałem do centrum w Kolonii. Przyszli mnie aresztować.

Nie oglądając się za siebie, hrabia wyczuł, że policjanci zeszli za nim po schodach. Ogarnęło go przerażenie. Jestem już tak blisko celu i znowu areszt? Dlaczego? Pułkownik przypomniał sobie, że powód wcale nie jest potrzebny. Państwo mogło sfabrykować ich dowolną ilość. Jeńcom nie trzeba przecież uzasadniać, dlaczego pozbawia się ich wolności.

Hrabia wszedł po schodach do głównej hali dworca. Budynek z grubsza przypominał stację sprzed wojny, ale było w nim coś nowego. Ciekawe co, pomyślał. Szkło. Oczywiście szkło, odpowiedział sobie natychmiast. Drzwi były teraz całe ze szkła, a poprzednio miały tylko szybki w masywnej, drewnianej konstrukcji. Stację pewnie zbombardowano i przy odbudowie postarano się o nowe, domyślał się pułkownik. Zastanawiało go jednak, dlaczego się nie tłuką; nie przypuszczał, aby ktokolwiek bawił się w delikatne zamykanie. Potem pomyślał, że niepotrzebnie obawiał się policjantów. Prawdopodobnie szli za nim zupełnie przypadkowo.

Hrabia sięgnął ręką do drzwi. Wyjścia były zautomatyzowane i pułkownik przyglądał się, jak zamykają się bez niczyjej pomocy. Hrabia ponownie wyciągnął rękę, usiłując dotknąć szkła. Zanim zdążył to zrobić, drzwi rozsunęły się z sykiem. Jak to możliwe, zdziwił się pułkownik. Wyszedłszy na zewnątrz, dostrzegł znajomą sylwetkę Cafe Weitz przy Bahnhofstrasse. Jeszcze działa, zachwycił się.

Ktoś pstryknął za nim palcami. Hrabiego przeszedł dreszcz. Odwrócił powoli głowę i zobaczył, jak jeden z policjantów wskazuje go komuś z przodu.

Za co chcą mnie aresztować, zamyślił się pułkownik. Jaka może być kara za to, że nie pojechałem do Kolonii. Nagle zaświtała mu myśl, że to tylko rutynowe przesłuchanie. Wojsko chce się dowiedzieć, co widział w Rosji. Pamiętam wnętrze służbówki w obozie drwali na bagnach i to wszystko. Spokojnie mogę im powiedzieć, że nie widziałem nic istotnego z punktu widzenia wojskowości, ale na pewno nie uwierzą. Będą chcieli mnie przesłuchać, tak jak to przewiduje regulamin.

Hrabia zastygł w bezruchu w pół kroku. Powinni przecież przysłać oficera, zreflektował się. Należy mi się chyba taka grzeczność. Powinien czekać na mnie oficer w mundurze, a nie policjant.

Przy krawężniku stał olbrzymi samochód. Hrabia odczytał napis na klapie bagażnika: „Ford super de luxe". Wcale nie wygląda na forda, pomyślał pułkownik.

O wóz opierał się jakiś rosły mężczyzna wyglądający na policjanta.

– *Herr Graf*? – zapytał mężczyzna z berlińskim akcentem.

Od bardzo dawna nikt się tak do mnie nie zwracał, pomyślał pułkownik.

– *Herr Graf Paul von Greiffenberg*? – powtórzył policjant.

– Tak. To ja.

– Pozwoli pan z nami, panie hrabio.

Opór mijał się z celem. Ich było trzech, a on nie odzyskał jeszcze sił. Hrabia usiadł na tylnym siedzeniu forda. Jeden z policjantów usadowił się obok niego, a dwaj pozostali z przodu. Samochód ruszył z piskiem opon i minął stadion. Policja zawsze jeździ za szybko, pomyślał Greiffenberg.

– Ken, spróbuj, czy da się ich stąd złapać – odezwał się niewątpliwie dowodzący akcją kierowca.

Powiedział to po angielsku i hrabia uświadomił sobie, że słyszy ten język po raz pierwszy od bardzo wielu lat. Mężczyzna siedzący obok kierowcy wyciągnął aparat przypominający z wyglądu telefon.

– Sędzia, Sędzia, tu Baza – powiedział do słuchawki. Słyszysz nas? Odbiór.

– Baza, tu Sędzia. Słyszę was na pięć pięć. Możecie zaczynać.

– Ale numer – rzucił kierowca.

– Sędzia, tu Baza – zaczął policjant z aparatem. – Orzeł w klatce. Powtarzam. Orzeł w klatce. Jedziemy na autostradę.

– Jesteście Amerykanami? – zdziwił się Greiffenberg.

– Tak jest, panie pułkowniku – odpowiedział kierowca. – Jesteśmy Amerykanami i szukaliśmy pana po całym mieście.

Po kilku minutach radio odezwało się ponownie.

– Baza, tu Sędzia. Słyszysz nas?

– Słyszę, odbiór.

– Na autostradzie wyjedzie wam naprzeciw czarny buick roadmaster. Odbiór.

– Potwierdzam. Czarny buick na autostradzie.

– Odbiór. Jak się czuje Orzeł?

– Trochę wyleniały, ale ogólnie w porządku.

– Tu Sędzia. Bez odbioru.

Na autostradzie czekał na nich jeszcze większy pojazd. Wyskoczył z niego mały Żyd, podszedł do forda i otworzył drzwi. Hrabia wysunął głowę na zewnątrz.

– Nazywam się Felter – przedstawił się mężczyzna. – Na prośbę pańskiego towarzysza broni przejmuję opiekę nad panem pułkownikiem. Szukaliśmy pana po całym mieście, sir.

– Kto to jest? – zapytał sztywno hrabia. – Jaki stary towarzysz broni?

– Pułkownik Robert Bellmon – odparł mały oficer.

Greiffenberg wyprostował się. A więc Bellmonowi też się udało!

– To bardzo miło ze strony pana pułkownika – odrzekł von

Greiffenberg. – Jeżeli miałbym jednak możliwość wyboru, to wolałbym jechać do Marburga.

– Jeżeli ma pan ochotę, to proszę bardzo. Mam samochód – stwierdził Felter.

Greiffenberg nie przywykł jeszcze do tego, że znów jest panem swojej woli.

– Dobrze – zgodził się.

Buick roadmaster był największym samochodem, jaki pułkownik widział w życiu. Miękkość siedzeń do złudzenia przypominała kanapę.

– Mógłbym dowiedzieć się, dokąd mnie pan zabiera?

– Do zamku Kronberg. Czeka tam na pana pułkownik Bellmon wraz z paroma osobami.

– Co to za osoby?

Mały Żyd zbył to pytanie milczeniem.

– Będziemy na miejscu za mniej więcej godzinę – oznajmił.

Von Greiffenberg zasnął na tylnym siedzeniu.

Poprzednim razem hrabia przebywał na zamku z okazji bankietu wydanego przez księcia Filipa Heskiego, i w ogóle nie zdziwiło go, że budowlę przejęli Amerykanie. Sądząc po kręcących się tam oficerach, pułkownik domyślił się, że zaadaptowali oni zamek na swego rodzaju sanatorium dla wyższych oficerów.

Felter otworzył mu drzwi i wprowadził do środka.

– Proszę łaskawie za mną – dodał.

Wnętrze pałacu dorównywało przepychem wyposażenia czasom największej świetności.

– Może pan pułkownik zechce tu na chwilę usiąść, a ja poszukam gospodarza – stwierdził Felter, wskazując Greiffenbergowi fotel.

– Proszę podawać temu dżentelmenowi wszystko, co zamówi – dodał do przechodzącego obok kelnera.

– Czym mogę służyć? – Kelner podszedł do hrabiego.

– Dziękuję – odparł hrabia. – Myślę, że się po prostu przejdę, jeśli można.

– Oczywiście, proszę pana.

Greiffenberg wszedł do pokoju, w którym dawniej mieściła się biblioteka. Ku jego zdumieniu była ona tam nadal, a przez szklane drzwi tak jak przed wojną widać było trawniki porastające okoliczne pagórki. Hrabia przystanął obok okna i sycił wzrok widokiem rodzinnych stron.

Nieoczekiwanie spostrzegł Bellmona, który rozgrywał partyjkę golfa z jakimś rosłym młodzieńcem. Hrabiego przewrotnie cieszyło, że mężczyzna, który go tu przywiózł, ma kłopoty ze znalezieniem pułkownika. Zastanowiło go nawet, czy nie powinien po prostu wyjść przez oszklone drzwi i podejść do zajętej grą dwójki. Ostatecznie doszedł jednak do wniosku, że nie wypada. Jakkolwiek na to patrzeć, był przecież gościem Bellmona.

W polu widzenia pojawił się również mały blondynek, którym zajmowała się jakaś kobieta w mundurze pielęgniarki, oraz młoda blondynka. Pewnie matka tego maleństwa, domyślił się. Wyglądała za młodo na żonę generała, ale strój i biżuteria jasno wskazywały na to, że jej mąż nie może być młodszym oficerem.

Chyba że jest związana z tym młodzieńcem, który gra w golfa z pułkownikiem, zawyrokował hrabia. Widać po nim bogactwo i pochodzenie.

Wtem na trawniku pojawił się Żyd i szybkim krokiem podszedł do Bellmona. Pułkownik rzucił kij golfowy i ruszył w stronę pałacu, a młodzieniec podbiegł do kobiety i oboje również skierowali się w tę samą stronę. To pewnie syn i córka Bellmona, stwierdził Greiffenberg.

Odwrócił się i stanął twarzą do drzwi, w których spodziewał się ujrzeć Bellmona. Postanowił, że nie da ponieść się emocjom i będzie sobą; oficerem i dżentelmenem. Bellmon wpadł do pomieszczenia, dostrzegł hrabiego i rozpoznał go od pierwszego wejrzenia. Greiffenberg był tego pewien, ale nie rozumiał, dlaczego ten nie podszedł do niego.

Wyglądam aż tak źle? – pomyślał.

Za pułkownikiem do pokoju weszła młoda kobieta z dzieckiem na ręku. Podała chłopca przystojnemu, młodemu mężczyźnie, przeszła na drugą stronę pokoju i spojrzała hrabiemu prosto w oczy.

– Tata? – zapytała.

***

25. 06. 1950 r. około godziny 5.00 Koreańczycy obudzili majora George'a D. Kesslera, przydzielonego przez Grupę Amerykańskich Doradców Wojskowych do 10. Pułku Piechoty rozlokowanego w Samchok, i poinformowali go, że na linii 36. równoleżnika rozpoczął się zmasowany atak sił północnokoreańskich.

Amerykańskie Wojska Lądowe
w Wojnie Koreańskiej, tom 1, str. 27
Zarząd Departamentu Historii
Wojskowości Sił Lądowych Stanów Zjednoczonych,
Waszyngton 1961.